MECÂNICA QUÂNTICA 2e

DAVID J.
GRIFFITHS

MECÂNICA QUÂNTICA

2e

DAVID J. GRIFFITHS
REED COLLEGE

Tradução:
Lara Freitas

Revisão Técnica:
Marcelo Mulato
Professor Associado do Departamento
de Física da Faculdade de Filosofia,
Ciências e Letras de Ribeirão Preto
da Universidade de São Paulo – USP

Pearson

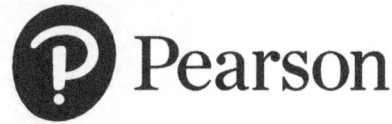

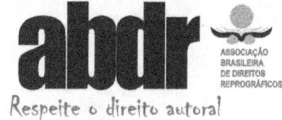

©2011 by Pearson Education do Brasil.
© 2005, 1995 Pearson Education, Inc.
Todos os direitos reservados. Nenhuma parte desta publicação poderá ser reproduzida ou transmitida de qualquer modo ou por qualquer outro meio, eletrônico ou mecânico, incluindo fotocopia, gravação ou qualquer outro tipo de sistema de armazenamento e transmissão de informação, sem previa autorização, por escrito, da Pearson Education do Brasil.

Diretor editorial: Roger Trimer
Gerente editorial: Sabrina Cairo
Editor de aquisição: Vinicius Souza
Coordenadora de produção editorial: Thelma Babaoka
Editora de texto: Sabrina Levensteinas
Preparação: Beatriz R. Garcia
Revisão: Erika Alonso e Tatiana Lonardi
Capa: Alexandre Mieda
Diagramação: Globaltec Artes Gráficas Ltda.

Dados Internacionais de Catalogação na Publicação (CIP)
(Câmara Brasileira do Livro, SP, Brasil)

Griffiths, David J.
  Mecânica quântica / David J. Griffiths ; tradução Lara Freitas ; revisão técnica Marcelo Mulato. -- 2. ed. -- São Paulo : Pearson Prentice Hall, 2011.

Título original: Introduction to quantum mechanics.

ISBN 978-85-7605-927-1

1. Mecânica 2. Teoria quântica I. Título.

11-03301   CDD-530.1207

Índices para catálogo sistemático:

1. Mecânica quântica : Física : Estudo e ensino   530.1207

Printed in Brazil by Reproset RPPA 224012

Direitos exclusivos cedidos à
Pearson Education do Brasil Ltda.,
uma empresa do grupo Pearson Education
Av. Francisco Matarazzo, 1400,
7º andar, Edifício Milano
CEP 05033-070 - São Paulo - SP - Brasil
Fone: 19 3743-2155
pearsonuniversidades@pearson.com

Distribuição
Grupo A Educação
www.grupoa.com.br
Fone: 0800 703 3444

Sumário

PREFÁCIO viii

PARTE I   TEORIA

1   A FUNÇÃO DE ONDA 1
   1.1   Equação de Schrödinger   1
   1.2   A interpretação estatística   2
   1.3   Probabilidade   4
   1.4   Normalização   9
   1.5   Momento   11
   1.6   O princípio da incerteza   14

2   EQUAÇÃO DE SCHRÖDINGER INDEPENDENTE DO TEMPO 17
   2.1   Estados estacionários   17
   2.2   Poço quadrado infinito   22
   2.3   Oscilador harmônico   30
   2.4   Partícula livre   45
   2.5   Potencial da função delta   52
   2.6   Poço quadrado finito   61

3   FORMALISMO 71
   3.1   Espaço de Hilbert   71
   3.2   Observáveis   74
   3.3   Autofunções de um operador hermitiano   77
   3.4   Interpretação estatística generalizada   81
   3.5   Princípio da incerteza   84
   3.6   Notação de Dirac   91

4 MECÂNICA QUÂNTICA EM TRÊS DIMENSÕES 99
    4.1   Equação de Schrödinger em coordenadas esféricas   99
    4.2   O átomo de hidrogênio   110
    4.3   Momento angular   121
    4.4   Spin   128

5 PARTÍCULAS IDÊNTICAS 147
    5.1   Sistemas de duas partículas   147
    5.2   Átomos   154
    5.3   Sólidos   160
    5.4   Mecânica estatística quântica   169

PARTE II   APLICAÇÕES

6 TEORIA DE PERTURBAÇÃO INDEPENDENTE DO TEMPO 182
    6.1   Teoria de perturbação não degenerada   182
    6.2   Teoria de perturbação degenerada   188
    6.3   A estrutura fina do hidrogênio   195
    6.4   O efeito Zeeman   203
    6.5   Separação hiperfina   209

7 PRINCÍPIO VARIACIONAL 215
    7.1   Teoria   215
    7.2   O estado fundamental do hélio   220
    7.3   Íon de molécula de hidrogênio   224

8 APROXIMAÇÃO WKB 231
    8.1   A região 'clássica'   232
    8.2   Tunelamento   235
    8.3   As fórmulas de conexão   239

9 TEORIA DE PERTURBAÇÃO DEPENDENTE DO TEMPO 249
    9.1   Sistemas de dois níveis   250
    9.2   Emissão e absorção de radiação   257
    9.3   Emissão espontânea   262

10 A APROXIMAÇÃO ADIABÁTICA 271
    10.1   O teorema adiabático   271
    10.2   Fase de Berry   277

11 ESPALHAMENTO 291
    11.1   Introdução   291
    11.2   Análise de ondas parciais   295
    11.3   Mudança de fase   300
    11.4   Aproximação de Born   302

12 EPÍLOGO 312
    12.1   O paradoxo EPR   313
    12.2   Teorema de Bell   314

12.3	Teorema no-clone	318
12.4	O gato de Schrödinger	319
12.5	Paradoxo Zeno quântico	320

APÊNDICE ÁLGEBRA LINEAR 323

A.1	Vetores	323
A.2	Produtos internos	325
A.3	Matrizes	327
A.4	Mudança de base	332
A.5	Autovetores e autovalores	334
A.6	Transformações hermitianas	338

ÍNDICE REMISSIVO 342

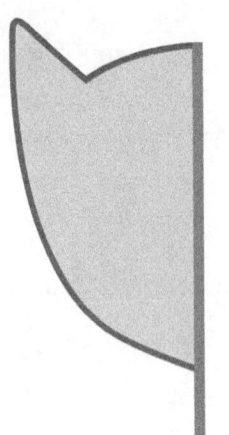

Prefácio

Diferentemente da mecânica de Newton, da eletrodinâmica de Maxwell e da relatividade de Einstein, a teoria quântica não foi criada — nem mesmo determinada definitivamente — por um indivíduo, e carrega, até hoje, cicatrizes dessa empolgante, porém traumática, juventude. Não há consenso geral sobre quais sejam seus princípios fundamentais, ou sobre como deveria ser ensinada e o que realmente 'significa'. Todo físico competente pode 'fazer' mecânica quântica, mas as histórias que contamos a nós mesmos sobre o que estamos fazendo são tantas como as lendas sobre Sherazade, e quase tão improváveis quanto elas. Niels Bohr disse: "se você não fica confuso com física quântica, então a verdade é que não entendeu nada"; Richard Feynman observou: "Creio que posso afirmar com segurança que ninguém entende a mecânica quântica".

O objetivo deste livro é ensinar como *fazer* mecânica quântica. Além de uma base essencial no Capítulo 1, as questões mais profundas e quase filosóficas ficaram guardadas para o final. Não acredito que alguém possa discutir com inteligência o que *significa* mecânica quântica até que tenha uma noção sólida do que a mecânica quântica *faz*. Porém, se você realmente não pode esperar, sem dúvida tem de ler o Epílogo logo que terminar o Capítulo 1.

A teoria quântica não somente é rica conceitualmente, mas também é tecnicamente difícil; e soluções exatas para todos os exemplos, exceto para os mais artificiais, são poucas e esparsas. É primordial desenvolver técnicas especiais para abordar problemas mais realistas. Consequentemente, este livro é dividido em duas partes;[1] a Parte I envolve a teoria básica, e a Parte II reúne um arsenal de métodos de aproximação com aplicações ilustrativas. Embora seja importante manter as duas partes separadas *de forma lógica*, não é necessário estudar o material na ordem apresentada aqui. Alguns professores, por exemplo, podem querer tratar da teoria da perturbação independente do tempo logo após o Capítulo 2.

Este livro se destina a um curso de nível básico ou avançado com uma duração variando de um semestre a um ano. Um curso semestral deverá focar principalmente na Parte I; um curso anual deverá reservar espaço para material complementar, além da Parte II. O leitor deverá estar familiarizado com as primeiras noções de álgebra linear (conforme resumido no Apêndice), números complexos e cálculo de derivadas parciais; alguma familiaridade com a análise de Fourier e com a função delta de Dirac também ajudaria. Mecânica clássica fundamental é essencial, é claro, e um pouco de eletrodinâmica será útil às vezes. Como sempre, quanto mais

---

[1] Essa estrutura foi inspirada no texto clássico de David Park, *Introduction to the Quantum Theory*, 3ª ed., McGraw-Hill, Nova York (1992).

física e matemática você souber, mais fáceis e ágeis serão os estudos. Mas gostaria de enfatizar que a mecânica quântica não é, a meu ver, algo que flua fácil e naturalmente a partir das teorias anteriores. Ao contrário, ela representa uma mudança abrupta e revolucionária das ideias clássicas, suscitando assim uma forma total e radicalmente não intuitiva e nova de se pensar sobre o mundo. Isso, na verdade, é o que torna a mecânica quântica um assunto tão fascinante.

À primeira vista, este livro pode parecer ameaçadoramente matemático. Encontramos polinômios de Legendre, Hermite e Laguerre, harmônicos esféricos, funções de Bessel, Neumann e Hankel, funções de Airy e até a função zeta de Riemann — sem mencionar a transformada de Fourier, os espaços de Hilbert, os operadores hermitianos, os coeficientes Clebsch-Gordan e os multiplicadores de Lagrange. Toda essa bagagem é realmente necessária? Talvez não, porém, a física é como carpintaria: o uso da ferramenta certa torna o trabalho mais *fácil*, não mais difícil, e ensinar mecânica quântica sem o equipamento matemático apropriado é como pedir ao aluno que cave uma fundação usando uma chave de fenda. (Por outro lado, pode ser um tanto tedioso e dispersante se o professor se sentir obrigado a dar lições elaboradas sobre o uso adequado de cada ferramenta. Minha tendência é a de dar pás aos alunos e mandar que cavem. Eles podem ficar com algumas bolhas nas mãos em um primeiro momento, mas ainda acredito que esse é o meio mais eficiente e empolgante de aprender.) De qualquer maneira, posso garantir que não nos *aprofundaremos* em matemática neste livro, e caso você encontre algo não familiar e ache que minha explicação não é adequada, *pergunte* a alguém sobre o assunto, ou pesquise. Há muitos livros bons sobre métodos matemáticos — recomendo Mary Boas, *Mathematical Methods in the Physical Sciences*, 2ª edição, Wiley, Nova York (1983), ou George Arfken e Hans-Jurgen Weber, *Mathematical Methods for Physicists*, 5ª edição, Academic Press, Orlando (2000). Mas, seja lá o que fizer, não deixe que a matemática — que, para nós, é apenas uma *ferramenta* — interfira na física.

Vários leitores têm notado que, neste livro, há menos exemplos trabalhados do que o habitual, e que um pouco do material importante é deixado para os problemas. Não é por acaso. Não acredito que seja possível aprender mecânica quântica sem que se faça vários exercícios. Os professores devem discutir a maior quantidade de problemas possíveis em sala de aula, dentro do tempo disponível, porém, os alunos devem estar cientes de que esse não é um assunto sobre o qual *qualquer pessoa* tem uma intuição natural; você está desenvolvendo toda uma nova série de músculos e simplesmente não há substituto para a calistenia. Mark Semon sugeriu que eu fornecesse um 'Guia Michelin' para os problemas, com várias estrelas indicando níveis de dificuldade e importância. Pareceu uma boa ideia (embora, assim como a qualidade do restaurante, o significado de um problema é particularmente uma questão de gosto); adotei o seguinte esquema de classificação:

* problema *essencial*, que todo leitor deve estudar;
** problema mais difícil ou mais periférico;
*** problema extraordinariamente desafiador, que pode levar mais de uma hora para ser resolvido.

(Nenhuma estrela significa fast food: não há problema se você estiver faminto, mas ele não é muito nutritivo.) A maior parte dos problemas de uma estrela aparece no final de cada seção importante; a maior parte dos problemas de três estrelas está no final do capítulo. O manual com as soluções (somente para professores) pode ser obtido no site de apoio do livro.

Na preparação da segunda edição, tentei manter o espírito da primeira o máximo que pude. A única mudança substancial está no Capítulo 3, que era muito extenso e disperso; ele foi completamente reescrito, e o material de apoio sobre espaços vetoriais de dimensão finita (um tema com o qual a maioria dos estudantes desse nível já estará à vontade) foi transferido para o Apêndice. Acrescentei alguns exemplos no Capítulo 2 (e corrigi a estranha definição sobre operadores de levantamento e abaixamento para o oscilador harmônico). Nos capítulos posteriores, fiz poucas alterações, preservando até mesmo a numeração dos problemas e equações sempre que possível. A abordagem foi aperfeiçoada em algumas partes (por exemplo, a introdução ao momento angular no Capítulo 4 está melhor, há uma demonstração simples do teorema adiabático no Capítulo 10, e uma nova seção sobre as mudanças de fase de ondas parciais no Capítulo 11). Inevitavelmente, a segunda edição é um pouco mais longa do que a primeira, e me arrependo disso, mas espero que ela esteja mais clara e mais acessível.

Tirei proveito dos comentários e conselhos de muitos colegas que, ao lerem o original, apontaram inconsistências (ou erros) na primeira edição, sugeriram melhoramentos na introdução e forneceram problemas interessantes. Gostaria de agradecer especialmente a P. K. Aravind (Worcester Polytech), Greg Benesh (Baylor), David Boness (Seattle), Burt Brody (Bard), Ash Carter (Drew), Edward Chang (Massachusetts), Peter Collings (Swarthmore), Richard Crandall (Reed), Jeff Dunham (Middlebury), Greg Elliot (Puget Sound), John Essick (Reed), Gregg Franklin (Carnegie Mellon), Henry Greenside (Duke), Paul Haines (Dartmouth), J. R. Huddle (Navy), Larry Hunter (Amherst), David Kaplan (Washington), Alex Kuzmich (Georgia Tech), Peter Leung (Portland State), Tony Liss (Illinois), Jeffry Mallow (Chicago Loyola), James McTavish (Liverpool), James Nearing (Miami), Johnny Powell (Reed), Krishna Rajagopal (MIT), Brian Raue (Florida International), Robert Reynolds (Reed), Keith Riles (Michigan), Mark Semon (Bates), Herschel Snodgrass (Lewis and Clark), John Taylor (Colorado), Stavros Theodorakis (Cyprus), A. S. Tremsin (Berkeley), Dan Velleman (Amherst), Nicholas Wheeler (Reed), Scott Willenbrock (Illinois), William Wootters (Williams), Sam Wurzel (Brown) e Jens Zorn (Michigan).

Material de apoio do livro

No Site de Apoio do livro (www.grupoa.com.br), professores podem acessar os seguintes materiais adicionais 24 horas por dia: apresentações em PowerPoint e manual de soluções (em inglês).

Esse material é de uso exclusivo para professores e está protegido por senha. Para ter acesso a ele, os professores que adotam o livro devem entrar em contato através do e-mail divulgacao@grupoa.com.br.

Parte I Teoria

Capítulo 1
A função de onda

1.1 Equação de Schrödinger

Imagine uma partícula de massa m, compelida a se mover sobre o eixo x e sujeita a uma força dada $F(x,t)$ (Figura 1.1). O objetivo da mecânica *clássica* é determinar a posição da partícula em qualquer instante dado: $x(t)$. Com base nessa informação, podemos encontrar a velocidade ($v = dx/dt$), o momento ($p = mv$), a energia cinética ($T = (1/2)mv^2$) ou qualquer outra variável dinâmica de interesse. E como determinamos $x(t)$? Aplicamos a segunda lei de Newton: $F = ma$. (Para sistemas *conservativos* — o único tipo que iremos considerar e, felizmente, o único tipo que *ocorre* em nível microscópico — a força pode ser expressa como a derivada de uma função energia potencial,[1] $F = -\partial V/\partial x$, e assim a lei de Newton se torna $md^2x/dt^2 = -\partial V/\partial x$.) Isso, juntamente a condições iniciais apropriadas (tipicamente, posição e velocidade em $t = 0$), determina $x(t)$.

A mecânica quântica aborda esse mesmo problema de modo muito diferente. Nesse caso, o que buscamos é a **função de onda** da partícula, $\Psi(x,t)$, a qual obtemos ao resolver a **equação de Schrödinger**:

$$i\hbar \frac{\partial \Psi}{\partial t} = -\frac{\hbar^2}{2m}\frac{\partial^2 \Psi}{\partial x^2} + V\Psi. \qquad [1.1]$$

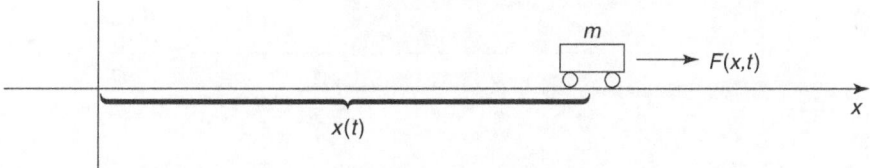

FIGURA 1.1 'Partícula' compelida a se mover em uma dimensão sob a influência de uma dada força.

---

[1] Forças magnéticas são uma exceção, mas não iremos nos preocupar com elas por enquanto. A propósito, devemos pressupor ao longo de todo este livro que a movimentação não é relativística (v ≪ c).

Na equação, *i* é a raiz quadrada de –1, e $\hbar$ é a constante de Planck, ou melhor, sua constante *original* (*h*) dividida por 2π:

$$\hbar = \frac{h}{2\pi} = 1{,}054572 \times 10^{-34} \, \text{J s}. \qquad [1.2]$$

A equação de Schrödinger desempenha um papel logicamente análogo à segunda lei de Newton: dadas condições iniciais apropriadas (tipicamente, $\Psi(x, 0)$), a equação de Schrödinger determina $\Psi(x, t)$ para qualquer instante de tempo futuro, assim como a lei de Newton determina $x(t)$ para qualquer instante de tempo futuro na mecânica clássica.[2]

1.2 A interpretação estatística

Mas o que *é* exatamente essa 'função de onda' e o que ela faz por você quando *obtida*? Afinal, uma partícula, por natureza, está localizada em um ponto, enquanto a função de onda (como seu nome sugere) está distribuída no espaço (é uma função de *x*, para qualquer instante dado *t*). Como tal objeto representa o estado de uma *partícula*? A resposta é fornecida pela **interpretação estatística** de Born sobre a função de onda, em que $|\Psi(x, t)|^2$ é a *probabilidade* de encontrar a partícula no ponto *x*, no instante *t*, ou, mais precisamente,[3]

$$\int_a^b |\Psi(x,t)|^2 \, dx = \begin{Bmatrix} \text{probabilidade de encontrar a partícula} \\ \text{entre } a \text{ e } b \text{ no instante } t. \end{Bmatrix} \qquad [1.3]$$

Probabilidade é a *área* sob o gráfico de $|\Psi|^2$. Para a função de onda na Figura 1.2, é bastante provável que você encontre a partícula nas proximidades do ponto *A*, onde $|\Psi|^2$ é grande, e relativamente *improvável que a encontre* próximo ao ponto *B*.

A interpretação estatística apresenta um tipo de **indeterminação** dentro da mecânica quântica, pois mesmo que você saiba tudo o que a teoria tem a dizer sobre a partícula (isto é, sua função de onda), você não pode prever com exatidão o resultado de um experimento simples para medir sua posição. Tudo o que a mecânica quântica tem a oferecer é informação *estatística* sobre os resultados *possíveis*. Essa indeterminação tem perturbado profundamente tanto físicos quanto filósofos, e é natural questionar se ela é um fato da natureza ou um defeito da teoria.

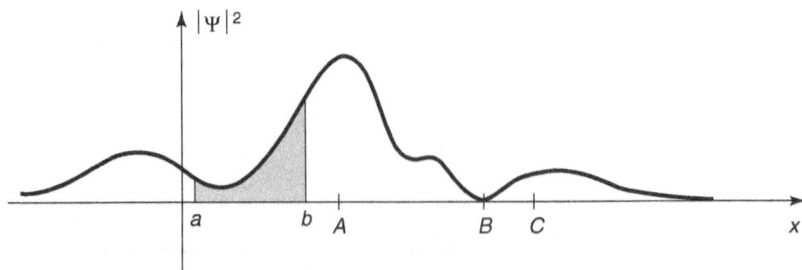

FIGURA 1.2 Função de onda típica. A área sombreada representa a probabilidade de encontrarmos a partícula entre *a* e *b*. A partícula provavelmente seria encontrada próximo a *A*, e, dificilmente, próximo a *B*.

---

2 Para uma explicação agradável, em primeira mão, das origens da equação de Schrödinger, veja o artigo de Felix Bloch em *Physics Today*, dezembro de 1976.

3 A função de onda é complexa, mas $|\Psi|^2 = \Psi^* \Psi$ (onde Ψ^* é o complexo conjugado de Ψ) é real e não negativo, assim como uma probabilidade, é claro, *deve* ser.

Suponha que eu *realmente* meça a posição da partícula e descubra que ela está no ponto C.[4] *Pergunta:* onde estava a partícula *antes* de eu realizar a medida? Há três respostas plausíveis para essa pergunta, e elas servem para distinguir as principais escolas de pensamento relacionadas à indeterminação quântica:

1. A posição **realista**: *a partícula estava em C*. Essa parece ser uma resposta sensata, e foi defendida por Einstein. Note, entretanto, que se isso é verdade, então a mecânica quântica é uma teoria *incompleta*, pois a partícula *realmente estava* em C e, ainda assim, a mecânica quântica não conseguia nos dizer isso. Para o realista, a indeterminação não é um fato da natureza, mas um reflexo de nossa ignorância. Como afirmou d'Espagnat, 'a posição da partícula nunca foi indeterminada, mas, sim, meramente desconhecida pelo experimentador'.[5] Evidentemente, Ψ não engloba tudo; algumas informações extras (conhecidas como **variáveis ocultas**) são necessárias para se ter uma descrição completa da partícula.

2. A posição **ortodoxa**: *a partícula não estava em lugar nenhum*. Foi o ato de medir que forçou a partícula a 'tomar uma decisão' (mas não ousaremos perguntar como e por que ela se decidiu pelo ponto C). Jordan afirmou mais contundentemente: 'As observações não somente *perturbam* o que está para ser medido, mas *produzem* o que está para ser medido... Forçamos (a partícula) a assumir uma posição definida'.[6] Essa visão (chamada de **interpretação de Copenhagen**) está associada a Bohr e seus seguidores. Entre os físicos essa sempre foi a posição mais amplamente aceita. Note, entretanto, que se ela é correta há algo de muito peculiar no ato de medir — algo que mais de meio século de discussões pouco esclareceu.

3. A posição **agnóstica**: *recusa-se a responder*. Isso não é tão tolo quanto parece; afinal, que sentido pode haver em fazer afirmações sobre o estado de uma partícula *antes* de uma medição, quando a única maneira de saber se você está certo é exatamente realizando uma medida e, nesse caso, o resultado não tem nada a ver com o 'antes da medida'? É metafísico (no sentido pejorativo da palavra) preocupar-se com algo que não pode, por natureza, ser testado. Pauli disse: 'Não devemos nos torturar tentando resolver um problema sobre algo que não sabemos se existe ou não, assim como é inútil tentar resolver o antigo problema de quantos anjos cabem sentados na ponta de uma agulha'.[7] Durante décadas, essa foi a posição 'defensiva' adotada pela maior parte dos físicos: eles tentavam vender a resposta ortodoxa, porém, se você fosse persistente, eles recuavam para a resposta agnóstica e encerravam a conversa.

Até muito recentemente, as três posições (realista, ortodoxa e agnóstica) tinham partidários. Mas, em 1964, John Bell surpreendeu a comunidade de físicos ao mostrar que há uma diferença *observável* quer a partícula tivesse uma posição precisa (embora desconhecida) anteriormente à medida, quer não. A descoberta de Bell efetivamente eliminou o agnosticismo como opção viável e transformou em uma questão *experimental* a decisão sobre 1 ou 2 ser a escolha correta. Voltarei a essa história ao final deste livro, quando você terá condições melhores de apreciar o argumento de Bell; por enquanto, é suficiente dizer que os experimentos confirmaram decisivamente a interpretação ortodoxa:[8] uma partícula simplesmente não *tem* uma posição precisa antes da medida, comportando-se quase como as ondas em um lago; é o processo de medida que insiste em um determinado número e, assim, de certa maneira, *cria* o resultado específico, limitado apenas pela ponderação estatística imposta pela função de onda.

---

[4] Claro que nenhum instrumento de medida é perfeitamente preciso; o que *quero dizer* é que a partícula foi encontrada *nas proximidades* de C, dentro das tolerâncias do instrumento.

[5] Bernard d'Espagnat, 'The Quantum Theory and Reality' (Scientific American, novembro de 1979, p. 165).

[6] Citado em um fascinante artigo de N. David Mermin, 'Is the moon there when nobody looks?' (*Physics Today*, abril de 1985, p. 38).

[7] Citado por Mermin (nota de rodapé 6), p. 40.

[8] Essa afirmação é um pouco forte demais. Restam algumas lacunas teóricas e experimentais, algumas das quais devo discutir no Epílogo. Existem teorias de variáveis ocultas não locais (especialmente de David Bohm), e outras formulações (como a interpretação dos **muitos mundos**) que não se encaixam corretamente em nenhuma das minhas três categorias. Mas acho que é sensato, pelo menos do ponto de vista pedagógico, adotar um programa claro e coerente nessa fase e se preocupar com as alternativas mais tarde.

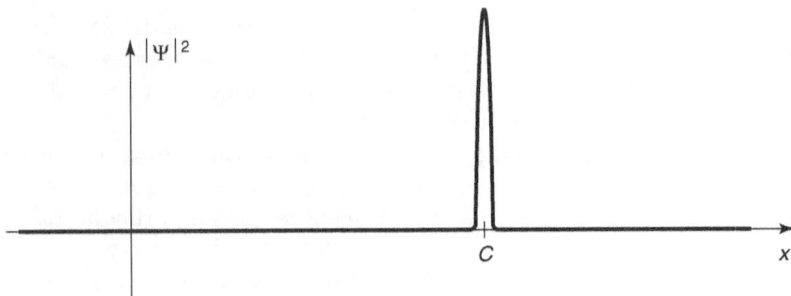

FIGURA 1.3 Colapso da função de onda: representação de $|\Psi|^2$ imediatamente *após* uma medida ter encontrado a partícula no ponto C.

E se eu fizesse uma *segunda* medida, *imediatamente* após a primeira? Obteria como resultado C novamente ou o ato de medir nos daria um número completamente novo a cada vez? Nessa questão, todos concordam: uma medida repetitiva (da mesma partícula) deve resultar sempre no mesmo valor. Na verdade, seria difícil provar que a partícula foi realmente encontrada em C no primeiro momento se isso não puder ser confirmado por uma repetição imediata da medição. Como a interpretação ortodoxa explica o fato de que a segunda medida está condicionada a repetir o valor C? Evidentemente, a primeira medida altera de forma radical a função de onda, de modo que agora ela é um pico estreito centrado em C (Figura 1.3). Dizemos que a função de onda **colapsa**, por ação da medida, em um pico no ponto C (e logo se dispersa novamente, de acordo com a equação de Schrödinger, e, portanto, a segunda medida deve ser feita rapidamente). Há, então, dois tipos completamente distintos de processos físicos: os 'comuns', nos quais a função de onda evolui lentamente regida pela equação de Schrödinger, e a 'medida', na qual Ψ colapsa súbita e descontinuamente.[9]

1.3 Probabilidade

1.3.1 Variáveis discretas

Por causa da interpretação estatística, a probabilidade desempenha um papel central na mecânica quântica; por isso, abrirei aqui um parênteses para uma breve discussão sobre teoria da probabilidade. Trata-se, acima de tudo, de uma questão de introduzir algumas notações e terminologias, e o farei no contexto de um exemplo simples.

Imagine uma sala com catorze pessoas, cujas idades são as seguintes:

uma pessoa com 14 anos;

uma pessoa com 15 anos;

três pessoas com 16 anos;

duas pessoas com 22 anos;

duas pessoas com 24 anos;

cinco pessoas com 25 anos.

---

[9] O papel da medida na mecânica quântica é tão importante e bizarro que você pode estar pensando em que precisamente *consiste* uma medida. Tem a ver com a interação entre um sistema (quântico) microscópico e um aparelho (clássico) de medida macroscópica (como Bohr insistiu), ou é caracterizada por deixar um 'registro' permanente (conforme alegava Heisenberg), ou, ainda, envolve a intervenção de um 'observador' consciente (como propôs Wigner)? Voltarei a essa difícil questão no Epílogo; por enquanto, trabalharemos com uma visão simples: uma medida é o tipo de coisa que um cientista faz no laboratório, com réguas, cronômetros, contadores Geiger, entre outros.

Se $N(j)$ representa o número de pessoas com idade j, então

$N(14) = 1,$
$N(15) = 1,$
$N(16) = 3,$
$N(22) = 2,$
$N(24) = 2,$
$N(25) = 5,$

enquanto $N(17)$, por exemplo, é zero. O número *total* de pessoas na sala é

$$N = \sum_{j=0}^{\infty} N(j). \qquad [1.4]$$

(No exemplo, é claro, $N = 14$.) A Figura 1.4 é um histograma dos dados. A seguir, estão algumas perguntas que alguém poderia fazer sobre essa distribuição.

Questão 1. Se você escolher um indivíduo desse grupo aleatoriamente, qual será a **probabilidade** de que essa pessoa tenha 15 anos? *Resposta:* uma chance em 14, uma vez que há 14 possibilidades, todas igualmente prováveis, das quais apenas uma tem a idade desejada. Se $P(j)$ é a probabilidade de encontrar a idade j, então $P(14) = 1/14$, $P(15) = 1/14$, $P(16) = 3/14$, e assim por diante. Em geral,

$$P(j) = \frac{N(j)}{N}. \qquad [1.5]$$

Note que a probabilidade de obter *tanto* 14 *quanto* 15 é a *soma* das probabilidades individuais (nesse caso, 1/7). Em particular, a soma de *todas* as probabilidades é 1 — você *certamente* obterá *alguma* idade:

$$\sum_{j=0}^{\infty} P(j) = 1. \qquad [1.6]$$

Questão 2. Qual é a idade **mais provável**? *Resposta:* 25, obviamente. Cinco pessoas têm a mesma idade, considerando que, no máximo, três têm qualquer outra idade. Em geral, a j mais provável é a j para a qual $P(j)$ é o máximo.

Questão 3. Qual é a idade **mediana**? *Resposta:* 23, pois 7 pessoas têm menos de 23 anos, e 7 têm mais. (Em geral, a mediana é o valor de j tal que a probabilidade de obter um resultado maior é a mesma que a probabilidade de obter um resultado menor.)

Questão 4. Qual é a idade **média**? *Resposta:*

$$\frac{(14) + (15) + 3(16) + 2(22) + 2(24) + 5(25)}{14} = \frac{294}{14} = 21.$$

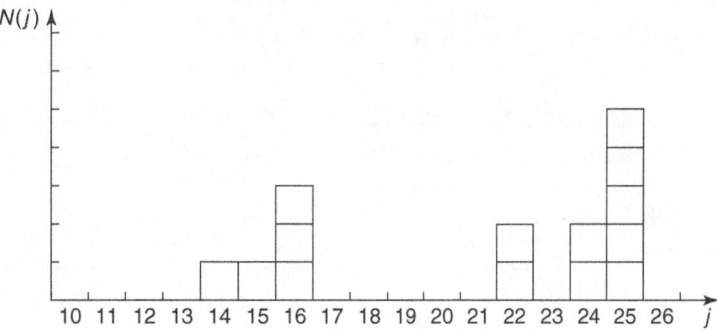

FIGURA 1.4 Histograma mostrando o número de pessoas, $N(j)$, com idade j, para a distribuição na Seção 1.3.1.

Em geral, o valor médio de j (o qual escrevemos assim: $\langle j \rangle$) é

$$\langle j \rangle = \frac{\sum jN(j)}{N} = \sum_{j=0}^{\infty} jP(j). \qquad [1.7]$$

Note que não há, necessariamente, alguém com a idade média ou mediana. Nesse exemplo, ninguém tem 21 ou 23 anos. Na mecânica quântica, a média é, geralmente, a quantidade de interesse; nesse contexto, ela é chamada de **valor esperado**. É um termo equivocado, pois sugere que esse valor seria o resultado mais provável se você fizesse uma única medida (que seria o *valor mais provável*, e não o valor médio); porém, temo que estejamos presos a ele.

Questão 5. Qual é a média dos *quadrados* das idades? *Resposta:* pode-se obter $14^2 = 196$, com probabilidade 1/14 ou $15^2 = 225$, com probabilidade 1/14, ou $16^2 = 256$, com probabilidade 3/14, e assim por diante. Então, a média é

$$\langle j^2 \rangle = \sum_{j=0}^{\infty} j^2 P(j). \qquad [1.8]$$

Em geral, o valor médio de alguma *função* de j é dado por

$$\langle f(j) \rangle = \sum_{j=0}^{\infty} f(j)P(j). \qquad [1.9]$$

(As equações 1.6, 1.7 e 1.8 são, se você preferir, casos especiais dessa fórmula.) *Atenção:* a média dos quadrados, $\langle j^2 \rangle$, *não* é igual, em geral, ao quadrado da média, $\langle j \rangle^2$. Por exemplo, se a sala contém somente dois bebês, com idades de 1 e 3 anos, então $\langle x^2 \rangle = 5$, mas $\langle x \rangle^2 = 4$.

Mas há uma diferença visível entre os dois histogramas na Figura 1.5, embora ambos tenham a mesma mediana, a mesma média, o mesmo valor mais provável e o mesmo número de elementos: o primeiro é estreito e restrito ao entorno do valor médio, enquanto o segundo é largo e achatado. (O primeiro poderia representar o perfil de idades de estudantes em uma sala de aula de uma metrópole, e o segundo, talvez, uma escola rural com apenas uma sala.) Precisamos de uma medida numérica da largura de uma distribuição em relação à média. A maneira mais óbvia de se fazer isso seria descobrir o quanto cada indivíduo desvia da média,

$$\Delta j = j - \langle j \rangle, \qquad [1.10]$$

e calcular a média de Δj. O problema, obviamente, é que se obtém *zero*, pois, por natureza da média, Δj é negativa e positiva com a mesma frequência:

$$\begin{aligned}\langle \Delta j \rangle &= \sum (j - \langle j \rangle)P(j) = \sum jP(j) - \langle j \rangle \sum P(j) \\ &= \langle j \rangle - \langle j \rangle = 0.\end{aligned}$$

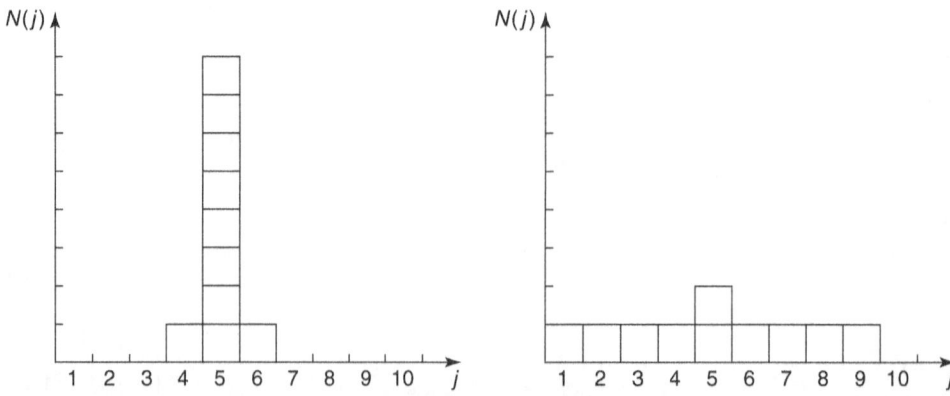

FIGURA 1.5 Dois histogramas com a mesma mediana, mesma média e mesmo valor mais provável, mas desvios-padrão diferentes.

(Note que $\langle j \rangle$ é constante, não muda conforme você passa de um membro do exemplo a outro, e por isso pode ser tirado do somatório.) Para evitar esse problema irritante, você pode fazer a média do *valor absoluto* de Δj. Porém, os valores absolutos são desagradáveis de se trabalhar; então contornamos o problema *elevando ao quadrado* antes de fazer a média:

$$\sigma^2 \equiv \langle (\Delta j)^2 \rangle. \qquad [1.11]$$

Essa quantidade é conhecida como **variância** da distribuição; σ propriamente (a raiz quadrada da média dos quadrados do desvio da média — ui!) é chamada de **desvio-padrão**. Esta última é a medida usual da largura da distribuição em torno do ponto médio $\langle j \rangle$.

Há um teorema útil sobre variâncias:

$$\begin{aligned}\sigma^2 &= \langle (\Delta j)^2 \rangle = \sum (\Delta j)^2 P(j) = \sum (j - \langle j \rangle)^2 P(j) \\ &= \sum (j^2 - 2j\langle j \rangle + \langle j \rangle^2) P(j) \\ &= \sum j^2 P(j) - 2\langle j \rangle \sum j P(j) + \langle j \rangle^2 \sum P(j) \\ &= \langle j^2 \rangle - 2\langle j \rangle \langle j \rangle + \langle j \rangle^2 = \langle j^2 \rangle - \langle j \rangle^2. \end{aligned}$$

Tirando a raiz quadrada, o desvio-padrão pode ser escrito da seguinte forma:

$$\sigma = \sqrt{\langle j^2 \rangle - \langle j \rangle^2}. \qquad [1.12]$$

Na prática, essa é uma maneira muito mais rápida de obter σ: simplesmente calcule $\langle j^2 \rangle$ e $\langle j \rangle^2$, subtraia e tire a raiz quadrada. A propósito, alertei anteriormente que $\langle j^2 \rangle$ não é, normalmente, igual a $\langle j \rangle^2$. Sendo que σ^2 é claramente não negativo (como vimos na Equação 1.11), a Equação 1.12 implica que

$$\langle j^2 \rangle \geq \langle j \rangle^2, \qquad [1.13]$$

e as duas são iguais somente quando $\sigma = 0$, isto é, para distribuições sem nenhuma dispersão (todos os membros têm o mesmo valor).

1.3.2 Variáveis contínuas

Até agora, presumi que estamos lidando com uma variável *discreta* — isto é, que pode assumir apenas certos valores isolados (no exemplo, j tem de ser um número inteiro, uma vez que mencionei as idades somente em anos). Mas é simples generalizar para distribuições *contínuas*. Se eu selecionar uma pessoa aleatoriamente na rua, a probabilidade de que ela tenha *precisamente* 16 anos, 4 horas, 27 minutos e 3,333... segundos é *zero*. A única coisa sensata a se dizer é a probabilidade de que a idade dela esteja dentro de algum *intervalo* — digamos, entre 16 e 17 anos. Se o intervalo for suficientemente curto, essa probabilidade é *proporcional ao comprimento do intervalo*. Por exemplo, a probabilidade de que a idade dela esteja entre 16 e 16 e mais *dois* dias é presumivelmente duas vezes a probabilidade de que esteja entre 16 e 16 e mais *um* dia. (A menos que, suponho, tenha havido uma explosão de bebês há 16 anos, naquele exato mesmo dia — caso em que, simplesmente, teríamos escolhido um intervalo muito longo para que a regra se aplicasse. Se a explosão de bebês durou seis horas, escolheremos intervalos de um segundo ou menos, somente por garantia. Tecnicamente, estamos falando de intervalos *infinitesimais*.) Portanto,

$$\left\{\begin{array}{l}\text{probabilidade de que um indivíduo (escolhido} \\ \text{aleatoriamente) esteja entre } x \text{ e } (x+dx)\end{array}\right\} = \rho(x)dx. \qquad [1.14]$$

O fator de proporcionalidade, $\rho(x)$, é muitas vezes descuidadamente chamado de 'a probabilidade de obter x', mas essa é uma linguagem imprecisa; um termo melhor seria **densidade de probabilidade**. A probabilidade de que x esteja entre a e b (um intervalo *finito*) é dada pela integral de $\rho(x)$:

$$P_{ab} = \int_a^b \rho(x)dx, \qquad [1.15]$$

$$\langle x \rangle = \int_{-\infty}^{+\infty} x \rho(x)\, dx, \qquad [1.17]$$

e as regras que deduzimos para distribuições discretas se traduzem de forma óbvia:

$$1 = \int_{-\infty}^{+\infty} \rho(x)\, dx, \qquad [1.16]$$

$$\langle x \rangle = \int_{-\infty}^{+\infty} x \rho(x)\, dx, \qquad [1.17]$$

$$\langle f(x) \rangle = \int_{-\infty}^{+\infty} f(x) \rho(x)\, dx, \qquad [1.18]$$

$$\sigma^2 \equiv \langle (\Delta x)^2 \rangle = \langle x^2 \rangle - \langle x \rangle^2. \qquad [1.19]$$

Exemplo 1.1 Suponha que eu jogue uma pedra de um penhasco de altura h. Enquanto ela cai, tiro milhões de fotos em intervalos aleatórios. Em cada foto, meço a distância que a pedra já percorreu. *Pergunta*: qual é a *média* de todas essas distâncias? Isto é, qual é a *média temporal* da distância percorrida?[10]

Resposta: a pedra começa em repouso e toma velocidade enquanto cai; leva mais tempo próxima ao topo e, portanto, a distância média deve ser menor do que $h/2$. Ignorada a resistência do ar, a distância x no instante t é

$$x(t) = \frac{1}{2} g t^2.$$

A velocidade é $dx/dt = gt$, e o tempo total de voo é $T = \sqrt{2h/g}$. A probabilidade de que a câmera dispare no intervalo dt é dt/T e, portanto, a probabilidade de que dada fotografia mostre uma distância no intervalo correspondente dx é

$$\frac{dt}{T} = \frac{dx}{gt} \sqrt{\frac{g}{2h}} = \frac{1}{2\sqrt{hx}} dx.$$

Evidentemente, a *densidade* de probabilidade (Equação 1.14) é

$$\rho(x) = \frac{1}{2\sqrt{hx}}, \qquad (0 \le x \le h)$$

(Fora desse intervalo, é claro, a densidade de probabilidade é zero.)

Podemos verificar esse resultado usando a Equação 1.16:

$$\int_0^h \frac{1}{2\sqrt{hx}} dx = \frac{1}{2\sqrt{h}} (2 x^{1/2}) \Big|_0^h = 1.$$

A distância *média* (Equação 1.17) é

$$\langle x \rangle = \int_0^h x \frac{1}{2\sqrt{hx}} dx = \frac{1}{2\sqrt{h}} \left(\frac{2}{3} x^{3/2} \right) \Big|_0^h = \frac{h}{3},$$

que é um pouco menor que $h/2$, conforme o esperado.

A Figura 1.6 traz a representação de $\rho(x)$. Note que a *densidade* de probabilidade pode ser infinita, embora a probabilidade em si (a *integral* de ρ) deva ser finita (na verdade, menor ou igual a 1).

---

[10] Um estatístico vai reclamar que confundo a média de um *conjunto finito* (um milhão, nesse caso) com a média 'verdadeira' (sobre o contínuo inteiro). Esse pode ser um problema difícil para o experimentador, principalmente quando o conjunto é pequeno, mas minha preocupação, é claro, é com a média verdadeira, para a qual a média do conjunto é supostamente uma boa estimativa.

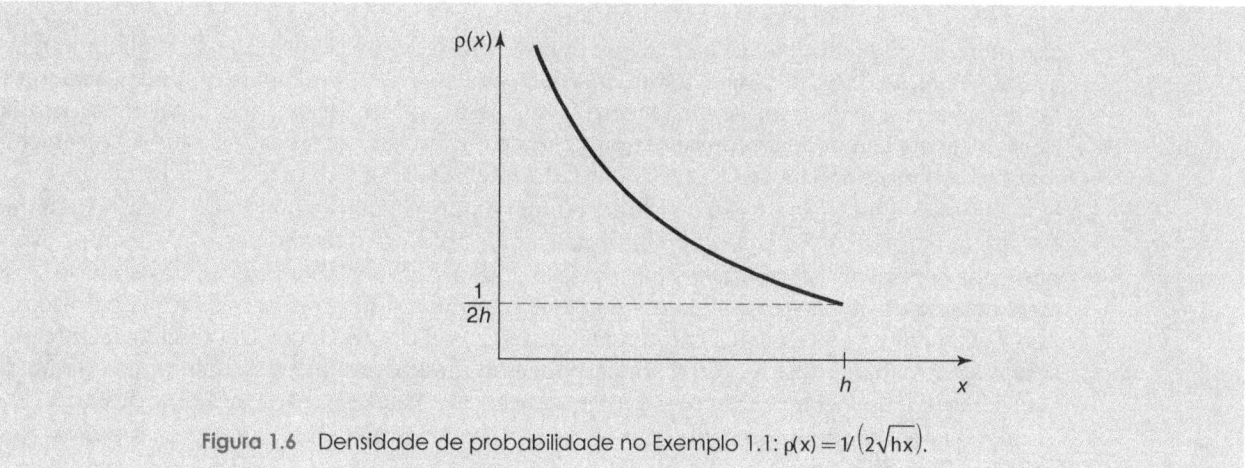

Figura 1.6 Densidade de probabilidade no Exemplo 1.1: $\rho(x) = 1/(2\sqrt{hx})$.

*Problema 1.1 Para a distribuição de idades na Seção 1.3.1:
(a) Calcule $\langle j^2 \rangle$ e $\langle j \rangle^2$.
(b) Determine Δj para cada j e use a Equação 1.11 para calcular o desvio-padrão.
(c) Utilize os resultados em (a) e (b) para verificar a Equação 1.12.

Problema 1.2
(a) Encontre o desvio-padrão da distribuição no Exemplo 1.1.
(b) Qual é a probabilidade de que a fotografia, selecionada aleatoriamente, mostre a distância x mais que um desvio-padrão distante da média?

*Problema 1.3 Considere a distribuição **gaussiana**

$$\rho(x) = Ae^{-\lambda(x-a)^2},$$

onde A, a e λ são constantes reais positivas. (Procure quaisquer integrais de que você precise.)
(a) Use a Equação 1.16 para determinar A.
(b) Encontre $\langle x \rangle$, $\langle x^2 \rangle$ e σ.
(c) Esboce um gráfico de $\rho(x)$.

1.4 Normalização

Voltemos agora à interpretação estatística da função de onda (Equação 1.3), que diz que $|\Psi(x, t)|^2$ é a densidade de probabilidade para encontrar a partícula no ponto x, no tempo t. Acontece (Equação 1.16) que a integral de $|\Psi|^2$ deve ser 1 (a partícula tem que estar em *algum* lugar):

$$\int_{-\infty}^{+\infty} |\Psi(x,t)|^2\, dx = 1. \qquad [1.20]$$

Sem isso, a interpretação estatística não teria sentido.

Entretanto, essa condição não deve perturbá-lo: afinal, supõe-se que a função de onda seja determinada pela equação de Schrödinger, e não podemos impor uma condição alheia à Ψ sem verificar se as duas são consistentes. Bem, uma olhada na Equação 1.1 revela que, se $\Psi(x, t)$ é uma solução, então $A\Psi(x, t)$, em que A é qualquer constante (complexa), também é. Então, o que devemos fazer é escolher esse fator multiplicativo indeterminado para garantir que a Equação 1.20 seja satisfeita. Esse processo é chamado de **normalização** da função de onda. Para algumas soluções da equação de Schrödinger, a integral é *infinita*; nesse caso, *nenhum* fator multiplicativo vai fazer com que seu resultado seja 1. O mesmo vale para a solução trivial $\Psi = 0$. Tais soluções **não normalizáveis** não podem representar partículas e devem ser rejeitadas. Os estados fisicamente realizáveis correspondem às soluções **quadrado-integrável** para a equação de Schrödinger.[11]

Mas espere um pouco! Suponha que eu tenha normalizado a função de onda no instante $t = 0$. Como saber se ela *permanecerá* normalizada, conforme o tempo passa e Ψ evolui? (Você não pode continuar *renormalizando* a função de onda a cada instante porque, desse modo, A se tornaria uma função de t, e assim você não teria mais uma solução para a equação de Schrödinger.) Felizmente, a equação de Schrödinger tem a notável propriedade de automaticamente preservar a normalização da função de onda. Sem essa capacidade importantíssima, a equação de Schrödinger seria incompatível com a interpretação estatística e a teoria inteira se desfaria.

Esse fato é muito importante, por isso é melhor fazermos uma pausa para prová-lo com cuidado. Para começar,

$$\frac{d}{dt}\int_{-\infty}^{+\infty}|\Psi(x,t)|^2\,dx = \int_{-\infty}^{+\infty}\frac{\partial}{\partial t}|\Psi(x,t)|^2\,dx. \qquad [1.21]$$

(Note que a *integral* é uma função somente de t, portanto, uso uma derivada *total* (d/dt) na primeira expressão, mas o *integrando* é uma função de x, bem como de t, e, portanto, uso uma derivada *parcial* ($\partial/\partial t$) na segunda.) Pela regra do produto,

$$\frac{\partial}{\partial t}|\Psi|^2 = \frac{\partial}{\partial t}(\Psi^*\Psi) = \Psi^*\frac{\partial \Psi}{\partial t} + \frac{\partial \Psi^*}{\partial t}\Psi. \qquad [1.22]$$

Agora a equação de Schrödinger diz que

$$\frac{\partial \Psi}{\partial t} = \frac{i\hbar}{2m}\frac{\partial^2 \Psi}{\partial x^2} - \frac{i}{\hbar}V\Psi, \qquad [1.23]$$

e também (tomando o complexo conjugado da Equação 1.23)

$$\frac{\partial \Psi^*}{\partial t} = -\frac{i\hbar}{2m}\frac{\partial^2 \Psi^*}{\partial x^2} + \frac{i}{\hbar}V\Psi^*, \qquad [1.24]$$

portanto,

$$\frac{\partial}{\partial t}|\Psi|^2 = \frac{i\hbar}{2m}\left(\Psi^*\frac{\partial^2 \Psi}{\partial x^2} - \frac{\partial^2 \Psi^*}{\partial x^2}\Psi\right) = \frac{\partial}{\partial x}\left[\frac{i\hbar}{2m}\left(\Psi^*\frac{\partial \Psi}{\partial x} - \frac{\partial \Psi^*}{\partial x}\Psi\right)\right]. \qquad [1.25]$$

A integral na Equação 1.21 pode agora ser calculada explicitamente:

$$\frac{d}{dt}\int_{-\infty}^{+\infty}|\Psi(x,t)|^2\,dx = \frac{i\hbar}{2m}\left(\Psi^*\frac{\partial \Psi}{\partial x} - \frac{\partial \Psi^*}{\partial x}\Psi\right)\bigg|_{-\infty}^{+\infty}. \qquad [1.26]$$

Porém $\Psi(x, t)$ deve ir a zero quando x vai a ($\pm$) infinito. Caso contrário, a função de onda não seria normalizável.[12] Segue que

$$\frac{d}{dt}\int_{-\infty}^{+\infty}|\Psi(x,t)|^2\,dx = 0, \qquad [1.27]$$

---

11 Evidentemente, $\Psi(x,t)$ deve ir a zero mais rapidamente do que $1/\sqrt{|x|}$, sendo $|x| \to \infty$. A propósito, a normalização corrige somente o *módulo* de A; a *fase* continua indeterminada. Entretanto, como veremos adiante, esta última não tem significado físico nenhum.

12 Um bom matemático pode fornecer contraexemplos patológicos, mas eles não surgem na física; para nós, a função de onda *sempre* vai a zero no infinito.

e, portanto, que a integral é *constante* (independente do tempo); se Ψ é normalizada em $t = 0$, ela *permanece* normalizada em qualquer instante futuro. QED (quot erat demonstrandum: CQD — como queríamos demonstrar)

Problema 1.4 No instante $t = 0$, uma partícula é representada pela função de onda

$$\Psi(x,0) = \begin{cases} A\dfrac{x}{a}, & \text{se } 0 \leq x \leq a, \\ A\dfrac{(b-x)}{(b-a)}, & \text{se } a \leq x \leq b, \\ 0, & \text{caso contrário,} \end{cases}$$

onde A, a e b são constantes.

(a) Normalize Ψ (isto é, encontre A, em termos de a e b).
(b) Esboce $\Psi(x, 0)$ como uma função de x.
(c) Onde é mais provável que a partícula seja encontrada, em $t = 0$?
(d) Qual é a probabilidade de encontrar a partícula à esquerda de a? Verifique seu resultado nos casos limites $b = a$ e $b = 2a$.
(e) Qual é o valor esperado de x?

*Problema 1.5 Considere a função de onda

$$\Psi(x, t) = Ae^{-\lambda|x|}e^{-i\omega t},$$

onde A, λ e ω são constantes reais positivas. (Veremos no Capítulo 2 qual potencial (V) realmente produz tal função de onda.)

(a) Normalize Ψ.
(b) Determine o valor esperado de x e x^2.
(c) Encontre o desvio-padrão de x. Esboce o gráfico de $|\Psi|^2$ como função de x e marque os pontos $(\langle x \rangle + \sigma)$ e $(\langle x \rangle - \sigma)$ para ilustrar o sentido em que σ representa o 'espalhamento' em x. Qual é a probabilidade de que a partícula seja encontrada fora desse intervalo?

1.5 Momento

Para uma partícula no estado Ψ, o valor esperado de x é

$$\langle x \rangle = \int_{-\infty}^{+\infty} x |\Psi(x,t)|^2 \, dx. \qquad [1.28]$$

O que isso significa exatamente? Enfaticamente, *não* significa que se você medir a posição de uma partícula repetidas vezes $\int x |\Psi|^2 \, dx$ será a média dos resultados que você obterá. Ao contrário: a primeira medida (cujo resultado é indeterminado) colapsará a função de onda em um pico estreito em torno de um ponto no valor realmente obtido, e as medições subsequentes (se forem feitas rapidamente) simplesmente mostrarão o mesmo resultado. Em vez disso, $\langle x \rangle$ é a média de medições feitas em partículas que *estão todas no estado* Ψ, o que significa que, ou você deve encontrar alguma maneira de retornar a partícula ao seu estado original após cada medida, ou então tem de preparar todo um **conjunto** de partículas, cada uma no mesmo estado Ψ, e medir as posições de todas elas: $\langle x \rangle$ é a média *desses* resultados. (Gosto de imaginar uma fila de garrafas em uma prateleira, cada uma contendo uma partícula no estado Ψ — em relação ao centro da garrafa.) Um estudante com uma régua é designado para cada garrafa e, a um sinal, todos medem as posições de suas respectivas partículas. Então, construímos um histograma com os resultados, que deve corresponder à $|\Psi|^2$, e calculamos a média, que deve concordar com $\langle x \rangle$. (Claro que, usando uma amostra finita, não podemos esperar uma concordância perfeita, mas quanto mais garrafas usarmos, mais próximo disso chegaremos.) Resumindo, *o valor esperado é a média das medidas repetidas em um conjunto de sistemas preparados de maneira idêntica*, não a média de medições repetidas em um mesmo sistema.

Agora, conforme o tempo passa, $\langle x \rangle$ mudará (por causa da dependência do tempo de Ψ) e talvez tenhamos interesse em saber quão rapidamente ele se move. Consultando as equações 1.25 e 1.28 vemos que[13]

$$\frac{d\langle x \rangle}{dt} = \int x \frac{\partial}{\partial t} |\Psi|^2 dx = \frac{i\hbar}{2m} \int x \frac{\partial}{\partial x} \left(\Psi^* \frac{\partial \Psi}{\partial x} - \frac{\partial \Psi^*}{\partial x} \Psi \right) dx. \qquad [1.29]$$

Essa expressão pode ser simplificada se usarmos integração por partes:[14]

$$\frac{d\langle x \rangle}{dt} = -\frac{i\hbar}{2m} \int \left(\Psi^* \frac{\partial \Psi}{\partial x} - \frac{\partial \Psi^*}{\partial x} \Psi \right) dx. \qquad [1.30]$$

(Usei o fato de que $\partial x/\partial x = 1$ e desconsiderei o termo de contorno, baseado no fato de que Ψ vai a zero em ($\pm$) infinito.) Realizando outra integração por partes, no segundo termo, concluímos que:

$$\frac{d\langle x \rangle}{dt} = -\frac{i\hbar}{m} \int \Psi^* \frac{\partial \Psi}{\partial x} dx. \qquad [1.31]$$

O que devemos fazer com o resultado? Note que estamos falando da 'velocidade' do valor *esperado* de x, o que não é a mesma coisa que a velocidade da *partícula*. Nada do que vimos até agora nos permitiria calcular a velocidade de uma partícula. Nem mesmo está claro o que a velocidade *significa* na mecânica quântica: se a partícula não tem uma posição determinada (anterior à medida), também não tem uma velocidade bem definida. A única coisa razoável a fazer seria perguntar-se sobre a *probabilidade* de se obter um determinado valor. Veremos no Capítulo 3 como construir a densidade de probabilidade para velocidade, dada Ψ; para nosso presente propósito, é suficiente postular que o *valor esperado da velocidade será igual à derivada temporal do valor esperado da posição*:

$$\langle v \rangle = \frac{d\langle x \rangle}{dt}. \qquad [1.32]$$

A Equação 1.31 nos mostra, então, como calcular $\langle v \rangle$ diretamente de Ψ.

Na verdade, costuma-se trabalhar com **momento** ($p = mv$) em vez de velocidade:

$$\langle p \rangle = m \frac{d\langle x \rangle}{dt} = -i\hbar \int \left(\Psi^* \frac{\partial \Psi}{\partial x} \right) dx. \qquad [1.33]$$

---

[13] Para evitar que as coisas fiquem muito confusas, suprimirei os limites da integração.

[14] A regra do produto diz que

$$\frac{d}{dx}(fg) = f\frac{dg}{dx} + \frac{df}{dx}g,$$

da qual segue-se que

$$\int_a^b f\frac{dg}{dx} dx = -\int_a^b \frac{df}{dx} g \, dx + fg\Big|_a^b.$$

Sob o sinal da integral, então, você pode encontrar uma derivada de um fator em um produto e transferi-lo para o outro, o que vai lhe custar um sinal de menos, além de fazer você ganhar um termo de contorno.

Permita-me escrever as expressões para $\langle x \rangle$ e $\langle p \rangle$ de maneira mais sugestiva:

$$\langle x \rangle = \int \Psi^*(x)\Psi\, dx, \qquad [1.34]$$

$$\langle p \rangle = \int \Psi^* \left(\frac{\hbar}{i} \frac{\partial}{\partial x} \right) \Psi\, dx. \qquad [1.35]$$

Dizemos que o **operador**[15] x 'representa' posição, e o operador $(\hbar/i)(\partial/\partial x)$ 'representa' momento, na mecânica quântica; para calcular os valores esperados, 'encaixamos' o operador apropriado entre Ψ^* e Ψ, e integramos tudo.

Isso é bonitinho, mas e as outras quantidades? O fato é que *todas* as variáveis dinâmicas clássicas podem ser expressas em termos de posição e momento. A energia cinética, por exemplo, é

$$T = \frac{1}{2}mv^2 = \frac{p^2}{2m},$$

e o momento angular é

$$\mathbf{L} = \mathbf{r} \times m\mathbf{v} = \mathbf{r} \times \mathbf{p}$$

(o último, é claro, não ocorre para movimento em uma dimensão). Para calcular o valor esperado de *qualquer* quantidade, $Q(x, p)$, simplesmente substituímos cada p por $(\hbar/i)(\partial/\partial x)$, inserimos o operador resultante entre Ψ^* e Ψ e integramos:

$$\langle Q(x,p) \rangle = \int \Psi^* Q\left(x, \frac{\hbar}{i} \frac{\partial}{\partial x} \right) \Psi\, dx. \qquad [1.36]$$

Por exemplo, o valor esperado da energia cinética é

$$\langle T \rangle = -\frac{\hbar^2}{2m} \int \Psi^* \frac{\partial^2 \Psi}{\partial x^2}\, dx. \qquad [1.37]$$

A Equação 1.36 é uma receita para calcular o valor esperado de qualquer quantidade dinâmica para uma partícula no estado Ψ; ela contém as equações 1.34 e 1.35 como casos especiais. Nessa seção, tentei fazer a Equação 1.36 parecer plausível, dada a interpretação estatística de Born, mas a verdade é que ela representa um modo tão radicalmente novo de resolver as coisas (se comparada à mecânica clássica) que é uma boa ideia adquirir um pouco de prática *usando-a* antes de retomá-la (no Capítulo 3) e colocá-la em bases teóricas mais firmes. Nesse meio tempo, caso você prefira considerá-la como um *axioma*, por mim, tudo bem.

Problema 1.6 Por que você não pode fazer integração por partes diretamente na expressão do meio na Equação 1.29 (inserir a derivada temporal sobre x, notar que $\partial x/\partial t = 0$ e concluir que $d\langle x \rangle/dt = 0$)?

*Problema 1.7 Calcule $d\langle p \rangle/dt$. Resposta:

$$\frac{d\langle p \rangle}{dt} = \left\langle -\frac{\partial V}{\partial x} \right\rangle. \qquad [1.38]$$

As equações 1.32 (ou a primeira parte da Equação 1.33) e 1.38 são exemplos do **teorema de Ehrenfest**, que nos diz que os *valores esperados obedecem às leis clássicas*.

---

15 Um 'operador' é uma instrução para se *fazer algo* com a função que o segue. O operador de posição indica que a função deve ser *multiplicada* por x; o operador de momento indica que você deve *diferenciá-la* com relação a x (e multiplicar o resultado por $-i\hbar$). Neste livro, *todos* os operadores serão derivativos (d/dt, d^2/dt^2, $\partial^2/\partial x \partial y$ etc.) ou multiplicativos (2, i, x^2 etc.), ou combinações deles.

Problema 1.8 Suponha que você acrescente uma constante V_0 à energia potencial (por 'constante' quero dizer independente de x, bem como de t). Na mecânica *clássica* isso não muda nada, mas e na mecânica *quântica*? Mostre que a função de onda adquire um fator de fase dependente do tempo: $\exp(-iV_0 t/\hbar)$. Que efeito isso tem no valor esperado de uma variável dinâmica?

1.6 O princípio da incerteza

Imagine que você está segurando a ponta de uma corda muito longa e produz uma onda ao chacoalhá-la para cima e para baixo ritmicamente (Figura 1.7). Se alguém perguntar 'onde precisamente *está* a onda?' você vai achar que essa pessoa é meio louca: a onda não está precisamente em lugar *nenhum*. Ela está distribuída por cerca de 45 m ou mais. Mas se essa pessoa perguntar qual é o *comprimento de onda*, você poderia dar uma resposta razoável: algo em torno de 7 m. Por outro lado, se você der um safanão na corda (Figura 1.8), terá um pulso relativamente estreito viajando pela corda. Nesse caso, a primeira questão (onde precisamente está a onda?) faz sentido, e a segunda (qual é o comprimento de onda?) parece sem sentido; já que o pulso não é sequer vagamente periódico, como você poderia determinar um comprimento de onda para ele? Claro que você pode esboçar casos intermediários nos quais a onda está *razoavelmente* bem localizada e o comprimento dela está *razoavelmente* bem definido, mas há um dilema inevitável aqui: quanto mais precisa é a posição da onda, menos preciso é o comprimento de onda e vice-versa.[16] Um teorema na análise de Fourier torna tudo isso rigoroso, mas, por enquanto, me preocupo apenas com o argumento qualitativo.

Isso se aplica, é claro, a *qualquer* fenômeno de onda e, portanto, particularmente à função de onda na mecânica quântica. Agora o comprimento de onda de Ψ está relacionado ao *momento* da partícula pela **fórmula de de Broglie**:[17]

$$p = \frac{h}{\lambda} = \frac{2\pi\hbar}{\lambda}. \qquad [1.39]$$

Desse modo, uma distribuição em *comprimentos de onda* corresponde a uma distribuição do *momento*, e um exame geral diz que quanto mais precisamente determinada for a posição da partícula, menos preciso será seu momento. Quantitativamente,

$$\sigma_x \sigma_p \geq \frac{\hbar}{2}, \qquad [1.40]$$

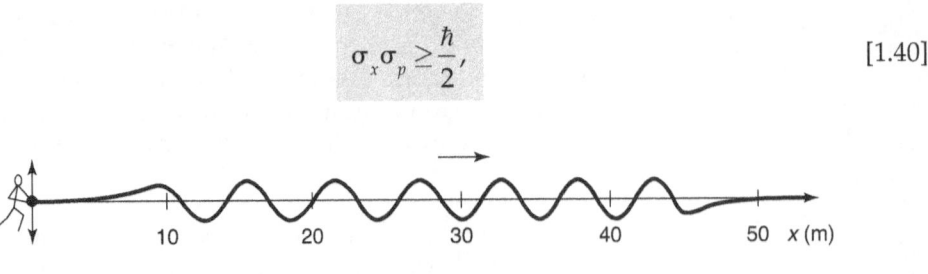

Figura 1.7 Uma onda com um *comprimento* (razoavelmente) bem definido, porém uma *posição* mal definida.

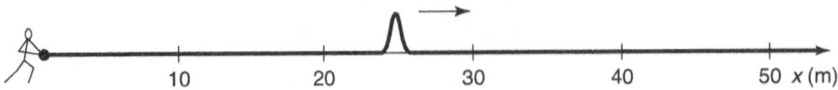

Figura 1.8 Uma onda com *posição* (razoavelmente) bem definida, porém um *comprimento* mal definido.

---

16 É por isso que um flautista tem de estar exatamente no tom, enquanto um contrabaixista pode se dar ao luxo de usar luvas de jardim. Para a flauta, uma nota semifusa contém muitos ciclos completos, e a frequência (estamos trabalhando nos domínios do tempo agora, em vez do espaço) é bem definida, enquanto para o baixo, em um registro muito inferior, a semifusa contém somente alguns ciclos e tudo que se ouve é um tipo de 'hummmp' sem um tom definido.

17 Provarei isso no devido tempo. Muitos autores tomam a fórmula de de Broglie como um *axioma*, da qual deduzem a associação de momento com o operador $(\hbar/i)(\partial/\partial x)$. Embora seja uma abordagem conceitualmente clara, envolve complicações matemáticas diversas que eu gostaria de deixar para mais tarde.

onde σ_x é o desvio-padrão em x, e σ_p é o desvio-padrão em p. Esse é o famoso **princípio da incerteza** de Heisenberg. (Provaremos isso no Capítulo 3, porém quero mencioná-lo imediatamente para que você possa testá-lo em exemplos no Capítulo 2.)

Entenda o que o princípio da incerteza *significa*: assim como as medidas da posição, as medidas de momento produzirão respostas precisas (a 'distribuição' aqui se refere ao fato de que as medidas em sistemas identicamente preparados não produzem resultados idênticos). Você pode, caso queira, preparar um estado em que medidas repetidas de posição fiquem bem próximas umas das outras (fazendo de Ψ um 'pico' localizado), mas você pagará um preço por isso: medidas de momento nesse estado serão amplamente distribuídas. Ou você pode preparar um estado com um momento reprodutível (tornando Ψ uma longa onda sinusoidal), mas, então, as medidas de posição serão amplamente distribuídas. E, claro, se você estiver de muito mau humor pode criar um estado para o qual nem a posição nem o momento estão bem definidos: a Equação 1.40 é uma *desigualdade*, e não há limite para quão *grandes* σ_x e σ_p podem ser. Apenas construa Ψ com uma linha longa e sinuosa, cheia de curvas e buracos, e nenhuma estrutura periódica.

> ***Problema 1.9*** Uma partícula de massa m está no estado
> $$\Psi(x,t) = Ae^{-a[(mx^2/\hbar)+it]},$$
> onde A e a são constantes reais positivas.
> **(a)** Encontre A.
> **(b)** Para qual função de energia potencial $V(x)$ Ψ satisfaz a equação de Schrödinger?
> **(c)** Calcule o valor esperado de x, x^2, p e p^2.
> **(d)** Encontre σ_x e σ_p. O produto deles é consistente com o princípio da incerteza?

Outros problemas para o Capítulo 1

Problema 1.10 Considere os 25 primeiros dígitos na expansão decimal de π (3, 1, 4, 1, 5, 9, ...).

(a) Se você selecionar um número desse conjunto aleatoriamente, quais as probabilidades de se obter cada um dos 10 dígitos?

(b) Qual é o dígito mais provável? Qual é o dígito médio? Qual é o valor médio?

(c) Encontre o desvio-padrão para essa distribuição.

Problema 1.11 O ponteiro do velocímetro quebrado de um carro está livre para girar, e reflete perfeitamente nas extremidades, de modo que se você empurrá-lo, é igualmente provável que venha a parar em qualquer ângulo entre 0 e π.

(a) Qual é a densidade de probabilidade, $\rho(\theta)$? *Dica:* $\rho(\theta)\,d\theta$ é a probabilidade de que o ponteiro ficará em repouso entre θ e $(\theta+d\theta)$. Represente $\rho(\theta)$ como função de θ, de $-\pi/2$ para $3\pi/2$. (É claro, *parte* do intervalo está excluída e, nele, ρ é zero.) Tenha certeza de que a probabilidade total é 1.

(b) Calcule $\langle\theta\rangle$, $\langle\theta^2\rangle$ e σ para essa distribuição.

(c) Calcule $\langle\operatorname{sen}\theta\rangle$, $\langle\cos\theta\rangle$ e $\langle\cos^2\theta\rangle$.

Problema 1.12 Consideremos o mesmo dispositivo do problema anterior; porém, dessa vez, vamos nos concentrar na coordenada x da ponta do ponteiro — isto é, a 'sombra', ou 'projeção', do ponteiro na linha horizontal.

(a) Qual é a densidade de probabilidade $\rho(x)$? Represente $\rho(x)$ como função de x, de $-2r$ até $+2r$, onde r é o comprimento do ponteiro. Faça com que a probabilidade total seja 1. *Dica:* $\rho(x)dx$ é a probabilidade de que a projeção fique entre x e $(x+dx)$. Você sabe (como vimos no Problema 1.11) a probabilidade de que θ esteja em dado intervalo. A pergunta é: qual intervalo dx corresponde ao intervalo $d\theta$?

(b) Calcule $\langle x\rangle$, $\langle x^2\rangle$ e σ para essa distribuição. Explique como você poderia obter esses resultados da parte (c) do Problema 1.11.

****Problema 1.13 Agulha de Buffon.** Uma agulha de comprimento l é derrubada aleatoriamente sobre uma folha de papel com pautas paralelas espaçadas de uma distância l. Qual é a probabilidade de que a agulha cruze uma linha? *Dica:* consulte o Problema 1.12.

Problema 1.14 Seja $P_{ab}(t)$ a probabilidade de encontrar uma partícula no intervalo $(a < x < b)$, no instante t.

(a) Mostre que
$$\frac{dP_{ab}}{dt} = J(a,t) - J(b,t),$$
onde
$$J(x,t) \equiv \frac{i\hbar}{2m}\left(\Psi\frac{\partial\Psi^*}{\partial x} - \Psi^*\frac{\partial\Psi}{\partial x}\right).$$

Quais são as unidades de $J(x, t)$? *Observação:* J é chamada de **corrente de probabilidade**, pois estabelece a taxa com que a probabilidade 'flui' através do ponto x. Se $P_{ab}(t)$ aumenta, então mais probabilidade está fluindo para dentro da região em uma extremidade do que está fluindo para fora na outra.

(b) Encontre a corrente de probabilidade para a função de onda no Problema 1.9. (Não acho que esse exemplo seja muito bom; encontraremos outros mais instrutivos oportunamente.)

Problema 1.15 Suponha que você queira descrever uma **partícula instável** que espontaneamente se desintegre com um 'tempo de vida' τ. Nesse caso, a probabilidade total de encontrar a partícula em algum lugar *não* deveria ser constante, mas deveria diminuir a uma (digamos) razão exponencial:

$$P(t) \equiv \int_{-\infty}^{+\infty} |\Psi(x,t)|^2 \, dx = r^{-t/\tau}.$$

Uma maneira rudimentar de obter esse resultado é a seguinte: na Equação 1.24 presumimos tacitamente que V (a energia potencial) é *real*. O que certamente é razoável, mas conduz à 'conservação da probabilidade' consagrada na Equação 1.27. E se supusermos para V uma parte imaginária:

$$V = V_0 - i\Gamma,$$

onde V_0 é a energia potencial verdadeira e Γ é uma constante real positiva?

(a) Mostre que (no lugar da Equação 1.27) agora obtemos

$$\frac{dP}{dt} = -\frac{2\Gamma}{\hbar} P.$$

(b) Determine $P(t)$ e encontre o tempo de vida da partícula em termos de Γ.

Problema 1.16 Mostre que

$$\frac{d}{dt} \int_{-\infty}^{\infty} \Psi_1^* \Psi_2 \, dx = 0$$

para quaisquer duas soluções (normalizáveis) da equação de Schrödinger, Ψ_1 e Ψ_2.

Problema 1.17 Uma partícula está representada (no instante $t = 0$) pela função de onda

$$\Psi(x, 0) = \begin{cases} A(a^2 - x^2), & \text{se } -a \leq x \leq +a, \\ 0, & \text{caso contrário.} \end{cases}$$

(a) Determine a constante de normalização A.
(b) Qual é o valor esperado de x (no instante $t = 0$)?
(c) Qual é o valor esperado de p (no instante $t = 0$)? (Note que você *não pode* obtê-lo usando $p = md\langle x \rangle / dt$. Por que não?)
(d) Encontre o valor esperado de x^2.
(e) Encontre o valor esperado de p^2.
(f) Encontre a incerteza em x (σ_x).
(g) Encontre a incerteza em p (σ_p).
(h) Verifique se seus resultados são consistentes com o princípio da incerteza.

Problema 1.18 Em geral, a mecânica quântica é relevante quando o comprimento de onda de de Broglie da partícula em questão (h/p) é maior do que o tamanho característico do sistema (d). Em equilíbrio térmico à temperatura T (Kelvin), a energia cinética média de uma partícula é

$$\frac{p^2}{2m} = \frac{3}{2} k_B T$$

(onde k_B é a constante de Boltzmann) e, portanto, o comprimento de onda típico de de Broglie é

$$\lambda = \frac{h}{\sqrt{3mk_B T}}. \qquad [1.41]$$

O objetivo desse problema é antecipar quais sistemas terão de ser tratados do ponto de vista da mecânica quântica e quais podem tranquilamente ser descritos classicamente.

(a) **Sólidos.** O espaçamento da rede em um sólido típico é de cerca de $d = 0{,}3$ nm. Encontre a temperatura abaixo da qual os *elétrons* livres,[18] em um sólido, são quânticos. Abaixo de qual temperatura é o *núcleo atômico considerado quântico* em um sólido? (Use o sódio como caso típico.) *Conclusão:* os elétrons livres em um sólido são *sempre* quânticos; os núcleos quase *nunca* são quânticos. O mesmo vale para líquidos (para os quais o espaçamento interatômico é quase o mesmo), com exceção do hélio abaixo de 4 K.

(b) **Gases.** Para quais temperaturas os átomos em um gás ideal em pressão P são quânticos? *Dica:* use a lei do gás ideal $(PV = Nk_B T)$ para deduzir o espaçamento interatômico. *Resposta:* $T < (1/k_B)(h^2/3m)^{3/5} P^{2/5}$. Evidentemente (para o gás mostrar comportamento quântico), queremos que m seja o *menor* possível, e P tão *grande* quanto possível. Faça o cálculo numericamente para o hélio à pressão atmosférica. O hidrogênio no espaço sideral (onde o espaçamento intermolecular é de cerca de 1 cm e a temperatura é de 3 K) é quântico?

---

[18] Nos sólidos, os elétrons internos estão ligados a um determinado núcleo, e para eles o tamanho relevante seria o raio do átomo. Mas os elétrons externos não estão ligados, e para eles a distância relevante é o espaçamento da rede. Esse problema se refere aos elétrons *exteriores*.

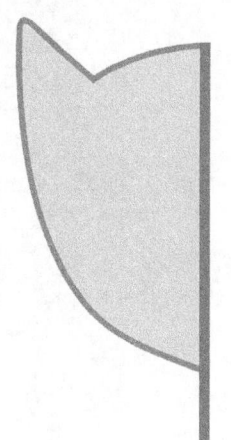

Capítulo 2
Equação de Schrödinger independente do tempo

2.1 Estados estacionários

No Capítulo 1, falamos muito sobre função de onda e sobre como você pode usá-la para calcular várias quantidades de interesse. Chegou o momento de acabar com a procrastinação e enfrentar aquela que é, logicamente, a questão mais importante: como *obter* $\psi(x, t)$ na prática? Precisamos resolver a equação de Schrödinger,

$$i\hbar \frac{\partial \Psi}{\partial t} = -\frac{\hbar^2}{2m}\frac{\partial^2 \Psi}{\partial x^2} + V\Psi, \qquad [2.1]$$

para determinado potencial[1] $V(x, t)$. Neste capítulo (assim como na maior parte deste livro), irei pressupor que V é *independente de t*. Nesse caso, a equação de Schrödinger pode ser resolvida pelo método de **separação de variáveis** (o primeiro método de ataque de um físico a qualquer equação diferencial parcial): buscamos soluções que são *produtos* simples,

$$\Psi(x,t) = \psi(x)\varphi(t), \qquad [2.2]$$

em que ψ (*minúsculo*) é uma função de *x apenas* e φ é uma função somente de *t*. Em princípio, é uma restrição absurda, e não podemos esperar obter mais do que um minissubconjunto de todas as soluções dessa maneira. Mas não desanime, pois as soluções que *obteremos* vêm a ser de grande interesse. Além disso (como tipicamente acontece em casos de separação de variáveis), seremos capazes, no final, de juntar as soluções separáveis de maneira a *construir* uma solução mais geral.

Para soluções separáveis temos

$$\frac{\partial \Psi}{\partial t} = \psi \frac{d\varphi}{dt}, \quad \frac{\partial^2 \Psi}{\partial x^2} = \frac{d^2 \psi}{dx^2}\varphi$$

---

[1] É cansativo continuar dizendo 'função de energia potencial' e, por isso, a maioria das pessoas chama V somente de 'potencial', mesmo que isso provoque uma ocasional confusão com o potencial *elétrico*, o qual, na verdade, é energia potencial *por unidade de carga*.

(agora, derivadas *totais*), e a equação de Schrödinger fica

$$i\hbar\psi\frac{d\varphi}{dt} = -\frac{\hbar^2}{2m}\frac{d^2\psi}{dx^2}\varphi + V\psi\varphi.$$

Ou, dividindo por $\psi\varphi$:

$$i\hbar\frac{1}{\varphi}\frac{d\varphi}{dt} = -\frac{\hbar^2}{2m}\frac{1}{\psi}\frac{d^2\psi}{dx^2} + V. \qquad [2.3]$$

Bem, o lado esquerdo é uma função apenas de t e o lado direito é uma função apenas de x.[2] Isso só pode ser verdade se ambos os lados forem verdadeiramente *constantes*. Caso contrário, pela variação de t, eu poderia modificar o lado esquerdo sem tocar no direito e os dois lados não seriam iguais. (Esse é um argumento sutil, porém crucial; portanto, se é novo para você, faça uma pausa e pense um pouco a respeito.) Por razões que surgirão no momento certo, chamaremos de E a constante de separação. Então

$$i\hbar\frac{1}{\varphi}\frac{d\varphi}{dt} = E,$$

ou

$$\frac{d\varphi}{dt} = -\frac{iE}{\hbar}\varphi, \qquad [2.4]$$

e

$$-\frac{\hbar^2}{2m}\frac{1}{\psi}\frac{d^2\psi}{dx^2} + V = E,$$

ou

$$\boxed{-\frac{\hbar^2}{2m}\frac{d^2\psi}{dx^2} + V\psi = E\psi.} \qquad [2.5]$$

A separação das variáveis transformou uma equação diferencial *parcial* em duas equações diferenciais *ordinárias* (equações 2.4 e 2.5). A primeira (Equação 2.4) é fácil de ser resolvida (basta multiplicar por dt e integrar); a solução geral é $C\exp(-iEt/\hbar)$, mas devemos absorver a constante C em ψ (pois a quantidade de interesse é o produto $\psi\,\varphi$). Então

$$\varphi(t) = e^{-iEt/\hbar}. \qquad [2.6]$$

A segunda (Equação 2.5) é chamada de **equação de Schrödinger independente do tempo**; não podemos seguir adiante até que o potencial $V(x)$ seja especificado.

O restante deste capítulo é dedicado a resolver a equação de Schrödinger independente do tempo para uma variedade de potenciais simples. Mas, antes disso, você tem todo o direito de perguntar: *o que há de tão interessante nessas soluções separáveis?* Afinal, a *maioria* das soluções (*dependentes* do tempo) para a equação de Schrödinger *não* toma a forma $\psi(x)\,\varphi(t)$. Apresento três respostas: duas delas físicas e uma matemática:

1. São **estados estacionários**. Embora a própria função de onda,

$$\Psi(x,t) = \psi(x)e^{-iEt/\hbar}, \qquad [2.7]$$

---
[2] Note que isso *não* seria verdade se V fosse uma função de t e também de x.

Capítulo 2 Equação de Schrödinger independente do tempo   19

dependa (obviamente) de t, a *densidade de probabilidade*,

$$|\Psi(x,t)|^2 = \Psi^*\Psi = \psi^* e^{+iEt/\hbar}\psi e^{-iEt/\hbar} = |\psi(x)|^2, \qquad [2.8]$$

não depende — a dependência do tempo se cancela.[3] O mesmo acontece no cálculo do valor esperado de qualquer variável dinâmica; a Equação 1.36 se reduz a

$$\langle Q(x,p) \rangle = \int \psi^* Q\left(x, \frac{\hbar}{i}\frac{d}{dx}\right)\psi dx. \qquad [2.9]$$

Todo valor esperado é constante no tempo. Podemos também desconsiderar o fator $\varphi(t)$ por completo e simplesmente usar ψ no lugar de Ψ. (Na verdade, é muito comum a referência a ψ como 'a função de onda', porém, essa é uma linguagem vulgar e pode ser perigosa, e é importante lembrar que a *verdadeira* função de onda sempre carrega o fator exponencial dependente do tempo.) Em particular, $\langle x \rangle$ é constante e, portanto (Equação 1.33), $\langle p \rangle = 0$. Nada *acontece* no estado estacionário.

2. São estados de *energia total definida*. Na mecânica clássica, a energia total (cinética mais potencial) é chamada de **Hamiltoniana**:

$$H(x,p) = \frac{p^2}{2m} + V(x). \qquad [2.10]$$

O *operador* Hamiltoniano correspondente, obtido pela substituição canônica $p \to (\hbar/i)(\partial/\partial x)$, é, portanto,[4]

$$\hat{H} = -\frac{\hbar^2}{2m}\frac{\partial^2}{\partial x^2} + V(x). \qquad [2.11]$$

Assim, a equação de Schrödinger independente do tempo (Equação 2.5) pode ser escrita da seguinte forma:

$$\hat{H}\psi = E\psi, \qquad [2.12]$$

e o valor esperado da energia total é

$$\langle H \rangle = \int \psi^*\hat{H}\psi dx = E\int |\psi|^2 dx = E\int |\Psi|^2 dx = E. \qquad [2.13]$$

(Note que a normalização de Ψ implica a normalização de ψ.) Além do mais,

$$\hat{H}^2\psi = \hat{H}(\hat{H}\psi) = \hat{H}(E\psi) = E(\hat{H}\psi) = E^2\psi,$$

e, portanto,

$$\langle \hat{H}^2 \rangle = \int \psi^*\hat{H}^2\psi dx = E^2 \int |\psi|^2 dx = E^2.$$

Logo, a variância de H é

$$\sigma_H^2 = \langle H^2 \rangle - \langle H \rangle^2 = E^2 - E^2 = 0. \qquad [2.14]$$

---

[3] Para soluções normalizáveis, E deve ser *real* (veja o Problema 2.1(a)).

[4] Sempre que parecer confuso, colocarei um 'acento circunflexo' (^) no operador para distingui-lo da variável dinâmica que ele representa.

Mas lembre-se de que, se $\sigma = 0$, então cada membro da amostra deve compartilhar o mesmo valor (a distribuição tem espalhamento nulo). *Conclusão*: uma solução separável tem como propriedade que *toda medição da energia total deve certamente resultar no valor E*. (É por isso que escolhi essa letra para a constante de separação.)

3. A solução geral é uma **combinação linear** de soluções separáveis. Como veremos em breve, a equação de Schrödinger independente do tempo (Equação 2.5) produz uma compilação infinita de soluções ($\psi_1(x)$, $\psi_2(x)$, $\psi_3(x)$, ...), e a cada uma está associado um valor de constante da separação (E_1, E_2, E_3, ...); assim, há uma função de onda diferente para cada **energia permitida**:

$$\Psi_1(x,t) = \psi_1(x)e^{-iE_1 t/\hbar}, \quad \Psi_2(x,t) = \psi_2(x)e^{-iE_2 t/\hbar}, \ldots.$$

Agora (como você mesmo pode verificar facilmente), a equação (*dependente* do tempo) de Schrödinger (Equação 2.1) faz com que qualquer combinação linear[5] de soluções seja também uma solução. Uma vez encontradas as soluções separáveis, podemos imediatamente construir uma solução mais geral, na forma de

$$\Psi(x,t) = \sum_{n=1}^{\infty} c_n \psi_n(x) e^{-iE_n t/\hbar}. \qquad [2.15]$$

Acontece que *toda* solução para a equação de Schrödinger (dependente do tempo) pode ser escrita dessa forma. É simplesmente uma questão de encontrar as constantes corretas (c_1, c_2, ...) para que elas se encaixem às condições iniciais do problema que se tem. Você verá nas próximas seções como tudo isso funciona na prática, e no Capítulo 3 faremos uma descrição em uma linguagem mais formal, mas o principal ponto é: assim que você resolver a equação de Schrödinger *independente* do tempo, estará essencialmente *pronto*; partir dali para a solução geral da equação de Schrödinger *dependente* do tempo é, em princípio, simples e fácil.

Muito já foi visto nas últimas páginas, então me permita recapitular de uma perspectiva um pouco diferente. Aqui está o problema genérico: dado um potencial (independente do tempo) $V(x)$ e a função de onda inicial $\Psi(x, 0)$, você deve calcular a função de onda, $\Psi(x, t)$ para qualquer tempo subsequente t. Para isso, você deve resolver a equação de Schrödinger dependente do tempo (Equação 2.1). A estratégia[6] é primeiro resolver a equação de Schrödinger *independente* do tempo (Equação 2.5); isso produz, em geral, um conjunto infinito de soluções ($\psi_1(x)$, $\psi_2(x)$, $\psi_3(x)$, ...), cada uma com sua própria energia associada (E_1, E_2, E_3, ...). Para satisfazer $\Psi(x, 0)$, você deve escrever a combinação linear geral dessas soluções:

$$\Psi(x,0) = \sum_{n=1}^{\infty} c_n \psi_n(x); \qquad [2.16]$$

o milagre é que você pode *sempre* coincidi-la com o estado inicial específico se escolher também as constantes c_1, c_2, c_3, ... Para montar $\Psi(x, t)$ você simplesmente atrela a cada termo a sua dependência do tempo característica, $\exp(-iE_n t/\hbar)$:

---

[5] Uma **combinação linear** das funções $f_1(z), f_2(z), \ldots$ é uma expressão da forma
$$f(z) = c_1 f_1(z) + c_2 f_2(z) + \ldots,$$
em que $c_1, c_2, \ldots$ são quaisquer constantes (complexas).

[6] Ocasionalmente, você pode resolver a equação de Schrödinger dependente do tempo sem recorrer à separação de variáveis. Veja, por exemplo, os problemas 2.49 e 2.50. Porém, esses casos são extremamente raros.

Capítulo 2 Equação de Schrödinger independente do tempo

$$\Psi(x,t) = \sum_{n=1}^{\infty} c_n \psi_n(x) e^{-iE_n t/\hbar} = \sum_{n=1}^{\infty} c_n \Psi_n(x,t). \qquad [2.17]$$

As próprias soluções separáveis,

$$\Psi_n(x,t) = \psi_n(x) e^{-iE_n t/\hbar}, \qquad [2.18]$$

são estados *estacionários*, no sentido de que todas as probabilidades e valores esperados são independentes do tempo, mas essa propriedade é enfaticamente *não* compartilhada pela solução geral (Equação 2.17); as energias são diferentes para estados estacionários diferentes e os termos exponenciais não se cancelam quando você calcula $|\Psi|^2$.

Exemplo 2.1 Suponha que a função de onda de uma partícula se inicie em uma combinação linear de apenas *dois* estados estacionários:

$$\Psi(x,0) = c_1 \psi_1(x) + c_2 \psi_2(x).$$

(Para simplificar, presumirei que as constantes c_n e os estados $\psi_n(x)$ são *reais*.) Qual é a função de onda $\psi(x, t)$ nos tempos subsequentes? Calcule a densidade de probabilidade e descreva seu movimento.

Resposta: a primeira parte é fácil:

$$\Psi(x,t) = c_1 \psi_1(x) e^{-iE_1 t/\hbar} + c_2 \psi_2(x) e^{-iE_2 t/\hbar},$$

em que E_1 e E_2 são as energias associadas com ψ_1 e ψ_2. Resulta que

$$|\Psi(x,t)|^2 = (c_1 \psi_1 e^{iE_1 t/\hbar} + c_2 \psi_2 e^{iE_2 t/\hbar})(c_1 \psi_1 e^{-iE_1 t/\hbar} + c_2 \psi_2 e^{-iE_2 t/\hbar})$$
$$= c_1^2 \psi_1^2 + c_2^2 \psi_2^2 + 2 c_1 c_2 \psi_1 \psi_2 \cos[(E_2 - E_1)t/\hbar].$$

(Usei a **fórmula de Euler**, $\exp i\theta = \cos\theta + i\,\text{sen}\,\theta$, para simplificar o resultado.) Evidentemente, a densidade de probabilidade *oscila* de forma sinusoidal, em uma frequência angular $(E_2 - E_1)/\hbar$; certamente, esse *não* é um estado estacionário. Porém, note que foi preciso uma *combinação linear* de estados (com energias diferentes) para produzir o movimento.[7]

---

*Problema 2.1 Prove os três teoremas a seguir:

(a) Para soluções normalizáveis, a constante da separação E deve ser *real*. *Dica:* escreva E (na Equação 2.7) como $E_0 + i\Gamma$ (com E_0 e Γ reais) e demonstre que se a Equação 1.20 é válida para todos os t, então Γ deve ser zero.

(b) A função de onda independente do tempo $\psi(x)$ sempre pode ser considerada *real* (diferentemente de $\Psi(x, t)$, que é necessariamente complexa). Isso não significa que toda solução para a equação de Schrödinger independente do tempo é real, mas, sim, que se você obtém uma solução que *não* é real, ela pode ser sempre expressa como uma combinação linear de soluções (com a mesma energia) que o *são*. Assim, você pode manter as ψ que são reais. *Dica:* se $\psi(x)$ satisfaz a Equação 2.5 para dada E, então o seu complexo conjugado também a satisfaz e, portanto, também as combinações lineares reais $(\psi + \psi^*)$ e $i(\psi - \psi^*)$.

(c) Se $V(x)$ é uma **função par** (isto é, $V(-x) = V(x)$), então $\psi(x)$ sempre pode ser considerada par ou ímpar. *Dica:* se $\psi(x)$ satisfaz a Equação 2.5 para dada E, então $\psi(-x)$ também satisfaz, e, portanto, também as combinações lineares pares e ímpares $\psi(x) \pm \psi(-x)$.

---
[7] Isso está muito bem ilustrado em um *applet* no site <http://thorin.adnc.com/~topquark/quantum/deepwellmain.html>.

*Problema 2.2 Demonstre que E deve exceder o valor mínimo de $V(x)$ para cada solução normalizável da equação de Schrödinger independente do tempo. Qual é o equivalente clássico para essa afirmação? *Dica*: reescreva a Equação 2.5 na forma de

$$\frac{d^2\psi}{dx^2} = \frac{2m}{\hbar^2}[V(x)-E]\psi;$$

se $E < V_{\min}$, então ψ e sua segunda derivada sempre têm o *mesmo sinal*; demonstre que tal função não pode ser normalizada.

2.2 Poço quadrado infinito

Suponha

$$V(x) = \begin{cases} 0, & \text{se } 0 \leq x \leq a, \\ \infty, & \text{caso contrário} \end{cases} \quad [2.19]$$

(Figura 2.1). Uma partícula nesse potencial é completamente livre, exceto nos dois extremos ($x = 0$ e $x = a$), em que uma força infinita impede que escape. Um exemplo clássico seria o de um carrinho em uma pista horizontal sem atrito com o ar e com um para-choque perfeitamente elástico. Ele se deslocaria de um lado para o outro eternamente. (É claro que esse potencial é artificial, mas peço a você que o trate com respeito. Apesar de sua simplicidade, ou melhor dizendo, justamente *por causa* de sua simplicidade, ele é o caso-teste perfeito para todo o mecanismo que vem depois. Voltaremos a ele com frequência.)

Fora do poço, $\psi(x) = 0$ (a probabilidade de encontrar a partícula ali é zero). *Dentro* do poço, em que $V = 0$, a equação de Schrödinger independente do tempo (Equação 2.5) diz que

$$-\frac{\hbar^2}{2m}\frac{d^2\psi}{dx^2} = E\psi, \quad [2.20]$$

ou

$$\frac{d^2\psi}{dx^2} = -k^2\psi, \quad \text{onde } k \equiv \frac{\sqrt{2mE}}{\hbar}. \quad [2.21]$$

(Escrevendo dessa maneira, tacitamente supus que $E \geq 0$. Sabemos, por causa do Problema 2.2, que $E < 0$ não funciona.) A Equação 2.21 é uma equação clássica de **oscilador harmônico simples**; a solução geral é

$$\psi(x) = A\,\text{sen}\,kx + B\cos kx, \quad [2.22]$$

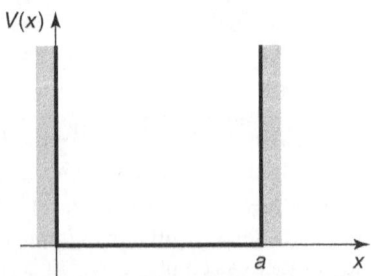

FIGURA 2.1 O potencial do poço quadrado infinito (Equação 2.19).

em que A e B são constantes arbitrárias. Tipicamente, essas constantes são fixadas pelas **condições de contorno** do problema. Quais *são* as condições de contorno apropriadas para $\psi(x)$? Normalmente, ψ e $d\psi/dx$ *são contínuas*, porém, isso somente se aplica à primeira delas, quando o potencial vai ao infinito. (*Provarei* essas condições de contorno e prestarei contas sobre a exceção quando $V = \infty$ na Seção 2.5. Por enquanto, espero que você confie em mim.)

A continuidade de $\psi(x)$ exige que

$$\psi(0) = \psi(a) = 0, \qquad [2.23]$$

de modo a se unir com a solução fora do poço. O que isso nos diz sobre A e B? Bem,

$$\psi(0) = A \operatorname{sen} 0 + B \cos 0 = B,$$

então $B = 0$ e, portanto,

$$\psi(x) = A \operatorname{sen} kx. \qquad [2.24]$$

Então, $\psi(a) = A \operatorname{sen} ka$, por isso $A = 0$ (e nesse caso ficamos com a trivial (não normalizável) solução $\psi(x) = 0$), ou, então, sen $ka = 0$, o que significa que

$$ka = 0, \pm\pi, \pm 2\pi, \pm 3\pi, \ldots \qquad [2.25]$$

Mas $k = 0$ não é bom (novamente, isso implicaria em $\psi(x) = 0$), e as soluções negativas não geram nada de novo, já que sen$(-\theta) = -$sen(θ) e é possível assimilar o sinal negativo em A. Assim, as soluções *distintas* são

$$k_n = \frac{n\pi}{a}, \quad \text{com } n = 1, 2, 3, \ldots \qquad [2.26]$$

Curiosamente, as condições de contorno em $x = a$ não determinam a constante A, mas, sim, a constante k e, portanto, os valores possíveis de E:

$$E_n = \frac{\hbar^2 k_n^2}{2m} = \frac{n^2 \pi^2 \hbar^2}{2ma^2}. \qquad [2.27]$$

Em um grande contraste ao caso clássico, uma partícula quântica no poço quadrado infinito não pode ter *qualquer* energia como antes; tem de ser um desses valores especiais **permitidos**.[8] Para calcular A, normalizamos ψ:

$$\int_0^a |A|^2 \operatorname{sen}^2(kx)\, dx = |A|^2 \frac{a}{2} = 1, \quad \text{então } |A|^2 = \frac{2}{a}.$$

Isso determina somente a *magnitude* de A, mas é muito mais simples escolher uma raiz real positiva: $A = \sqrt{2/a}$ (a fase de A realmente não traz significado físico). Dentro do poço as soluções são

$$\psi_n(x) = \sqrt{\frac{2}{a}} \operatorname{sen}\left(\frac{n\pi}{a} x\right). \qquad [2.28]$$

---

8 Observe que a quantização de energia surgiu como consequência técnica das condições de contorno sobre soluções para a equação de Schrödinger independente do tempo.

Conforme prometido, a equação de Schrödinger independente do tempo produziu um conjunto infinito de soluções (uma para cada número inteiro positivo n). As primeiras soluções estão representadas na Figura 2.2. Elas se parecem com as ondas estacionárias em uma corda de comprimento a; ψ_1, que carrega a menor energia e é chamada de **estado fundamental**, e os outros, cujas energias aumentam proporcionalmente a n^2, são chamados de **estados excitados**. Como conjunto, as funções $\psi_n(x)$ têm algumas propriedades interessantes e importantes:

1. São alternadamente **par** e **ímpar** em relação ao centro do poço: ψ_1 é par, ψ_2 é ímpar, ψ_3 é par, e assim por diante.[9]

2. Conforme você ganha energia, cada estado sucessivo ganha mais um **nó** (cruzamento zero): ψ_1 não tem nenhum (os extremos não contam), ψ_2 tem um, ψ_3 tem dois, e assim por diante.

3. Eles são mutuamente **ortogonais**, de modo que

$$\int \psi_m(x)^* \psi_n(x) dx = 0, \qquad [2.29]$$

sempre que $m \neq n$. *Verificação*:

$$\int \psi_m(x)^* \psi_n(x) dx = \frac{2}{a} \int_0^a \operatorname{sen}\left(\frac{m\pi}{a}x\right) \operatorname{sen}\left(\frac{n\pi}{a}x\right) dx$$

$$= \frac{1}{a} \int_0^a \left[\cos\left(\frac{m-n}{a}\pi x\right) - \cos\left(\frac{m+n}{a}\pi x\right)\right] dx$$

$$= \left\{\frac{1}{(m-n)\pi} \operatorname{sen}\left(\frac{m-n}{a}\pi x\right) - \frac{1}{(m+n)\pi} \operatorname{sen}\left(\frac{m+n}{a}\pi x\right)\right\}\Big|_0^a$$

$$= \frac{1}{\pi}\left\{\frac{\operatorname{sen}[(m-n)\pi]}{(m-n)} - \frac{\operatorname{sen}[(m+n)\pi]}{(m+n)}\right\} = 0.$$

Observe que esse argumento *não* funciona se $m = n$. (Você consegue indicar o ponto falho?) Nesse caso, a normalização nos diz que a integral é 1. Na verdade, podemos combinar ortogonalidade e normalização em uma só afirmação:[10]

$$\int \psi_m(x)^* \psi_n(x) dx = \delta_{mn}, \qquad [2.30]$$

em que δ_{mn} (a chamada **delta de Kronecker**) é definida de maneira comum,

$$\delta_{mn} = \begin{cases} 0, & \text{se } m \neq n; \\ 1, & \text{se } m = n. \end{cases} \qquad [2.31]$$

Dizemos, então, que as ψ são **ortonormais**.

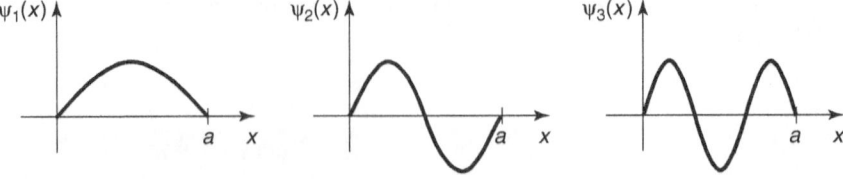

FIGURA 2.2 Os primeiros três estados estacionários do poço quadrado infinito (Equação 2.28).

---

[9] Para tornar essa simetria mais evidente, alguns autores centram o poço na origem (indo de $-a$ a $+a$). Então, as funções pares são cossenos, e as ímpares são senos. Veja o Problema 2.36.

[10] Nesse caso, as ψ são *reais*, portanto o * em ψ_m é desnecessário; porém, para propósitos futuros, é uma boa ideia adquirir o hábito de usá-lo.

4. Elas são **completas** no sentido de que qualquer *outra* função, $f(x)$, pode ser expressa como uma combinação linear delas:

$$f(x) = \sum_{n=1}^{\infty} c_n \psi_n(x) = \sqrt{\frac{2}{a}} \sum_{n=1}^{\infty} c_n \operatorname{sen}\left(\frac{n\pi}{a} x\right). \qquad [2.32]$$

Não *estou a ponto de provar* a completude das funções sen $(n\pi x/a)$, mas se você estudou cálculo avançado reconhecerá que a Equação 2.32 nada mais é do que a **série de Fourier** para $f(x)$, e o fato de que 'qualquer' função pode ser expandida dessa maneira é, às vezes, chamado de **teorema de Dirichlet**.[11]

Os coeficientes c_n podem ser avaliados — para dada $f(x)$ — por um método que chamo de **truque de Fourier**, que explora muito bem a ortonormalidade de $\{\psi_n\}$: multiplique ambos os lados da Equação 2.32 por $\psi_m(x)^*$ e integre.

$$\int \psi_m(x)^* f(x) dx = \sum_{n=1}^{\infty} c_n \int \psi_m(x)^* \psi_n(x) dx = \sum_{n=1}^{\infty} c_n \delta_{mn} = c_m. \qquad [2.33]$$

(Observe como o delta de Kronecker acaba com cada termo da soma, exceto aquele para o qual $n = m$.) Assim, o n-ésimo coeficiente na expansão de $f(x)$ é[12]

$$c_n = \int \psi_n(x)^* f(x) dx. \qquad [2.34]$$

Essas quatro propriedades são extremamente poderosas, e não apenas especiais ao poço quadrado infinito. A primeira é verdadeira desde que o próprio potencial seja uma função simétrica; a segunda é universal, independentemente da forma do potencial.[13] A ortogonalidade também é muito geral (provarei isso no Capítulo 3). A completude vale para todos os potenciais que você possa vir a encontrar, mas as verificações tendem a ser desagradáveis e trabalhosas; temo que muitos físicos simplesmente *façam suposições* a respeito da completude e então torçam para que tudo dê certo.

Os estados estacionários (Equação 2.18) do poço quadrado infinito são evidentemente

$$\Psi_n(x,t) = \sqrt{\frac{2}{a}} \operatorname{sen}\left(\frac{n\pi}{a} x\right) e^{-i(n^2 \pi^2 \hbar/2ma^2)t}. \qquad [2.35]$$

Afirmei (Equação 2.17) que a maioria das soluções gerais para a equação de Schrödinger (dependente do tempo) é uma combinação linear de estados estacionários:

$$\Psi(x,t) = \sum_{n=1}^{\infty} c_n \sqrt{\frac{2}{a}} \operatorname{sen}\left(\frac{n\pi}{a} x\right) e^{-i(n^2 \pi^2 \hbar/2ma^2)t}. \qquad [2.36]$$

(Se você duvida de que essa *seja* uma solução, certamente você deveria *verificá-la*!) O que me resta é demonstrar que posso encaixar qualquer função de onda inicial prescrita, $\psi(x, 0)$, fazendo uma escolha apropriada de coeficientes c_n:

$$\Psi(x,0) = \sum_{n=1}^{\infty} c_n \psi_n(x).$$

---

[11] Veja, por exemplo, Mary Boas, *Mathematical Methods in the Physical Sciences*, 2ª ed. (Nova York: John Wiley, 1983), p. 313; $f(x)$ pode ainda ter um número finito de finitas descontinuidades.

[12] Não importa se você usa m ou n como 'índice modelo' (contanto que você tenha consistência nos dois lados da equação, é claro); *qualquer que seja* a letra que você use, ela apenas vai significar 'qualquer número inteiro positivo'.

[13] Veja, por exemplo, John L. Powell e Bernd Crasemann, *Quantum Mechanics* (Addison-Wesley, Reading, MA, 1961), p. 126.

A completude das ψ (confirmada nesse caso pelo teorema de Dirichlet) garante que sempre posso expressar ψ(x, 0) dessa maneira, e a ortonormalidade delas permite o uso do truque de Fourier para determinar os coeficientes reais:

$$c_n = \sqrt{\frac{2}{a}} \int_0^a \text{sen}\left(\frac{n\pi}{a}x\right) \Psi(x,0) dx. \qquad [2.37]$$

Assim se faz: dada a função de onda inicial, ψ(x, 0), primeiro calculamos os coeficientes da expansão c_n, usando a Equação 2.37, e depois os utilizamos na Equação 2.36 para obter ψ(x, t). Armados com a função de onda, podemos calcular quaisquer quantidades dinâmicas de interesse usando os procedimentos do Capítulo 1. E esse mesmo ritual se aplica a *qualquer* potencial; as únicas coisas que mudam são as formas funcionais de ψ e a equação para as energias permitidas.

Exemplo 2.2 Uma partícula no poço quadrado infinito tem a função de onda inicial

$$\Psi(x,0) = Ax(a-x), \qquad (0 \le x \le a),$$

para alguma constante A (veja a Figura 2.3). *Fora* do poço, é claro, ψ = 0. Calcule ψ(x, t).

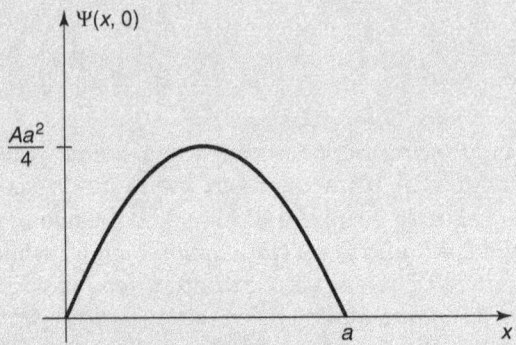

FIGURA 2.3 A função de onda inicial no Exemplo 2.2.

Resposta: primeiro precisamos determinar A, normalizando ψ(x, 0):

$$1 = \int_0^a |\Psi(x,0)|^2 dx = |A|^2 \int_0^a x^2(a-x)^2 dx = |A|^2 \frac{a^5}{30},$$

portanto,

$$A = \sqrt{\frac{30}{a^5}}.$$

O n-ésimo coeficiente é (Equação 2.37)

$$c_n = \sqrt{\frac{2}{a}} \int_0^a \text{sen}\left(\frac{n\pi}{a}x\right) \sqrt{\frac{30}{a^5}} x(a-x) dx$$

$$= \frac{2\sqrt{15}}{a^3} \left[a \int_0^a x\, \text{sen}\left(\frac{n\pi}{a}x\right) dx - \int_0^a x^2\, \text{sen}\left(\frac{n\pi}{a}x\right) dx \right]$$

$$= \frac{2\sqrt{15}}{a^3} \left\{ a\left[\left(\frac{a}{n\pi}\right)^2 \text{sen}\left(\frac{n\pi}{a}x\right) - \frac{ax}{n\pi}\cos\left(\frac{n\pi}{a}x\right)\right]\Big|_0^a \right.$$

$$-\left[2\left(\frac{a}{n\pi}\right)^2 x\,\text{sen}\left(\frac{n\pi}{a}x\right) - \frac{(n\pi x/a)^2 - 2}{(n\pi/a)^3}\cos\left(\frac{n\pi}{a}x\right)\right]\Bigg|_0^a$$

$$= \frac{2\sqrt{15}}{a^3}\left[-\frac{a^3}{n\pi}\cos(n\pi) + a^3\frac{(n\pi)^2-2}{(n\pi)^3}\cos(n\pi) + a^3\frac{2}{(n\pi)^3}\cos(0)\right]$$

$$= \frac{4\sqrt{15}}{(n\pi)^3}\left[\cos(0) - \cos(n\pi)\right]$$

$$= \begin{cases} 0, & \text{se } n \text{ for par,} \\ 8\sqrt{15}/(n\pi)^3, & \text{se } n \text{ for ímpar.} \end{cases}$$

Nesse caso (Equação 2.36):

$$\Psi(x,t) = \sqrt{\frac{30}{a}}\left(\frac{2}{\pi}\right)^3 \sum_{n=1,3,5,\ldots}\frac{1}{n^3}\text{sen}\left(\frac{n\pi}{a}x\right)e^{-in^2\pi^2\hbar t/2ma^2}.$$

Vagamente falando, c_n indica a 'quantidade de ψ_n contida em ψ'. Algumas pessoas preferem dizer que $|c_n|^2$ é a 'probabilidade de encontrar a partícula no n-ésimo estado estacionário', porém, essa é uma linguagem ruim. A partícula está no estado ψ, não ψ_n, e, de qualquer maneira, no laboratório você não 'encontra uma partícula que esteja em um estado determinado'; você *mede* algo *observável* e o que se obtém é um *número*. Como veremos no Capítulo 3, o que $|c_n|^2$ indica é *a probabilidade de a medição da energia produzir o valor* E_n (uma medição apropriada resultará sempre em *um* dos valores 'permitidos' — e, consequentemente, no nome —, e $|c_n|^2$ é a probabilidade de se obter um valor *determinado* E_n).

É claro que a *soma* dessas probabilidades deve ser 1,

$$\sum_{n=1}^{\infty}|c_n|^2 = 1. \qquad [2.38]$$

De fato, isso decorre da normalização de ψ (os c_n são independentes do tempo, portanto, farei a verificação para $t = 0$; se isso o incomoda, você poderá facilmente generalizar o argumento para t arbitrário).

$$1 = \int |\Psi(x,0)^2|dx = \int\left(\sum_{m=1}^{\infty}c_m\psi_m(x)\right)^*\left(\sum_{n=1}^{\infty}c_n\psi_n(x)\right)dx$$

$$= \sum_{m=1}^{\infty}\sum_{n=1}^{\infty}c_m^*c_n\int\psi_m(x)^*\psi_n(x)dx$$

$$= \sum_{n=1}^{\infty}\sum_{m=1}^{\infty}c_m^*c_n\delta_{mn} = \sum_{n=1}^{\infty}|c_n|^2.$$

(Novamente o delta de Kronecker escolhe o termo $m = n$ no somatório de m.)

Além disso, o valor esperado de energia deve ser

$$\langle H \rangle = \sum_{n=1}^{\infty}|c_n|^2 E_n, \qquad [2.39]$$

e isso também pode ser verificado diretamente: a equação de Schrödinger independente do tempo (Equação 2.12) diz que

$$H\psi_n = E_n\psi_n, \qquad [2.40]$$

e, portanto,

$$\langle H \rangle = \int \Psi^* H \Psi \, dx = \int \left(\sum c_m \psi_m\right)^* H\left(\sum c_n \psi_n\right) dx$$
$$= \sum\sum c_m^* c_n E_n \int \psi_m^* \psi_n \, dx = \sum |c_n|^2 E_n.$$

Note que a probabilidade de se obter uma energia determinada independe do tempo e, logo, *a fortiori*, é o valor esperado de H. Essa é uma manifestação da **conservação de energia** na mecânica quântica.

Exemplo 2.3 No Exemplo 2.2 a função de onda inicial (Figura 2.3) se parece muito com o estado fundamental ψ_1 (Figura 2.2). Isso sugere que $|c_1|^2$ deveria dominar, e de fato

$$|c_1|^2 = \left(\frac{8\sqrt{15}}{\pi^3}\right)^2 = 0{,}998555\ldots.$$

O restante dos coeficientes compõe a diferença:[14]

$$\sum_{n=1}^{\infty} |c_n|^2 = \left(\frac{8\sqrt{15}}{\pi^3}\right)^2 \sum_{n=1,3,5,\ldots}^{\infty} \frac{1}{n^6} = 1.$$

O valor esperado de energia, nesse exemplo, é

$$\langle H \rangle = \sum_{n=1,3,5,\ldots}^{\infty} \left(\frac{8\sqrt{15}}{n^3 \pi^3}\right)^2 \frac{n^2 \pi^2 \hbar^2}{2ma^2} = \frac{480 \hbar^2}{\pi^4 ma^2} \sum_{n=1,3,5,\ldots}^{\infty} \frac{1}{n^4} = \frac{5\hbar^2}{ma^2}.$$

E como se pode esperar, está muito próximo de $E_1 = \pi^2\hbar^2/2ma^2$ — na verdade, é ligeiramente *maior* por causa da mistura de estados excitados.

Problema 2.3 Demonstre que não há solução aceitável para a equação de Schrödinger (independente do tempo) para o poço quadrado infinito com $E = 0$ ou $E < 0$. (Esse é um caso especial do teorema geral no Problema 2.2, mas dessa vez faça a demonstração resolvendo explicitamente a equação de Schrödinger, mostrando que você não pode atender às condições de contorno.)

*Problema 2.4 Calcule $\langle x \rangle$, $\langle x^2 \rangle$, $\langle p \rangle$, $\langle p^2 \rangle$, σ_x e σ_p para o n-ésimo estado estacionário do poço quadrado infinito. Verifique se o princípio da incerteza foi satisfeito. Quais estados ficam próximos ao limite da incerteza?

---

14 Você pode se basear nas séries a seguir

$$\frac{1}{1^6} + \frac{1}{3^6} + \frac{1}{5^6} + \cdots = \frac{\pi^6}{960}$$

e

$$\frac{1}{1^4} + \frac{1}{3^4} + \frac{1}{5^4} + \cdots = \frac{\pi^4}{96}$$

em tabelas matemáticas, sob 'Somas de Potências Recíprocas' ou 'Função Zeta Riemann'.

Problema 2.5 Uma partícula no poço quadrado infinito tem como função de onda inicial uma mistura equilibrada dos dois primeiros estados estacionários:

$$\Psi(x,0) = A[\psi_1(x) + \psi_2(x)].$$

(a) Normalize $\psi(x, 0)$. (Isto é, calcule A. É muito fácil se você explorar a ortonormalidade de ψ_1 e ψ_2. Lembre-se de que, tendo normalizado ψ em $t = 0$, você pode ter certeza de que ela *permanecerá* normalizada. Se tiver dúvidas, verifique-o explicitamente após resolver a parte (b).

(b) Calcule $\psi(x, t)$ e $|\psi(x, t)|^2$. Represente o último na forma de função senoidal do tempo, como no Exemplo 2.1. Para simplificar o resultado, seja $\omega \equiv \pi^2\hbar/2ma^2$.

(c) Calcule $\langle x \rangle$. Note que oscila com o tempo. Qual é a frequência angular da oscilação? Qual é a amplitude da oscilação? (Se sua amplitude for maior do que $a/2$, vá direto para o fim.)

(d) Calcule $\langle p \rangle$. (Peter Lorre diria 'Faça do jeito mais rápido, Johnny!', com seu sotaque bem carregado.)

(e) Se você medisse a energia dessa partícula, que valores obteria e qual a probabilidade de obter cada um deles? Calcule o valor esperado de H. Qual a diferença entre esse valor e os de E_1 e E_2?

Problema 2.6 Embora a constante de fase *geral* da função de onda não tenha nenhum significado físico (sempre se cancela quando você calcula uma quantidade mensurável), a fase *relativa* dos coeficientes na Equação 2.17 é *muito* importante. Por exemplo, suponha que mudemos a fase relativa de ψ_1 e ψ_2 no Problema 2.5:

$$\Psi(x,0) = A[\psi_1(x) + e^{i\phi}\psi_2(x)],$$

em que ϕ é alguma constante. Calcule $\psi(x, t)$, $|\psi(x, t)|^2$ e $\langle x \rangle$ e compare os resultados com os que você obteve antes. Analise os casos especiais $\phi = \pi/2$ e $\phi = \pi$. (Para uma exploração gráfica desse assunto veja o *applet* da nota de rodapé nº 7.)

Problema 2.7 Uma partícula em um poço quadrado infinito tem a função de onda inicial[15]

$$\Psi(x,0) = \begin{cases} Ax, & 0 \leq x \leq a/2, \\ A(a-x), & a/2 \leq x \leq a. \end{cases}$$

(a) Esboce $\psi(x, 0)$ e determine a constante A.
(b) Calcule $\psi(x, t)$.
(c) Qual a probabilidade de que a medição de energia produza o valor E_1?
(d) Descubra o valor esperado da energia.

Problema 2.8 Uma partícula de massa m no poço quadrado infinito (de largura a) está na metade esquerda do poço e tem (em $t = 0$) probabilidade de ser encontrada em qualquer ponto daquela região.

(a) Qual é sua função de onda inicial, $\psi(x, 0)$? (Suponha que seja real. Não se esqueça de normalizá-la.)
(b) Qual é a probabilidade de que a medição de energia produza o valor $\pi^2\hbar^2/2ma^2$?

---

[15] Não há restrição, em princípio, para a *forma* da função de onda inicial; ela só tem de ser normalizável. Em particular, $\psi(x, 0)$ não precisa ter uma derivada contínua; na verdade, não precisa nem ser uma função *contínua*. Entretanto, se você tentar calcular $\langle H \rangle$ usando $\int \psi(x, 0)^* H \psi(x, 0)dx$ em tal caso, poderá encontrar dificuldades técnicas, já que a segunda derivada de $\psi(x, 0)$ é mal definida. Funciona no Problema 2.9 porque as descontinuidades ocorrem nos pontos extremos, nos quais a função de onda é zero. No Problema 2.48 você verá como lidar com casos como o Problema 2.7.

Problema 2.9 Para a função de onda no Exemplo 2.2, calcule o valor esperado de H, no tempo $t = 0$, à 'moda antiga':

$$\langle H \rangle = \int \Psi(x,0)^* \hat{H} \Psi(x,0) dx.$$

Compare com o resultado obtido no Exemplo 2.3. *Observação*: como $\langle H \rangle$ é independente do tempo, não há perda de generalidade no uso de $t = 0$.

2.3 Oscilador harmônico

O paradigma para o oscilador harmônico clássico é uma massa m atrelada a uma constante de mola de força k. O movimento é controlado pela **lei de Hooke**.

$$F = -kx = m\frac{d^2x}{dt^2}$$

(ignorando a fricção), e a solução é

$$x(t) = A\,\text{sen}\,(\omega t) + B\cos(\omega t),$$

na qual

$$\omega \equiv \sqrt{\frac{k}{m}} \qquad [2.41]$$

é a frequência de oscilação (angular). A energia potencial é

$$V(x) = \frac{1}{2}kx^2; \qquad [2.42]$$

seu gráfico é uma parábola.

É claro que não existe um oscilador harmônico *perfeito*; se você esticar demais a mola ela irá se romper e, previsivelmente, a lei de Hooke falhará muito antes de esse ponto ter sido alcançado. Mas praticamente qualquer potencial é *aproximadamente* parabólico em torno de um mínimo local (Figura 2.4). Formalmente, se expandirmos $V(x)$ em uma **série de Taylor** em torno do mínimo:

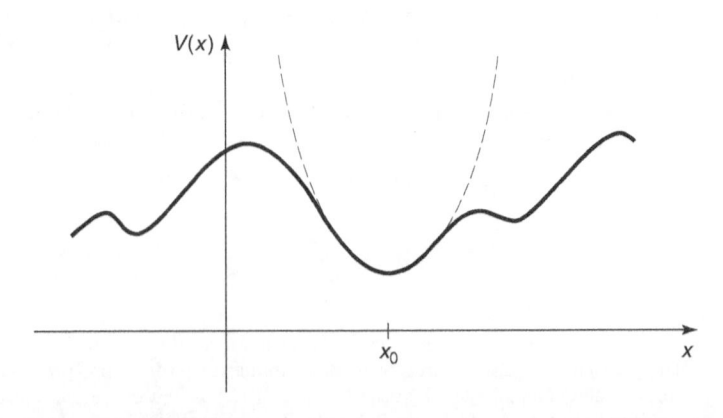

FIGURA 2.4 Aproximação parabólica (curva tracejada) de um potencial arbitrário nas proximidades de um mínimo local.

$$V(x) = V(x_0) + V'(x_0)(x-x_0) + \frac{1}{2}V''(x_0)(x-x_0)^2 + \cdots,$$

subtraia $V(x_0)$ (você pode adicionar uma constante a $V(x)$ impunemente, uma vez que isso não altera a força), admita que $V'(x_0) = 0$ (sendo x_0 um mínimo), descarte os termos de ordem superior (os quais serão desprezíveis contanto que $(x-x_0)$ permaneça pequeno), e assim obteremos

$$V(x) \cong \frac{1}{2}V''(x_0)(x-x_0)^2,$$

a qual descreve a oscilação harmônica simples (sobre o ponto x_0) com uma constante de mola efetiva $k = V''(x_0)$.[16] É por isso que o oscilador harmônico simples é tão importante: virtualmente, *qualquer* movimento oscilatório é aproximadamente harmônico simples, contanto que a amplitude seja pequena.

O problema *quântico* é resolver a equação de Schrödinger para o potencial

$$V(x) = \frac{1}{2}m\omega^2 x^2 \qquad [2.43]$$

(costuma-se eliminar a constante de mola em favor da frequência clássica usando-se a Equação 2.41). Como já vimos, basta resolver a equação de Schrödinger independente do tempo:

$$-\frac{\hbar^2}{2m}\frac{d^2\psi}{dx^2} + \frac{1}{2}m\omega^2 x^2 \psi = E\psi. \qquad [2.44]$$

Na literatura, você encontrará duas abordagens completamente diferentes desse problema. A primeira é uma solução de 'força bruta' simples para a equação diferencial em que se usa o **método de série de potências**; a vantagem aqui é que a mesma estratégia pode ser aplicada para muitos outros potenciais (na verdade, vamos usá-la no Capítulo 4 para lidar com o potencial de Coulomb). A segunda é uma técnica algébrica diabolicamente inteligente em que são usados os chamados **operadores escada**. Mostrarei o método algébrico primeiro, pois é mais rápido e mais simples (e muito mais divertido);[17] mas se você quiser pular o método de série de potências por enquanto não há nenhum problema; porém, programe-se para estudá-lo no futuro.

2.3.1 Método algébrico

Para começar, reescreveremos a Equação 2.44 de forma mais sugestiva:

$$\frac{1}{2m}\left[p^2 + (m\omega x)^2\right]\psi = E\psi, \qquad [2.45]$$

na qual $p \equiv (\hbar/i)d/dx$ é, obviamente, o operador de momento. A ideia básica é *fatorar* o Hamiltoniano,

$$H = \frac{1}{2m}\left[p^2 + (m\omega x)^2\right]. \qquad [2.46]$$

Se fossem *números*, seria mais fácil:

$$u^2 + v^2 = (iu+v)(-iu+v).$$

---

16 Note que $V''(x_0) \geq 0$ desde que suponhamos que x_0 seja um *mínimo*. Somente em um caso raro de $V''(x_0) = 0$ a oscilação não será nem mesmo aproximadamente harmônica simples.

17 Encontraremos algumas das mesmas estratégias na teoria de momento angular (Capítulo 4), e a técnica poderá ser generalizada para uma classe ainda mais ampla de potenciais na **mecânica quântica supersimétrica**. Veja, por exemplo, Richard W. Robinett, *Quantum Mechanics* (Oxford U.P., Nova York, 1997), Seção 14.4.

Entretanto, não é assim tão simples, pois p e x são *operadores*, e os operadores, em geral, não **comutam** (xp não é o mesmo que px). Ainda assim, isso nos motiva a verificar as quantidades

$$a_\pm \equiv \frac{1}{\sqrt{2\hbar m\omega}}(\mp ip + m\omega x) \qquad [2.47]$$

(o fator da frente está ali somente para tornar o resultado final mais agradável).

Bem, qual é o produto de $a_- a_+$?

$$a_- a_+ = \frac{1}{2\hbar m\omega}(ip + m\omega x)(-ip + m\omega x)$$
$$= \frac{1}{2\hbar m\omega}\left[p^2 + (m\omega x)^2 - im\omega(xp - px)\right].$$

Conforme antecipado, há um termo extra que envolve $(xp - px)$. Chamamos de o **comutador** de x e p, e é uma indicação de quão *mal* eles falham em comutar. Em geral, o comutador dos operadores A e B (escrito entre colchetes) é

$$[A, B] \equiv AB - BA. \qquad [2.48]$$

Nessa notação,

$$a_- a_+ = \frac{1}{2\hbar m\omega}\left[p^2 + (m\omega x)^2\right] - \frac{i}{2\hbar}[x, p]. \qquad [2.49]$$

Precisamos descobrir o comutador de x e p. Atenção: os operadores são notoriamente instáveis para se trabalhar com o abstrato, e você estará propenso a cometer erros, a menos que faça uma 'função teste', $f(x)$, e proceda de acordo com o resultado. No final, você pode descartar a função teste e o que restará será uma equação envolvendo unicamente os operadores. Nesse caso, temos:

$$[x, p]f(x) = \left[x\frac{\hbar}{i}\frac{d}{dx}(f) - \frac{\hbar}{i}\frac{d}{dx}(xf)\right] = \frac{\hbar}{i}\left(x\frac{df}{dx} - x\frac{df}{dx} - f\right) = i\hbar f(x). \qquad [2.50]$$

Descartando a função teste, que já não tem mais utilidade,

$$[x, p] = i\hbar. \qquad [2.51]$$

Esse resultado adorável e ubíquo é conhecido como **relação de comutação canônica**.[18] Com isso, a Equação 2.49 se transforma em

$$a_- a_+ = \frac{1}{\hbar\omega}H + \frac{1}{2}, \qquad [2.52]$$

ou

$$H = \hbar\omega\left(a_- a_+ - \frac{1}{2}\right). \qquad [2.53]$$

---

[18] Em uma compreensão mais profunda, todos os mistérios da mecânica quântica podem ser desvendados levando--se em conta que a posição e o momento não comutam. Na verdade, alguns autores tomam a relação de comutação canônica como um *axioma* da teoria, usando-a para *derivar* $p = (\hbar/i)d/dx$.

É evidente que o Hamiltoniano *não* fatora perfeitamente; há ainda o extra $-1/2$ da direita. Observe que a ordenação de $a+$ e a_- é importante aqui; o mesmo raciocínio, só que com $a+$ na esquerda, produz

$$a_+ a_- = \frac{1}{\hbar\omega}H - \frac{1}{2}. \qquad [2.54]$$

Em particular

$$[a_-, a_+] = 1 \qquad [2.55]$$

Portanto, o Hamiltoniano pode ser igualmente escrito assim:

$$H = \hbar\omega\left(a_+ a_- + \frac{1}{2}\right). \qquad [2.56]$$

Então, em termos de $a_\pm$, a equação de Schrödinger[19] para o oscilador harmônico toma a seguinte forma:

$$\hbar\omega\left(a_\pm a_\mp \pm \frac{1}{2}\right)\psi = E\psi. \qquad [2.57]$$

(Em equações como essa, leem-se os sinais superiores na equação inteira ou somente os sinais inferiores.)

Mas eis aqui o passo mais importante: afirmo que se ψ *satisfaz a equação de Schrödinger com energia E* (isto é: $H\psi = E\psi$), *então $a_+\psi$ satisfaz a equação de Schrödinger com energia* $(E + \hbar\omega)$: $H(a_+\psi) = (E + \hbar\omega)(a_+\psi)$. A prova disso é:

$$H(a_+\psi) = \hbar\omega\left(a_+ a_- + \frac{1}{2}\right)(a_+\psi) = \hbar\omega\left(a_+ a_- a_+ + \frac{1}{2}a_+\right)\psi$$

$$= \hbar\omega a_+\left(a_- a_+ + \frac{1}{2}\right)\psi = a_+\left[\hbar\omega\left(a_+ a_- + 1 + \frac{1}{2}\right)\psi\right]$$

$$= a_+(H + \hbar\omega)\psi = a_+(E + \hbar\omega)\psi = (E + \hbar\omega)(a_+\psi).$$

(Usei a Equação 2.55 para substituir $a_- a_+$ por $a_+ a_- + 1$ na segunda linha. Observe que onde a ordenação de a_+ e a_- é importante, a ordenação de $a_\pm$ e quaisquer *constantes* — tais como $\hbar$, ω e E — não o é; um operador comuta com qualquer constante.)

Pelo mesmo motivo, $a_-\psi$ é uma solução com energia $(E - \hbar\omega)$:

$$H(a_-\psi) = \hbar\omega\left(a_- a_+ - \frac{1}{2}\right)(a_-\psi) = \hbar\omega a_-\left(a_+ a_+ - \frac{1}{2}\right)\psi$$

$$= a_-\left[\hbar\omega\left(a_- a_+ - 1 - \frac{1}{2}\right)\psi\right] = a_-(H - \hbar\omega)\psi = a_-(E - \hbar\omega)\psi$$

$$= (E - \hbar\omega)(a_-\psi).$$

Aqui, então, temos um ótimo mecanismo para gerar novas soluções com energias maiores e menores. Ah, se pudéssemos encontrar apenas *uma* solução para começar! Chamamos $a_\pm$ de **operadores escada**, pois eles permitem que aumentemos e diminuamos a energia; a_+ é *o* **operador de levantamento**, e a_-, o **operador de abaixamento**. A 'escada' dos estados está ilustrada na Figura 2.5.

---

[19] Estou cansado de escrever 'equação de Schrödinger independente do tempo', então, quando estiver bem claro no contexto o que quero dizer, escreverei apenas 'equação de Schrödinger'.

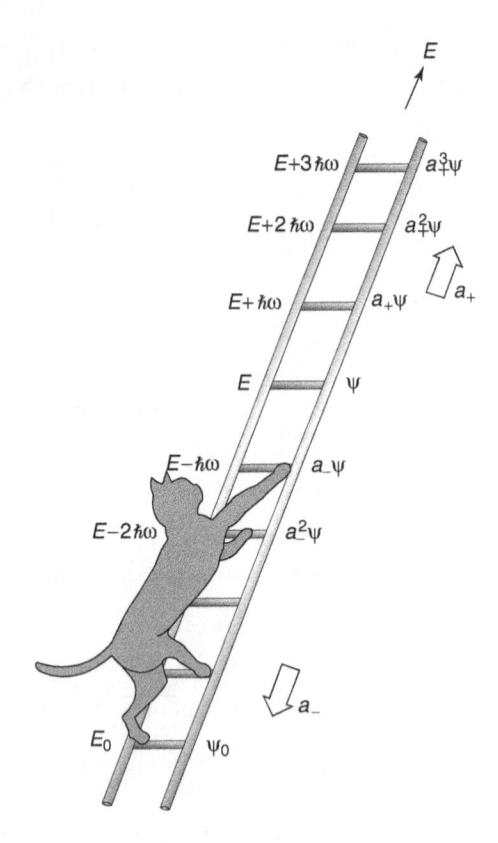

FIGURA 2.5 A 'escada' dos estados para o oscilador harmônico.

Mas espere! E se eu aplicar o operador de abaixamento repetidamente? Eventualmente, chegarei a um estado de energia menor do que zero, o qual (de acordo com o teorema geral do Problema 2.2) não existe! Em algum momento o mecanismo deve falhar. E como isso acontece? Sabemos que $a_-\psi$ é uma solução nova para a equação de Schrödinger, mas *não há garantia de que ela venha a ser normalizável* — ela poderá ser zero ou a integral de seu módulo ao quadrado poderá ser infinita. Na prática, o que acontece é a primeira alternativa: imagine um 'degrau mais baixo' (chame-o de ψ_0), tal que

$$a_-\psi_0 = 0. \qquad [2.58]$$

Podemos usar isso para determinar $\psi_0(x)$:

$$\frac{1}{\sqrt{2\hbar m\omega}}\left(\hbar\frac{d}{dx} + m\omega x\right)\psi_0 = 0,$$

ou

$$\frac{d\psi_0}{dx} = -\frac{m\omega}{\hbar}x\psi_0.$$

Essa equação diferencial é fácil de resolver:

$$\int \frac{d\psi_0}{\psi_0} = -\frac{m\omega}{\hbar}\int x\, dx \Rightarrow \ln\psi_0 = -\frac{m\omega}{2\hbar}x^2 + \text{constante},$$

portanto,

$$\psi_0(x) = Ae^{-\frac{m\omega}{2\hbar}x^2}.$$

Capítulo 2 Equação de Schrödinger independente do tempo

Devemos também normalizá-la em seguida:

$$1 = |A|^2 \int_{-\infty}^{\infty} e^{-m\omega x^2/\hbar}\, dx = |A|^2 \sqrt{\frac{\pi\hbar}{m\omega}},$$

então $A^2 = \sqrt{m\omega/\pi\hbar}$, e, portanto,

$$\psi_0(x) = \left(\frac{m\omega}{\pi\hbar}\right)^{1/4} e^{-\frac{m\omega}{2\hbar}x^2}. \qquad [2.59]$$

Para determinar a energia desse estado, inserimos o resultado na equação de Schrödinger (na forma da Equação 2.57), $\hbar\omega(a_+ a_- + 1/2)\psi_0 = E_0\psi_0$, e exploramos o fato de que $a_-\psi_0 = 0$:

$$E_0 = \frac{1}{2}\hbar\omega. \qquad [2.60]$$

Com os pés firmemente apoiados no degrau-base (estado fundamental do oscilador quântico), simplesmente aplicamos o operador de levantamento (repetidamente) para gerar os estados excitados,[20] aumentando a energia por $\hbar\omega$ com cada passo:

$$\psi_n(x) = A_n (a_+)^n \psi_0(x), \quad \text{com } E_n = \left(n + \frac{1}{2}\right)\hbar\omega, \qquad [2.61]$$

em que A_n é a constante de normalização. Aplicando o operador de levantamento (repetidamente) ao ψ_0, poderemos (em princípio) montar todos[21] os estados estacionários do oscilador harmônico. Enquanto isso, sem tê-lo feito explicitamente, determinamos as energias permitidas.

Exemplo 2.4 Calcule o primeiro estado excitado do oscilador harmônico.

Resposta: usando a Equação 2.61,

$$\psi_1(x) = A_1 a_+ \psi_0 = \frac{A_1}{\sqrt{2\hbar m\omega}} \left(-\hbar\frac{d}{dx} + m\omega x\right) \left(\frac{m\omega}{\pi\hbar}\right)^{1/4} e^{-\frac{m\omega}{2\hbar}x^2}$$

$$= A_1 \left(\frac{m\omega}{\pi\hbar}\right)^{1/4} \sqrt{\frac{2m\omega}{\hbar}}\, x e^{-\frac{m\omega}{2\hbar}x^2}. \qquad [2.62]$$

Podemos normalizá-la 'manualmente':

$$\int |\psi_1|^2 dx = |A_1|^2 \sqrt{\frac{m\omega}{\pi\hbar}} \left(\frac{2m\omega}{\hbar}\right) \int_{-\infty}^{\infty} x^2 e^{-\frac{m\omega}{\hbar}x^2} dx = |A_1|^2,$$

assim, acontece que $A_1 = 1$.

Eu não queria ter de calcular ψ_{50} dessa maneira (aplicando o operador de levantamento cinquenta vezes!), mas vamos lá: em *princípio*, a Equação 2.61 faz todo o trabalho — exceto para a normalização.

---

[20] No caso do oscilador harmônico é normal, por alguma razão, distanciar-se do usual e numerar os estados começando com $n = 0$ em vez de $n = 1$. Evidentemente, o limite mínimo da soma em uma fórmula tal qual a Equação 2.17 deveria ser alterado na mesma proporção.

[21] Observe que obtivemos *todas* as soluções (normalizáveis) por meio desse procedimento. Caso houvesse *outras* soluções, poderíamos gerar uma segunda escada por meio da aplicação repetida dos operadores de levantamento e abaixamento. Porém, o degrau-base dessa nova escada teria de satisfazer a Equação 2.58, e como isso leva inexoravelmente à Equação 2.59, o degrau-base seria o mesmo e, portanto, as duas escadas seriam na verdade idênticas.

Você pode obter a normalização até mesmo algebricamente, mas dá algum trabalho; por isso, preste atenção. Sabemos que $a_\pm \psi_n$ é *proporcional* à $\psi_{n\pm 1}$,

$$a_+\psi_n = c_n\psi_{n+1}, \quad a_-\psi_n = d_n\psi_{n-1} \qquad [2.63]$$

mas quais são os fatores de proporcionalidade, c_n e d_n? Primeiramente observe que para 'quaisquer'[22] funções $f(x)$ e $g(x)$,

$$\int_{-\infty}^{\infty} f^*(a_\pm g)\,dx = \int_{-\infty}^{\infty} (a_\mp f)^* g\,dx. \qquad [2.64]$$

(Na linguagem da álgebra linear, $a_\mp$ é o **conjugado hermitiano** de $a_\pm$.)

A prova disso é:

$$\int_{-\infty}^{\infty} f^*(a_\pm g)\,dx = \frac{1}{\sqrt{2\hbar m\omega}} \int_{-\infty}^{\infty} f^*\left(\mp\hbar\frac{d}{dx} + m\omega x\right) g\,dx,$$

e a integração por partes leva $\int f^*(dg/dx)\,dx$ para $-\int (df/dx)^* g\,dx$ (os termos de contorno desaparecem, conforme razão indicada na nota de rodapé nº 22), então

$$\int_{-\infty}^{\infty} f^*(a_\pm g)\,dx = \frac{1}{\sqrt{2\hbar m\omega}} \int_{-\infty}^{\infty} \left[\left(\pm\hbar\frac{d}{dx} + m\omega x\right)f\right]^* g\,dx = \int_{-\infty}^{\infty} (a_\mp f)^* g\,dx.$$

QED (*quod erat demonstrandum*, ou como queríamos demonstrar: CQD)

Em especial,

$$\int_{-\infty}^{\infty} (a_\pm \psi_n)^*(a_\pm \psi_n)\,dx = \int_{-\infty}^{\infty} (a_\mp a_\pm \psi_n)^* \psi_n\,dx.$$

Mas (evocando as equações 2.57 e 2.61)

$$a_+ a_- \psi_n = n\psi_n, \quad a_- a_+ \psi_n = (n+1)\psi_n, \qquad [2.65]$$

então

$$\int_{-\infty}^{\infty}(a_+\psi_n)^*(a_+\psi_n)\,dx = |c_n|^2\int_{-\infty}^{\infty}|\psi_{n+1}|^2\,dx = (n+1)\int_{-\infty}^{\infty}|\psi_n|^2\,dx,$$

$$\int_{-\infty}^{\infty}(a_-\psi_n)^*(a_-\psi_n)\,dx = |d_n|^2\int_{-\infty}^{\infty}|\psi_{n-1}|^2\,dx = n\int_{-\infty}^{\infty}|\psi_n|^2\,dx.$$

Porém, desde que ψ_n e $\psi_{n\pm 1}$ estejam normalizadas, segue-se que $|c_n|^2 = n+1$ e $|d_n|^2 = n$, e, portanto,

$$\boxed{a_+\psi_n = \sqrt{n+1}\,\psi_{n+1}, \quad a_-\psi_n = \sqrt{n}\,\psi_{n-1}.} \qquad [2.66]$$

Consequentemente,

$$\psi_1 = a_+\psi_0, \quad \psi_2 = \frac{1}{\sqrt{2}}a_+\psi_1 = \frac{1}{\sqrt{2}}(a_+)^2\psi_0,$$

$$\psi_3 = \frac{1}{\sqrt{3}}a_+\psi_2 = \frac{1}{\sqrt{3\cdot 2}}(a_+)^3\psi_0, \quad \psi_4 = \frac{1}{\sqrt{4}}a_+\psi_3 = \frac{1}{\sqrt{4\cdot 3\cdot 2}}(a_+)^4\psi_0,$$

---

22 É claro que as integrais devem existir, e isso significa que $f(x)$ e $g(x)$ devem ir a zero em $\pm\infty$.

e assim por diante. Obviamente

$$\psi_n = \frac{1}{\sqrt{n!}}(a_+)^n \psi_0, \quad [2.67]$$

o que significa que o fator de normalização na Equação 2.61 é $A_n = 1/\sqrt{n!}$ (especificamente, $A_1 = 1$, confirmando o resultado no Exemplo 2.4).

Como no caso do poço quadrado infinito, os estados estacionários do oscilador harmônico são ortogonais:

$$\int_{-\infty}^{\infty} \psi_m^* \psi_n \, dx = \delta_{mn}. \quad [2.68]$$

Isso pode ser provado se usarmos a Equação 2.65 e a Equação 2.64 duas vezes — primeiro movendo a_+ e depois movendo a_-:

$$\int_{-\infty}^{\infty} \psi_m^* (a_+ a_-) \psi_n \, dx = n \int_{-\infty}^{\infty} \psi_m^* \psi_n \, dx$$
$$= \int_{-\infty}^{\infty} (a_- \psi_m)^* (a_- \psi_n) \, dx = \int_{-\infty}^{\infty} (a_+ a_- \psi_m)^* \psi_n \, dx$$
$$= m \int_{-\infty}^{\infty} \psi_m^* \psi_n \, dx.$$

A menos que $m = n$, então, $\int \psi_m^* \psi_n \, dx$ deve ser zero. Ortonormalidade significa que podemos novamente usar o truque de Fourier (Equação 2.34) para avaliar os coeficientes ao expandirmos $\psi(x, 0)$ como uma combinação linear de estados estacionários (Equação 2.16), e $|c_n|^2$ é novamente a probabilidade de que uma medida de energia produziria o valor E_n.

Exemplo 2.5 Calcule o valor esperado da energia potencial no n-ésimo estado do oscilador harmônico.

Resposta:

$$\langle V \rangle = \left\langle \frac{1}{2} m\omega^2 x^2 \right\rangle = \frac{1}{2} m\omega^2 \int_{-\infty}^{\infty} \psi_n^* x^2 \psi_n \, dx.$$

Há um ótimo artifício para avaliar integrais desse tipo (envolvendo potências de x e p): use a definição (Equação 2.47) para expressar x e p em termos de operadores de levantamento e abaixamento:

$$x = \sqrt{\frac{\hbar}{2m\omega}}(a_+ + a_-); \quad p = i\sqrt{\frac{\hbar m \omega}{2}}(a_+ - a_-). \quad [2.69]$$

No exemplo a seguir estamos interessados em x^2:

$$x^2 = \frac{\hbar}{2m\omega}\left[(a_+)^2 + (a_+ a_-) + (a_- a_+) + (a_-)^2\right].$$

Então,

$$\langle V \rangle = \frac{\hbar \omega}{4} \int \psi_n^* \left[(a_+)^2 + (a_+ a_-) + (a_- a_+) + (a_-)^2\right] \psi_n \, dx.$$

Mas $(a_+)^2\psi_n$ é ψ_{n+2} (sem contar a normalização), que é ortogonal para ψ_n, e o mesmo vale para $(a_-)^2\psi_n$, que é proporcional a ψ_{n-2}. Desse modo, esses termos caem e podemos usar a Equação 2.65 para avaliar os dois restantes:

$$\langle V \rangle = \frac{\hbar\omega}{4}(n+n+1) = \frac{1}{2}\hbar\omega\left(n+\frac{1}{2}\right).$$

Como de costume, o valor esperado da energia potencial é exatamente *metade* do total (a outra metade, é claro, é cinética). Essa é uma particularidade do oscilador harmônico, como veremos mais adiante.

*Problema 2.10

(a) Construa $\psi_2(x)$.

(b) Esboce ψ_0, ψ_1 e ψ_2.

(c) Verifique a ortogonalidade de ψ_0, ψ_1 e ψ_2 por meio de integração explícita. *Dica*: se você explorar a paridade e a imparidade das funções, restará apenas uma integral a ser obtida.

*Problema 2.11

(a) Calcule $\langle x \rangle$, $\langle p \rangle$, $\langle x^2 \rangle$ e $\langle p^2 \rangle$ para os estados ψ_0 (Equação 2.59) e ψ_1 (Equação 2.62) por integração explícita. *Comentário:* nesse e em outros problemas envolvendo o oscilador harmônico, introduzir a variável $\xi \equiv \sqrt{m\omega/\hbar}\, x$ e a constante $\alpha \equiv (m\omega/\pi\hbar)^{1/4}$ torna as coisas mais simples.

(b) Verifique o princípio da incerteza para esses estados.

(c) Calcule $\langle T \rangle$ (a energia cinética média) e $\langle V \rangle$ (a energia potencial média) para ambos os estados. (Nenhuma nova integração é permitida!) A soma delas é o que você esperava?

*Problema 2.12 Calcule $\langle x \rangle$, $\langle p \rangle$, $\langle x^2 \rangle$, $\langle p^2 \rangle$ e $\langle T \rangle$ para o n-ésimo estado estacionário do oscilador harmônico utilizando o método do Exemplo 2.5. Confira se o princípio da incerteza é satisfeito.

Problema 2.13 Uma partícula no potencial do oscilador harmônico está no estado

$$\Psi(x,0) = A[3\psi_0(x) + 4\psi_1(x)].$$

(a) Calcule A.

(b) Monte $\psi(x,t)$ e $|\psi(x,t)|^2$.

(c) Calcule $\langle x \rangle$ e $\langle p \rangle$. Não se empolgue muito se eles oscilarem na frequência clássica; o que poderia ter acontecido se eu tivesse especificado $\psi_2(x)$ em vez de $\psi_1(x)$? Verifique o que o teorema de Ehrenfest (Equação 1.38) guarda para essa função de onda.

(d) Ao medir a energia da partícula, que valores você poderá obter e quais as probabilidades de obter cada um deles?

Problema 2.14 Uma partícula está no estado fundamental do oscilador harmônico com frequência clássica ω, quando repentinamente a constante da mola quadruplica, fazendo com que $\omega' = 2\omega$, sem inicialmente mudar a função de onda (é claro que ψ *evoluirá* diferentemente, pois o hamiltoniano mudou). Qual é a probabilidade de a medição de energia ainda resultar no valor $\hbar\omega/2$? Qual é a probabilidade de se obter $\hbar\omega$? [*Resposta:* 0,943.]

2.3.2 Método analítico

Voltaremos agora à equação de Schrödinger para o oscilador harmônico,

$$-\frac{\hbar^2}{2m}\frac{d^2\psi}{dx^2} + \frac{1}{2}m\omega^2 x^2\psi = E\psi, \qquad [2.70]$$

e a resolveremos diretamente utilizando o método de série. As coisas ficam um pouco mais claras quando introduzimos a variável adimensional

$$\xi \equiv \sqrt{\frac{m\omega}{\hbar}}x; \qquad [2.71]$$

em termos de ξ, a equação de Schrödinger fica

$$\frac{d^2\psi}{d\xi^2} = (\xi^2 - K)\psi, \qquad [2.72]$$

na qual K é a energia, em unidades de $(1/2)\hbar\omega$:

$$K \equiv \frac{2E}{\hbar\omega}. \qquad [2.73]$$

Nosso problema é resolver a Equação 2.72 e, no processo, obter os valores 'permitidos' de K (e, portanto, de E).

Para começar, note que para grandes valores de ξ (que significa grandes valores de x), ξ^2 domina completamente a constante K, então, nesse regime,

$$\frac{d^2\psi}{d\xi^2} \approx \xi^2\psi, \qquad [2.74]$$

a qual tem a solução aproximada (verifique!)

$$\psi(\xi) \approx Ae^{-\xi^2/2} + Be^{+\xi^2/2}. \qquad [2.75]$$

O termo B é claramente não normalizável (explode quando $|x|\to\infty$); então, as soluções fisicamente aceitáveis têm a forma assintótica

$$\psi(\xi) \to (\ )e^{-\xi^2/2}, \text{ para grandes } \xi. \qquad [2.76]$$

Isso sugere que devemos 'descascar' a parte exponencial,

$$\psi(\xi) = h(\xi)e^{-\xi^2/2}, \qquad [2.77]$$

esperando que o restante, $h(\xi)$, tenha uma forma funcional mais simples do que a própria $\psi(\xi)$.[23] Diferenciando a Equação 2.77,

$$\frac{d\psi}{d\xi} = \left(\frac{dh}{d\xi} - \xi h\right)e^{-\xi^2/2},$$

---

23 Note que, embora tenhamos executado algumas aproximações para *motivar* a Equação 2.77, o que segue está *exato*. O mecanismo para desvendar o comportamento assintótico é o primeiro passo padrão no método de série de potências para resolver equações diferenciais. Veja, por exemplo, Boas (nota de rodapé nº 11), Capítulo 12.

e

$$\frac{d^2\psi}{d\xi^2} = \left(\frac{d^2h}{d\xi^2} - 2\xi\frac{dh}{d\xi} + (\xi^2 - 1)h\right)e^{-\xi^2/2},$$

a equação de Schrödinger (Equação 2.72) se transforma em

$$\frac{d^2h}{d\xi^2} - 2\xi\frac{dh}{d\xi} + (K-1)h = 0. \qquad [2.78]$$

Proponho buscar soluções para a Equação 2.78 em forma de *série de potências* em ξ:[24]

$$h(\xi) = a_0 + a_1\xi + a_2\xi^2 + \cdots = \sum_{j=0}^{\infty} a_j\xi^j. \qquad [2.79]$$

Diferenciando a série termo por termo,

$$\frac{dh}{d\xi} = a_1 + 2a_2\xi + 3a_3\xi^2 + \cdots = \sum_{j=0}^{\infty} ja_j\xi^{j-1},$$

e

$$\frac{d^2h}{d\xi^2} = 2a_2 + 2\cdot 3a_3\xi + 3\cdot 4a_4\xi^2 + \cdots = \sum_{j=0}^{\infty} (j+1)(j+2)a_{j+2}\xi^j.$$

Substituindo-os na Equação 2.78, teremos

$$\sum_{j=0}^{\infty} \left[(j+1)(j+2)a_{j+2} - 2ja_j + (K-1)a_j\right]\xi^j = 0. \qquad [2.80]$$

Ocorre (por causa da unicidade das expansões das séries de potências[25]) que o coeficiente de *cada potência* de ξ deve zerar,

$$(j+1)(j+2)a_{j+2} - 2ja_j + (K-1)a_j = 0,$$

e, portanto,

$$a_{j+2} = \frac{(2j+1-K)}{(j+1)(j+2)}a_j. \qquad [2.81]$$

Essa **fórmula de recursão** é inteiramente equivalente à equação de Schrödinger. Começando com a_0, ela gera todos os coeficientes pares:

$$a_2 = \frac{(1-K)}{2}a_0, \quad a_4 = \frac{(5-K)}{12}a_2 = \frac{(5-K)(1-K)}{24}a_0, \quad \ldots,$$

e começando com a_1, gera os coeficientes ímpares:

$$a_3 = \frac{(3-K)}{6}a_1, \quad a_5 = \frac{(7-K)}{20}a_3 = \frac{(7-K)(3-K)}{120}a_1, \quad \ldots,$$

---

24 Conhecido como **método de Frobenius** para resolver uma equação diferencial. De acordo com o teorema de Taylor, *qualquer* função razoavelmente bem-comportada pode ser expressa como série de potências, e então a Equação 2.79 normalmente não envolve perda de generalidade. Para condições de aplicabilidade do método, veja Boas (nota de rodapé nº 11) ou George B. Arfken e Hans-Jurgen Weber, *Mathematical Methods for Physicists*, 5ª ed., Academic Press, Orlando (2000), Seção 8.5.

25 Veja, por exemplo, Arfken (nota de rodapé nº 24), Seção 5.7.

A solução completa é descrita desse modo:

$$h(\xi) = h_{\text{par}}(\xi) + h_{\text{ímpar}}(\xi),\qquad [2.82]$$

em que

$$h_{\text{par}}(\xi) \equiv a_0 + a_2\xi^2 + a_4\xi^4 + \cdots$$

é uma função par de ξ, montada sobre a_0, e

$$h_{\text{ímpar}}(\xi) \equiv a_1\xi + a_3\xi^3 + a_5\xi^5 + \cdots$$

é uma função ímpar, montada sobre a_1. Desse modo, a Equação 2.81 determina $h(\xi)$ em termos de duas constantes arbitrárias (a_0 e a_1), que é exatamente o que se espera de uma equação diferencial de segunda ordem.

Entretanto, nem todas as soluções obtidas são *normalizáveis*. Para valores de j muito grande, a fórmula de recursão vem a ser (aproximadamente)

$$a_{j+2} \approx \frac{2}{j}a_j,$$

com solução (aproximada)

$$a_j \approx \frac{C}{(j/2)!},$$

para uma constante C, e isso produz (para grandes valores de ξ, em que os termos de maior potência dominam)

$$h(\xi) \approx C\sum \frac{1}{(j/2)!}\xi^j \approx C\sum \frac{1}{j!}\xi^{2j} \approx Ce^{\xi^2}.$$

Bem, se *h se comportar como* $\exp(\xi^2)$, então ψ (você se lembra de ψ? É ele que estamos tentando calcular) se comportará como $\exp(\xi^2/2)$ (Equação 2.77), que é precisamente o comportamento assintótico que *não* queríamos.[26] Há apenas uma maneira de evitar isso: para soluções normalizáveis, *a série de potências deve ser finita*. Pode ocorrer um j 'mais alto' (chame-o de n), de tal forma que a fórmula de recursão produz $a_{n+2} = 0$ (isso truncará a série h_{par} ou a série $h_{\text{ímpar}}$; a outra deve ser zero de início: $a_1 = 0$ se n for par e $a_0 = 0$ se n for ímpar). Para soluções fisicamente aceitáveis, a Equação 2.81 exige que

$$K = 2n + 1,$$

para um número inteiro não negativo n, que é o mesmo que dizer (referindo-se à Equação 2.73) que a *energia* deve ser

$$E_n = \left(n + \frac{1}{2}\right)\hbar\omega, \text{ para } n = 0, 1, 2, \ldots \qquad [2.83]$$

Recuperamos assim, por meio de um método completamente diferente, a condição de quantização fundamental que encontramos algebricamente na Equação 2.61.

---

26 Não é surpresa que as soluções mal comportadas ainda estejam contidas na Equação 2.81; essa relação de recursão é equivalente à equação de Schrödinger; logo, tem de incluir ambas as formas assintóticas que encontramos na Equação 2.75.

A princípio, parece surpreendente que a quantização de energia deva surgir a partir de um detalhe técnico na solução de série de potências para a equação de Schrödinger, mas vamos examinar essa ideia de uma perspectiva diferente. A Equação 2.70 tem soluções, é claro, para *qualquer* valor de E (na verdade, tem *duas* soluções linearmente independentes para cada E). Porém, quase todas elas se descontrolam exponencialmente para grandes valores de x e, portanto, não são normalizáveis. Imagine, por exemplo, o uso de um E que é somente um pouco *menor* do que um dos valores permitidos (digamos, 0,49 $\hbar\omega$), e a representação da solução (Figura 2.6(a)); as 'extremidades' voam para o infinito. Agora tente um E um pouco mais amplo (digamos, 0,51 $\hbar\omega$); as 'extremidades' divergem na *outra* direção (Figura 2.6(b)). Conforme você ajusta o parâmetro, aos poucos, de 0,49 a 0,51, a extremidade se inverte quando você passa por 0,5; a mesma vai a zero somente em 0,5, produzindo uma solução normalizável.[27]

Para os valores permitidos de K, a fórmula de recursão diz que

$$a_{j+2} = \frac{-2(n-j)}{(j+1)(j+2)} a_j. \qquad [2.84]$$

Se $n = 0$, há apenas um termo na série (devemos escolher $a_1 = 0$ para neutralizar $h_{\text{ímpar}}$, e $j = 0$ na Equação 2.84 produz $a_2 = 0$):

$$h_0(\xi) = a_0,$$

e, portanto,

$$\psi_0(\xi) = a_0 e^{-\xi^2/2}$$

(a)

(b)

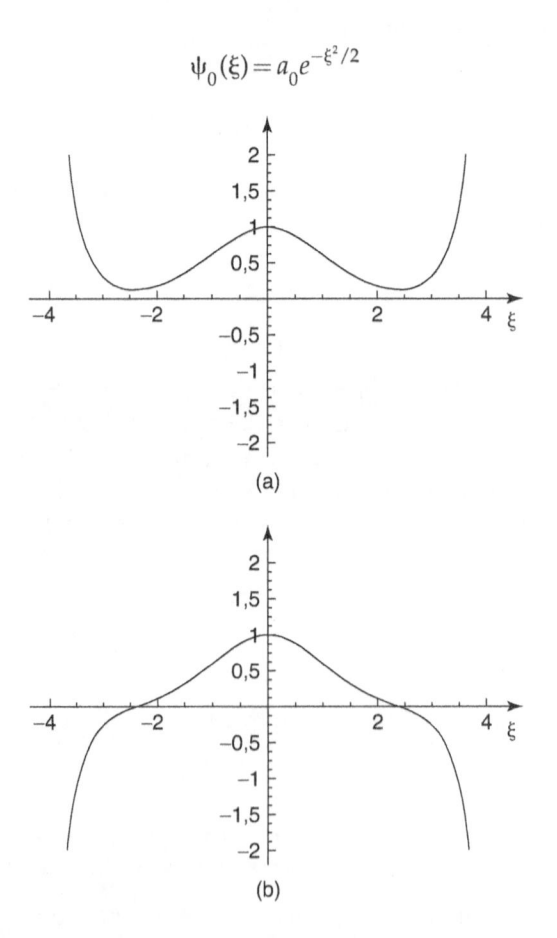

FIGURA 2.6 Soluções para a equação de Schrödinger para (a) E = 0,49 $\hbar v$ e (b) E = 0,51 $\hbar v$.

---

[27] É possível simular isso em um computador e descobrir as energias permitidas 'experimentalmente'. Você pode chamar esse método do **cachorro sacudindo o rabo**: quando o rabo sacode, você sabe que acabou de ultrapassar um valor permitido. Veja os problemas 2.54-2.56.

(que, a parte da normalização, reproduz a Equação 2.59). Para $n = 1$ usamos $a_0 = 0$,[28] e a Equação 2.84 com $j = 1$ produz $a_3 = 0$, por isso,

$$h_1(\xi) = a_1 \xi,$$

e, portanto,

$$\psi_1(\xi) = a_1 e^{-\xi^2/2}$$

(confirmando a Equação 2.62). Para $n = 2$, $j = 0$ produz $a_2 = -2a_0$, e $j = 2$ obtém $a_4 = 0$, assim

$$h_2(\xi) = a_0(1 - 2\xi^2),$$

e

$$\psi_2(\xi) = a_0(1 - 2\xi^2)e^{-\xi^2/2},$$

e assim por diante. (Compare com o Problema 2.10, em que esse último resultado foi obtido por meios algébricos.)

Em geral, $h_n(\xi)$ será um polinômio de grau n em ξ, envolvendo somente potências pares, se n for um número inteiro par, e somente potências ímpares, se n for um número inteiro ímpar. Além do fator geral (a_0 ou a_1), são também chamados de **polinômios de Hermite**, $H_n(\xi)$.[29] Os primeiros estão listados na Tabela 2.1. Normalmente, o fator multiplicativo arbitrário é escolhido para que o coeficiente da maior potência de ξ seja 2^n. Com essa convenção, os estados estacionários normalizados[30] para o oscilador harmônico são

$$\psi_n(x) = \left(\frac{m\omega}{\pi\hbar}\right)^{1/4} \frac{1}{\sqrt{2^n n!}} H_n(\xi) e^{-\xi^2/2}. \qquad [2.85]$$

Eles são idênticos (é claro) aos que obtivemos algebricamente na Equação 2.67.

Na Figura 2.7(a) esbocei $\psi_n(x)$ para os primeiros n. O oscilador quântico é visivelmente diferente de seu equivalente clássico; não somente as energias são quantizadas, mas também as distribuições de posição têm algumas características estranhas. Por exemplo, a probabilidade de encontrar a partícula fora do intervalo classicamente permitido (isto é, com x maior do que a amplitude clássica para a energia em questão) *não* é zero (veja o Problema 2.15), e em todos os estados ímpares a probabilidade de encontrar a partícula no centro é zero. Somente em grandes valores de n começamos a notar alguma semelhança ao caso clássico. Na Figura 2.7(b) sobrepus a distribuição de posição clássica sobre a quântica (para $n = 100$); se você suavizar as oscilações, as duas se encaixarão muito bem (entretanto, no caso clássico falamos da distribuição de posições *sobre o tempo* para *um* oscilador, ao passo que no caso quântico falamos de distribuição sobre um *conjunto* de sistemas preparados identicamente).[31]

TABELA 2.1 Os primeiros polinômios de Hermite, $H_n(\xi)$.

$$H_0 = 1,$$
$$H_1 = 2\xi,$$
$$H_2 = 4\xi^2 - 2,$$
$$H_3 = 8\xi^3 - 12\xi,$$
$$H_4 = 16\xi^4 - 48\xi^2 + 12,$$
$$H_5 = 32\xi^5 - 160\xi^3 + 120\xi.$$

---

28 Note que há um conjunto completamente diferente de coeficientes a_j para cada valor de n.

29 Os polinômios de Hermite têm sido estudados exaustivamente na literatura matemática e há muitas ferramentas e truques para se trabalhar com eles. Alguns desses truques serão explorados no Problema 2.17.

30 Não trabalharei a normalização aqui; caso você esteja interessado em saber como ela é feita, veja o exemplo de Leonard Schiff, *Quantum Mechanics*, 3ª ed., McGraw-Hill, Nova York (1968), Seção 13.

31 O paralelo talvez seja mais direto se você interpretar a distribuição clássica como um conjunto de osciladores com a mesma energia, porém, com tempos iniciais aleatórios.

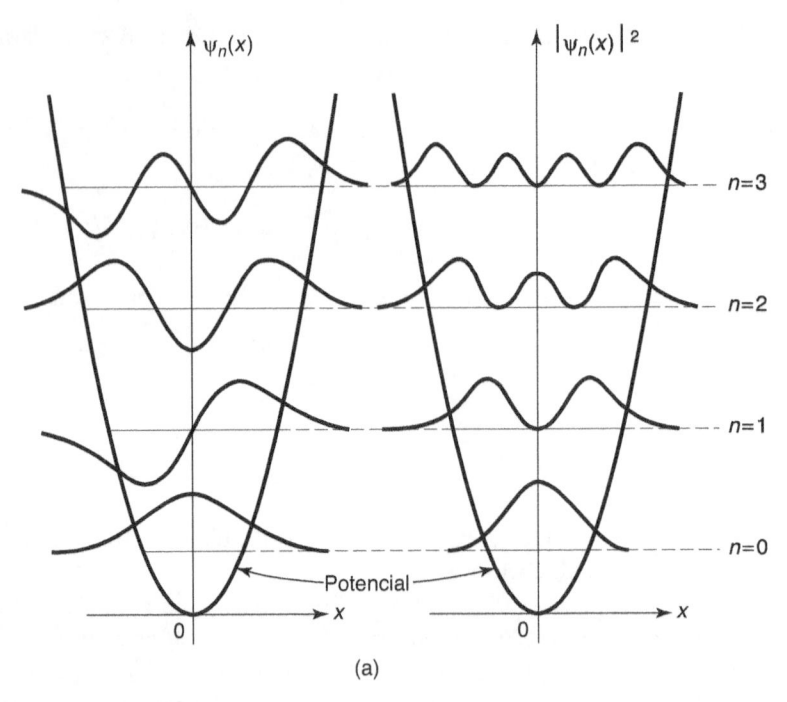

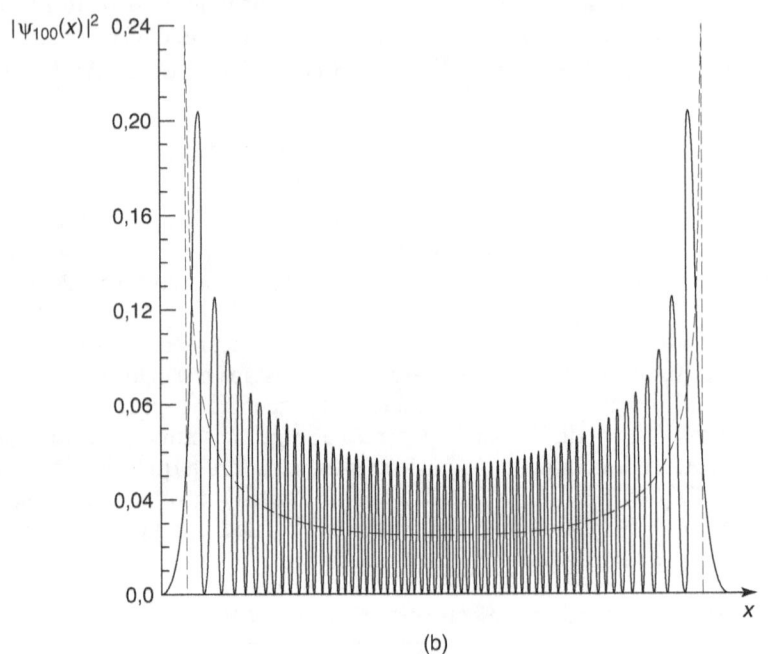

FIGURA 2.7 (a) Os primeiros quatro estados estacionários do oscilador harmônico. Esse material foi usado com permissão de John Wiley & Sons, Inc.; Stephen Gasiorowicz, *Quantum Physics*, John Wiley & Sons, Inc., 1974. (b) Gráfico de $|\psi_{100}|^2$ com a distribuição clássica (curva tracejada) sobreposta.

Problema 2.15 No estado fundamental do oscilador harmônico, qual é a probabilidade (correta para três algarismos significativos) de encontrar a partícula fora da região classicamente permitida? *Dica*: classicamente, a energia de um oscilador é $E = (1/2)ka^2 = (1/2)m\omega^2 a^2$, enquanto a é a amplitude. Assim, a 'região permitida classicamente' para um oscilador de energia E estende-se de $-\sqrt{2E/m\omega^2}$ para $+\sqrt{2E/m\omega^2}$. Procure o valor numérico da integral em uma tabela matemática, em 'Distribuição normal' ou 'Função erro'.

Problema 2.16 Use a fórmula de recursão (Equação 2.84) para encontrar $H_5(\xi)$ e $H_6(\xi)$. Apele para a convenção que estabelece que o coeficiente de maior potência de ξ é 2^n para corrigir a constante geral.

Problema 2.17 Nesse problema exploramos alguns dos teoremas (utilizados sem prova) mais úteis que envolvem os polinômios de Hermite.
(a) A **fórmula de Rodrigues** diz que

$$H_n(\xi) = (-1)^n e^{\xi^2} \left(\frac{d}{d\xi}\right)^n e^{-\xi^2}. \qquad [2.86]$$

Use-a para obter H_3 e H_4.
(b) A relação de recursão seguinte dá H_{n+1} em termos dos dois polinômios de Hermite precedentes:

$$H_{n+1}(\xi) = 2\xi H_n(\xi) - 2nH_{n-1}(\xi) \qquad [2.87]$$

Use-a, juntamente com a resposta de (a), para obter H_5 e H_6.

(c) Se você diferenciar um polinômio de n-ésima ordem, obterá um polinômio de ordem $(n-1)$. Para polinômios de Hermite, na verdade,

$$\frac{dH_n}{d\xi} = 2nH_{n-1}(\xi). \qquad [2.88]$$

Verifique isso, diferenciando H_5 e H_6.
(d) $H_n(\xi)$ é a n-ésima derivada em z, em $z=0$, da **função geradora** $\exp(-z^2 + 2z\xi)$; ou, em outras palavras, é o coeficiente de $z^n/n!$ na expansão da série de Taylor para essa função:

$$e^{-z^2+2z\xi} = \sum_{n=0}^{\infty} \frac{z^n}{n!} H_n(\xi). \qquad [2.89]$$

Use isso para reobter H_0, H_1 e H_2.

2.4 Partícula livre

Passamos a seguir para o que *deveria* ser o caso mais simples de todos: a partícula livre ($V(x) = 0$ em qualquer lugar). Classicamente, isso significaria apenas movimento em velocidade constante, porém, na mecânica quântica, o problema é surpreendentemente sutil e complicado. A equação de Schrödinger independente do tempo diz que

$$-\frac{\hbar^2}{2m}\frac{d^2\psi}{dx^2} = E\psi, \qquad [2.90]$$

ou

$$\frac{d^2\psi}{dx^2} = -k^2\psi, \quad \text{onde } k \equiv \frac{\sqrt{2mE}}{\hbar}. \qquad [2.91]$$

Até aqui, é o mesmo que dentro do poço quadrado infinito (Equação 2.21), no qual o potencial também é zero; dessa vez, entretanto, prefiro escrever a solução geral na forma exponencial (em vez de senos e cossenos) por razões que surgirão em seu devido tempo:

$$\psi(x) = Ae^{ikx} + Be^{-ikx}. \quad [2.92]$$

Diferentemente do poço quadrado infinito, não há condições de contorno que restrinjam os valores possíveis de k (e, portanto, de E); a partícula livre pode possuir *qualquer* energia (positiva). Incluindo a dependência de tempo padrão, $\exp(-iEt/\hbar)$,

$$\Psi(x,t) = Ae^{ik\left(x - \frac{\hbar k}{2m}t\right)} + Be^{-ik\left(x + \frac{\hbar k}{2m}t\right)}. \quad [2.93]$$

Agora, *qualquer* função de x e t que dependa dessas variáveis na combinação especial $(x \pm vt)$ (para alguma constante v) representa uma onda de perfil fixo, movendo-se na direção $\mp x$ com velocidade v. Um ponto fixo na forma de onda (por exemplo, um máximo ou mínimo) corresponde a um valor fixo do argumento e, portanto, corresponde também a x e t, tal que

$$x \pm vt = \text{constante}, \quad \text{ou} \quad x = \mp vt + \text{constante}.$$

Uma vez que cada ponto da onda se move na mesma velocidade, sua *forma* não muda conforme ela se propaga. Assim, o primeiro termo na Equação 2.93 representa uma onda que se move para a *direita*, e o segundo representa uma onda (de mesma energia) que se desloca para a *esquerda*. A propósito, como eles diferem apenas pelo *sinal* na frente de k, podemos também escrever

$$\Psi_k(x,t) = Ae^{i\left(kx - \frac{\hbar k^2}{2m}t\right)}, \quad [2.94]$$

e deixar que k seja negativo para amparar o caso das ondas que se movem para a esquerda:

$$k \equiv \pm \frac{\sqrt{2mE}}{\hbar}, \quad \text{com} \quad \begin{cases} k > 0 \Rightarrow \text{movendo-se para a direita,} \\ k < 0 \Rightarrow \text{movendo-se para a esquerda.} \end{cases} \quad [2.95]$$

Evidentemente, os 'estados estacionários' da partícula livre são ondas que se propagam; o comprimento de onda é $\lambda = 2\pi/|k|$ e, de acordo com a fórmula de de Broglie (Equação 1.39), elas carregam o momento

$$p = \hbar k. \quad [2.96]$$

A velocidade das ondas (o coeficiente de t sobre o coeficiente de x) é

$$v_{\text{quântica}} = \frac{\hbar |k|}{2m} = \sqrt{\frac{E}{2m}}. \quad [2.97]$$

Por outro lado, a velocidade *clássica* de uma partícula com energia E é dada por $E = (1/2)mv^2$ (pura cinética, sendo $V = 0$), e assim,

$$v_{\text{clássica}} = \sqrt{\frac{2E}{m}} = 2v_{\text{quântica}}. \quad [2.98]$$

Na mecânica quântica, aparentemente, a função de onda se move com a *metade* da velocidade da partícula que supostamente representa! Logo voltaremos a esse paradoxo; há um problema ainda mais sério que precisamos confrontar: *essa função de onda não é normalizável*. Para

$$\int_{-\infty}^{+\infty} \Psi_k^* \Psi_k \, dx = |A|^2 \int_{-\infty}^{+\infty} dx = |A|^2 (\infty). \qquad [2.99]$$

No caso da partícula livre, as soluções separáveis não representam estados fisicamente realizáveis. Uma partícula livre não pode existir em um estado estacionário; ou, em outras palavras, *não há partícula livre com energia definida*.

Mas isso não significa que soluções separáveis não tenham utilidade para nós, pois elas desempenham um papel *matemático* que é inteiramente independente de sua interpretação *física*. A solução geral para a equação de Schrödinger dependente do tempo ainda é uma combinação linear de soluções separáveis (só que, dessa vez, é uma *integral* sobre a variável contínua k em vez de uma *soma* sobre o índice discreto n):

$$\Psi(x,t) = \frac{1}{\sqrt{2\pi}} \int_{-\infty}^{+\infty} \phi(k) e^{i\left(kx - \frac{\hbar k^2}{2m}t\right)} dk. \qquad [2.100]$$

(A quantidade $1/\sqrt{2\pi}$ está fatorada por conveniência; o que desempenha o papel de coeficiente c_n na Equação 2.17 é a combinação $(1/\sqrt{2\pi})\phi(k)dk$.) Agora, essa função de onda *pode* ser normalizada (para $\phi(k)$ apropriado). Porém, ela necessariamente carrega um *intervalo* de k e, portanto, um intervalo de energias e velocidades. Chamamos isso de **pacote de onda**.[32]

No problema quântico genérico é *dado* $\psi(x, 0)$, e a partir daí devemos *encontrar* $\psi(x, t)$. Para uma partícula livre, a solução toma a forma da Equação 2.100; a única questão é como determinar $\phi(k)$ para que o resultado coincida com a função de onda inicial:

$$\Psi(x,0) = \frac{1}{\sqrt{2\pi}} \int_{-\infty}^{+\infty} \phi(k) e^{ikx} dk. \qquad [2.101]$$

Esse é um problema clássico na análise de Fourier; a resposta é fornecida pelo **teorema de Plancherel** (veja o Problema 2.20):

$$f(x) = \frac{1}{\sqrt{2\pi}} \int_{-\infty}^{+\infty} F(k) e^{ikx} dk \Leftrightarrow F(k) = \frac{1}{\sqrt{2\pi}} \int_{-\infty}^{+\infty} f(x) e^{-ikx} dx. \qquad [2.102]$$

$F(k)$ é chamada de **transformada de Fourier** de $f(x)$; $f(x)$ é a **transformada de Fourier inversa** de $F(k)$ (a única diferença está no sinal do expoente). Há, é claro, algumas restrições nas funções permissíveis: as integrais têm de *existir*.[33] Para nossos propósitos, isso é garantido pela exigência física de que $\psi(x, 0)$ seja normalizado. Assim, a solução do problema quântico genérico para a partícula livre é a Equação 2.100, com

$$\phi(k) = \frac{1}{\sqrt{2\pi}} \int_{-\infty}^{+\infty} \Psi(x,0) e^{-ikx} dx. \qquad [2.103]$$

---

32 Ondas sinusoidais se estendem ao infinito e não são normalizáveis. Porém, as *sobreposições* de tais ondas levam à interferência, o que permite localização e normalização.

33 A condição necessária e suficiente em $f(x)$ é que $\int_{-\infty}^{\infty} |f(x)|^2 dx$ seja *finita*. (Nesse caso, $\int_{-\infty}^{\infty} |F(k)|^2 dk$ também é finita; na verdade, as duas integrais são iguais.) Veja Arfken (nota de rodapé nº 24), Seção 15.5.

Exemplo 2.6 Uma partícula livre, a qual inicialmente está localizada no intervalo $-a < x < a$, é solta no tempo $t = 0$:

$$\Psi(x,0) = \begin{cases} A, & \text{se } -a < x < a, \\ 0, & \text{caso contrário,} \end{cases}$$

onde A e a são constantes reais positivas. Calcule $\Psi(x, t)$.

Resposta: primeiro temos de normalizar $\Psi(x, 0)$:

$$1 = \int_{-\infty}^{\infty} |\Psi(x,0)|^2 dx = |A|^2 \int_{-a}^{a} dx = 2a|A|^2 \Rightarrow A = \frac{1}{\sqrt{2a}}.$$

A seguir, calculamos $\phi(k)$ usando a Equação 2.103:

$$\phi(k) = \frac{1}{\sqrt{2\pi}} \frac{1}{\sqrt{2a}} \int_{-a}^{a} e^{-ikx} dx = \frac{1}{2\sqrt{\pi a}} \frac{e^{-ikx}}{-ik} \bigg|_{-a}^{a}$$

$$= \frac{1}{k\sqrt{\pi a}} \left(\frac{e^{ika} - e^{-ika}}{2i} \right) = \frac{1}{\sqrt{\pi a}} \frac{\text{sen}(ka)}{k}.$$

Finalmente, substituimos isso na Equação 2.100:

$$\Psi(x,t) = \frac{1}{\pi\sqrt{2a}} \int_{-\infty}^{\infty} \frac{\text{sen}(ka)}{k} e^{i\left(kx - \frac{\hbar k^2}{2m}t\right)} dk. \qquad [2.104]$$

Infelizmente, essa integral não pode ser resolvida em termos de funções elementares, ainda que, certamente, possa ser avaliada numericamente (Figura 2.8). (Há, na verdade, casos muito raros nos quais a integral para $\psi(x, t)$ (Equação 2.100) *pode* ser calculada explicitamente; veja um belo exemplo disso no Problema 2.22.)

É esclarecedor explorar os casos extremos. Se a é muito pequeno, a função de onda inicial é um ponto muito bem localizado (Figura 2.9(a)). Nesse caso, podemos usar a aproximação de pequenos ângulos para escrever $\text{sen}(ka) \approx ka$ e, portanto,

$$\phi(k) \approx \sqrt{\frac{a}{\pi}};$$

é *constante*, já que os ks são cancelados (Figura 2.9(b)). Esse é um exemplo do princípio da incerteza: se a dispersão na *posição* é pequena, a dispersão no *momento* (e, portanto, em k — veja Equação 2.96) deve ser grande. No outro extremo (a grande), a dispersão na posição é ampla (Figura 2.10(a)) e

$$\phi(k) = \sqrt{\frac{a}{\pi}} \frac{\text{sen}(ka)}{ka}.$$

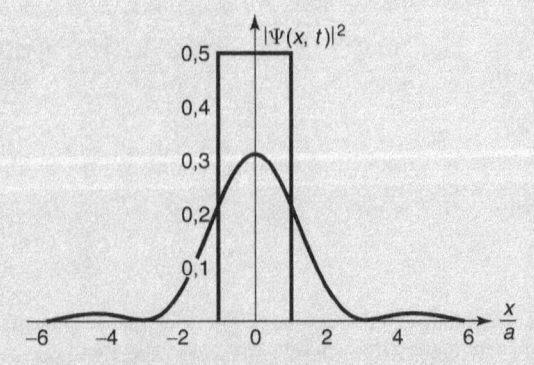

FIGURA 2.8 Gráfico de $|\psi(x, t)|^2$ (Equação 2.104) em $t = 0$ (o retângulo) e em $t = ma^2/\hbar$ (a curva).

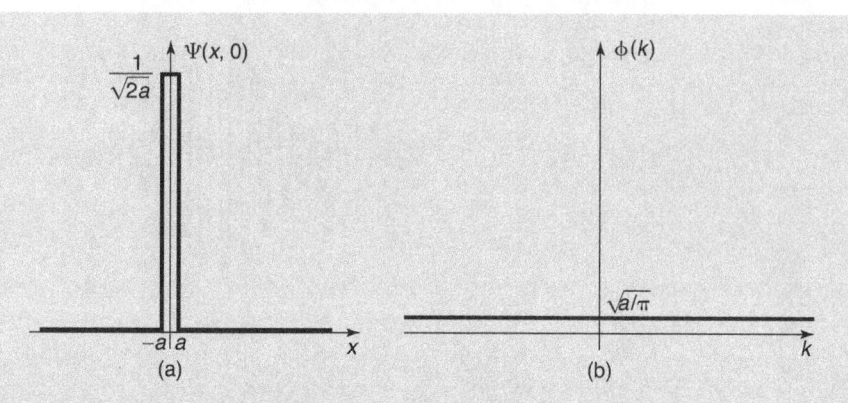

Capítulo 2 Equação de Schrödinger independente do tempo 49

FIGURA 2.9 Exemplo 2.6 para a pequeno. (a) Gráfico de ψ(x, 0). (b) Gráfico de φ(k).

Agora, sen z/z tem seu máximo em z = 0 e cai para zero em z = ± π (o qual, nesse contexto, significa que k = ± π/a). Portanto, para a grande, φ(k) é um pico determinado em torno de k = 0 (Figura 2.10(b)). Dessa vez, obtivemos um momento bem definido, porém, uma posição mal definida.

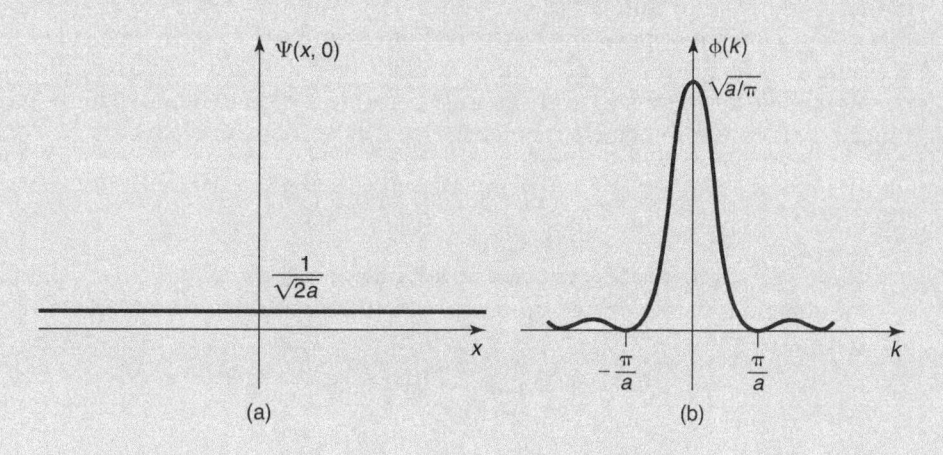

FIGURA 2.10 Exemplo 2.6, para a grande. (a) Gráfico de Ψ(x, 0). (b) Gráfico de φ(k).

Volto agora ao paradoxo observado anteriormente: o fato de que as soluções separáveis $\Psi_k(x, t)$ na Equação 2.94 se movem na velocidade 'errada' em relação à partícula que ostensivamente representa. A rigor, o problema desaparece quando descobrimos que Ψ_k não é um estado fisicamente realizável. Contudo, é interessante descobrir como a informação sobre velocidade *está* contida na função de onda da partícula livre (Equação 2.100). A ideia principal é a seguinte: um pacote de onda é uma sobreposição de funções sinusoidais cuja amplitude é modulada por φ (Figura 2.11); ele consiste de 'ondulações' contidas em um 'envelope'. O que corresponde à velocidade da partícula não é a velocidade das ondulações individuais (a chamada **velocidade de fase**), mas, sim, a velocidade do envelope (a **velocidade de grupo**), que, dependendo da natureza das ondas, pode ser maior, menor ou igual à velocidade das ondulações que a compõe. Para ondas em uma corda, a velocidade de grupo é a mesma que a velocidade de fase. Para ondas em água, a velocidade de grupo é metade da velocidade de fase, conforme você deve ter notado quando joga uma pedrinha no lago (se você se concentrar em determinada ondulação, poderá acompanhar a montagem desde o início, avançando de um lado a outro do grupo e sumindo adiante, enquanto o grupo como um todo se propaga à metade da velocidade). O que preciso mostrar é que, para a função de onda de uma partícula livre na mecânica quântica, a velocidade de grupo é *duas vezes* a velocidade de fase, o que é perfeito para representar a velocidade clássica da partícula.

O problema é, então, determinar a velocidade de grupo de um pacote de onda com o formato geral seguinte:

$$\Psi(x,t) = \frac{1}{\sqrt{2\pi}} \int_{-\infty}^{+\infty} \phi(k) e^{i(kx-\omega t)} dk.$$

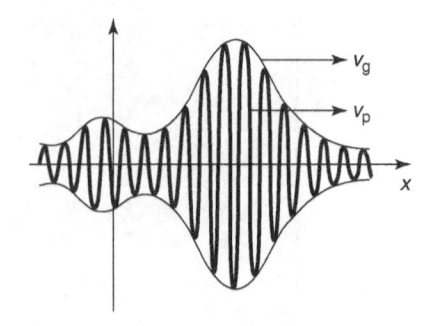

FIGURA 2.11 Um pacote de onda. O 'envelope' se move na velocidade de grupo; as 'ondulações' se movem na velocidade de fase.

(Nesse caso, $\omega = (\hbar k^2/2m)$, mas o que tenho a dizer agora se aplica a *qualquer* tipo de pacote de onda, independentemente de sua **relação de dispersão** — a fórmula para ω como função de k.) Vamos pressupor que $\phi(k)$ esteja precisamente situado sobre determinado valor de k_0. (Não há nada de *ilegal* em uma ampla dispersão em k, porém, tais pacotes de ondas mudam de forma rapidamente — pois componentes diferentes, movem-se em velocidades diferentes —, e, assim, a noção de um 'grupo' com velocidade bem definida perde o sentido.) Uma vez que o integrando é desprezível, exceto quando próximo a k_0, podemos expandir, usando Taylor, a função $\omega(k)$ sobre esse ponto e manter somente os termos principais:

$$\omega(k) \cong \omega_0 + \omega_0'(k-k_0),$$

em que ω_0' é a derivada de ω em relação a k, no ponto k_0.

Mudando as variáveis de k para $s \equiv k - k_0$ (para centralizar a integral em k_0), temos

$$\Psi(x,t) \cong \frac{1}{\sqrt{2\pi}} \int_{-\infty}^{+\infty} \phi(k_0+s) e^{i[(k_0+s)x-(\omega_0+\omega_0's)t]} \, ds.$$

Em $t = 0$,

$$\Psi(x,0) = \frac{1}{\sqrt{2\pi}} \int_{-\infty}^{+\infty} \phi(k_0+s) e^{i(k_0+s)x} \, ds,$$

e, em tempos futuros

$$\Psi(x,t) \cong \frac{1}{\sqrt{2\pi}} e^{i(-\omega_0 t + k_0 \omega_0' t)} \int_{-\infty}^{+\infty} \phi(k_0+s) e^{i(k_0+s)(x-x\omega_0't)} \, ds.$$

Exceto pela mudança de x para $(x - \omega_0' t)$, a integral é a mesma em $\psi(x, 0)$. Desse modo,

$$\Psi(x,t) \cong e^{-i(\omega_0 - k_0 \omega_0')t} \Psi(x - \omega_0' t, 0). \qquad [2.105]$$

Além do fator de fase no começo (o qual não afeta $|\psi|^2$ de nenhum modo), o pacote de onda evidentemente se move em velocidade ω_0':

$$v_{\text{grupo}} = \frac{d\omega}{dk} \qquad [2.106]$$

(avaliado em $k = k_0$). Isso serve para contrastar com a velocidade de fase comum

Capítulo 2 Equação de Schrödinger independente do tempo 51

$$v_{\text{fase}} = \frac{\omega}{k}. \qquad [2.107]$$

Nesse caso, $\omega = (\hbar k^2/2m)$, e, portanto, $\omega/k = (\hbar k/2m)$, em vista de $d\omega/dk = (\hbar k/m)$, o qual é duas vezes maior. Isso confirma que é a velocidade de grupo do pacote de onda, e não a velocidade de fase dos estados estacionários, que coincide com a velocidade clássica da partícula:

$$v_{\text{clássica}} = v_{\text{grupo}} = 2v_{\text{fase}} \qquad [2.108]$$

Problema 2.18 Demonstre que $[Ae^{ikx} + Be^{-ikx}]$ e $[C \cos kx + D \sin kx]$ são maneiras equivalentes de se escrever a mesma função de x e determine as constantes C e D em termos de A e B, e vice-versa. *Comentário:* na mecânica quântica, quando $V = 0$, as exponenciais representam ondas *móveis* e são mais convenientes na discussão sobre partícula livre, considerando que senos e cossenos correspondem a ondas *estacionárias*, as quais surgem naturalmente no caso do poço quadrado infinito.

Problema 2.19 Calcule a corrente de probabilidade, J (Problema 1.14), para a função de onda da partícula livre na Equação 2.94. Para qual direção a probabilidade atual flui?

**Problema 2.20 Esse problema foi projetado para guiá-lo durante a 'verificação' do teorema de Plancherel, começando pela teoria da série de Fourier comum em um intervalo *finito* e depois permitindo que esse intervalo se expanda ao infinito.

(a) O teorema de Dirichlet diz que 'qualquer' função $f(x)$ no intervalo $[-a, +a]$ pode ser expandida como uma série de Fourier:

$$f(x) = \sum_{n=0}^{\infty} [a_n \sin(n\pi x/a) + b_n \cos(n\pi x/a)].$$

Demonstre que isso pode ser escrito equivalentemente como

$$f(x) = \sum_{n=-\infty}^{\infty} c_n e^{in\pi x/a}.$$

O que é c_n, em termos de a_n e b_n?

(b) Demonstre (por meio da modificação apropriada do truque de Fourier) que

$$c_n = \frac{1}{2a} \int_{-a}^{+a} f(x) e^{-in\pi x/a} dx.$$

(c) Elimine n e c_n em favor das novas variáveis $k = (n\pi/a)$ e $F(k) = \sqrt{2/\pi}\, ac_n$. Demonstre que (a) e (b) agora se tornam

$$f(x) = \frac{1}{\sqrt{2\pi}} \sum_{n=-\infty}^{\infty} F(k) e^{ikx} \Delta k; \quad F(k) = \frac{1}{\sqrt{2\pi}} \int_{-a}^{+a} f(x) e^{-ikx} dx,$$

em que Δk é o aumento em k de um n a outro.

(d) Tome o limite $a \to \infty$ para obter o teorema de Plancherel. *Comentário*: em virtude de suas origens bem diferentes, é surpreendente (e encantador) que as duas fórmulas — uma para $F(k)$ em termos de $f(x)$ e outra para $f(x)$ em termos de $F(k)$ — tenham uma estrutura tão similar no limite $a \to \infty$.

Problema 2.21 Uma partícula livre tem a seguinte função de onda inicial:

$$\Psi(x,0) = Ae^{-a|x|},$$

em que A e a são constantes reais positivas.

(a) Normalize $\Psi(x, 0)$.

(b) Calcule $\phi(k)$.

(c) Monte $\Psi(x, t)$ na forma de uma integral.

(d) Discuta os casos limites (a muito grande e a muito pequeno).

*Problema 2.22 **O pacote de onda gaussiano.** Uma partícula livre tem como função de onda inicial:

$$\Psi(x,0) = Ae^{-ax^2},$$

em que A e a são constantes (a é real e positivo).

(a) Normalize $\Psi(x, 0)$.

(b) Calcule $\Psi(x, t)$. *Dica*: pode-se lidar com integrais da forma:

$$\int_{-\infty}^{+\infty} e^{-(ax^2+bx)}\, dx$$

'completando o quadrado': tome $y \equiv \sqrt{a}\,[x + (b/2a)]$, e observe que $(ax^2+bx) = y^2 - (b^2/4a)$. Resposta:

$$\Psi(x,t) = \left(\frac{2a}{\pi}\right)^{1/4} \frac{e^{-ax^2/[1+(2i\hbar at/m)]}}{\sqrt{1+(2i\hbar at/m)}}.$$

(c) Calcule $|\psi(x, t)|^2$. Dê a sua resposta em termos da quantidade

$$w \equiv \sqrt{\frac{a}{1+(2\hbar at/m)^2}}$$

Esboce $|\Psi|^2$ (como uma função de x) em $t = 0$, e novamente para t bastante grande. Qualitativamente, o que acontece com $|\Psi|^2$ no decorrer do tempo?

(d) Calcule $\langle x \rangle$, $\langle p \rangle$, $\langle x^2 \rangle$, $\langle p^2 \rangle$, σ_x e σ_p. Resposta parcial: $\langle p^2 \rangle = a\hbar^2$, porém, pode ser necessário o uso de um pouco de álgebra para reduzi-lo à forma simples.

(e) O princípio da incerteza se mantém válido? A que tempo t o sistema chega próximo do limite da incerteza?

2.5 Potencial da função delta

2.5.1 Estados ligados e estados de espalhamento

Você encontrou dois tipos bem diferentes de soluções para a equação de Schrödinger independente do tempo: para o poço quadrado infinito e para o oscilador harmônico elas são *normalizáveis* e rotuladas por um *índice discreto n*; para a partícula livre elas são *não normalizáveis* e rotuladas por uma *variável contínua k*. Os primeiros representam estados fisicamente realizáveis propriamente ditos, e os últimos, não; porém, em ambos os casos, a solução geral para a equação de Schrödinger dependente do tempo é uma combinação linear de estados estacionários; para o primeiro tipo essa combinação toma a forma de uma *soma* (sobre n), enquanto para o segundo, a de uma *integral* (sobre k). Qual é o significado físico dessa distinção?

Na mecânica *clássica*, um potencial unidimensional independente do tempo pode produzir dois tipos diferentes de movimento. Se $V(x)$ aumenta mais do que a energia total da partícula (E) em ambos os lados (Figura 2.12(a)), então a partícula está 'presa' no poço potencial; ela oscila para a frente e para trás entre os **pontos de retorno**, mas não consegue escapar (a menos, é claro, que você forneça uma fonte de energia extra como, por exemplo, um motor, mas não é esse o caso). Chamamos isso de **estado ligado**. Se, por outro lado, E excede $V(x)$ em um lado (ou ambos), então a partícula vem do 'infinito', desacelera ou acelera sob a influência do potencial e volta ao infinito (Figura 2.12(b)). (A partícula não pode ficar presa ao potencial a menos que haja algum mecanismo, tal qual a fricção, para *dissipar* energia; mas, novamente, não é disso que se trata.) Chamamos isso de **estado de espalhamento**. Alguns potenciais admitem somente estados ligados (por exemplo, o oscilador harmônico); alguns permitem apenas estados de espalhamento (uma colina de potencial sem depressões, por exemplo); alguns permitem ambos os tipos, dependendo da energia da partícula.

Os dois tipos de solução para a equação de Schrödinger correspondem precisamente ao estado ligado e ao estado de espalhamento. A distinção é ainda mais clara no domínio quântico, pois o fenômeno de **tunelamento** (que veremos logo mais) permite que a partícula 'vaze' através de qualquer barreira potencial finita, fazendo com que a única coisa relevante seja o potencial no infinito (Figura 2.12(c)):

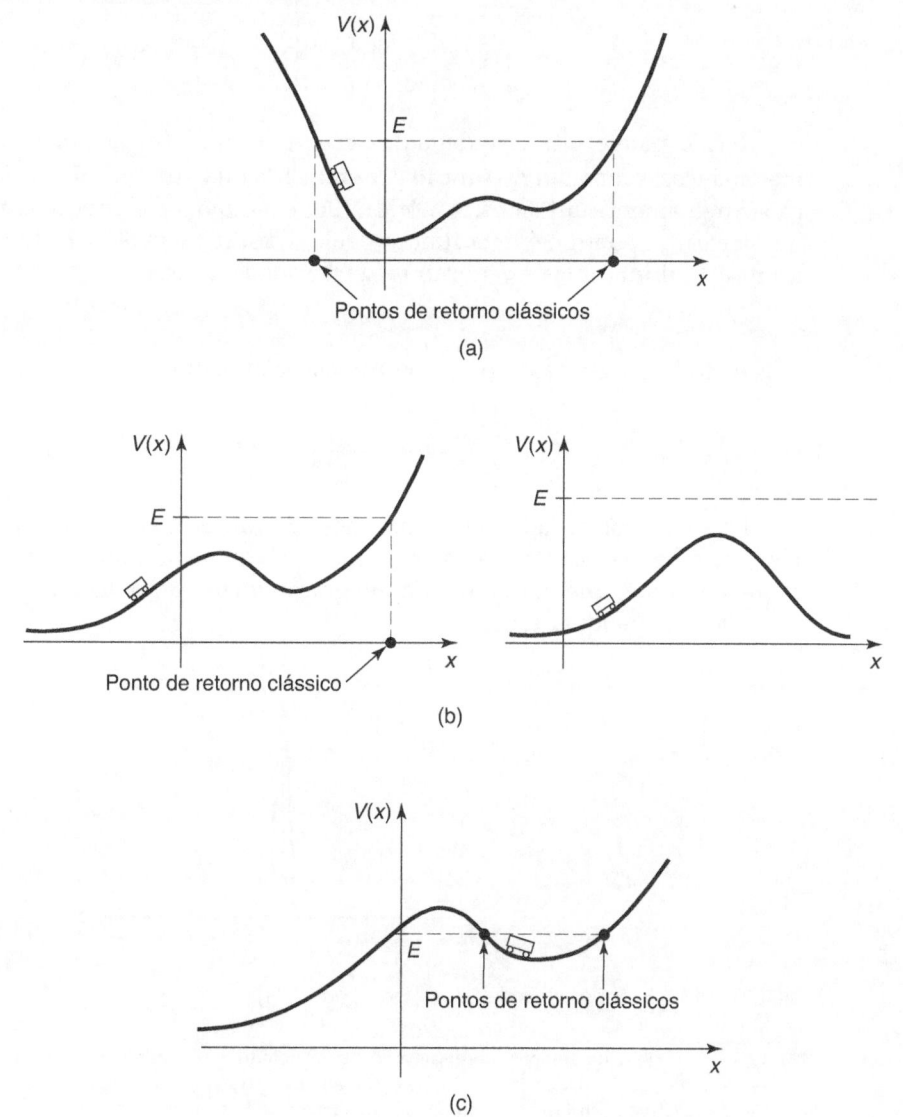

FIGURA 2.12 (a) Estado ligado. (b) Estado de espalhamento. (c) Um estado ligado *clássico*, porém, um estado de espalhamento quântico.

$$\begin{cases} E < [V(-\infty) \text{ e } V(+\infty)] \Rightarrow & \text{estado ligado,} \\ E > [V(-\infty) \text{ ou } V(+\infty)] \Rightarrow & \text{estado de espalhamento.} \end{cases} \quad [2.109]$$

Na 'vida real', a maioria dos potenciais vai a *zero* no infinito, o que faz com que o critério fique ainda mais simples:

$$\begin{cases} E < 0 \Rightarrow & \text{estado ligado,} \\ E > 0 \Rightarrow & \text{estado de espalhamento.} \end{cases} \quad [2.110]$$

Como os potenciais do poço quadrado infinito e do oscilador harmônico vão ao infinito conforme $x \to \pm\infty$, eles admitem somente estados ligados; como o potencial da partícula livre é zero em qualquer lugar, permite somente estados de espalhamento.[34] Nessa seção (e na seguinte), exploraremos os potenciais que levam a ambos os tipos de estados.

2.5.2 Poço função delta

A **função delta de Dirac** é um pico infinitamente alto, infinitesimalmente estreito na origem, cuja *área* é 1 (Figura 2.13):

$$\delta(x) \equiv \begin{cases} 0, & \text{se } x \neq 0 \\ \infty, & \text{se } x = 0 \end{cases}, \quad \text{com } \int_{-\infty}^{+\infty} \delta(x)dx = 1. \quad [2.111]$$

Tecnicamente, a função delta de Dirac não é uma função, pois não é finita em $x = 0$ (os matemáticos a chamam de **função generalizada** ou **distribuição**).[35] Contudo, é uma construção extremamente útil na física teórica. (Por exemplo, na eletrodinâmica, a *densidade* de carga de uma carga pontual é uma função delta.) Observe que $\delta(x - a)$ seria um pico de área 1 no ponto a. Multiplicar $\delta(x - a)$ por uma função *ordinária* $f(x)$ é o mesmo que multiplicá-la por $f(a)$,

$$f(x)\delta(x - a) = f(a)\delta(x - a), \quad [2.112]$$

pois o produto é *zero*, exceto no ponto a. Especialmente,

$$\int_{-\infty}^{+\infty} f(x)\delta(x-a)dx = f(a) \int_{-\infty}^{+\infty} \delta(x-a)dx = f(a). \quad [2.113]$$

Essa é a propriedade mais importante da função delta: sob o sinal da integral ela serve para 'escolher' o valor de $f(x)$ no ponto a. (É claro que a integral não precisa ir de $-\infty$ a $+\infty$; o que importa é que o domínio da integração inclua o ponto a, e, portanto, $a - \epsilon$ para $a + \epsilon$ serviria para qualquer $\epsilon > 0$.)

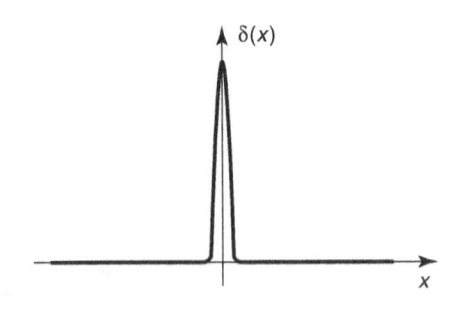

FIGURA 2.13 Função delta de Dirac (Equação 2.111).

---

[34] Caso você seja irritantemente observador, deve ter notado que o teorema geral que exige $E > V_{min}$ (Problema 2.2) não se aplica, na verdade, aos estados de espalhamento, pois não são normalizáveis. Se isso o incomoda, tente resolver a equação de Schrödinger com $E \leq 0$ para a partícula livre, e note que as *combinações lineares equilibradas* dessas soluções não podem ser normalizadas. As soluções de energia positiva por si só constituem um conjunto completo.

[35] A função delta pode ser considerada o *limite* de uma *sequência* de funções, tal como retângulos (ou triângulos) de altura cada vez maior e largura cada vez menor.

Consideremos o potencial da forma

$$V(x) = -\alpha\delta(x), \qquad [2.114]$$

em que α é uma constante positiva.[36] Esse é um potencial artificial, certamente (assim como o poço quadrado infinito), mas é muito simples de se trabalhar e esclarece a teoria básica com um mínimo de confusão analítica. A equação de Schrödinger para o poço função delta indica que

$$-\frac{\hbar^2}{2m}\frac{d^2\psi}{dx^2} - \alpha\delta(x)\psi = E\psi; \qquad [2.115]$$

ela produz tanto o estado ligado ($E < 0$) como o de espalhamento ($E > 0$).

Examinaremos primeiramente os estados ligados. Na região $x < 0$, $V(x) = 0$, assim que

$$\frac{d^2\psi}{dx^2} = -\frac{2mE}{\hbar^2}\psi = \kappa^2\psi, \qquad [2.116]$$

na qual

$$\kappa \equiv \frac{\sqrt{-2mE}}{\hbar}. \qquad [2.117]$$

(E é negativo, por conjetura, e, portanto, k é real e positivo.) A solução geral para a Equação 2.116 é

$$\psi(x) = Ae^{-\kappa x} + Be^{\kappa x}, \qquad [2.118]$$

porém, o primeiro termo explode quando $x \to -\infty$, e por isso devemos escolher $A = 0$:

$$\psi(x) = Be^{\kappa x}, \quad (x < 0). \qquad [2.119]$$

Na região $x > 0$, $V(x)$ também é zero, e a solução geral tem a forma de $F\exp(-kx) + G\exp(kx)$; dessa vez, é o segundo termo que explode (quando $x \to +\infty$), assim,

$$\psi(x) = Fe^{-\kappa x}, \quad (x > 0). \qquad [2.120]$$

Resta apenas unir essas duas funções usando as condições de contorno apropriadas em $x = 0$. Já citei anteriormente as condições de contorno padrão para ψ:

$$\begin{cases} 1.\ \psi \quad\text{é sempre contínuo;} \\ 2.\ d\psi/dx \quad\text{é contínuo exceto nos pontos em que o potencial é infinito.} \end{cases} \qquad [2.121]$$

Nesse caso, a primeira condição de contorno nos diz que $F = B$, assim que

$$\psi(x) = \begin{cases} Be^{\kappa x}, & (x \leq 0), \\ Be^{-\kappa x}, & (x \geq 0); \end{cases} \qquad [2.122]$$

$\psi(x)$ está representado na Figura 2.14. A segunda condição de contorno não diz nada; esse é (assim como o poço quadrado infinito) o caso especial em que V é infinito na junção, e está cla-

---

[36] A própria função delta carrega unidades de 1/*comprimento* (veja a Equação 2.111), assim que α tem dimensões *energia* × *comprimento*.

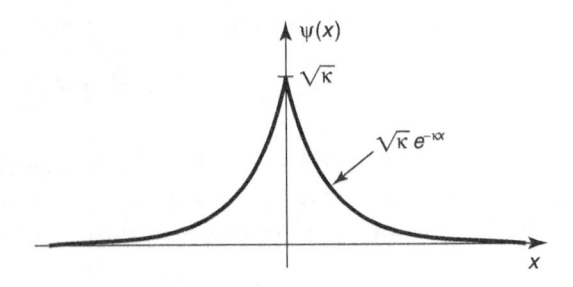

FIGURA 2.14 Estado ligado da função de onda para o potencial função delta (Equação 2.122).

ro no gráfico que essa função tem um nó em $x = 0$. Além disso, até o momento, a função delta não entrou na história. Evidentemente, a função delta deve determinar a descontinuidade na derivada de ψ, em $x = 0$. Mostrarei agora como isso funciona e, consequentemente, veremos por que $d\psi/dx$ é geralmente contínua.

A ideia é *integrar* a equação de Schrödinger, de $-\epsilon$ a $+\epsilon$, e então tomar o limite quando $\epsilon \to 0$:

$$-\frac{\hbar^2}{2m}\int_{-\epsilon}^{+\epsilon}\frac{d^2\psi}{dx^2}dx + \int_{-\epsilon}^{+\epsilon}V(x)\psi(x)dx = E\int_{-\epsilon}^{+\epsilon}\psi(x)dx. \qquad [2.123]$$

A primeira integral não é nada mais do que $d\psi/dx$ avaliada nos dois extremos; a última integral é *zero* no limite $\epsilon \to 0$, pois é a área de um pedaço com largura tendendo a zero e altura finita. Assim,

$$\Delta\left(\frac{d\psi}{dx}\right) \equiv \lim_{\epsilon\to 0}\left(\left.\frac{d\psi}{dx}\right|_{+\epsilon} - \left.\frac{d\psi}{dx}\right|_{-\epsilon}\right) = \frac{2m}{\hbar^2}\lim_{\epsilon\to 0}\int_{-\epsilon}^{+\epsilon}V(x)\psi(x)\,dx. \qquad [2.124]$$

Tipicamente, o limite da direita é igual a zero, e por isso $d\psi/dx$ é comumente contínua. Porém, quando $V(x)$ é *infinito* na fronteira, esse argumento falha. Em particular, se $V(x) = -\alpha\delta(x)$, a Equação 2.113 produz

$$\Delta\left(\frac{d\psi}{dx}\right) = -\frac{2m\alpha}{\hbar^2}\psi(0). \qquad [2.125]$$

Para o caso atual (Equação 2.122)

$$\begin{cases} d\psi/dx = -B\kappa e^{-\kappa x}, & \text{para } (x > 0), \quad \text{então } d\psi/dx\big|_+ = -B\kappa, \\ d\psi/dx = +B\kappa e^{-\kappa x}, & \text{para } (x < 0), \quad \text{então } d\psi/dx\big|_- = +B\kappa, \end{cases}$$

logo, $\Delta(d\psi/dx) = -2Bk$. E $\psi(0) = B$. Então a Equação 2.125 diz

$$\kappa = \frac{m\alpha}{\hbar^2}, \qquad [2.126]$$

e a energia permitida (Equação 2.117) é

$$E = -\frac{\hbar^2\kappa^2}{2m} = -\frac{m\alpha^2}{2\hbar^2}. \qquad [2.127]$$

Por fim, normalizamos ψ:

$$\int_{-\infty}^{+\infty}|\psi(x)|^2\,dx = 2|B|^2\int_0^\infty e^{-2\kappa x}dx = \frac{|B|^2}{\kappa} = 1,$$

portanto (escolhendo, por conveniência, a raiz positiva real):

$$B = \sqrt{\kappa} = \frac{\sqrt{m\alpha}}{\hbar}. \qquad [2.128]$$

Capítulo 2 Equação de Schrödinger independente do tempo 57

É evidente que o poço função delta, independentemente do seu 'vigor' α, tem *exatamente um* estado ligado:

$$\psi(x) = \frac{\sqrt{m\alpha}}{\hbar} e^{-m\alpha|x|/\hbar^2} \quad ; \quad E = -\frac{m\alpha^2}{2\hbar^2}. \qquad [2.129]$$

E os estados de *espalhamento* com $E > 0$? Para $x < 0$, a equação de Schrödinger diz que

$$\frac{d^2\psi}{dx^2} = -\frac{2mE}{\hbar^2}\psi = -k^2\psi,$$

na qual

$$k \equiv \frac{\sqrt{2mE}}{\hbar} \qquad [2.130]$$

é real e positivo. A solução geral é

$$\psi(x) = Ae^{ikx} + Be^{-ikx}, \qquad [2.131]$$

e dessa vez não podemos excluir nenhum dos termos, pois nenhum deles diverge. Similarmente, para $x > 0$,

$$\psi(x) = Fe^{ikx} + Ge^{-ikx}. \qquad [2.132]$$

A continuidade de $\psi(x)$ em $x = 0$ exige que

$$F + G = A + B. \qquad [2.133]$$

As derivadas são

$$\begin{cases} d\psi/dx = ik(Fe^{ikx} - Ge^{ikx}), & \text{para } (x>0) \quad \text{então } d\psi/dx|_+ = ik(F-G), \\ d\psi/dx = ik(Ae^{ikx} - Be^{ikx}), & \text{para } (x<0) \quad \text{então } d\psi/dx|_- = ik(A-B), \end{cases}$$

logo, $\Delta(d\psi/dx) = ik(F - G - A + B)$. Entretanto, $\psi(0) = (A + B)$, e por isso a segunda condição de contorno (Equação 2.125) diz que

$$ik(F - G - A + G) = -\frac{2m\alpha}{\hbar^2}(A + B), \qquad [2.134]$$

ou, mais compactamente,

$$F - G = A(1 + 2i\beta) - B(1 - 2i\beta), \quad \text{em que } \beta \equiv \frac{m\alpha}{\hbar^2 k}. \qquad [2.135]$$

Tendo imposto ambas as condições de contorno, ficamos com duas equações (equações 2.133 e 2.135) em quatro incógnitas (A, B, F e G); *cinco*, se você contar k. A normalização não ajuda, pois esse não é um estado normalizável. Talvez seja melhor fazermos uma pausa para examinar o significado físico dessas várias constantes. Lembre-se de que exp(ikx) dá origem (quando combinada ao fator exp($-iEt/\hbar$) dependente do tempo) a uma função de onda que se propaga para a *direita*, e exp($-ikx$) leva a uma onda que se propaga para a *esquerda*. Consequentemente, A (na Equação 2.131) é a amplitude de uma onda vinda da esquerda, B é a amplitude de uma onda voltando para a esquerda, F (Equação 2.132) é a amplitude de uma onda se movendo para a direita e G é a amplitude de uma onda vinda da direita (veja a Figura 2.15). Em um experimento de espalhamento típico, as partículas são disparadas de uma única direção, digamos que seja da esquerda. Nesse caso, a amplitude da onda vinda da *direita* será *zero*:

$$G = 0 \quad \text{(para espalhamento da esquerda);} \quad [2.136]$$

A é a amplitude da **onda incidente**, B é a amplitude da **onda refletida** e F é a amplitude da **onda transmitida**. Resolvendo as equações 2.133 e 2.135 para B e F, encontramos

$$B = \frac{i\beta}{1 - i\beta} A, \quad F = \frac{1}{1 - i\beta} A. \quad [2.137]$$

(Se você quiser estudar o espalhamento da *direita*, determine $A = 0$; então, G é a amplitude incidente, F é a amplitude refletida e B é a amplitude transmitida.)

Agora, a probabilidade de encontrarmos a partícula em um local específico é dada por $|\psi|^2$, assim a probabilidade *relativa*[37] de que uma partícula incidente seja refletida é

$$R \equiv \frac{|B|^2}{|A|^2} = \frac{\beta^2}{1 + \beta^2}. \quad [2.138]$$

R é chamado de **coeficiente de reflexão**. (Se você tem um *feixe* de partículas, ele dirá a *fração* do número de entrada que será devolvida.) Enquanto isso, a probabilidade de transmissão é dada pelo **coeficiente de transmissão**

$$T \equiv \frac{|F|^2}{|A|^2} = \frac{1}{1 + \beta^2}. \quad [2.139]$$

É claro que a *soma* dessas probabilidades deveria ser 1 — e é mesmo:

$$R + T = 1. \quad [2.140]$$

Observe que R e T são funções de β e, portanto (equações 2.130 e 2.135), de E:

$$R = \frac{1}{1 + (2\hbar^2 E / m\alpha^2)}, \quad T = \frac{1}{1 + (m\alpha^2 / 2\hbar^2 E)}. \quad [2.141]$$

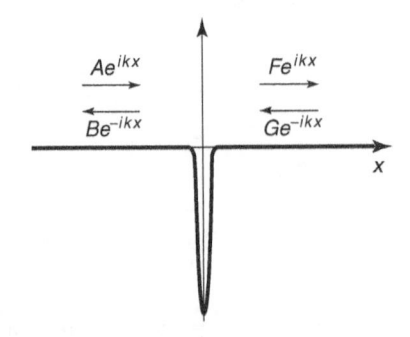

FIGURA 2.15 Espalhamento do poço função delta.

---

[37] Essa não é uma função de onda normalizável e, portanto, a probabilidade *absoluta* de encontrarmos a partícula em determinado local não está bem definida; contudo, a *razão* de probabilidades para as ondas incidente e refletida é significativa.

Quanto maior a energia, maior a probabilidade de transmissão (a qual certamente parece razoável).

Está tudo muito ordenado, mas há uma questão de princípio que não podemos ignorar totalmente: essas funções de onda de espalhamento não são normalizáveis e, portanto, não representam realmente estados de partículas possíveis. Mas sabemos a resposta para o problema: devemos formar combinações lineares normalizáveis dos estados estacionários, assim como fizemos para as partículas livres; partículas verdadeiramente físicas são representadas pelos pacotes de ondas resultantes. Embora simples em princípio, é algo complicado na prática e, nesse ponto, é melhor deixar que um computador resolva a questão.[38] Enquanto isso, sendo impossível criar uma função de onda de partícula livre normalizável sem envolver um *intervalo* de energias, R e T deveriam ser interpretados como as probabilidades de reflexão e transmissão *aproximadas* para partículas nas redondezas de E.

Aliás, pode parecer estranho que tenhamos sido capazes de analisar um problema essencialmente dependente do tempo (a partícula entra, dispersa em um potencial e vai para o infinito) usando estados *estacionários*. Afinal, ψ (nas equações 2.131 e 2.132) é simplesmente uma função complexa sinusoidal independente do tempo que se estende (com amplitude constante) ao infinito em ambas as direções. Mesmo assim, ao impor condições de contorno adequadas nessa função, somos capazes de determinar a probabilidade de uma partícula (representada por um pacote de onda *localizado*) ser refletida ou ultrapassar o potencial. O milagre matemático por trás disso é, suponho, o fato de que, tendo combinações lineares de estados espalhados por todo o espaço, e com dependência de tempo essencialmente trivial, podemos *construir* funções de onda que fiquem concentradas sobre um ponto (móvel), e com comportamento no tempo bem elaborado (veja o Problema 2.43).

Enquanto as equações importantes estão à mão, vamos dar uma olhada no caso da *barreira* função delta (Figura 2.16). Formalmente, tudo o que temos a fazer é mudar o sinal de α. Essa ação elimina o estado ligado, é claro (Problema 2.2). Por outro lado, os coeficientes de reflexão e transmissão, os quais dependem somente de α^2, mantêm-se inalterados. Por mais estranho que pareça, a partícula tem a mesma probabilidade de atravessar a barreira como a de cruzar o poço! *Classicamente*, é claro, uma partícula não consegue passar por uma barreira infinitamente alta, independentemente de sua energia. Na verdade, os problemas de espalhamento clássico são bem chatos: se $E > V_{max}$, então $T = 1$ e $R = 0$ e a partícula certamente passará; se $E < V_{max}$, então $T = 0$ e $R = 1$ e a partícula sobe a rampa até se esgotar e então retorna fazendo o mesmo trajeto pelo qual veio. Os problemas de espalhamento *quântico* são muito maiores: a partícula tem probabilidade não zero de passar pelo potencial mesmo se $E < V_{max}$. Chamamos esse fenômeno de **tunelamento**; é o mecanismo que torna possível grande parte da eletrônica moderna — sem mencionar os avanços incríveis na microscopia. Reciprocamente, mesmo se $E > V_{max}$, há uma possibilidade de que a partícula seja refletida, embora eu não recomende que você dirija em direção a um penhasco esperando que a mecânica quântica o salve (veja o Problema 2.35).

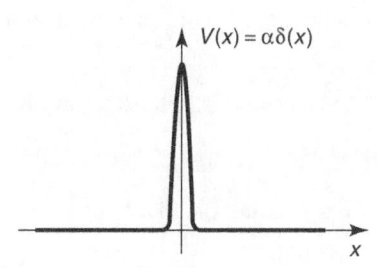

FIGURA 2.16 Barreira função delta.

---

[38] Estudos numéricos dos pacotes de ondas que são espalhados em poços e barreiras revelam estruturas extraordinariamente ricas. A análise clássica é de A. Goldberg, H. M. Schey e J. L. Schwartz, *Am J. Phys.* **35**, 177 (1967); trabalhos mais recentes podem ser encontrados na web.

*Problema 2.23 Avalie as seguintes integrais:

(a) $\int_{-3}^{+1}(x^3 - 3x^2 + 2x - 1)\delta(x+2)dx$.

(b) $\int_{0}^{\infty}[\cos(3x) + 2]\delta(x - \pi)dx$.

(c) $\int_{-1}^{+1}\exp(|x|+3)\delta(x-2)dx$.

Problema 2.24 As funções delta vivem sob os sinais da integral, e duas expressões ($D_1(x)$ e $D_2(x)$) envolvendo funções delta são ditas iguais se

$$\int_{-\infty}^{+\infty} f(x)D_1(x)\,dx = \int_{-\infty}^{+\infty} f(x)D_2(x)\,dx,$$

para cada função (comum) $f(x)$.

(a) Demonstre que

$$\delta(cx) = \frac{1}{|c|}\delta(x), \qquad [2.142]$$

onde c é uma constante real. (Verifique o caso em que c é negativo.)

(b) Seja $\theta(x)$ a **função degrau**:

$$\theta(x) \equiv \begin{cases} 1, & \text{se } x > 0, \\ 0, & \text{se } x < 0. \end{cases} \qquad [2.143]$$

(Definimos $\theta(0)$ como sendo ½ nos casos raros em que isso é realmente relevante.) Demonstre que $d\theta/dx = \delta(x)$.

Problema 2.25 Verifique o princípio da incerteza para a função de onda na Equação 2.129. *Dica*: calcular $\langle p^2 \rangle$ é complicado, pois a derivada de ψ tem uma descontinuidade em $x = 0$. Use o resultado no Problema 2.24(b). *Resposta parcial*: $\langle p^2 \rangle = (m\alpha/\hbar)^2$.

*Problema 2.26 Qual é a transformada de Fourier de $\delta(x)$? Usando o teorema de Plancherel, demonstre que

$$\delta(x) = \frac{1}{2\pi}\int_{-\infty}^{+\infty} e^{ikx}\,dk. \qquad [2.144]$$

Comentário: essa fórmula causa perplexidade a qualquer matemático respeitável. Embora a integral seja claramente infinita quando $x = 0$, ela não converge (a zero ou qualquer outro valor) quando $x \ne 0$, pois o integrando oscila continuamente. Há meios de consertá-la (por exemplo, você pode integrar de $-L$ a $+L$ e interpretar a Equação 2.144 de modo que ela seja o valor *médio* da integral finita, como $L \to \infty$). A fonte do problema é que a função delta não cumpre a exigência (integrabilidade-quadrado) do teorema de Plancherel (veja nota de rodapé nº 33). Com relação a isso, a Equação 2.144 pode ser extremamente útil se tratada com cuidado.

*Problema 2.27 Considere o potencial função delta *dobrado*

$$V(x) = -\alpha[\delta(x+a) + \delta(x-a)],$$

na qual α e a são constantes positivas.

(a) Esboce esse potencial.

(b) Quantos estados ligados a equação possui? Calcule as energias permitidas, para $\alpha = \hbar^2/ma$ e para $\alpha = \hbar^2/4ma$, e esboce as funções de onda.

Problema 2.28 Calcule o coeficiente de transmissão para o potencial do Problema 2.27.

2.6 Poço quadrado finito

Em um último exemplo, considere o potencial do poço quadrado *finito*

$$V(x) = \begin{cases} -V_0 & \text{para } -a \leq x \leq a, \\ 0, & \text{para } |x| > a, \end{cases} \qquad [2.145]$$

em que V_0 é uma constante (positiva) (Figura 2.17). Assim como o poço função delta, esse potencial admite tanto os estados ligados (com $E < 0$) como os estados de espalhamento (com $E > 0$). Veremos primeiro os estados ligados.

Na região $x < -a$, o potencial é zero, e, portanto, a equação de Schrödinger diz que

$$-\frac{\hbar}{2m}\frac{d^2\psi}{dx^2} = E\psi, \quad \text{ou} \quad \frac{d^2\psi}{dx^2} = \kappa^2\psi,$$

na qual

$$\kappa \equiv \frac{\sqrt{-2mE}}{\hbar} \qquad [2.146]$$

é real e positiva. A solução geral é $\psi(x) = A\exp(-\kappa x) + B\exp(\kappa x)$, mas o primeiro termo diverge (conforme $x \to -\infty$), assim a solução fisicamente admissível (isso já aconteceu antes; veja a Equação 2.119) é

$$\psi(x) = Be^{\kappa x}, \quad \text{para } x < -a. \qquad [2.147]$$

Na região $-a < x < a$, $V(x) = -V_0$, e a equação de Schrödinger diz que

$$-\frac{\hbar^2}{2m}\frac{d^2\psi}{dx^2} - V_0\psi = E\psi, \quad \text{ou} \quad \frac{d^2\psi}{dx^2} = -l^2\psi,$$

na qual

$$l \equiv \frac{\sqrt{2m(E+V_0)}}{\hbar}. \qquad [2.148]$$

Embora E seja negativa, para os estados ligados, ela deve ser maior do que $-V_0$ pelo antigo teorema $E > V_{\min}$ (Problema 2.2); assim, l é, também, real e positivo. A solução geral é[39]

$$\psi(x) = C\,\text{sen}(lx) + D\cos(lx), \quad \text{para } -a < x < a, \qquad [2.149]$$

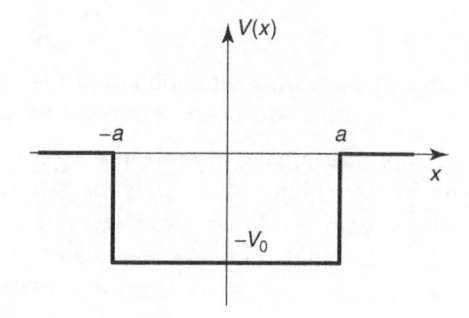

FIGURA 2.17 O poço quadrado finito (Equação 2.145).

---
[39] Você pode, caso queira, escrever a solução geral na forma exponencial ($C'e^{ilx} + D'e^{-ilx}$). Isso leva ao mesmo resultado final; porém, como o potencial é simétrico, sabemos que as soluções poderão ser tanto pares quanto ímpares, e a notação seno/cosseno permite que exploremos esses resultados diretamente.

em que C e D são constantes arbitrárias. Por fim, na região $x > a$ o potencial é novamente zero; a solução geral é $\psi(x) = F \exp(-\kappa x) + G \exp(\kappa x)$, porém, o segundo termo diverge (quando $x \to \infty$); logo, o que nos resta é

$$\psi(x) = F e^{-\kappa x}, \quad \text{para } x > a. \qquad [2.150]$$

O próximo passo é impor condições de contorno: ψ e $d\psi/dx$ contínuas em $-a$ e $+a$. No entanto, podemos poupar tempo observando que esse potencial é uma função par, e assim podemos supor sem perda de generalidade que as soluções são pares ou ímpares (Problema 2.1(c)). A vantagem disso é que precisamos impor as condições de contorno apenas de um lado (digamos, em $+a$); do outro lado isso ocorre automaticamente, pois $\psi(-x) = \pm\psi(x)$. Trabalharei com as soluções pares; você pode trabalhar com as ímpares no Problema 2.29. O cosseno é par (e o seno é ímpar), por isso procuro por soluções da forma

$$\psi(x) = \begin{cases} F e^{-\kappa x} & \text{para } x > a, \\ D \cos(lx) & \text{para } 0 < x < a, \\ \psi(-x) & \text{para } x < 0. \end{cases} \qquad [2.151]$$

A continuidade de $\psi(x)$, em $x = a$, diz que

$$F e^{-\kappa a} = D \cos(la), \qquad [2.152]$$

e a continuidade de $d\psi/dx$ diz que

$$\kappa - F e^{-\kappa a} = l D \operatorname{sen}(la). \qquad [2.153]$$

Dividindo a Equação 2.153 pela Equação 2.152, descobrimos que

$$\kappa = l \operatorname{tg}(la). \qquad [2.154]$$

Essa é uma fórmula para as energias permitidas, pois κ e l são funções de E. Para resolver E, primeiro adotamos uma notação melhor: seja

$$z \equiv la \quad \text{e} \quad z_0 \equiv \frac{a}{\hbar}\sqrt{2mV_0}. \qquad [2.155]$$

De acordo com as equações 2.146 e 2.148, $(k^2 + l^2) = 2mV_0/\hbar^2$, e assim $\kappa a = \sqrt{z_0^2 - z^2}$, e a Equação 2.154 diz que

$$\operatorname{tg} z = \sqrt{(z_0/z)^2 - 1}. \qquad [2.156]$$

Essa é uma equação transcendental para z (e, portanto, para E) como função de z_0 (a qual é a medida do 'tamanho' do poço). Pode ser resolvida numericamente com a ajuda de um computador, ou graficamente, organizando $\operatorname{tg} z$ e $\sqrt{(z_0/z)^2 - 1}$ na mesma grade e buscando pontos de intersecção (Figura 2.18). Dois casos-limite são especialmente interessantes:

1. **Poço largo e profundo.** Se z_0 é muito amplo, as intersecções ocorrem apenas um pouco abaixo de $z_n = n\pi/2$, com n ímpar; tem-se que

$$E_n + V_0 \cong \frac{n^2 \pi^2 \hbar^2}{2m(2a)^2}. \qquad [2.157]$$

Mas $E + V_0$ é a energia *acima do fundo do poço*, e no lado direito temos precisamente as energias do poço quadrado infinito, para um poço de largura $2a$ (veja a Equação 2.27); ou

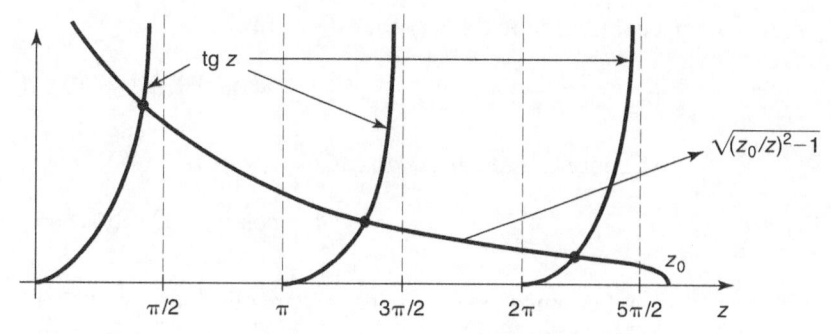

Capítulo 2 Equação de Schrödinger independente do tempo 63

FIGURA 2.18 Solução gráfica da Equação 2.156, para $z_0 = 8$ (estados pares).

melhor, *metade* delas, sendo que n, aqui, é ímpar. (As outras, é claro, vêm de funções de ondas *ímpares*, como você descobrirá no Problema 2.29). Assim, o poço quadrado finito passa ao poço quadrado infinito, conforme $V_0 \to \infty$; entretanto, para qualquer V_0 *finito* há apenas um número finito de estados ligados.

2. Poço raso e estreito. Conforme z_0 diminui, haverá cada vez menos estados ligados, até que, finalmente (para $z_0 < \pi/2$, onde o estado mais baixo *ímpar* desaparece), reste apenas um. É interessante notar, entretanto, que há sempre *um* estado ligado, não importando o *quão* 'fraco' o poço se torna.

Você pode normalizar ψ (Equação 2.151), caso queira (Problema 2.30), mas agora abordarei os estados de espalhamento ($E > 0$). Para a esquerda, em que $V(x) = 0$, temos

$$\psi(x) = Ae^{ikx} + Be^{-ikx}, \quad \text{para } (x < -a) \qquad [2.158]$$

em que (como sempre)

$$k \equiv \frac{\sqrt{2mE}}{\hbar}. \qquad [2.159]$$

Dentro do poço, onde $V(x) = -V_0$,

$$\psi(x) = C \operatorname{sen}(lx) + D \cos(lx), \quad \text{para } (-a < x < a), \qquad [2.160]$$

onde, como antes,

$$l \equiv \frac{\sqrt{2m(E+V_0)}}{\hbar}. \qquad [2.161]$$

Para a direita, supondo que não exista onda que entre nessa região, teremos

$$\psi(x) = Fe^{ikx}. \qquad [2.162]$$

Aqui, A é a amplitude incidente, B é a amplitude refletida e F é a amplitude transmitida.[40] Há quatro condições de contorno: a continuidade de $\psi(x)$ em $-a$ diz

$$Ae^{-ika} + Be^{ika} = -C \operatorname{sen}(la) + D \cos(la), \qquad [2.163]$$

a continuidade de $d\psi/dx$ em $-a$ resulta em

$$ik[Ae^{-ika} - Be^{ika}] = l[C \cos(la) + D \cos(la) \qquad [2.164]$$

---

[40] Poderíamos procurar por funções pares e ímpares como já fizemos no caso dos estados ligados, mas o problema de espalhamento é inerentemente assimétrico, pois as ondas vêm apenas de um lado e a notação exponencial (representando ondas móveis) é mais natural nesse contexto.

a continuidade de ψ(x) em +a produz

$$C \operatorname{sen}(la) + D \cos(la) = F e^{ika}, \qquad [2.165]$$

e a continuidade de dψ/dx em +a exige

$$l[C \cos(la) - D \operatorname{sen}(la)] = ik F e^{ika}. \qquad [2.166]$$

Podemos usar dois desses para eliminar C e D e resolver os dois restantes para B e F (veja o Problema 2.32):

$$B = i \frac{\operatorname{sen}(2la)}{2kl}(l^2 - k^2)F, \qquad [2.167]$$

$$F = \frac{e^{-2ika} A}{\cos(2la) - i \frac{(k^2+l^2)}{2kl} \operatorname{sen}(2la)}. \qquad [2.168]$$

O coeficiente de transmissão ($T = |F|^2/|A|^2$), expresso em termos de variáveis originais, é dado por

$$T^{-1} = 1 + \frac{V_0^2}{4E(E+V_0)} \operatorname{sen}^2\left(\frac{2a}{\hbar}\sqrt{2m(E+V_0)}\right). \qquad [2.169]$$

Observe que $T = 1$ (o poço torna-se 'transparente') sempre que o seno é zero, o que corresponde a

$$\frac{2a}{\hbar}\sqrt{2m(E_n+V_0)} = n\pi, \qquad [2.170]$$

onde n é qualquer número inteiro. As energias para transmissões perfeitas, então, são dadas por

$$E_n + V_0 = \frac{n^2\pi^2\hbar^2}{2m(2a)^2}, \qquad [2.171]$$

que vêm a ser precisamente as energias permitidas para o poço quadrado *infinito*. T está representado na Figura 2.19 como função da energia.[41]

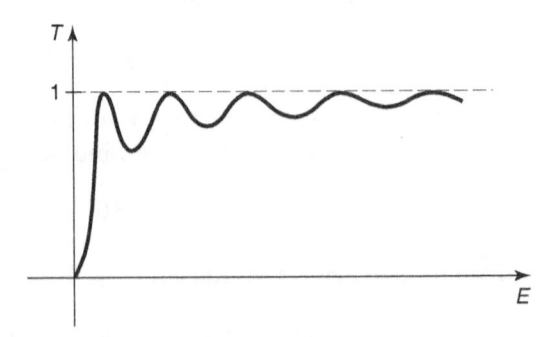

FIGURA 2.19 Coeficiente de transmissão como função da energia (Equação 2.169).

---

[41] Esse fenômeno extraordinário tem sido observado em laboratório, na forma do **efeito Ramsauer-Townsend**. Para uma discussão esclarecedora, veja Richard W. Robinett, *Quantum Mechanics*, Oxford U.P., 1997, Seção 12.4.1.

Problema 2.29 Analise os estados ligados com funções de onda *ímpar* para o poço quadrado finito. Obtenha a equação transcendental para as energias permitidas e resolva-a graficamente. Examine os dois casos-limite. Há sempre um estado ligado ímpar?

Problema 2.30 Normalize $\psi(x)$ na Equação 2.151 para determinar as constantes D e F.

Problema 2.31 A função delta de Dirac pode ser vista como o caso-limite de um retângulo de área 1, sendo que a altura vai até o infinito e a largura vai a zero. Demonstre que o poço função delta (Equação 2.114) é um potencial 'fraco' (apesar de ser infinitamente profundo) no sentido de que $z_0 \to 0$. Determine a energia do estado ligado para o potencial função delta, tratando-o como o limite de um poço quadrado finito. Verifique se sua resposta é consistente com a Equação 2.129. Demonstre também que a Equação 2.169 é reduzida à Equação 2.141 no limite apropriado.

Problema 2.32 Obtenha as equações 2.167 e 2.168. *Dica*: use as equações 2.165 e 2.166 para resolver C e D em termos de F:

$$C = \left[\operatorname{sen}(la) + i\frac{k}{l}\cos(la)\right]e^{ika}F; \quad D = \left[\cos(la) - i\frac{k}{l}\operatorname{sen}(la)\right]e^{ika}F.$$

Encaixe isso nas equações 2.163 e 2.164. Obtenha o coeficiente de transmissão e confirme a Equação 2.169.

**Problema 2.33 Determine o coeficiente de transmissão para uma *barreira* retangular (a mesma da Equação 2.145, mas dessa vez com $V(x) = +V_0 > 0$ na região $-a < x < a$). Separadamente, resolva os três casos: $E < V_0$, $E = V_0$ e $E > V_0$ (note que a função de onda dentro da barreira é diferente nos três casos). *Resposta parcial*: para $E < V_0$,[42]

$$T^{-1} = 1 + \frac{V_0^2}{4E(V_0 - E)}\operatorname{senh}^2\left(\frac{2a}{\hbar}\sqrt{2m(V_0 - E)}\right).$$

*Problema 2.34 Considere o potencial 'degrau':

$$V(x) = \begin{cases} 0, & \text{se } x \le 0, \\ V_0, & \text{se } x > 0. \end{cases}$$

(a) Calcule o coeficiente de reflexão para o caso $E < V_0$ e comente a resposta.

(b) Calcule o coeficiente de reflexão para o caso $E > V_0$.

(c) Para um potencial como esse, que não volta a zero para a direita da barreira, o coeficiente de transmissão *não* é simplesmente $|F|^2 / |A|^2$ (sendo A a amplitude incidente e F a amplitude transmitida), pois a onda transmitida se move em uma *velocidade* diferente. Demonstre que

$$T = \sqrt{\frac{E - V_0}{E}}\frac{|F|^2}{|A|^2}, \qquad [2.172]$$

para $E > V_0$. *Dica*: você pode usar a Equação 2.98 ou, mais elegantemente, porém não tão informativamente, a probabilidade atual (Problema 2.19) para resolver essa questão. Qual é o T, para $E > V_0$?

(d) Para $E > V_0$, calcule o coeficiente de transmissão para o potencial degrau e verifique que $T + R = 1$.

---

[42] Aqui, um bom exemplo de tunelamento; *classicamente*, a partícula seria refletida.

Problema 2.35 Uma partícula de massa m e energia cinética $E > 0$ se aproxima de uma queda abrupta de potencial V_0 (Figura 2.20).

(a) Qual é a probabilidade de que ela seja 'refletida' se $E = V_0/3$? *Dica*: esse problema é exatamente como o 2.34, exceto que o degrau agora *desce* em vez de subir.

(b) Fiz um esboço para que você pense em um carro se aproximando de um penhasco, mas, obviamente, a probabilidade de 'ser refletido' da beirada do penhasco é *bem* menor que a obtida em (a) — a menos que você seja o Pernalonga. Explique por que esse potencial *não* representa um penhasco com precisão. *Dica*: na Figura 2.20, o potencial de energia do carro diminui *descontinuamente* para $-V_0$, conforme passa $x = 0$; isso se aplicaria a um carro em queda livre?

(c) Quando um nêutron livre entra em um núcleo, ele passa por uma queda de energia potencial, de $V = 0$ fora para cerca de -12 MeV (milhões de elétron-volts) dentro. Suponha que um nêutron, emitido com energia cinética de 4 MeV por um evento de fissão, atinja tal núcleo. Qual é a probabilidade de que ele seja absorvido, estimulando desse modo outra fissão? *Dica*: você calculou a probabilidade de *reflexão* em (a); use $T = 1 - R$ para obter a probabilidade de transmissão através da superfície.

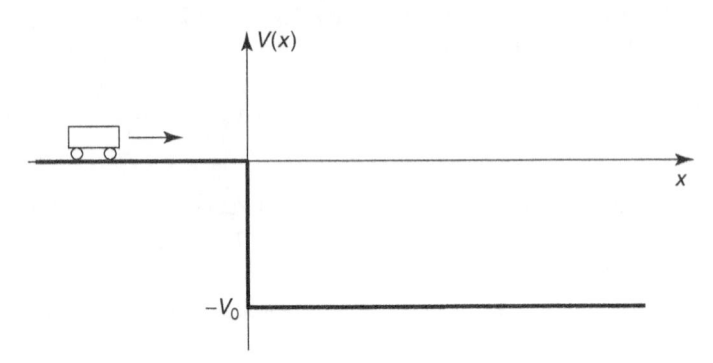

FIGURA 2.20 Espalhamento de um 'penhasco' (Problema 2.35).

Mais problemas para o Capítulo 2

Problema 2.36 Resolva a equação de Schrödinger independente do tempo com condições de contorno apropriadas para o poço quadrado infinito 'centrado': $V(x) = 0$ (para $-a < x < +a$), $V(x) = \infty$ (caso contrário). Verifique se as energias permitidas são consistentes com as minhas (Equação 2.27) e confirme se suas ψ podem ser obtidas a partir das minhas (Equação 2.28) pela substituição $x \to (x + a)/2$ (além da renormalização apropriada). Esboce suas três primeiras soluções e compare-as com a Figura 2.2. Note que, agora, a largura do poço é de $2a$.

Problema 2.37 Uma partícula no poço quadrado infinito (Equação 2.19) tem a seguinte função de onda inicial:

$$\Psi(x,0) = A\,\text{sen}^3(\pi x/a) \quad (0 \le x \le a)$$

Determine A, calcule $\Psi(x, t)$ e $\langle x \rangle$ (como uma função de tempo). Qual o valor esperado da energia? *Dica*: $\text{sen}^n\theta$ e $\cos^n\theta$ podem ser reduzidos, por repetidas aplicações das fórmulas de somas trigonométricas, para as combinações lineares de $\text{sen}(m\theta)$ e $\cos(m\theta)$, com $m = 0, 1, 2, \ldots, n$.

*Problema 2.38 Uma partícula de massa m está no estado fundamental do poço quadrado infinito (Equação 2.19). De repente, o poço se expande a duas vezes o seu tamanho original (a parede direita se move de a para $2a$) deixando a função de onda (momentaneamente) em repouso. Somente então a energia da partícula é medida.

(a) Qual é o resultado mais provável? Qual é a probabilidade de se obtê-lo?

(b) Qual é o *próximo* resultado mais provável? Qual é a probabilidade de que seja obtido?

(c) Qual é o *valor esperado* da energia? *Dica*: se você tiver de confrontar uma série infinita, tente outro método.

Problema 2.39

(a) Demonstre que a função de onda de uma partícula no poço quadrado infinito volta à sua forma original após um **tempo de restauração** quântico $T = 4ma^2/\pi\hbar$. Isto é: $\Psi(x, T) = \psi(x, 0)$ para qualquer estado (e *não* somente para um estado estacionário).

(b) Qual é o tempo de restauração *clássico* para uma partícula de energia E indo e vindo entre paredes?

(c) Para qual energia os dois tempos de restauração são iguais?[43]

Problema 2.40 Uma partícula de massa m está no potencial

$$V(x) = \begin{cases} \infty & (x < 0), \\ -32\hbar^2/ma^2 & (0 \leq x \leq a), \\ 0 & (x > a). \end{cases}$$

(a) Quantos estados ligados existem?

(b) No estado ligado de mais alta energia, qual é a probabilidade de que uma partícula seja encontrada *fora* do poço ($x > a$)? *Resposta*: 0,542, então mesmo que esteja 'ligada' pelo poço, é mais provável que seja encontrada fora do que dentro!

Problema 2.41 Uma partícula de massa m no potencial do oscilador harmônico (Equação 2.43) inicia no estado

$$\Psi(x,0) = A\left(1 - 2\sqrt{\frac{m\omega}{\hbar}}x\right)^2 e^{-\frac{m\omega}{2\hbar}x^2},$$

para uma constante A.

(a) Qual é o valor esperado de energia?

(b) Em algum tempo posterior T, a função de onda é

$$\Psi(x,T) = B\left(1 + 2\sqrt{\frac{m\omega}{\hbar}}x\right)^2 e^{-\frac{m\omega}{2\hbar}x^2},$$

para uma constante B. Qual é o menor valor possível de T?

Problema 2.42 Calcule as energias permitidas de *meio* oscilador harmônico

$$V(x) = \begin{cases} (1/2)m\omega^2 x^2, & \text{para } x > 0, \\ \infty, & \text{para } x < 0. \end{cases}$$

(Isso representa, por exemplo, uma mola que pode ser esticada, porém, não comprimida.) *Dica*: requer algum cuidado, mas muito pouco cálculo.

**Problema 2.43 No Problema 2.22 você analisou o pacote de onda gaussiano *estacionário* da partícula livre. Agora, resolva o mesmo problema para o pacote de onda gaussiano *móvel*, começando pela função de onda inicial

$$\Psi(x,0) = Ae^{-ax^2}e^{ilx},$$

na qual l é uma constante real.

**Problema 2.44 Resolva a equação de Schrödinger independente do tempo para um poço quadrado infinito com uma barreira função delta no meio:

$$V(x) = \begin{cases} \alpha\delta(x) & \text{para } -a < x < +a, \\ \infty, & \text{para } x\,|\,x\,| \geq a. \end{cases}$$

Considere as funções de onda par e ímpar separadamente. Não é necessário normalizá-las. Calcule as energias permitidas (graficamente, se necessário). Como elas podem ser comparadas às energias correspondentes na ausência da função delta? Explique por que as soluções ímpares não são afetadas pela função delta. Comente os casos-limite $\alpha \to 0$ e $\alpha \to \infty$.

Problema 2.45 Se duas (ou mais) soluções distintas[44] para a equação de Schrödinger (independente do tempo) têm a mesma energia E, esses estados são chamados de **degenerados**. Por exemplo, os estados de partícula livre são duplamente degenerados: uma solução representa o movimento para a direita e, a outra, o movimento para a esquerda. Porém, nunca encontramos soluções degeneradas *normalizáveis*, e isso não acontece por acaso. Prove o seguinte teorema: *em uma dimensão*[45] *não há estados ligados degenerados*. *Dica*: suponha que haja *duas* soluções, ψ_1 e ψ_2, com a mesma energia E. Multiplique a equação de Schrödinger para ψ_1 por ψ_2 e a equação de Schrödinger para ψ_2 por ψ_1, e subtraia uma da outra para mostrar que $(\psi_2 d\psi_1/dx - \psi_1 d\psi_2/dx)$ é uma constante. Use as soluções normalizáveis $\psi \to 0$ em $\pm\infty$ para demonstrar que essa constante é, na verdade, zero. Conclua que ψ_2 é um múltiplo de ψ_1 e que, portanto, as duas soluções não são distintas.

Problema 2.46 Imagine uma miçanga de massa m que corre sem fricção em torno de um anel circular de circunferência L. (É como uma partícula livre, exceto que $\psi(x + L) = \psi(x)$.) Calcule os estados estacionários (com normalização apropriada) e as energias correspondentes

---

[43] O fato de os tempos de restauração clássico e quântico não ostentarem uma relação óbvia um com o outro (e o quântico nem mesmo depende da energia) é um paradoxo curioso; veja Daniel Styer, *Am. J. Phys.* **69**, 56 (2001).

[44] Se duas soluções diferem apenas na constante multiplicativa (para que assim, uma vez normalizada, difiram apenas por um fator de fase $e^{i\phi}$), elas representam o mesmo estado físico, e nesse contexto elas *não* são soluções distintas. Tecnicamente, por 'distinto' quero dizer 'linearmente independente'.

[45] Em dimensões maiores essa degenerância é muito comum, como veremos no Capítulo 4. Suponha que o potencial não consista de peças isoladas separadas por regiões em que $V = \infty$; dois poços quadrados infinitos isolados, por exemplo, dariam origem a estados ligados degenerados, para os quais a partícula estaria ou em um, ou em outro.

permitidas. Note que há *duas* soluções independentes para cada energia E_n que correspondem à circulação nos sentidos horário e anti-horário; chame de $\psi_n^+(x)$ e $\psi_n^-(x)$. Como você leva em consideração essa degenerescência em vista do teorema abordado no Problema 2.45 (por que o teorema falha nesse caso)?

Problema 2.47 *Atenção*: esse é um problema *estritamente qualitativo*, e nenhum cálculo será permitido! Considere o potencial do 'poço quadrado duplo' (Figura 2.21). Suponha que a profundidade V_0 e a largura a são fixas, e amplas o suficiente para que vários estados ligados aconteçam.

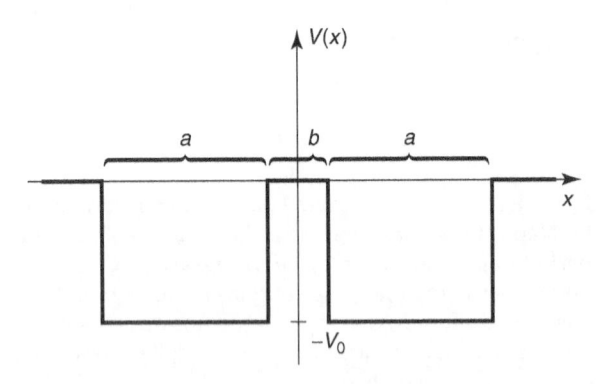

FIGURA 2.21 Poço quadrado duplo (Problema 2.47).

(a) Esboce a função de onda do estado fundamental ψ_1 e do primeiro estado excitado ψ_2, (i) para o caso $b = 0$, (ii) para $b \approx a$ e (iii) para $b \gg a$.

(b) Qualitativamente, como as energias correspondentes (E_1 e E_2) variam conforme b vai de 0 a ∞? Esboce $E_1(b)$ e $E_2(b)$ no mesmo gráfico.

(c) O poço duplo é um modelo primitivo em uma dimensão para o potencial experimentado por um elétron em uma molécula diatômica (os dois poços representam a força atrativa dos núcleos). Se os núcleos estão livres para se mover, eles adotarão a configuração de energia mínima. Sob a perspectiva de suas conclusões em (b), o elétron tende a atrair os núcleos ou separá-los? (É claro que também devemos levar em conta a repulsão internuclear, porém, esse é um problema à parte.)

Problema 2.48 No Problema 2.7(d) você obtém o valor esperado de energia ao somar as séries na Equação 2.39, mas avisei (na nota de rodapé nº 15) para não tentar fazê-lo 'à moda antiga', $\langle H \rangle = \int \psi(x,0)^* H \Psi(x,0) dx$, pois a primeira derivada descontínua de $\Psi(x,0)$ torna a segunda derivada problemática. Na verdade, você *poderia* ter resolvido a questão usando integração por partes, porém, a função delta de Dirac proporciona uma maneira mais clara de lidar com anomalias.

(a) Calcule a primeira derivada de $\Psi(x,0)$ (no Problema 2.7) e escreva a resposta em termos de uma função degrau, $\theta(x - a/2)$ definida na Equação 2.143. (Não se preocupe com os pontos extremos, mas somente com a região interior $0 < x < a$.)

(b) Explore o resultado do Problema 2.24(b) para escrever a segunda derivada $\Psi(x,0)$ em termos da função delta.

(c) Avalie a integral $\int \Psi(x,0)^* H \Psi(x,0) dx$ e verifique se você obteve a mesma resposta de antes.

***Problema 2.49**

(a) Demonstre que

$$\Psi(x,t) = \left(\frac{m\omega}{\pi\hbar}\right)^{1/4} \exp\left[-\frac{m\omega}{2\hbar}\left(x^2 + \frac{a^2}{2}(1+e^{2i\omega t}) + \frac{i\hbar t}{m} - 2axe^{-i\omega t}\right)\right]$$

satisfaz a equação de Schrödinger *dependente* do tempo para o potencial do oscilador harmônico (Equação 2.43). Nesse caso, a é qualquer constante real com as dimensões de comprimento.[46]

(b) Calcule $|\Psi(x,t)|^2$ e descreva o movimento do pacote de onda.

(c) Calcule $\langle x \rangle$ e $\langle p \rangle$ e verifique se o teorema Ehrenfest (Equação 1.38) é satisfeito.

Problema 2.50 Considere o poço função delta *móvel*:
$$V(x,t) = -\alpha\delta(x - vt)$$
em que v é a velocidade (constante) do poço.

(a) Demonstre que a equação de Schrödinger dependente do tempo admite a solução exata

$$\Psi(x,t) = \frac{\sqrt{m\alpha}}{\hbar} e^{-m\alpha|x-vt|/\hbar^2} e^{-i[(E+(1/2)mv^2)t - mvx]/\hbar},$$

em que $E = -m\alpha^2/2\hbar^2$ é a energia do estado ligado da função delta *estacionária*. Dica: substitua e *verifique*! Use o resultado do Problema 2.24(b).

(b) Calcule o valor esperado do Hamiltoniano nesse estado e comente o resultado.

***Problema 2.51** Considere o potencial

$$V(x) = -\frac{\hbar^2 a^2}{m}\text{sech}^2(ax),$$

em que a é uma constante positiva e 'sech' indica secante hiperbólica.

(a) Faça uma representação gráfica desse potencial.

(b) Verifique se esse potencial tem como estado fundamental

$$\psi_0(x) = A\,\text{sech}(ax),$$

e calcule a sua energia. Normalize ψ_0 e esboce um gráfico.

---

[46] Esse exemplo raro de uma solução de forma fechada exata para a equação de Schrödinger dependente do tempo foi descoberta pelo próprio Schrödinger, em 1926.

(c) Demonstre que a função

$$\psi_k(x) = A\left(\frac{ik - a\,\mathrm{tgh}(ax)}{ik + a}\right)e^{ikx},$$

(em que $k \equiv \sqrt{2mE}/\hbar$, como sempre) resolve a equação de Schrödinger para qualquer energia (positiva) E. Sendo que a tgh $z \to -1$ quando $z \to -\infty$,

$\psi k(x) \approx Ae^{ikx}$, para x grande e negativo.

Isso representa, então, uma onda vinda da esquerda sem *onda de acompanhamento refletida* (isto é, sem termo $\exp(-ikx)$). Qual é a forma assintótica de $\psi_k(x)$ em x grande *positivo*? Quais são R e T para esse potencial? *Comentário:* esse é um exemplo famoso do **potencial sem reflexão**: toda partícula incidente, independentemente de sua energia, passa diretamente.[47]

Problema 2.52 Matriz de espalhamento. A teoria do espalhamento generaliza uma maneira muito óbvia para potenciais arbitrariamente localizados (Figura 2.22). Para a esquerda (região I), $V(x) = 0$, portanto

$$\psi(x) = Ae^{ikx} + Be^{-ikx}, \quad \text{em que } k \equiv \frac{\sqrt{2mE}}{\hbar}. \quad [2.173]$$

Para a direita (região III), $V(x)$ é novamente zero e, portanto

$$\psi(x) = Fe^{ikx} + Ge^{-ikx} \quad [2.174]$$

Quando situada em uma área determinada (região II), é claro que não sei dizer o que ψ é até que você especifique o potencial, mas como a equação de Schrödinger é uma equação linear diferencial de segunda ordem, a solução geral será

$$\psi(x) = Cf(x) + Dg(x),$$

em que $f(x)$ e $g(x)$ são duas soluções linearmente independentes.[48] Haverá quatro condições de contorno (unindo regiões I e II, e duas regiões II e III). Duas dessas condições de contorno poderão ser usadas para eliminar C e D, e as outras duas poderão ser 'resolvidas' para B e F em termos de A e G:

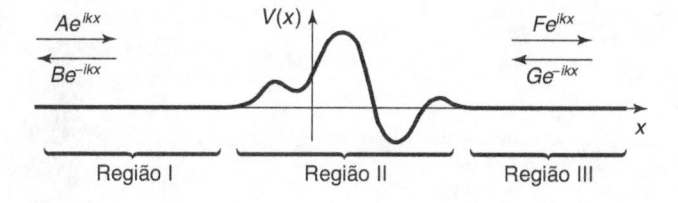

FIGURA 2.22 Espalhamento de um potencial arbitrariamente localizado ($V(x) = 0$, exceto na região II); Problema 2.52.

$$B = S_{11}A + S_{12}G, \quad F = S_{21}A + S_{22}G$$

Os quatro coeficientes S_{ij}, os quais dependem de k (e, portanto, de E), constituem uma matriz **S** 2 x 2, chamada de **matriz de espalhamento** (ou matriz-S). A matriz-S informa as amplitudes de saída (B e F) em termos de amplitudes de entrada (A e G):

$$\begin{pmatrix} B \\ F \end{pmatrix} = \begin{pmatrix} S_{11} & S_{12} \\ S_{21} & S_{22} \end{pmatrix} \begin{pmatrix} A \\ G \end{pmatrix} \quad [2.175]$$

No caso típico de espalhamento da esquerda, $G = 0$, portanto os coeficientes de reflexão e transmissão serão

$$R_l = \frac{|B|^2}{|A|^2}\bigg|_{G=0} = |S_{11}|^2, \quad T_l = \frac{|F|^2}{|A|^2}\bigg|_{G=0} = |S_{21}|^2 \quad [2.176]$$

Para o espalhamento da direita, $A = 0$, e

$$R_r = \frac{|F|^2}{|G|^2}\bigg|_{A=0} = |S_{22}|^2, \quad T_r = \frac{|B|^2}{|G|^2}\bigg|_{A=0} = |S_{12}|^2 \quad [2.177]$$

(a) Construa a matriz-S para espalhamento de um poço função delta (Equação 2.114).

(b) Construa a matriz-S para o poço quadrado finito (Equação 2.145). *Dica:* esse exercício não exigirá nenhum trabalho que já não tenha sido feito até agora se você explorar a simetria do problema cuidadosamente.

*****Problema 2.53 A matriz de transferência.** A matriz-S (Problema 2.52) informa as amplitudes de *saída* (B e F) em termos de amplitudes de *entrada* (A e G) (Equação 2.175). Para alguns fins, é mais conveniente trabalhar com a **matriz de transferência**, **M**, a qual fornece as amplitudes para a *direita* do potencial (F e G) em termos das da *esquerda* (A e B):

$$\begin{pmatrix} F \\ G \end{pmatrix} = \begin{pmatrix} M_{11} & M_{12} \\ M_{21} & M_{22} \end{pmatrix} \begin{pmatrix} A \\ B \end{pmatrix} \quad [2.178]$$

(a) Calcule os quatro elementos da matriz-M em termos de elementos da matriz-S e vice-versa. Expresse R_l, T_l, R_r e T_r (equações 2.176 e 2.177) em termos de elementos da matriz-M.

(b) Suponha que você tem um potencial que consiste de duas peças isoladas (Figura 2.23). Demonstre que a matriz-M para a combinação é o *produto* de duas matrizes-M para cada seção, separadamente:

$$\mathbf{M} = \mathbf{M}_2 \mathbf{M}_1 \quad [2.179]$$

---

[47] R.E. Crandall e B.R. Litt, *Annals of Physics*, **146**, 458 (1983).

[48] Consulte qualquer livro sobre equações diferenciais, como, por exemplo, J.L. Van Iwaarden, *Ordinary Differential Equations with Numerical Techniques*, Harcourt Brace Jovanovich, San Diego, 1985, Capítulo 3.

(Obviamente, isso generaliza qualquer número de peças e é a razão da utilidade da matriz-M.)

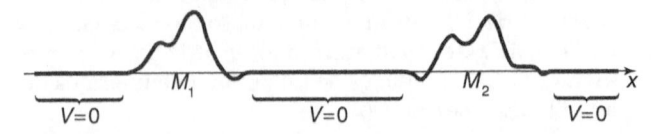

FIGURA 2.23 Potencial consistindo de duas peças isoladas (Problema 2.53).

(c) Construa a matriz-M para o espalhamento de um potencial função delta no ponto a:

$$V(x) = -\alpha\delta(x - a).$$

(d) Pelo método da parte (b), calcule a matriz-M para o espalhamento da função delta dupla

$$V(x) = -\alpha[\delta(x + a) + \delta(x - a)].$$

Qual é o coeficiente de transmissão para esse potencial?

Problema 2.54 Calcule a energia de estado fundamental do oscilador harmônico para cinco algarismos significativos pelo método do cachorro sacudindo o rabo. Isto é, resolva a Equação 2.72 numericamente, variando K até que você obtenha uma função de onda que vá a zero em ξ grande. Na Mathematica, o código de entrada apropriado seria

Plot[Evaluate[u[x]/.NDSolve[{u''[x] −(x² − K)*u[x] == 0, u[0] == 1,u'[0] == 0}, u[x], {x, 10⁻⁸, 10}, MaxSteps -> 10000]], {x, a, b}, PlotRange -> {c, d}];

(Aqui (a, b) é o intervalo horizontal do gráfico, e (c, d) é o intervalo vertical, começando com $a = 0$, $b = 10$, $c = -10$ e $d = 10$.) Sabemos que a solução correta é $K = 1$, então você deve 'supor' um valor de $K = 0,9$. Observe o que o 'rabo' da função de onda faz. Agora, tente $K = 1,1$ e note que o rabo inverte. A solução está em algum lugar entre esses valores. Procure a solução reduzindo o intervalo de valores de K cada vez mais. Ao fazê-lo, você pode ajustar a, b, c e d para zerar no ponto de cruzamento.

Problema 2.55 Calcule as energias dos três primeiros estados excitados (com cinco algarismos significativos) para o oscilador harmônico, pelo método do cachorro sacudindo o rabo (Problema 2.54). Para o primeiro (e terceiro) estado excitado você precisará estabelecer $u[0] == 0$, $u'[0] == 1$.

Problema 2.56 Calcule as quatro primeiras energias permitidas (com cinco algarismos significativos) para o poço quadrado infinito, pelo método do cachorro sacudindo o rabo. *Dica:* consulte o Problema 2.54 e faça as mudanças apropriadas para a equação diferencial. Dessa vez, a condição que você procura é $u(1) = 0$.

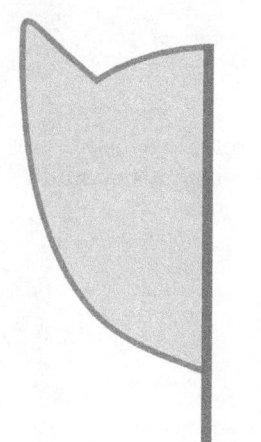

Capítulo 3
Formalismo

3.1 Espaço de Hilbert

Nos dois últimos capítulos, tropeçamos em várias propriedades interessantes de sistemas quânticos simples. Algumas delas são características 'acidentais' de potenciais específicos (o mesmo espaçamento dos níveis de energia para o oscilador harmônico, por exemplo); porém, outras parecem ser mais comuns, e seria bom comprová-las de uma vez por todas (como, por exemplo, o princípio da incerteza e a ortogonalidade dos estados estacionários). Tendo isso em mente, o objetivo deste capítulo é reformular a teoria de uma forma mais poderosa. Não há nada de genuinamente *novo* aqui, pelo contrário; a ideia é fazer com que seja consistente o que já descobrimos em casos específicos.

A teoria quântica se baseia em duas construções: *funções de onda* e *operadores*. O estado de um sistema é representado por sua função de onda, e as observáveis são representadas por operadores. Matematicamente, as funções de onda satisfazem as condições que definem os **vetores** abstratos e os operadores agem sobre eles como **transformações lineares**. Portanto, a linguagem natural da mecânica quântica é a **álgebra linear.**[1]

Mas não acredito que seja uma forma de álgebra linear com a qual você esteja intimamente familiarizado. Em um espaço N-dimensional, é muito simples representar um vetor, $|\alpha\rangle$, por meio dos N-tuplos de seus componentes, $\{\alpha_n\}$, no que diz respeito a uma base ortonormal específica:

$$|\alpha\rangle \to \mathbf{a} = \begin{pmatrix} a_1 \\ a_2 \\ \vdots \\ a_N \end{pmatrix}. \qquad [3.1]$$

O **produto interno**, $\langle \alpha | \beta \rangle$, de dois vetores (se generalizarmos o produto escalar em três dimensões) é um número complexo,

$$\langle \alpha | \beta \rangle = a_1^* b_1 + a_2^* b_2 + \cdots + a_N^* b_N. \qquad [3.2]$$

---

[1] Se você nunca estudou álgebra linear, então deveria ler o Apêndice antes de continuar o estudo deste capítulo.

As transformações lineares, T, são representadas por **matrizes** (com relação à base específica), as quais agem em vetores (para produzir novos vetores) por regras comuns de multiplicação de matrizes:

$$|\beta\rangle = T|\alpha\rangle \rightarrow \mathbf{b} = \mathbf{Ta} = \begin{pmatrix} t_{11} & t_{12} & \cdots & t_{1N} \\ t_{21} & t_{22} & \cdots & t_{2N} \\ \vdots & \vdots & & \vdots \\ t_{N1} & t_{N2} & \cdots & t_{NN} \end{pmatrix} \begin{pmatrix} a_1 \\ a_2 \\ \vdots \\ a_N \end{pmatrix}. \qquad [3.3]$$

Mas os 'vetores' que encontramos na mecânica quântica são (quase sempre) *funções*, e elas estão em espaços com dimensões *infinitas*. Para eles, as notações N-tuplas/matrizes são, na melhor das hipóteses, estranhas, e manipulações bem feitas em casos com dimensões finitas podem ser problemáticas. (A razão básica disso é que, ao passo que a soma *finita* na Equação 3.2 sempre existe, uma soma *infinita* — ou uma integral — pode não convergir, caso em que o produto interno não existe e que torna qualquer argumento envolvendo produtos internos imediatamente suspeito.) De modo que, embora a maior parte da terminologia e da notação seja familiar, vale a pena abordar esse assunto com cautela.

O conjunto de *todas* as funções de x constitui um espaço vetorial, mas para nossos objetivos ele é amplo demais. Para representar um estado físico possível, a função de onda Ψ deve ser *normalizada*:

$$\int |\Psi|^2 \, dx = 1.$$

O conjunto de todas as **funções quadrado-integráveis**, em um intervalo específico,[2]

$$f(x) \quad \text{tais que} \quad \int_a^b |f(x)|^2 \, dx < \infty, \qquad [3.4]$$

constitui um espaço vetorial (muito menor) (veja o Problema 3.1(a)). Os matemáticos o chamam de $L_2(a, b)$; os físicos o chamam de **espaço de Hilbert**.[3] Na mecânica quântica, então,

Funções de onda existem no espaço de Hilbert. [3.5]

Definimos o **produto interno de duas funções**, $f(x)$ e $g(x)$, conforme o que se segue:

$$\langle f | g \rangle \equiv \int_a^b f(x)^* g(x) \, dx. \qquad [3.6]$$

Se f e g são quadrado-integráveis (isto é, se ambas estão no espaço de Hilbert), o produto interno de ambas certamente existe (a integral na Equação 3.6 converge para um número finito).[4]

---

[2] Para nós, os limites (a e b) serão quase sempre $\pm\infty$, mas devemos manter as coisas mais generalizadas por enquanto.

[3] Tecnicamente, um espaço de Hilbert é um **espaço com produto interno completo**, e o conjunto de funções quadrado-integráveis é apenas *um exemplo* de um espaço de Hilbert; na verdade, todo espaço vetorial com dimensão finita é trivialmente um espaço de Hilbert. Porém, sendo L_2 a arena da mecânica quântica, é a que os físicos geralmente *se referem* quando usam o termo 'espaço de Hilbert'. A propósito, a palavra **completo** significa que qualquer sequência de funções de Cauchy no espaço de Hilbert converge para uma função que também está no espaço: não há 'lacunas', assim como o conjunto de todos os números reais não tem lacunas (em contrapartida, o espaço de todos os *polinômios*, por exemplo, como o conjunto de todos os números *racionais*, certamente *tem* lacunas). A completude de um *espaço* não tem nada a ver com a completude (mesma palavra, infelizmente) de um *conjunto de funções*, que é a propriedade pela qual qualquer outra função tem de poder ser expressa como uma combinação linear delas.

[4] No Capítulo 2 fomos obrigados a trabalhar com funções *não* normalizáveis. Tais funções ficam de *fora* do espaço de Hilbert, e teremos de lidar com elas cuidadosamente, como você verá em breve. Por enquanto, devo supor que todas as funções que encontrarmos *estarão* no espaço de Hilbert.

Isso tem origem na **desigualdade integral de Schwarz**.[5]

$$\left|\int_a^b f(x)^* g(x) dx\right| \leq \sqrt{\int_a^b |f(x)|^2 dx \int_a^b |g(x)|^2 dx}. \qquad [3.7]$$

Verifique você mesmo se a Equação 3.6 satisfaz todas as condições para um produto interno (Problema 3.1(b)). Note especialmente que

$$\langle g | f \rangle = \langle f | g \rangle^*. \qquad [3.8]$$

Além disso, o produto interno de $f(x)$ por ele *próprio*,

$$\langle f | f \rangle = \int_a^b |f(x)|^2 dx, \qquad [3.9]$$

é *real* e não negativo; será *zero* somente[6] quando $f(x) = 0$.

Uma função é considerada **normalizada** se seu produto interno por ela própria é 1; duas funções serão **ortogonais** se o produto interno de ambas for 0; e um *conjunto* de funções, $\{f_n\}$, será **ortonormal** se as funções forem normalizadas e mutuamente ortogonais:

$$\langle f_m | f_n \rangle = \delta_{mn}. \qquad [3.10]$$

Por fim, um conjunto de funções será **completo** se qualquer outra função (no espaço de Hilbert) puder ser expressa como uma combinação linear delas:

$$f(x) = \sum_{n=1}^{\infty} c_n f_n(x). \qquad [3.11]$$

Se as funções $\{f_n(x)\}$ são ortonormais, os coeficientes são dados pelo truque de Fourier,

$$c_n = \langle f_n | f \rangle, \qquad [3.12]$$

como você mesmo pode verificar. Antecipei essa terminologia, é claro, no Capítulo 2. (Os estados estacionários para o poço quadrado infinito (Equação 2.28) constituem um conjunto ortonormal completo no intervalo $(0, a)$; os estados estacionários para o oscilador harmônico (Equação 2.67 ou Equação 2.85) são um conjunto ortonormal completo no intervalo $(-\infty, \infty)$.)

> **Problema 3.1**
>
> (a) Demonstre que o conjunto de todas as funções quadrado-integráveis é um espaço vetorial (consulte a Seção A.1 para definição). *Dica:* o principal problema é mostrar que a soma de duas funções quadrado-integráveis é também quadrado-integrável. Use a Equação 3.7. O conjunto de todas as funções *normalizáveis* constitui um espaço vetorial?
>
> (b) Demonstre que a integral na Equação 3.6 satisfaz as condições para um produto interno (Seção A.2).

---

[5] Para uma prova disso, veja F. Riesz e B. Sz.-Nagy, *Functional Analysis* (Unger, Nova York, 1955), Seção 21. Em um espaço vetorial de dimensão *finita*, é fácil de provar (veja o problema A.5) a desigualdade de Schwarz, $|\langle \alpha | \beta \rangle|^2 \leq \langle \alpha | \alpha \rangle \langle \beta | \beta \rangle$. Porém, essa prova *pressupõe* a existência de produtos internos, que é exatamente o que tentamos *estabelecer* aqui.

[6] E uma função que é zero em qualquer lugar, exceto em alguns pontos isolados? A integral (Equação 3.9) seria nula de qualquer maneira, mesmo que a própria função não o fosse. Se isso o incomoda, então você deveria ter se graduado em Matemática. Na Física, tais funções patológicas não acontecem, mas, de qualquer maneira, no espaço de Hilbert duas funções que têm a mesma integral quadrada são consideradas equivalentes. Tecnicamente, os vetores no espaço de Hilbert representam **classes equivalentes** de funções.

Problema 3.2

(a) Para qual faixa de v a função $f(x) = x^v$ está no espaço de Hilbert no intervalo $(0, 1)$? Suponha que v seja real, mas não necessariamente positivo.

(b) Para o caso específico $v = \frac{1}{2}$, $f(x)$ está no espaço de Hilbert? E $xf(x)$? E $(d/dx) f(x)$?

3.2 Observáveis

3.2.1 Operadores hermitianos

O valor esperado de um observável $Q(x, p)$ pode ser expresso muito elegantemente na seguinte representação do produto interno:[7]

$$\langle Q \rangle = \int \Psi^* \hat{Q} \Psi \, dx = \langle \Psi | \hat{Q} \Psi \rangle. \quad [3.13]$$

Agora, o resultado da medição tem de ser *real*, e assim, a *fortiori*, é a *média* de muitas medidas:

$$\langle Q \rangle = \langle Q \rangle^*. \quad [3.14]$$

Porém, o complexo conjugado de um produto interno reverte a ordem (Equação 3.8), assim que

$$\langle \Psi | \hat{Q} \Psi \rangle = \langle \hat{Q} \Psi | \Psi \rangle, \quad [3.15]$$

e isso pode ser verdadeiro para qualquer função de onda Ψ. Assim, os operadores que representam *observáveis* têm a propriedade especial de

$$\langle f | \hat{Q} f \rangle = \langle \hat{Q} f | f \rangle, \quad \text{para todo } f(x). \quad [3.16]$$

Chamamos tais operadores de **hermitianos**.

Na verdade, a maioria dos livros exige uma condição ostensivamente forte:

$$\langle f | \hat{Q} g \rangle = \langle \hat{Q} f | g \rangle, \quad \text{para todo } f(x) \text{ e todo } g(x). \quad [3.17]$$

Acontece que, apesar das aparências, isso é perfeitamente equivalente à minha definição (Equação 3.16), como você poderá verificar no Problema 3.3. Por isso, use a de sua preferência. A questão principal é que um operador hermitiano pode ser aplicado tanto para o primeiro membro de um produto interno quanto para o segundo com o mesmo resultado, e os operadores hermitianos surgem naturalmente na mecânica quântica porque seus valores esperados são reais:

> **Observáveis são representados por operadores hermitianos.** [3.18]

---

[7] Lembre-se de que $\hat{Q}$ é o operador construído a partir de Q pela substituição $p \Rightarrow \hat{p} \equiv (\hbar/i)d/dx$. Esses operadores são **lineares**, no sentido de que

$$\hat{Q}[af(x) + bg(x)] = a\hat{Q}f(x) + b\hat{Q}g(x),$$

para quaisquer funções f e g e quaisquer números complexos a e b. Eles constituem *transformações lineares* (Seção A.3) no espaço de todas as funções. Entretanto, carregam às vezes uma função de *dentro* do espaço de Hilbert para uma função *fora* dele (veja o Problema 3.2(b)), e, nesse caso, o domínio do operador pode ser restrito.

Bem, vamos *verificar* essa afirmação. Por exemplo: o operador de momento é hermitiano?

$$\langle f \mid \hat{p}g \rangle = \int_{-\infty}^{\infty} f^* \frac{\hbar}{i} \frac{dg}{dx} dx = \frac{\hbar}{i} f^* g \Big|_{-\infty}^{\infty} + \int_{-\infty}^{\infty} \left(\frac{\hbar}{i} \frac{df}{dx} \right)^* g \, dx = \langle \hat{p}f \mid g \rangle. \qquad [3.19]$$

Usei integração por partes, é claro, e descartei o termo de contorno pela razão de sempre: se $f(x)$ e $g(x)$ são quadrado-integráveis, devem ir a zero em $\pm\infty$.[8] Observe como a conjugação complexa de i compensa o sinal negativo gerado pela integração por partes; o operador d/dx (sem o i) *não* é hermitiano, e não representa um observável possível.

*Problema 3.3 Mostre que se $\langle h \mid \hat{Q}h \rangle = \langle \hat{Q}h \mid h \rangle$ para todas as funções h (no espaço de Hilbert), então $\langle f \mid \hat{Q}g \rangle = \langle \hat{Q}f \mid g \rangle$ para toda f e g (isto é, as duas definições de 'hermitiano' — equações 3.16 e 3.17 — são equivalentes). *Dica:* primeiro faça $h = f + g$, e, então, faça $h = f + ig$.

Problema 3.4

(a) Demonstre que a *soma* de dois operadores hermitianos é também um operador hermitiano.

(b) Suponha que $\hat{Q}$ seja hermitiano e α seja um número complexo. Sob quais condições (em α) $\alpha \hat{Q}$ é hermitano?

(c) Quando o *produto* de dois operadores hermitianos é hermitiano?

(d) Demonstre que o operador de posição ($\hat{x} = x$) e o operador hamiltoniano ($\hat{H} = -(\hbar^2/2m)d^2/dx^2 + V(x)$) são hermitianos.

Problema 3.5 O **conjugado hermitiano** (ou **adjunto**) de um operador $\hat{Q}$ é o operador $\hat{Q}^\dagger$, tal que

$$\langle f \mid \hat{Q}g \rangle = \langle \hat{Q}^\dagger f \mid g \rangle \quad \text{(para todo } f \text{ e } g\text{).} \qquad [3.20]$$

(Um operador hermitiano, então, é igual ao seu conjugado hermitiano: $\hat{Q} = \hat{Q}^\dagger$.)

(a) Calcule os conjugados hermitianos de x, i e d/dx.

(b) Monte o conjugado hermitiano do operador de levantamento do oscilador harmônico, a_+ (Equação 2.47).

(c) Demonstre que $(\hat{Q}\hat{R})^\dagger = \hat{R}^\dagger \hat{Q}^\dagger$.

3.2.2 Estados determinados

Normalmente, quando você mede um observável Q em um conjunto de sistemas identicamente preparados, todos no mesmo estado Ψ, você *não* obtém sempre o mesmo resultado; essa é a *indeterminância* da mecânica quântica.[9] *Pergunta:* seria possível preparar um estado de modo que *toda* medida de Q resultasse indubitavelmente no *mesmo* valor (você pode chamá-lo de q)? Esse seria, se você preferisse assim, um **estado determinado** para o observável Q.

---

[8] Bem, isso não é exatamente verdade. Conforme mencionei no Capítulo 1, há funções patológicas que são quadrado-integráveis, porém, *não* vão a zero no infinito. Entretanto, tais funções não surgem na física, e se você está preocupado com isso, simplesmente restringiremos o domínio de nossos operadores para excluí-las. Em intervalos *finitos*, contudo, você tem de ser muito mais cuidadoso com os termos de contorno, e um operador que seja hermitiano em $(-\infty, \infty)$ pode *não* sê-lo em $(0, \infty)$ ou em $(-\pi, \pi)$. Se você está se perguntando sobre o poço quadrado infinito, considere que aquelas funções de onda estão na linha infinita; elas são *zero* do lado de fora $(0, a)$.

[9] Refiro-me às medidas *competentes*, é claro. É sempre possível que se cometa um *engano* e simplesmente se obtenha a resposta errada, porém, isso não é culpa da mecânica quântica.

(Na verdade, já conhecemos um exemplo: estados estacionários são estados determinados do Hamiltoniano; uma medida da energia total em uma partícula no estado estacionário Ψ_n certamente produz a energia 'permitida' correspondente E_n.)

Bem, o desvio padrão de Q, em um estado determinado, seria *zero*, o que quer dizer que,

$$\sigma^2 = \left\langle (\hat{Q} - \langle Q \rangle)^2 \right\rangle = \left\langle \Psi | (\hat{Q} - q)^2 \Psi \right\rangle = \left\langle (\hat{Q} - q)\Psi | (\hat{Q} - q)\Psi \right\rangle = 0. \qquad [3.21]$$

(É claro que, se toda medição resulta q, a média também é q: $\langle Q \rangle = q$. Também usei o fato de $\hat{Q}$, e portanto $\hat{Q} - q$, também ser um operador *hermitiano* para mover um fator sobre o primeiro termo no produto interno.) Mas a única função cujo produto interno por ela própria é nulo é 0, assim

$$\hat{Q}\Psi = q\Psi. \qquad [3.22]$$

Essa é a **equação de autovalores** para o operador $\hat{Q}$; Ψ é uma **autofunção** de $\hat{Q}$, e q é o **autovalor** correspondente. Portanto,

> Estados determinados são autofunções de $\hat{Q}$. [3.23]

A medição de Q em tal estado certamente produz o autovalor q.

Perceba que o *autovalor* é um *número* (e não um operador ou uma função). Você pode multiplicar qualquer autofunção por uma constante e ela ainda será uma autofunção com o mesmo autovalor. O zero não é considerado uma autofunção (ele foi excluído por definição, caso contrário, *todo* número seria um autovalor, sendo que $\hat{Q}0 = q0 = 0$ para qualquer operador $\hat{Q}$ e todo q). Mas não há nada de errado em considerar o zero um auto*valor*. O conjunto de todos os autovalores de um operador é chamado de **espectro**. Às vezes, duas (ou mais) autofunções independentes compartilham o mesmo autovalor; nesse caso, diz-se que o espectro é **degenerado**.

Por exemplo, estados determinados da energia total são autofunções do Hamiltoniano:

$$\hat{H}\Psi = E\Psi, \qquad [3.24]$$

que é exatamente a equação de Schrödinger independente do tempo. Nesse contexto, usamos a letra E para o autovalor e o ψ minúsculo para a autofunção (junte-o ao fator $\exp(-iEt/\hbar)$ para produzir Ψ, se quiser; ela ainda será uma autofunção de H).

Exemplo 3.1 Considere o operador

$$\hat{Q} \equiv i\frac{d}{d\phi}, \qquad [3.25]$$

no qual ϕ é a coordenada polar usual em duas dimensões. (Esse operador pode surgir em um contexto físico se estivermos estudando a 'miçanga no anel circular'; veja o Problema 2.46.) O $\hat{Q}$ é hermitiano? Encontre suas autofunções e seus autovalores.

Resposta: trabalharemos com as funções $f(\phi)$ no intervalo *finito* $0 \leq \phi \leq 2\pi$, estipulando que

$$f(\phi + 2\pi) = f(\phi) \qquad [3.26]$$

sendo que ϕ e $\phi + 2\pi$ descrevem o mesmo ponto físico. Usando a integração por partes,

$$\langle f | \hat{Q} g \rangle = \int_0^{2\pi} f^* \left(i\frac{dg}{d\phi} \right) d\phi = if^*g \Big|_0^{2\pi} - \int_0^{2\pi} i\left(\frac{df^*}{d\phi} \right) g \, d\phi = \langle \hat{Q} f | g \rangle,$$

e por isso $\hat{Q}$ é hermitiano (dessa vez, o termo de contorno desaparece em virtude da Equação 3.26). A equação de autovalores,

$$i\frac{d}{d\phi}f(\phi) = qf(\phi), \qquad [3.27]$$

tem a solução geral

$$f(\phi) = Ae^{-iq\phi}. \qquad [3.28]$$

A Equação 3.26 restringe os valores possíveis de q:

$$e^{-iq2\pi} = 1 \quad \Rightarrow \quad q = 0, \pm 1, \pm 2,... \qquad [3.29]$$

O espectro desse operador é um conjunto de todos os números inteiros e é não degenerado.

Problema 3.6 Considere o operador $\hat{Q} = d^2/d\phi^2$, no qual (como no Exemplo 3.1) ϕ é o ângulo azimutal em coordenadas polares e as funções estão sujeitas à Equação 3.26. Nesse caso, $\hat{Q}$ é hermitiano? Encontre suas autofunções e seus autovalores. Qual é o espectro de $\hat{Q}$? O espectro é degenerado?

3.3 Autofunções de um operador hermitiano

Agora, nossa atenção é direcionada para as *autofunções de um operador hermitiano* (em termos da Física: estados determinados de observáveis). Elas se dividem em duas categorias: se o espectro é **discreto** (isto é, se os autovalores estão separados uns dos outros), então as autofunções estão no espaço de Hilbert e constituem estados realizáveis fisicamente. Se o espectro é **contínuo** (isto é, se os autovalores preenchem um intervalo inteiro), então as autofunções não são normalizáveis e não representam funções de onda possíveis (embora suas *combinações lineares*, que envolvem necessariamente uma dispersão de autovalores, sejam normalizáveis). Alguns operadores têm somente o espectro discreto (por exemplo, o Hamiltoniano para o oscilador harmônico), e alguns têm somente o espectro contínuo (por exemplo, o Hamiltoniano da partícula livre); outros, ainda, têm ambos os espectros, discreto e contínuo (por exemplo, o Hamiltoniano para o poço quadrado finito). O caso discreto é mais fácil de se lidar, pois é certo que os produtos internos relevantes existem; na verdade, ele é muito similar à teoria com dimensão finita (os autovetores de uma *matriz* hermitiana). Primeiramente, trataremos do caso discreto, para, então, tratarmos do contínuo.

3.3.1 Espectros discretos

Matematicamente, as autofunções normalizáveis de um operador hermitiano têm duas propriedades importantes:

Teorema 1: seus *autovalores* são *reais*.
Prova: suponha que

$$\hat{Q}f = qf$$

(isto é, $f(x)$ é uma autofunção de $\hat{Q}$, com um autovalor q) e[10]

$$\langle f|\hat{Q}f\rangle = \langle \hat{Q}f|f\rangle$$

($\hat{Q}$ é hermitiano). Então,

$$q\langle f|f\rangle = q^*\langle f|f\rangle$$

(q é um número e, portanto, pode sair da integral, e como a primeira função no produto interno é um complexo conjugado (Equação 3.6), então o q à direita também o é). Porém, $\langle f|f\rangle$ não pode ser zero ($f(x) = 0$ não é uma autofunção legítima), então, $q = q^*$ e, portanto, q é real. QED

É reconfortante: se você medir um observável de uma partícula em um estado determinado, você obterá, no mínimo, um número real.

Teorema 2: autofunções pertencentes a autovalores distintos são *ortogonais*.
Prova: suponha que

$$\hat{Q}f = qf \text{ e } \hat{Q}g = q'g,$$

e $\hat{Q}$ é hermitiano. Então $\langle f|\hat{Q}g\rangle = \langle \hat{Q}f|g\rangle$, assim

$$q'\langle f|g\rangle = q^*\langle f|g\rangle$$

(novamente, os produtos internos existem porque supomos que as autofunções estejam no espaço de Hilbert). Porém, q é real (como vimos no Teorema 1), portanto, se $q' \neq q$, então $\langle f|g\rangle = 0$. QED

É por isso que os estados estacionários do poço quadrado infinito, por exemplo, ou o oscilador harmônico, são ortogonais: eles são autofunções do Hamiltoniano com autovalores distintos. Porém, essa propriedade não é uma característica deles e nem do Hamiltoniano; o mesmo vale para estados determinados de *qualquer* observável.

Infelizmente, o Teorema 2 não nos diz nada sobre estados degenerados ($q' = q$). Entretanto, se duas (ou mais) autofunções partilharem o mesmo autovalor, qualquer combinação linear delas será a própria autofunção com o mesmo autovalor (Problema 3.7(a)), e poderemos fazer uso do **procedimento de ortogonalização de Gram-Schmidt** (Problema A.4) para *construir* autofunções ortogonais dentro de cada subespaço degenerado. Em princípio, esse procedimento pode ser usado sempre, mas quase nunca é necessário usá-lo explicitamente (que alívio!). Por isso, *até na presença de degenerescência* as autofunções podem ser *escolhidas* para serem ortogonais, e, ao adotar o formalismo da mecânica quântica, devemos pressupor que isso já tenha sido feito. Isso licencia o uso do truque de Fourier, o qual depende da ortonormalidade na base das funções.

Em um espaço vetorial com dimensão *finita*, os autovetores de uma matriz hermitiana possuem uma terceira propriedade fundamental: eles geram o espaço (cada vetor pode ser expresso como uma combinação linear deles). Infelizmente, a prova disso não se estende aos espaços com dimensões infinitas. Mas a propriedade é essencial para a consistência interna da mecânica quântica, assim, observando-se Dirac,[11] vamos considerá-la um *axioma* (ou, mais precisamente, uma restrição da classe de operadores hermitianos que podem representar observáveis):

Axioma: as autofunções de um operador observável são *completas*: qualquer função (no espaço de Hilbert) pode ser expressa como uma combinação linear delas.[12]

> **Problema 3.7**
>
> (a) Suponha que $f(x)$ e $g(x)$ são duas autofunções de um operador $\hat{Q}$ com o mesmo autovalor q. Demonstre que qualquer combinação linear de f e g é também autofunção de $\hat{Q}$ com autovalor q.

---

10 Aceitamos que as autofunções estejam no espaço de Hilbert, caso contrário, o produto interno poderia nem existir.

11 P. A. M. Dirac, *The Principles of Quantum Mechanics*. Oxford University Press, Nova York (1958).

12 Em alguns casos específicos, a completude é demonstrável (sabemos que os estados estacionários do poço quadrado infinito, por exemplo, são completos por causa do teorema de Dirichlet). É um pouco estranho chamar de 'axioma' algo *demonstrável* em alguns casos, mas não sei de que outra forma eu poderia chamá-lo.

(b) Verifique que $f(x) = \exp(x)$ e $g(x) = \exp(-x)$ são autofunções do operador d^2/dx^2 com o mesmo autovalor. Monte duas combinações lineares de f e g que sejam autofunções *ortogonais* no intervalo $(-1, 1)$.

Problema 3.8

(a) Verifique que os autovalores do operador hermitiano no Exemplo 3.1 são reais. Demonstre que as autofunções (para autovalores distintos) são ortogonais.

(b) Faça o mesmo com o operador do Problema 3.6.

3.3.2 Espectros contínuos

Se o espectro de um operador hermitiano é *contínuo*, as autofunções não são normalizáveis, e as provas dos Teoremas 1 e 2 são insatisfatórias, pois os produtos internos podem não existir. Contudo, há a percepção de que as três propriedades essenciais (realidade, ortogonalidade e completude) ainda são válidas. Creio que seja melhor abordar esse caso sutil por meio de exemplos específicos.

Exemplo 3.2 Calcule as autofunções e os autovalores do operador de momento.

Resposta: sejam $f_p(x)$ a autofunção e p o autovalor:

$$\frac{\hbar}{i}\frac{d}{dx}f_p(x) = pf_p(x). \qquad [3.30]$$

A solução geral é:

$$f_p(x) = Ae^{ipx/\hbar}.$$

Não se trata de uma função quadrado-integrável para *qualquer* valor (complexo) de p. O operador de momento *não* tem autofunções no espaço de Hilbert. E, ainda, se nos restringirmos aos autovalores *reais*, devemos recuperar um tipo de 'ortonormalidade' *substituta*. Consulte os problemas 2.24(a) e 2.26,

$$\int_{-\infty}^{\infty} f_{p'}^*(x)f_p(x)dx = |A|^2 \int_{-\infty}^{\infty} e^{i(p-p')x/\hbar}dx = |A|^2 \, 2\pi\hbar\delta(p-p'). \qquad [3.31]$$

Se escolhermos $A = 1/\sqrt{2\pi\hbar}$, para que

$$f_p(x) = \frac{1}{\sqrt{2\pi\hbar}}e^{ipx/\hbar}, \qquad [3.32]$$

Então,

$$\langle f_{p'} | f_p \rangle = \delta(p-p'), \qquad [3.33]$$

o que é visivelmente similar à *verdadeira* ortonormalidade (Equação 3.10). Agora, os índices são variáveis contínuas e o delta de Kronecker se torna um delta de Dirac, apesar de ainda parecer o mesmo. Chamarei a Equação 3.33 de **ortonormalidade de Dirac**.

É importante ressaltar que as autofunções são *completas*, e têm a somatória (na Equação 3.11) substituída por uma integral: qualquer função (quadrado-integrável) $f(x)$ pode ser escrita da seguinte forma:

$$f(x) = \int_{-\infty}^{\infty} c(p) f_p(x)\, dp = \frac{1}{\sqrt{2\pi\hbar}} \int_{-\infty}^{\infty} c(p) e^{ipx/\hbar}\, dp. \qquad [3.34]$$

O coeficiente de expansão (agora uma função, $c(p)$) é obtido, como sempre, com o uso do truque de Fourier:

$$\langle f_{p'} | f \rangle = \int_{-\infty}^{\infty} c(p) \langle f_{p'} | f_p \rangle dp = \int_{-\infty}^{\infty} c(p) \delta(p-p')\, dp = c(p'). \qquad [3.35]$$

Alternativamente, você pode obtê-lo a partir do teorema de Plancherel (Equação 2.102), já que a expansão (Equação 3.34) nada mais é do que a transformada de Fourier.

As autofunções do momento (Equação 3.32) são sinusoidais, e têm o seguinte comprimento

$$\lambda = \frac{2\pi\hbar}{p}. \qquad [3.36]$$

Trata-se da antiga fórmula de de Broglie (Equação 1.39), a qual prometo comprovar no momento apropriado. Ela vem a ser um pouco mais sutil do que de Broglie imaginou, pois sabemos agora que partículas com momento determinado *não* existem. Mas poderíamos fazer um *pacote* de onda normalizável com um intervalo estreito de momento, e é à tal objeto que a relação de de Broglie se aplica.

E o que fazer com o Exemplo 3.2? Embora nenhuma das autofunções de $\hat{p}$ exista no espaço de Hilbert, determinada linhagem delas (aquelas com autovalores reais) reside nos 'subúrbios' mais próximos com um tipo de quase normalizabilidade. Elas não representam estados físicos possíveis, mas ainda assim são muito úteis (como já vimos em nosso estudo de espalhamento unidimensional).[13]

Exemplo 3.3 Calcule as autofunções e os autovalores do operador de posição.

Resposta: sejam $g_y(x)$ a autofunção e y o autovalor:

$$x g_y(x) = y g_y(x). \qquad [3.37]$$

y é um número fixo (para qualquer autofunção dada), mas x é uma variável contínua. Que função de x tem a propriedade de, multiplicada por x, resultar no mesmo valor que teria se multiplicada pela constante y? Obviamente, a resposta é *zero*, exceto no ponto em que $x = y$; na verdade, essa função é a delta de Dirac:

$$g_y(x) = A \delta(x-y).$$

Dessa vez, o autovalor *tem* de ser real. As autofunções não são quadrado-integráveis, mas novamente admitem a *ortonormalidade de Dirac*:

$$\int_{-\infty}^{\infty} g_{y'}^*(x) g_y(x)\, dx = |A|^2 \int_{-\infty}^{\infty} \delta(x-y') \delta(x-y)\, dx = |A|^2\, \delta(y-y'). \qquad [3.38]$$

---

[13] E as autofunções com autovalores *não* reais? Elas não são meramente não normalizáveis; na verdade, divergem em ±∞. As funções as quais chamei de 'subúrbio' do espaço de Hilbert (a área metropolitana inteira também é, às vezes, chamada de 'espaço de Hilbert estriado'; veja, por exemplo, Leslie Ballentine (*Quantum Mechanics: A Modern Development*, World Scientific, 1998) tem a seguinte propriedade: embora não tenham um produto interno (finito) *próprio*, elas *admitem*, sim, produtos internos com todos os membros do espaço de Hilbert. Isso *não* é verdadeiro para as autofunções de $\hat{p}$ com autovalores *não* reais. Mostrei, especialmente, que o operador de momento é hermitiano *para funções no espaço de Hilbert*, porém, o argumento depende da dispensa do termo de contorno (na Equação 3.19). Aquele termo ainda é zero se g for uma autofunção de $\hat{p}$ com um autovalor real (contanto que f esteja no espaço de Hilbert), mas não se o autovalor tiver uma parte imaginária. Nesse sentido, *qualquer* número complexo é um autovalor para o operador $\hat{p}$, mas somente números *reais* são autovalores para o operador *hermitiano* $\hat{p}$. Os outros permanecem fora do espaço em que $\hat{p}$ é hermitiano.

Se escolhermos $A = 1$,

$$g_y(x) = \delta(x - y),\qquad [3.39]$$

então,

$$\langle g_{y'}|g_y\rangle = \delta(y - y') \qquad [3.40]$$

Essas autofunções também são *completas*:

$$f(x) = \int_{-\infty}^{\infty} c(y) g_y(x)\,dy = \int_{-\infty}^{\infty} c(y)\,\delta(x-y)\,dy, \qquad [3.41]$$

com

$$c(y) = f(y) \qquad [3.42]$$

(parece trivial, mas você pode obter a resposta a partir do truque de Fourier).

Se o espectro de um operador hermitiano é *contínuo* (nesse caso, os autovalores são rotulados por uma variável contínua; p ou y nos exemplos; z, genericamente, na sequência), as autofunções não são normalizáveis, não estão no espaço de Hilbert e não representam estados físicos possíveis. Contudo, as autofunções com autovalores reais são ortonormalizáveis de Dirac e completas (com a somatória agora sendo uma integral). Felizmente, isso é tudo de que precisamos.

Problema 3.9

(a) Cite um Hamiltoniano visto no Capítulo 2 (um que seja *diferente* do oscilador harmônico) que tenha apenas espectro *discreto*.

(b) Cite um Hamiltoniano visto no Capítulo 2 (um que seja *diferente* da partícula livre) que tenha apenas espectro *contínuo*.

(c) Cite um Hamiltoniano visto no Capítulo 2 (um que seja *diferente* do poço quadrado finito) que tenha tanto a parte discreta como a contínua do espectro.

Problema 3.10 O estado fundamental do poço quadrado infinito é uma autofunção do momento? Se sim, qual é o seu momento? Se não, explique *por quê*.

3.4 Interpretação estatística generalizada

No Capítulo 1, mostrei como calcular a probabilidade que uma partícula tem de ser encontrada em determinado local e como determinar o valor esperado de qualquer quantidade observável. No Capítulo 2, você aprendeu como encontrar os resultados possíveis de uma medida de energia e suas probabilidades. Agora, tenho condições de mencionar a **interpretação estatística generalizada**, que inclui tudo isso e permite que você encontre os resultados possíveis de *qualquer* medida e suas probabilidades. Juntamente com a equação de Schrödinger (que diz como a função de onda evolui no tempo), é um dos fundamentos da mecânica quântica.

Interpretação estatística generalizada: se você medir um observável $Q(x, p)$ em uma partícula no estado $\Psi(x, t)$, certamente obterá *um dos autovalores* do operador hermitiano $\hat{Q}(x, -i\hbar d/dx)$. Se o espectro de $\hat{Q}$ é discreto, a probabilidade de se obter determinado autovalor q_n associado à autofunção normalizada $f_n(x)$ é de

$$|c_n|^2, \quad \text{em que} \quad c_n = \langle f_n | \Psi \rangle. \qquad [3.43]$$

Se o espectro é contínuo, com autovalores reais $q(z)$ e autofunções ortonormalizadas de Dirac $f_z(x)$, a probabilidade de se obter um resultado no intervalo dz é de

$$|c(z)|^2 \, dz, \quad \text{onde} \quad c(z) = \langle f_z | \Psi \rangle. \qquad [3.44]$$

Como consequência da medida, a função de onda 'colapsa' no autoestado correspondente.[14]

A interpretação estatística é radicalmente diferente de qualquer coisa na física clássica. Uma perspectiva diferente, de certa forma, ajuda a torná-la plausível: as autofunções de um operador observável são *completas* e, portanto, as funções de onda podem ser escritas como uma combinação linear delas:

$$\Psi(x,t) = \sum_n c_n f_n(x). \qquad [3.45]$$

(Para simplificar, suponhamos que o espectro seja discreto; é fácil generalizar esse argumento para o caso contínuo.) E como as autofunções são *ortonormais*, os coeficientes são dados pelo truque de Fourier:[15]

$$c_n = \langle f_n | \Psi \rangle = \int f_n(x)^* \Psi(x,t) \, dx. \qquad [3.46]$$

Qualitativamente, c_n informa 'o quanto de f_n está contido em Ψ', e dado que uma medida tem de resultar em um dos autovalores de $\hat{Q}$, parece razoável que a probabilidade de se obter determinado autovalor q_n seja determinada pela 'quantidade de f_n' em Ψ. Mas, como as probabilidades são determinadas pelo *quadrado* absoluto da função de onda, a medida exata é, na verdade, $|c_n|^2$. Essa é a função essencial da interpretação estatística generalizada.[16]

É claro que a probabilidade *total* (soma de todos os resultados possíveis) tem de ser *um*:

$$\sum_n |c_n|^2 = 1, \qquad [3.47]$$

e isso, certamente, decorre da normalização da função de onda:

$$\begin{aligned}1 = \langle \Psi | \Psi \rangle &= \left\langle \left(\sum_{n'} c_{n'} f_{n'}\right) \middle| \left(\sum_n c_n f_n\right) \right\rangle = \sum_{n'}\sum_n c_{n'}^* c_n \langle f_{n'} | f_n \rangle \\ &= \sum_{n'}\sum_n c_{n'}^* c_n \delta_{n'n} = \sum_n c_n^* c_n = \sum_n |c_n|^2.\end{aligned} \qquad [3.48]$$

Similarmente, o valor esperado de Q deveria ser a soma de todos os resultados possíveis do autovalor vezes a probabilidade de se obter aquele autovalor:

$$\langle Q \rangle = \sum_n q_n |c_n|^2. \qquad [3.49]$$

---

14 No caso do espectro contínuo, o colapso se dá com um *intervalo* estreito do valor medido, dependendo da precisão do mecanismo de medida.

15 Observe que a dependência do tempo — que não está em foco, nesse caso — é carregada pelos coeficientes; para tornar isso mais claro, deveríamos escrever $c_n(t)$.

16 Novamente, evito escrupulosamente a afirmação muito comum de que '$|c_n|^2$ é a probabilidade de que a partícula esteja no estado f_n'. Isso é absurdo. A partícula está no estado Ψ, *e ponto final*. Mas $|c_n|^2$ é a probabilidade de que uma *medida* de Q produza o valor q_n. É verdade que tal medição colapsará o estado da autofunção f_n, assim que alguém poderia dizer que '$|c_n|^2$ é a probabilidade de que uma partícula, que *no momento* se encontra no estado Ψ, *esteja* no estado f_n logo após a medida de Q'... Mas essa é uma afirmação completamente diferente.

De fato,

$$\langle Q \rangle = \langle \Psi | \hat{Q}\Psi \rangle = \left\langle \left(\sum_{n'} c_{n'} f_{n'}\right) \middle| \left(\hat{Q} \sum_n c_n f_n\right) \right\rangle,$$ [3.50]

porém $\hat{Q}f_n = q_n f_n$, assim

$$\langle Q \rangle = \sum_{n'}\sum_{n} c_{n'}^* c_n q_n \langle f_{n'} | f_n \rangle = \sum_{n'}\sum_{n} c_{n'}^* c_n q_n \delta_{n'n} = \sum_n q_n |c_n|^2.$$ [3.51]

Até agora, ao menos, tudo parece fazer sentido.

Conseguiríamos reproduzir, com essa linguagem, a interpretação estatística original para a medida de posição? Claro que sim; é um verdadeiro exagero, mas vale a pena verificar. Uma medida de x em uma partícula no estado Ψ deve resultar em um dos autovalores do operador posição. Bem, no Exemplo 3.3 vimos que todo número (real) y é um autovalor de x, e que a autofunção (ortonormalizada de Dirac) correspondente é $g_y(x) = \delta(x-y)$. Obviamente,

$$c(y) = \langle g_y | \Psi \rangle = \int_{-\infty}^{\infty} \delta(x-y) \Psi(x,t) dx = \Psi(y,t),$$ [3.52]

assim, a probabilidade de se obter um resultado no intervalo dy é de $|\Psi(y,t)|^2 dy$, que é precisamente a interpretação estatística original.

E o momento? No Exemplo 3.2, vimos que as autofunções do operador de momento são $f_p(x) = (1/\sqrt{2\pi\hbar}) \exp(ipx/\hbar)$, assim

$$c(p) = \langle f_p | \Psi \rangle = \frac{1}{\sqrt{2\pi\hbar}} \int_{-\infty}^{\infty} e^{-ipx/\hbar} \Psi(x,t) dx.$$ [3.53]

Essa quantidade é tão importante que damos a ela um nome e um símbolo especiais: **função de onda no espaço de momento**, $\Phi(p,t)$. Essa função é, essencialmente, a *transformada de Fourier* da função de onda (**no espaço de posição**) $\Psi(x,t)$, que, pelo teorema de Plancherel, é a sua transformada de Fourier *inversa*:

$$\Phi(p,t) = \frac{1}{\sqrt{2\pi\hbar}} \int_{-\infty}^{\infty} e^{-ipx/\hbar} \Psi(x,t) dx;$$ [3.54]

$$\Psi(x,t) = \frac{1}{\sqrt{2\pi\hbar}} \int_{-\infty}^{\infty} e^{ipx/\hbar} \Phi(p,t) dp.$$ [3.55]

De acordo com a interpretação estatística generalizada, a probabilidade de uma medida de momento produzir um resultado no intervalo dp é de

$$|\Phi(p,t)|^2 dp.$$ [3.56]

Exemplo 3.4 Uma partícula de massa m está limitada ao poço função delta $V(x) = -\alpha\delta(x)$. Qual é a probabilidade de uma medição de seu momento produzir um valor maior do que $p_0 = m\alpha/\hbar$?

Resposta: a função de onda (no espaço de momento) é (Equação 2.129)

$$\Psi(x,t) = \frac{\sqrt{m\alpha}}{\hbar} e^{-m\alpha|x|/\hbar^2} e^{-iEt/\hbar}$$

(em que $E = -m\alpha^2/2\hbar^2$). A função de onda no espaço de momento é, portanto,

$$\Phi(p,t) = \frac{1}{\sqrt{2\pi\hbar}} \frac{\sqrt{m\alpha}}{\hbar} e^{-iEt/\hbar} \int_{-\infty}^{\infty} e^{-ipx/\hbar} e^{-m\alpha|x|/\hbar^2} dx = \sqrt{\frac{2}{\pi}} \frac{p_0^{3/2} e^{-iEt/\hbar}}{p^2 + p_0^2}$$

(Consultei a integral.) A probabilidade, então, é de

$$\frac{2}{\pi}p_0^3 \int_{p_0}^{\infty} \frac{1}{(p^2+p_0^2)^2} dp = \frac{1}{\pi}\left[\frac{pp_0}{p^2+p_0^2} + \text{tg}^{-1}\left(\frac{p}{p_0}\right)\right]_{p_0}^{\infty}$$

$$= \frac{1}{4} - \frac{1}{2\pi} = 0,0908$$

(Novamente, consultei a integral.)

Problema 3.11 Calcule a função de onda no espaço de momento, $\Phi(p, t)$, para uma partícula no estado fundamental do oscilador harmônico. Qual é a probabilidade (para 2 algarismos significativos) de uma medida de p em uma partícula nesse estado produzir um valor fora do intervalo clássico (para a mesma energia)? *Dica:* dê uma olhada em uma tabela matemática, em 'Distribuição normal' ou 'Função Erro' para a parte numérica, ou use o software Mathematica.

Problema 3.12 Demonstre que

$$\langle x \rangle = \int \Phi^* \left(-\frac{\hbar}{i}\frac{\partial}{\partial p}\right) \Phi \, dp. \qquad [3.57]$$

Dica: observe que $x \exp(ipx/\hbar) = -i\hbar(d/dp)\exp(ipx/\hbar)$.

No espaço de momento, o operador de posição é $i\hbar\partial/\partial p$. De modo mais geral,

$$\langle Q(x,p) \rangle = \begin{cases} \int \Psi^* \hat{Q}\left(x, \frac{\hbar}{i}\frac{\partial}{\partial x}\right) \Psi \, dx, & \text{no espaço de posição;} \\ \int \Phi^* \hat{Q}\left(-\frac{\hbar}{i}\frac{\partial}{\partial p}, p\right) \Phi \, dp, & \text{no espaço de momento.} \end{cases} \qquad [3.58]$$

Em princípio, você pode fazer todos os cálculos no espaço de momento (embora nem sempre *facilmente*), assim como no espaço de posição.

3.5 Princípio da incerteza

Estabeleci o princípio da incerteza (na forma $\sigma_x \sigma_p \geq \hbar/2$) na Seção 1.6, e você já voltou a ele várias vezes para resolver os problemas propostos. Porém, nunca *provamos*, de fato, o princípio da incerteza. Nesta seção, provarei uma versão mais geral desse princípio, e explorarei algumas de suas implicações. O argumento é lindo, mas bastante abstrato, de modo que você deverá ficar bastante atento.

3.5.1 Prova do princípio da incerteza generalizado

Para qualquer observável A, temos (Equação 3.21):

$$\sigma_A^2 = \langle (\hat{A} - \langle A \rangle)\Psi \,|\, (\hat{A} - \langle A \rangle)\Psi \rangle = \langle f \,|\, f \rangle,$$

em que $f \equiv (\hat{A} - \langle A \rangle)\Psi$. Da mesma forma, para qualquer *outro* observável, B,

$$\sigma_B^2 = \langle g \,|\, g \rangle, \quad \text{em que} \quad g \equiv (\hat{B} - \langle B \rangle)\Psi.$$

Portanto (usando a desigualdade de Schwarz, Equação 3.7),

$$\sigma_A^2 \sigma_B^2 = \langle f|f \rangle \langle g|g \rangle \geq |\langle f|g \rangle|^2. \qquad [3.59]$$

Agora, para qualquer número complexo z,

$$|z|^2 = [\text{Re}(z)]^2 + [\text{Im}(z)]^2 \geq [\text{Im}(z)]^2 = \left[\frac{1}{2i}(z - z^*)\right]^2. \qquad [3.60]$$

Portanto, seja $z = \langle f|g \rangle$,

$$\sigma_A^2 \sigma_B^2 \geq \left\{\frac{1}{2i}\left[\langle f|g \rangle - \langle g|f \rangle\right]\right\}^2. \qquad [3.61]$$

Mas,

$$\langle f|g \rangle = \langle (\hat{A} - \langle A \rangle)\Psi | \hat{B} - \langle B \rangle)\Psi \rangle = \langle \Psi | (\hat{A} - \langle A \rangle)(\hat{B} - \langle B \rangle)\Psi \rangle$$
$$= \langle \Psi | (\hat{A}\hat{B} - \hat{A}\langle B \rangle - \hat{B}\langle A \rangle + \langle A \rangle \langle B \rangle)\Psi \rangle$$
$$= \langle \Psi | \hat{A}\hat{B}\Psi \rangle - \langle B \rangle \langle \Psi | \hat{A}\Psi \rangle - \langle A \rangle \langle \Psi | \hat{B}\Psi \rangle + \langle A \rangle \langle B \rangle \langle \Psi | \Psi \rangle$$
$$= \langle \hat{A}\hat{B} \rangle - \langle B \rangle \langle A \rangle - \langle A \rangle \langle B \rangle + \langle A \rangle \langle B \rangle$$
$$= \langle \hat{A}\hat{B} \rangle - \langle A \rangle \langle B \rangle.$$

Similarmente,

$$\langle g|f \rangle = \langle \hat{B}\hat{A} \rangle - \langle A \rangle \langle B \rangle,$$

assim,

$$\langle f|g \rangle - \langle g|f \rangle = \langle \hat{A}\hat{B} \rangle - \langle \hat{B}\hat{A} \rangle = \langle [\hat{A}, \hat{B}] \rangle,$$

em que

$$[\hat{A}, \hat{B}] \equiv \hat{A}\hat{B} - \hat{B}\hat{A}$$

é o comutador de dois operadores (Equação 2.48). *Conclusão*:

$$\sigma_A^2 \sigma_B^2 \geq \left(\frac{1}{2i}\langle [\hat{A}, \hat{B}] \rangle\right)^2. \qquad [3.62]$$

Esse é o **princípio da incerteza** (generalizado). Você pode pensar que i o torna trivial; o lado direito não é *negativo*? Não, o comutador de dois operadores hermitianos carrega seu próprio fator de i, e os dois se cancelam.[17]

Como exemplo, suponha que o primeiro observável seja a posição ($\hat{A} = x$) e o segundo seja o momento ($\hat{B} = (\hbar/i)d/dx$). Já trabalhamos seu comutador no Capítulo 2 (Equação 2.51):

$$[\hat{x}, \hat{p}] = i\hbar.$$

Assim

$$\sigma_x^2 \sigma_p^2 \geq \left(\frac{1}{2i}i\hbar\right)^2 = \left(\frac{\hbar}{2}\right)^2,$$

---

17 Mais precisamente, o comutador de dois operadores hermitianos é *anti-hermitiano* ($\hat{Q}^\dagger = -\hat{Q}$), e seu valor esperado é imaginário (Problema 3.26).

ou, sendo que os desvios-padrão são positivos por natureza,

$$\sigma_x \sigma_p \geq \frac{\hbar}{2}. \qquad [3.63]$$

Esse é o princípio da incerteza original de Heisenberg, mas agora vemos que é apenas a aplicação de um teorema muito mais geral.

Há, na verdade, um 'princípio da incerteza' para *cada par de observáveis cujos operadores não comutam* — podemos chamá-los de **observáveis incompatíveis**. Observáveis incompatíveis não têm autofunções compartilhadas — no mínimo eles não podem ter um *conjunto completo* de autofunções comuns (veja o Problema 3.15). Por outro lado, observáveis *compatíveis* (que comutam) *admitem* conjuntos completos de autofunções simultâneas.[18]

Por exemplo, no átomo de hidrogênio (como veremos no Capítulo 4), o Hamiltoniano, a magnitude do momento angular e a componente z do momento angular são observáveis mutuamente compatíveis, e construiremos autofunções simultâneas dos três, rotuladas por seus respectivos autovalores. Porém, *não* há autofunção de posição que também seja uma autofunção de momento, pois esses operadores são *in*compatíveis.

Observe que o princípio da incerteza não é uma suposição *extra* na teoria quântica, mas, sim, uma *consequência* da interpretação estatística. Você deve estar se perguntando como ele é aplicado no laboratório — *por que* você não consegue determinar (especificar) a posição e o momento da partícula? Certamente, você consegue avaliar a posição da partícula, porém, o ato de medir colapsa a função de onda em um ponto específico, o que necessariamente traz um amplo intervalo de comprimentos de onda (portanto momentos) em sua decomposição de Fourier. Se você medir o momento a essa altura, o estado colapsará em uma longa onda sinusoidal, com um comprimento de onda bem definido, porém, a partícula não ocupa mais a posição em que você a encontrou na primeira medição.[19] O problema, então, é que a segunda medição descarta o resultado da primeira medição. Somente se a função de onda fosse simultaneamente um autoestado de ambos os observáveis seria possível fazer uma segunda medição sem causar problemas ao estado da partícula (o segundo colapso não mudaria nada, nesse caso). Mas, geralmente, isso somente é possível se os dois observáveis forem compatíveis.

*Problema 3.13

(a) Prove a seguinte identidade do comutador:

$$[AB,C] = A[B,C] + [A,C]B. \qquad [3.64]$$

(b) Demonstre que

$$[x^n, p] = i\hbar n x^{n-1}.$$

(c) Demonstre do modo mais geral que

$$[f(x), p] = i\hbar \frac{df}{dx}, \qquad [3.65]$$

para qualquer função $f(x)$.

---

[18] Isso corresponde ao fato de que matrizes não comutáveis não podem ser simultaneamente diagonalizadas (isto é, elas não podem ser trazidas à forma diagonal pela mesma transformação de similaridade), contudo matrizes hermitianas que comutam *podem* ser simultaneamente diagonalizadas. Veja a Seção A.5.

[19] Niels Bohr teve o cuidado de identificar o *mecanismo* pelo qual a medida de x (por exemplo) destrói o valor previamente existente de p. A questão é que, a fim de determinar a posição de uma partícula, você tem de investigá-la usando de algum artifício — digamos que é preciso jogar luz sobre ela. Mas esses fótons concedem à partícula um momento que você não consegue controlar. Agora você conhece a posição, mas não sabe mais o momento. As famosas discussões de Bohr com Einstein incluem ótimos exemplos que mostram, em detalhes, como as restrições experimentais impõem o princípio da incerteza. Um relato bem inspirado disso está no artigo de Bohr em *Albert Einstein: Philosopher-Scientist*, editado por P. A. Schilpp, Tudor, Nova York (1949).

*Problema 3.14 Prove o famoso 'princípio da incerteza de (escreva seu nome aqui)' relacionando a incerteza na posição ($A = x$) à incerteza na energia ($B = p^2/2m + V$):

$$\sigma_x \sigma_H \geq \frac{\hbar}{2m}|\langle p \rangle|.$$

Para estados estacionários isso não faz muita diferença. Por que não?

Problema 3.15 Demonstre que dois operadores não comutáveis não podem ter um conjunto completo de autofunções comuns. *Dica:* demonstre que se $\hat{P}$ e $\hat{Q}$ têm um conjunto completo de autofunções comuns, então $[\hat{P}, \hat{Q}]f = 0$ para qualquer função no espaço de Hilbert.

3.5.2 Pacote de onda de incerteza mínima

Por duas vezes encontramos funções de onda que atingem o mínimo do limite de incerteza posição-momento ($\sigma_x \sigma_p = \hbar/2$): no estado fundamental do oscilador harmônico (Problema 2.11) e no pacote de onda gaussiano para a partícula livre (Problema 2.22). Isso levanta uma questão interessante: qual é o pacote de onda de incerteza mínima *mais comum*? Voltando à prova do princípio da incerteza, notamos que há dois pontos nos quais desigualdades apareceram no argumento: Equação 3.59 e Equação 3.60. Suponha que seja necessário que em cada um desses casos seja admitida uma *igualdade* e veja o que isso nos diz sobre Ψ.

A desigualdade de Schwarz se torna uma igualdade quando uma função é múltipla de outra: $g(x) = cf(x)$, para algum número complexo c (veja o Problema A.5). Enquanto isso, descartei a parte real de z na Equação 3.60; a igualdade aparece se $\text{Re}(z) = 0$, o que quer dizer que se $\text{Re}\langle f/g \rangle = \text{Re}(c\langle f|f\rangle) = 0$. Bem, $\langle f|f\rangle$ é certamente real, portanto, isso significa que a constante c deve ser puramente imaginária; vamos chamá-la de ia. A condição necessária e suficiente para a incerteza mínima, então, é

$$g(x) = iaf(x), \quad \text{em que } a \text{ é real.} \qquad [3.66]$$

Para o princípio de incerteza posição-momento, esse critério se torna:

$$\left(\frac{\hbar}{i}\frac{d}{dx} - \langle p \rangle\right)\Psi = ia(x - \langle x \rangle)\Psi, \qquad [3.67]$$

que é uma equação diferencial para Ψ como uma função de x. Sua solução geral (Problema 3.16) é

$$\Psi(x) = Ae^{-a(x-\langle x \rangle)^2/2\hbar} e^{i\langle p \rangle x/\hbar}. \qquad [3.68]$$

Evidentemente, o pacote de onda de incerteza mínima é uma *gaussiana*, e os dois exemplos que encontramos antes *eram* gaussianos.[20]

Problema 3.16 Resolva a Equação 3.67 para $\Psi(x)$. Note que $\langle x \rangle$ e $\langle p \rangle$ são *constantes*.

3.5.3 Princípio da incerteza para energia-tempo

O princípio da incerteza para posição-momento é geralmente escrito da seguinte forma:

$$\Delta x \Delta p \geq \frac{\hbar}{2}; \qquad [3.69]$$

---

[20] Observe que o único foco aqui é a dependência de Ψ em x. As 'constantes' A, a, $\langle x \rangle$ e $\langle p \rangle$ podem ser funções do tempo e, para isso, Ψ talvez tenha de se afastar da forma mínima. O que estou afirmando é que, se em algum momento a função de onda for gaussiana em x, então (naquele momento), o produto da incerteza será mínimo.

Δx (a 'incerteza' em x) é uma notação livre (e um modo descuidado de falar) do desvio-padrão dos resultados de medidas repetidas em sistemas identicamente preparados.[21] A Equação 3.69 é geralmente pareada com o **princípio da incerteza para energia-tempo**,

$$\Delta t \Delta E \geq \frac{\hbar}{2}.$$ [3.70]

De fato, no contexto da relatividade especial, a forma energia-tempo pode ser vista como uma *consequência* da versão posição-momento, pois x e t (ou melhor, ct) seguem juntos no quadrivetor posição-tempo, enquanto p e E (ou melhor, E/c) seguem juntos no quadrivetor energia-momento. Assim, em uma teoria relativística, a Equação 3.70 seria uma concomitante necessária para a Equação 3.69. Porém, não estamos trabalhando com mecânica quântica relativística. A equação de Schrödinger é explicitamente não relativística: trata t e x em termos muito desiguais (como uma equação diferencial de *primeira* ordem em t, porém, de *segunda* ordem em x), e a Equação 3.70 está, enfaticamente, *não* implicada pela Equação 3.69. Meu objetivo agora é *derivar* o princípio da incerteza para a energia-tempo e, nesse processo, persuadi-lo de que ele é um monstro completamente diferente dos outros, cuja semelhança superficial com o princípio da incerteza na posição-momento é, na verdade, ilusória.

Afinal, posição, momento e energia são variáveis dinâmicas; são características mensuráveis do sistema, em qualquer tempo dado. Porém, o próprio tempo não é uma variável dinâmica (pelo menos, não em uma teoria não relativística): você não sai simplesmente medindo o 'tempo' de uma partícula como você pode fazer com sua posição e sua energia. O tempo é a variável *independente*, da qual as quantidades dinâmicas são *funções*. Especialmente, o Δt no princípio da incerteza para a energia-tempo não é o desvio-padrão de um conjunto de medidas do tempo; a grosso modo (serei mais preciso em breve), *é o tempo que leva o sistema para mudar substancialmente*.

Para avaliar o quão rapidamente o sistema está mudando, calcularemos a derivada temporal do valor esperado de um observável $Q(x, p, t)$:

$$\frac{d}{dt}\langle Q \rangle = \frac{d}{dt}\langle \Psi | \hat{Q} \Psi \rangle = \left\langle \frac{\partial \Psi}{\partial t} \middle| \hat{Q} \Psi \right\rangle + \left\langle \Psi \middle| \frac{\partial \hat{Q}}{\partial t} \Psi \right\rangle + \left\langle \Psi \middle| \hat{Q} \frac{\partial \Psi}{\partial t} \right\rangle.$$

Agora, a equação de Schrödinger diz que

$$i\hbar \frac{\partial \Psi}{\partial t} = \hat{H} \Psi$$

(em que $H = p^2/2m + V$ é o Hamiltoniano). Sendo assim,

$$\frac{d}{dt}\langle Q \rangle = -\frac{1}{i\hbar}\langle \hat{H}\Psi | \hat{Q}\Psi \rangle + \frac{1}{i\hbar}\langle \Psi | \hat{Q}\hat{H}\Psi \rangle + \left\langle \frac{\partial \hat{Q}}{\partial t} \right\rangle.$$

Porém, $\hat{H}$ é hermitiano, e então, $\langle \hat{H}\Psi | \hat{Q}\Psi \rangle = \langle \Psi | \hat{H}\hat{Q}\Psi \rangle$, portanto,

$$\frac{d}{dt}\langle Q \rangle = \frac{i}{\hbar}\langle [\hat{H}, \hat{Q}] \rangle + \left\langle \frac{\partial \hat{Q}}{\partial t} \right\rangle.$$ [3.71]

Esse é um resultado interessante e útil por si só (veja os problemas 3.17 e 3.31). No caso típico, em que o operador não depende explicitamente do tempo,[22] ele nos informa que a taxa de variação

---

[21] Muitas aplicações casuais do princípio da incerteza são, na verdade, baseadas (em geral, inadvertidamente) em uma medida, nem sempre justificada, completamente diferente da medida da 'incerteza'. Por outro lado, alguns argumentos perfeitamente rigorosos usam outras definições de 'incerteza'. Veja Jan Hilgevoord, *Am J. Phys.* **70**, 983 (2002).

[22] Operadores que dependem explicitamente de t são muito raros, assim, *quase sempre*, $\partial \hat{Q}/\partial t = 0$. Como exemplo de dependência *explícita* de tempo, considere a energia potencial do oscilador harmônico cuja constante de mola está mudando (talvez a temperatura esteja aumentando e, por isso, a mola esteja ficando mais flexível): $Q = (1/2)m[\omega(t)]^2 x^2$.

do valor esperado é determinada pelo comutador do operador com o Hamiltoniano. Em especial, se $\hat{Q}$ *comuta* com $\hat{H}$, então $\langle Q \rangle$ é constante e, dessa maneira, Q é uma quantidade *conservada*.

Agora, considere a escolha de $A = H$ e $B = Q$ no princípio da incerteza generalizado (Equação 3.62), e suponha que Q não depende explicitamente de t:

$$\sigma_H^2 \sigma_Q^2 \geq \left(\frac{1}{2i} \langle [\hat{H},\hat{Q}] \rangle \right)^2 = \left(\frac{1}{2i} \frac{\hbar}{i} \frac{d\langle Q \rangle}{dt} \right)^2 = \left(\frac{\hbar}{2} \right)^2 \left(\frac{d\langle Q \rangle}{dt} \right)^2.$$

Ou, mais simplesmente,

$$\sigma_H \sigma_Q \geq \frac{\hbar}{2} \left| \frac{d\langle Q \rangle}{dt} \right|. \qquad [3.72]$$

Definindo $\Delta E \equiv \sigma_H$, e

$$\Delta t \equiv \frac{\sigma_Q}{|d\langle Q \rangle/dt|}. \qquad [3.73]$$

Então,

$$\Delta E \Delta t \geq \frac{\hbar}{2}, \qquad [3.74]$$

e esse é o princípio da incerteza para a energia-tempo. Porém, observe o que se entende por Δt aqui: sendo

$$\sigma_Q = \left| \frac{d\langle Q \rangle}{dt} \right| \Delta t,$$

Δt representa a *quantidade de tempo que o valor esperado de Q leva para mudar por um desvio-padrão*.[23] Em especial, Δt depende inteiramente de qual observável (Q) você esteja usando; a mudança pode ser rápida para um observável, e lenta para outro. Porém, se ΔE é pequeno, então a taxa de mudança de *todos* os observáveis deve ser bem gradual; ou, no sentido inverso, se *qualquer* observável muda rapidamente, a 'incerteza' na energia deve ser grande.

Exemplo 3.5   No caso extremo de um estado estacionário, para o qual a energia é singularmente determinada, todos os valores esperados são constantes no tempo ($\Delta E = 0 \Rightarrow \Delta t = \infty$), conforme notamos há algum tempo (veja a Equação 2.9). Para que algo *aconteça*, você tem de usar uma combinação linear com pelo menos dois estados estacionários. Por exemplo:

$$\Psi(x,t) = a\psi_1(x)e^{-iE_1 t/\hbar} + b\psi_2(x)e^{-iE_2 t/\hbar}.$$

Se a, b, Ψ_1 e Ψ_2 são reais,

$$|\Psi(x,t)|^2 = a^2(\psi_1(x))^2 + b^2(\psi_2(x))^2 + 2ab\psi_1(x)\psi_2(x)\cos\left(\frac{E_2 - E_1}{\hbar} t \right).$$

O período de oscilação é $\tau = 2\pi\hbar/(E_2 - E_1)$. A grosso modo, $\Delta E = E_2 - E_1$ e $\Delta t = \tau$ (para o cálculo *exato*, veja o Problema 3.18), de modo que

$$\Delta E \Delta t = 2\pi\hbar$$

de fato é $\geq \hbar/2$.

---

[23] Às vezes isso também é chamado de fórmula de 'Mandelstam-Tamm' do princípio da incerteza para a energia-tempo. Para um estudo sobre abordagens alternativas, veja Paul Busch, *Found. Phys.* **20**, 1 (1990).

Exemplo 3.6 Quanto tempo um pacote de onda de partícula livre leva para passar por determinado ponto (Figura 3.1)? Qualitativamente (uma versão exata disso é explorada no Problema 3.19), $\Delta t = \Delta x/v = m\Delta x/p$, porém, $E = p^2/2m$, de modo que $\Delta E = p\Delta p/m$. Portanto,

$$\Delta E \Delta t = \frac{p\Delta p}{m}\frac{m\Delta x}{p} = \Delta x \Delta p,$$

que é $\geq \hbar/2$ pelo princípio da incerteza na posição-momento.

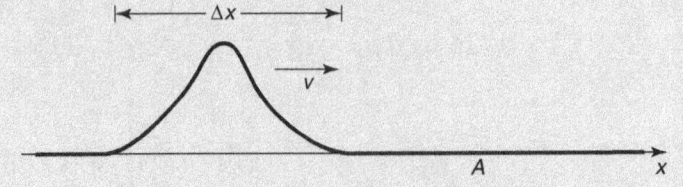

FIGURA 3.1 Um pacote de onda de partícula livre se aproxima do ponto A (Exemplo 3.6).

Exemplo 3.7 A partícula Δ dura cerca de 10^{-23} segundos antes de se desintegrar espontaneamente. Se você fizer um histograma de todas as medidas da massa da partícula, você obterá um tipo de curva em forma de sino centrada em 1.232 MeV/c^2, com uma largura de cerca de 120 MeV/c^2 (Figura 3.2). Por que, às vezes, a energia de repouso (mc^2) resulta maior do que 1.232 e, às vezes, menor? Esse é um erro experimental? Não, para

$$\Delta E \Delta t = \left(\frac{120}{2}\text{MeV}\right)(10^{-23}\text{s}) = 6 \times 10^{-22} \text{MeV s},$$

ao passo que $\hbar/2 = 3 \times 10^{-22}$ MeV s. Portanto, a dispersão em m é tão pequena quanto o princípio da incerteza permite. Uma partícula com um tempo de vida tão curto, não *tem* uma massa bem definida.[24]

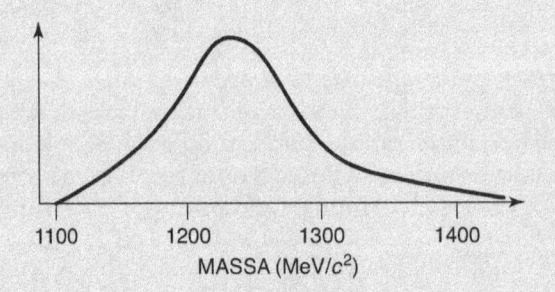

FIGURA 3.2 Histograma de medidas da massa da partícula Δ (Exemplo 3.7).

Observe a variedade de significados específicos atrelados a Δt nos exemplos: no Exemplo 3.5 é um período de oscilação; no 3.6 é o tempo que a partícula leva para passar por um ponto; no 3.7 é o tempo de vida de uma partícula instável. Em todos os casos, entretanto, Δt é o tempo que um sistema leva para sofrer uma mudança 'substancial'.

Diz-se, com frequência, que o princípio da incerteza significa que a energia não é estritamente conservada na mecânica quântica, e que, então, você está autorizado a 'emprestar' energia ΔE, contanto que você 'devolva' essa energia em um tempo $\Delta t \approx \hbar/(2\Delta E)$; quanto maior a violação, mais breve será o período durante o qual isso poderá ocorrer. Há muitas leituras legítimas do princípio da incerteza para a energia-tempo; porém, essa não é uma delas. Em nenhum momento a mecânica quântica permite a violação da conservação de energia, e, certa-

---
[24] Na verdade, o Exemplo 3.7 é meio que uma farsa. Você não consegue medir 10^{-23} s em um cronômetro, e, na prática, o tempo de vida de uma partícula tão nova é *inferido* a partir da largura do gráfico de massa, usando o princípio da incerteza como *entrada*. Entretanto, a questão é válida, mesmo que a lógica esteja invertida. Além disso, se você supuser que Δ tem mais ou menos o mesmo tamanho de um próton ($\sim 10^{-15}$ m), então 10^{-23} s é, aproximadamente, o tempo que a luz leva para atravessar a partícula, e é difícil imaginar que seu tempo de vida seja muito *menor* do que isso.

mente, tal autorização não entrou na derivação da Equação 3.74. Porém, o princípio da incerteza é extraordinariamente robusto: pode-se fazer mau uso dele sem que isso leve a resultados incorretos, e, por causa disso, os físicos têm o hábito de aplicá-lo descuidadamente.

*Problema 3.17 Utilize a Equação 3.71 nos seguintes casos especiais: (a) $Q = 1$; (b) $Q = H$; (c) $Q = x$; (d) $Q = p$. Comente o resultado de cada caso, referindo-se especialmente às equações 1.27, 1.33, 1.38 e à conservação de energia (comentários visando à Equação 2.39).

Problema 3.18 Teste o princípio da incerteza para a energia-tempo para a função de onda no Problema 2.5 e para o observável x, calculando σ_H, σ_x e $d\langle x\rangle/dt$ exatamente.

Problema 3.19 Teste o princípio da incerteza para a energia-tempo para o pacote de onda da partícula livre no Problema 2.43 e para o observável x, calculando σ_H, σ_x e $d\langle x\rangle/dt$ exatamente.

Problema 3.20 Demonstre que o princípio da incerteza para a energia-tempo se reduz ao 'princípio da incerteza de (escreva seu nome aqui) (Problema 3.14) quando o observável em questão é x.

3.6 Notação de Dirac

Imagine um vetor ordinário **A** em duas dimensões (Figura 3.3(a)). Como você o descreveria para alguém? A maneira mais conveniente é estabelecer eixos cartesianos x e y e especificar as componentes de **A**: $A_x = \hat{\imath}\cdot\mathbf{A}$, $A_y = \hat{\jmath}\cdot\mathbf{A}$ (Figura 3.3(b)). Naturalmente, sua irmã poderia ter elaborado um conjunto de eixos diferentes, x' e y', e ela relataria componentes diferentes: $A'_x = \hat{\imath}'\cdot\mathbf{A}$, $A'_y = \hat{\jmath}'\cdot\mathbf{A}$ (Figura 3.3(c)). Porém, todos esses valores representam o mesmo *vetor*; estamos simplesmente expressando-o em relação a duas *bases* diferentes ($\{\hat{\imath},\hat{\jmath}\}$ e $\{\hat{\imath}',\hat{\jmath}'\}$). O vetor propriamente está 'lá no espaço', independentemente da escolha (arbitrária) de coordenadas de seja lá quem for.

O mesmo é verdadeiro para o estado de um sistema na mecânica quântica. Ele é representado por um *vetor*, $|\mathcal{S}(t)\rangle$, que está 'lá no espaço de Hilbert', mas podemos *expressá-lo* em relação a qualquer número de *bases* diferentes. A função de onda $\Psi(x,t)$ é, na verdade, o coeficiente na expansão de $|\mathcal{S}\rangle$ na base das funções de posição:

$$\Psi(x,t) = \langle x|\mathcal{S}(t)\rangle \qquad [3.75]$$

(com $|x\rangle$ representando a autofunção de $\hat{x}$ com autovalor x),[25] enquanto a função de onda no espaço de momento $\Phi(p,t)$ é a expansão de $|\mathcal{S}\rangle$ na base das autofunções de momento:

$$\Phi(p,t) = \langle p|\mathcal{S}(t)\rangle \qquad [3.76]$$

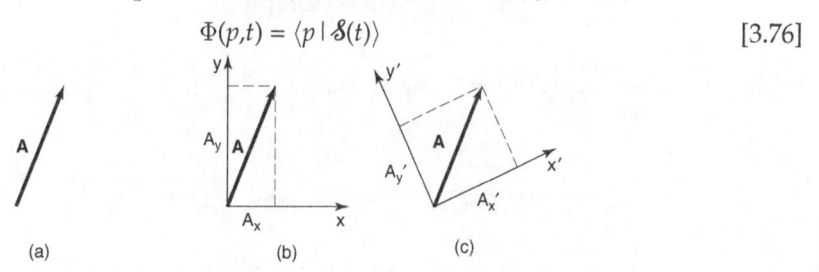

FIGURA 3.3 (a) Vetor A. (b) Componentes de A em relação aos eixos xy. (c) Componentes de A em relação aos eixos $x'y'$.

---

[25] Não quero chamá-lo de g_x (Equação 3.39), pois essa é sua forma na base de posição, e a questão aqui é nos libertarmos de qualquer base determinada. Na verdade, já ficou bastante restrito quando defini o espaço de Hilbert como o conjunto de funções quadrado-integráveis sobre x, o que nos compromete a uma representação específica (a base de posição). Agora quero imaginá-lo como um espaço vetorial abstrato, cujos membros podem ser expressos com relação a qualquer base que você queira.

(com $|p\rangle$ representando a autofunção de $\hat{p}$ com autovalor p).[26] Ou poderíamos expandir $|\mathcal{S}\rangle$ na base de autofunções de energia (considerando, para simplificar, que o espectro seja discreto):

$$c_n(t) = \langle n | \mathcal{S}(t)\rangle \qquad [3.77]$$

(com $|n\rangle$ representando a n-ésima autofunção de $\hat{H}$) — Equação 3.46. Porém, são todos o mesmo estado; as funções Ψ e Φ, e o conjunto de coeficientes $\{c_n\}$, contêm exatamente a mesma informação; elas são, simplesmente, três diferentes maneiras de descrever o mesmo vetor:

$$\Psi(x,t) = \int \Psi(y,t)\delta(x-y)dy = \int \Phi(p,t)\frac{1}{\sqrt{2\pi\hbar}}e^{ipx/\hbar}dp \qquad [3.78]$$
$$= \sum c_n e^{-iE_n t/\hbar}\psi_n(x).$$

Operadores (representando observáveis) são transformações lineares; eles 'transformam' um vetor em outro:

$$|\beta\rangle = \hat{Q}|\alpha\rangle. \qquad [3.79]$$

Assim como os vetores são representados com relação a uma base determinada $\{|e_n\rangle\}$[27] por seus componentes,

$$|\alpha\rangle = \sum_n a_n |e_n\rangle, \quad \text{com } a_n = \langle e_n|\alpha\rangle; \quad |\beta\rangle = \sum_n b_n |e_n\rangle, \quad \text{com } b_n = \langle e_n|\beta\rangle, \qquad [3.80]$$

operadores são representados (com relação a uma base determinada) pelos **elementos de suas matrizes**[28]

$$\langle e_m|\hat{Q}|e_n\rangle \equiv Q_{mn}. \qquad [3.81]$$

Nessa notação, a Equação 3.79 toma a forma de

$$\sum_n b_n |e_n\rangle = \sum_n a_n \hat{Q}|e_n\rangle, \qquad [3.82]$$

ou, considerando o produto interno com $|e_m\rangle$,

$$\sum_b b_n \langle e_m|e_n\rangle = \sum_n a_n \langle e_m|\hat{Q}|e_n\rangle, \qquad [3.83]$$

e, portanto,

$$b_m = \sum_n Q_{mn} a_n. \qquad [3.84]$$

Assim, os elementos da matriz indicam a forma com que as componentes se transformam.

Mais adiante, encontraremos sistemas que admitem somente um número finito (N) de estados linearmente independentes. Nesse caso, $|\mathcal{S}(t)\rangle$ permanece em um espaço vetorial N-dimensional; pode ser representado como uma coluna de (N) componentes (em relação a uma base dada) e os operadores tomam a forma de matrizes comuns ($N \times N$). Estes são os sistemas quânticos mais simples; não há nenhuma ocorrência das sutilezas relacionadas ao espaço vetorial com dimensão infinita. O mais fácil de todos é o sistema de dois estados, o qual exploraremos no próximo exemplo.

Exemplo 3.8 Imagine um sistema no qual haja apenas *dois* estados linearmente independentes:[29]

$$|1\rangle = \begin{pmatrix} 1 \\ 0 \end{pmatrix} \quad \text{e} \quad |2\rangle = \begin{pmatrix} 0 \\ 1 \end{pmatrix}.$$

---

26 No espaço de posição seria $f_p(x)$ (Equação 3.32).

27 Suponho que a base seja discreta; caso contrário, n se tornaria um índice contínuo e as somatórias seriam substituídas por integrais.

28 Essa terminologia é inspirada, obviamente, pelo caso com dimensão finita, porém, a 'matriz' terá agora, tipicamente, um número infinito (talvez até mesmo incontável) de elementos.

29 Aqui, tecnicamente, os sinais 'iguais' significam 'está representado por'; porém, não creio que faremos confusão se adotarmos a notação usual informal.

O estado mais geral é uma combinação linear normalizada:

$$|\mathcal{S}\rangle = a|1\rangle + b|2\rangle = \begin{pmatrix} a \\ b \end{pmatrix}, \quad \text{com } |a|^2 + |b|^2 = 1.$$

O Hamiltoniano pode ser expresso como uma matriz (hermitiana); suponha que tenha a forma específica

$$\mathbf{H} = \begin{pmatrix} h & g \\ g & h \end{pmatrix},$$

em que g e h são constantes reais. Se o sistema se inicia (em $t = 0$) no estado $|1\rangle$, qual é o seu estado no tempo t?

Resposta: a equação de Schrödinger (dependente do tempo) diz que

$$i\hbar \frac{d}{dt} |\mathcal{S}\rangle = H |\mathcal{S}\rangle. \qquad [3.85]$$

Como sempre, começaremos resolvendo a equação de Schrödinger *in*dependente do tempo:

$$H|\mathcal{s}\rangle = E|\mathcal{s}\rangle; \qquad [3.86]$$

isto é, procuraremos os autovetores e os autovalores de H. A equação característica determina os autovalores:

$$\det \begin{pmatrix} h-E & g \\ g & h-E \end{pmatrix} = (h-E)^2 - g^2 = 0 \Rightarrow h-E = \mp g \Rightarrow E_{\pm} = h \pm g.$$

Evidentemente, as energias permitidas são $(h+g)$ e $(h-g)$. Para determinar os autovetores, escrevemos

$$\begin{pmatrix} h & g \\ g & h \end{pmatrix} \begin{pmatrix} \alpha \\ \beta \end{pmatrix} = (h \pm g) \begin{pmatrix} \alpha \\ \beta \end{pmatrix} \Rightarrow h\alpha + g\beta = (h \pm g)\alpha \Rightarrow \beta = \pm \alpha,$$

assim os autovetores normalizados são

$$|\mathcal{s}\pm\rangle = \frac{1}{\sqrt{2}} \begin{pmatrix} 1 \\ \pm 1 \end{pmatrix}.$$

Em seguida, expandiremos o estado inicial como uma combinação linear de autovetores do Hamiltoniano:

$$|\mathcal{S}(0)\rangle = \begin{pmatrix} 1 \\ 0 \end{pmatrix} = \frac{1}{\sqrt{2}} (|\mathcal{s}_+\rangle + |\mathcal{s}_-\rangle).$$

Por fim, acrescentaremos a $\exp(-iE_n t/\hbar)$ padrão dependente do tempo:

$$|\mathcal{S}(t)\rangle = \frac{1}{\sqrt{2}} [e^{-i(h+g)t/\hbar} |\mathcal{s}_+\rangle + e^{-i(h-g)t/\hbar} |\mathcal{s}_-\rangle]$$

$$= \frac{1}{2} e^{-iht/\hbar} \left[e^{-igt/\hbar} \begin{pmatrix} 1 \\ 1 \end{pmatrix} + e^{igt/\hbar} \begin{pmatrix} 1 \\ -1 \end{pmatrix} \right]$$

$$= \frac{1}{2} e^{-iht/\hbar} \begin{pmatrix} e^{-igt/\hbar} + e^{igt/\hbar} \\ e^{-igt/\hbar} - e^{igt/\hbar} \end{pmatrix} = e^{-iht/\hbar} \begin{pmatrix} \cos(gt/\hbar) \\ -i\,\text{sen}(gt/\hbar) \end{pmatrix}.$$

Caso você tenha dúvidas sobre esse resultado, *verifique*: ele satisfaz a equação de Schrödinger dependente do tempo? Ele corresponde ao estado inicial quando $t = 0$?

> Esse é um modelo bruto (entre outras coisas) de **oscilações de neutrinos**. Nesse caso, $|1\rangle$ representa o neutrino do elétron, e $|2\rangle$, o neutrino do múon; se o Hamiltoniano tem um termo não nulo fora da diagonal (g), então, no decorrer do tempo, o neutrino do elétron se transformará no neutrino do múon (e vice-versa).

Dirac propôs dividir a notação de bracket para o produto interno, $\langle \alpha | \beta \rangle$, em duas partes, as quais ele chamou de **bra**, $\langle \alpha |$, e **ket**, $|\beta\rangle$ (não sei o que aconteceu com a letra *c*). O último é um vetor, mas o que é exatamente o anterior? É uma *função linear* de vetores, no sentido de que, quando atinge um vetor (à sua direita), produz um número (complexo): o produto interno. (Quando um *operador* atinge um vetor, um novo vetor é gerado; quando um *bra* atinge um vetor, um número é gerado.) Em uma função de espaço, o *bra* pode ser considerado uma instrução para integrar:

$$\langle f | = \int f^*[\cdots] dx,$$

com as reticências [...] aguardando para serem preenchidas por qualquer função que o *bra* encontre no *ket* à sua direita. Em um espaço vetorial com dimensão finita, com vetores expressos em colunas,

$$|\alpha\rangle = \begin{pmatrix} a_1 \\ a_2 \\ \vdots \\ a_n \end{pmatrix}, \qquad [3.87]$$

o *bra* correspondente é um vetor linha:

$$\langle \alpha | = (a_1^* \, a_2^* \ldots a_n^*). \qquad [3.88]$$

O conjunto de todos os *bras* constitui outro espaço vetorial: o chamado **espaço dual**.

A licença para tratar os *bras* como entidades separadas permite notações mais poderosas e precisas (embora eu não vá explorar isso neste livro). Por exemplo, se $|\alpha\rangle$ for um vetor normalizado, o operador

$$\hat{P} \equiv |\alpha\rangle\langle\alpha| \qquad [3.89]$$

escolhe a parte de qualquer outro vetor que 'esteja' em $|\alpha\rangle$:

$$\hat{P}|\beta\rangle = \langle\alpha|\beta\rangle|\alpha\rangle;$$

o chamamos de **operador de projeção** para o subespaço unidimensional gerado por $|\alpha\rangle$. Se $\{|e_n\rangle\}$ é uma base ortonormal discreta,

$$\langle e_m | e_n \rangle = \delta_{mn}, \qquad [3.90]$$

então,

$$\sum_n |e_n\rangle\langle e_n| = 1 \qquad [3.91]$$

(o operador identidade). Para o caso de deixarmos esse operador agir em qualquer vetor $|\alpha\rangle$, recuperamos a expansão de $|\alpha\rangle$ na base $\{|e_n\rangle\}$:

$$\sum_n |e_n\rangle\langle e_n | \alpha\rangle = |\alpha\rangle. \qquad [3.92]$$

Similarmente, se $\{|e_z\rangle\}$ é uma base contínua ortonormalizada de Dirac,

$$\langle e_z | e_{z'} \rangle = \delta(z - z'), \qquad [3.93]$$

então,

$$\int |e_z\rangle\langle e_z| \, dz = 1. \qquad [3.94]$$

As equações 3.91 e 3.94 são as maneiras mais organizadas de expressar completude.

Problema 3.21 Demonstre que os operadores de projeção são **idempotentes**: $\hat{P}^2 = \hat{P}$. Determine os autovalores de $\hat{P}$ e caracterize seus autovetores.

Problema 3.22 Considere um espaço vetorial tridimensional gerado por uma base ortonormal $|1\rangle, |2\rangle, |3\rangle$. *Kets* $|\alpha\rangle$ e $|\beta\rangle$ são dados por

$$|\alpha\rangle = i|1\rangle - 2|2\rangle - i|3\rangle, \quad |\beta\rangle = i|1\rangle + 2|3\rangle.$$

(a) Monte $\langle\alpha|$ e $\langle\beta|$ (nos termos da base dual $\langle 1|, \langle 2|, \langle 3|$).
(b) Calcule $\langle\alpha|\beta\rangle$ e $\langle\beta|\alpha\rangle$ e confirme que $\langle\beta|\alpha\rangle = \langle\alpha|\beta\rangle^*$.
(c) Calcule os nove elementos da matriz do operador $\hat{A} \equiv |\alpha\rangle\langle\beta|$ nos termos dessa base e monte a matriz **A**. Ela é hermitiana?

Problema 3.23 O Hamiltoniano para determinado sistema de dois níveis é

$$\hat{H} = \epsilon(|1\rangle\langle 1| - |2\rangle\langle 2| + |1\rangle\langle 2| + |2\rangle\langle 1|),$$

em que $|1\rangle, |2\rangle$ é uma base ortonormal e ϵ é um número com as dimensões da energia. Encontre seus autovalores e autovetores (como combinações lineares de $|1\rangle$ e $|2\rangle$). Qual é a matriz **H** que representa $\hat{H}$ em relação a essa base?

Problema 3.24 Seja $\hat{Q}$ um operador com um conjunto completo de autovetores ortonormais:

$$\hat{Q}|e_n\rangle = q_n|e_n\rangle \quad (n = 1, 2, 3, \ldots).$$

Demonstre que $\hat{Q}$ pode ser escrito em termos de sua **decomposição espectral**:

$$\hat{Q} = \sum_n q_n |e_n\rangle\langle e_n|.$$

Dica: um operador é caracterizado por sua ação em todos os vetores possíveis, portanto, o que você deve mostrar é que

$$\hat{Q}|\alpha\rangle = \left\{\sum_n q_n |e_n\rangle\langle e_n|\right\}|\alpha\rangle,$$

para qualquer vetor $|\alpha\rangle$.

Mais problemas para o Capítulo 3

Problema 3.25 Polinômios de Legendre. Use o procedimento de Gram-Schmidt (Problema A.4) para ortonormalizar as funções $1, x, x^2$ e x^3 no intervalo $-1 \leq x \leq 1$. Talvez você reconheça os resultados: eles são (à parte da normalização)[30] os **polinômios de Legendre** (Tabela 4.1).

Problema 3.26 Um operador **anti-hermitiano** é igual a *menos* o seu conjugado hermitiano:

$$\hat{Q}^\dagger = -\hat{Q}. \quad [3.95]$$

(a) Demonstre que o valor esperado de um operador anti-hermitiano é imaginário.
(b) Demonstre que o comutador de dois operadores hermitianos é anti-hermitiano. E o comutador de dois operadores anti-hermitianos, o que é?

Problema 3.27 Medições sequenciais. Um operador $\hat{A}$ representando o observável A tem dois autoestados normalizados, Ψ_1 e Ψ_2, com autovalores a_1 e a_2, respectiva-

---

[30] Legendre não sabia qual seria a melhor convenção; ele escolheu o fator global para que todas as suas funções fossem 1 em $x = 1$, e agora estamos presos a essa escolha infeliz.

mente. O operador $\hat{B}$, representando o observável B, tem dois autoestados normalizados, ϕ_1 e ϕ_2, com autovalores b_1 e b_2. Os autoestados estão relacionados por

$$\psi_1 = (3\phi_1 = 4\phi_2)/5, \quad \psi_2 = (4\phi_1 - 3\phi_2)/5.$$

(a) O observável A é medido e o valor a_1 é obtido. Qual é o estado do sistema (imediatamente) após a medida?

(b) Se a medição de B já foi feita, quais são os resultados possíveis, e quais são as probabilidades para cada um deles?

(c) Logo após a medição de B, A é medido novamente. Qual é a probabilidade de se obter a_1? (Observe que a resposta seria bem diferente se eu tivesse informado o resultado das medições de B.)

Problema 3.28 Calcule a função de onda para o espaço de momento $\Phi_n(p, t)$ para o n-ésimo estado estacionário do poço quadrado infinito. Esboce $|\Phi_1(p, t)|^2$ e $|\Phi_2(p, t)|^2$, como funções de p (preste atenção aos pontos $p = \pm n\pi\hbar/a$). Use $\Phi_n(p, t)$ para calcular o valor esperado de p^2. Compare sua resposta à do Problema 2.4.

Problema 3.29 Considere a função de onda

$$\Psi(x,0) = \begin{cases} \dfrac{1}{\sqrt{2n\lambda}} e^{i2\pi x/\lambda}, & -n\lambda < x < n\lambda, \\ 0, & \text{caso contrário,} \end{cases}$$

em que n é um número positivo inteiro. Essa função é puramente sinusoidal (com comprimentos de onda λ) no intervalo $-n\lambda < x < n\lambda$, mas ainda carrega uma *faixa* de momentos, pois as oscilações não seguem até o infinito. Descubra a função de onda para o espaço de momento $\Phi(p, 0)$. Faça o gráfico de $|\Psi(x, 0)|^2$ e $|\Phi(p, 0)|^2$ e determine suas larguras, w_x e w_p (a distância entre os zeros de cada lado do ponto principal). Observe o que acontece com cada largura quando $n \Rightarrow \infty$. Usando w_x e w_p como estimativas de Δx e Δp, verifique se o princípio da incerteza é satisfeito. *Atenção:* se você tentar calcular σ_p, terá uma desagradável surpresa. Você consegue diagnosticar o problema?

Problema 3.30 Suponha que

$$\Psi(x,0) = \frac{A}{x^2 + a^2}, \quad (-\infty < x < \infty)$$

para constantes A e a.

(a) Determine A, normalizando $\Psi_1(x, 0)$.
(b) Calcule $\langle x \rangle$, $\langle x^2 \rangle$ e σ_x (em tempo $t = 0$).
(c) Calcule a função de onda para o espaço de momento $\Phi(p, 0)$ e certifique-se de que ela esteja normalizada.
(d) Use $\Phi(p, 0)$ para calcular $\langle p \rangle$, $\langle p \rangle^2$ e σ_p (em tempo $t = 0$).
(e) Verifique o princípio da incerteza de Heisenberg para esse estado.

*****Problema 3.31** **Teorema do virial.** Use a Equação 3.71 para mostrar que

$$\frac{d}{dt}\langle xp \rangle = 2\langle T \rangle - \left\langle x\frac{dV}{dx} \right\rangle, \quad [3.96]$$

em que T é a energia cinética ($H = T + V$). Em um estado *estacionário*, o lado esquerdo é zero (por quê?) assim que

$$2\langle T \rangle - \left\langle x\frac{dV}{dx} \right\rangle. \quad [3.97]$$

Isso é chamado de **teorema do virial**. Use-o para provar que $\langle T \rangle = \langle V \rangle$ para estados estacionários do oscilador harmônico e verifique se isso é compatível com os resultados obtidos nos problemas 2.11 e 2.12.

Problema 3.32 Em uma versão interessante do princípio da incerteza para a energia-tempo[31] $\Delta t = \tau/\pi$, em que τ é o tempo que $\Psi(x, t)$ leva para evoluir a um estado ortogonal $\Psi(x, 0)$. Faça um teste usando uma função de onda que é uma mistura equivalente de dois estados estacionários (ortonormais) de um potencial (arbitrário):

$$\Psi(x, 0) = (1\sqrt{2})[\Psi_1(x) + \Psi_2(x)].$$

Problema 3.33 Calcule os elementos da matriz $\langle n|x|n'\rangle$ e $\langle n|p|n'\rangle$ na base (ortonormal) de estados estacionários para o oscilador harmônico (Equação 2.67). Você já calculou os elementos 'diagonais' ($n = n'$) no Problema 2.12; use a mesma técnica para o caso geral. Construa as matrizes (infinitas) correspondentes, **X** e **P**. Mostre que $(1/2m)\mathbf{P}^2 + (m\omega^2/2)\mathbf{X}^2 = \mathbf{H}$ é *diagonal* nessa base. Os elementos diagonais que você encontrou são o que você esperava? *Resposta parcial:*

$$\langle n|x|n'\rangle = \sqrt{\frac{\hbar}{2m\omega}} \left(\sqrt{n'}\delta_{n,n'-1} + \sqrt{n}\delta_{n',n-1} \right). \quad [3.98]$$

Problema 3.34 O oscilador harmônico está em tal estado que a medida da energia produziria tanto $(1/2)\hbar\omega$ quanto $(3/2)\hbar\omega$, com igual probabilidade. Qual é o maior valor possível de $\langle p \rangle$ nesse caso? Se esse valor máximo for aceito no tempo $t = 0$, qual é o $\Psi(x, t)$?

******Problema 3.35** **Estados coerentes para o oscilador harmônico.** Entre os estados estacionários do oscilador harmônico ($|n\rangle = \Psi_n(x)$, Equação 2.67), somente $n = 0$ atinge o limite da incerteza ($\sigma_x\sigma_p = \hbar/2$); em geral, $\sigma_x\sigma_p = (2n + 1)\hbar/2$, conforme você viu no Problema 2.12. Porém, certas *combinações lineares* (conhecidas como **estados coerentes**) também minimizam o produto da incerteza. Acontece que eles são *autofunções do operador de abaixamento*:[32]

$$a_-|\alpha\rangle = \alpha|\alpha\rangle$$

(O autovalor α pode ser qualquer número complexo.)

(a) Calcule $\langle x \rangle$, $\langle x^2 \rangle$, $\langle p \rangle$, $\langle p^2 \rangle$ no estado $|\alpha\rangle$. *Dica:* use a técnica do Exemplo 2.5 e lembre-se de que a_+ é o conjugado hermitiano de a_-. *Não* suponha que α seja real.

---

[31] Veja Lev Vaidman, *Am. J. Phys.* **60**, 182 (1992) para uma prova disso.
[32] Não há autofunções normalizáveis do operador de *levantamento*.

(b) Calcule σ_x e σ_p; demonstre que $\sigma_x \sigma_p = \hbar/2$.

(c) Assim como qualquer outra função de onda, um estado coerente pode ser expandido em termos dos autoestados das energias:

$$|\alpha\rangle = \sum_{n=0}^{\infty} c_n |n\rangle.$$

Demonstre que os coeficientes de expansão são

$$c_n = \frac{\alpha^n}{\sqrt{n!}} c_0.$$

(d) Determine c_0 por meio da normalização de $|\alpha\rangle$. *Resposta*: $\exp(-|\alpha|^2/2)$.

(e) Agora coloque a dependência do tempo:

$$|n\rangle \to e^{-iE_n t/\hbar} |n\rangle,$$

e demonstre que $|\alpha(t)\rangle$ continua sendo um autoestado de a_-, porém, o *autovalor* evolui com o tempo:

$$\alpha(t) = e^{-i\omega t}\alpha.$$

Portanto, um estado coerente *permanece* coerente e continua a minimizar o produto da incerteza.

(f) O estado fundamental ($|n=0\rangle$) é um estado coerente? Se sim, qual é o autovalor?

Problema 3.36 **Princípio da incerteza expandido.**[33] O princípio da incerteza generalizado (Equação 3.62) afirma que

$$\sigma_A^2 \sigma_B^2 \geq \frac{1}{4}\langle C\rangle^2,$$

em que $\hat{C} \equiv -i[\hat{A}, \hat{B}]$.

(a) Demonstre que a equação pode ser reforçada para dizer

$$\sigma_A^2 \sigma_B^2 \geq \frac{1}{4}(\langle C\rangle^2 + \langle D\rangle^2), \qquad [3.99]$$

em que $\hat{D} \equiv \hat{A}\hat{B} + \hat{B}\hat{A} - 2\langle A\rangle\langle B\rangle$. *Dica*: mantenha o termo $\text{Re}(z)$ na Equação 3.60.

(b) Verifique a Equação 3.99 para o caso $B = A$ (nesse caso, o princípio da incerteza padrão é trivial, sendo que $\hat{C} = 0$; infelizmente, o princípio da incerteza expandido não ajuda muito).

Problema 3.37 O Hamiltoniano para um determinado sistema de três níveis está representado pela seguinte matriz:

$$\mathbf{H} = \begin{pmatrix} a & 0 & b \\ 0 & c & 0 \\ b & 0 & a \end{pmatrix},$$

em que a, b e c são números reais (suponha $a - c \neq \pm b$).

(a) Se o sistema se inicia no estado

$$|\mathcal{S}(0)\rangle = \begin{pmatrix} 0 \\ 1 \\ 0 \end{pmatrix},$$

qual é a $|\mathcal{S}(t)\rangle$?

(b) Se o sistema se inicia no estado

$$|\mathcal{S}(0)\rangle = \begin{pmatrix} 0 \\ 0 \\ 1 \end{pmatrix},$$

qual é a $|\mathcal{S}(t)\rangle$?

Problema 3.38 O Hamiltoniano para um determinado sistema de três níveis está representado pela seguinte matriz:

$$\mathbf{H} = \hbar\omega\begin{pmatrix} 1 & 0 & 0 \\ 0 & 2 & 0 \\ 0 & 0 & 2 \end{pmatrix}.$$

Dois outros observáveis, A e B, estão representados pelas matrizes

$$\mathbf{A} = \lambda\begin{pmatrix} 0 & 1 & 0 \\ 1 & 0 & 0 \\ 0 & 0 & 2 \end{pmatrix}, \quad \mathbf{B} = \mu\begin{pmatrix} 2 & 0 & 0 \\ 0 & 0 & 1 \\ 0 & 1 & 0 \end{pmatrix},$$

em que ω, λ e μ são números reais positivos.

(a) Calcule os autovalores e autovetores normalizados de $\mathbf{H}$, $\mathbf{A}$ e $\mathbf{B}$.

(b) Suponha que o sistema seja iniciado no estado genérico

$$|\mathcal{S}(0)\rangle = \begin{pmatrix} c_1 \\ c_2 \\ c_3 \end{pmatrix},$$

com $|c_1|^2 + |c_2|^2 + |c_3|^2 = 1$. Descubra os valores esperados de H, A e B (em $t = 0$).

(c) Qual é a $|\mathcal{S}(t)\rangle$? Se você medir a energia desse estado (em tempo t), quais valores você obterá, e quais as probabilidades de cada um? Responda a essas mesmas perguntas para A e B.

**Problema 3.39

(a) Para uma função $f(x)$, que pode ser expandida em uma série de Taylor, demonstre que

$$f(x + x_0) = e^{i\hat{p}x_0/\hbar} f(x)$$

(em que x_0 é qualquer distância constante). Por essa razão, $\hat{p}/\hbar$ é chamado de **gerador de translações no**

---

[33] Para comentários e referências interessantes, veja R. R. Puri, *Phys. Rev. A* **49**, 2178 (1994).

espaço. *Nota:* o exponencial de um *operador* é definido pela expansão em série de potências: $e^{\hat{Q}} \equiv 1 + \hat{Q} + (1/2)\hat{Q}^2 + (1/3!)\hat{Q}^3 + \ldots$

(b) Se $\Psi(x, t)$ satisfaz a equação de Schrödinger (dependente do tempo), demonstre que

$$\Psi(x, t+t_0) = e^{-i\hat{H}t_0/\hbar}\Psi(x, t)$$

(em que t_0 é qualquer tempo constante); $-\hat{H}/\hbar$ é chamado de **gerador de translações no tempo**.

(c) Demonstre que o valor esperado de uma variável dinâmica $Q(x, p, t)$ em tempo $t + t_0$ pode ser escrito[34]

$$\langle Q \rangle_{t=t_0} = \langle \Psi(x,t) | e^{i\hat{H}t_0/\hbar} \hat{Q}(\hat{x},\hat{p},t=t_0) e^{-i\hat{H}t_0/\hbar} | \Psi(x,t) \rangle.$$

Use isso para recuperar a Equação 3.71. *Dica:* faça $t_0 = dt$, e expanda para primeira ordem em dt.

∗∗Problema 3.40

(a) Escreva a 'equação de Schrödinger' dependente do tempo no espaço de momento para uma partícula livre e obtenha o resultado. *Resposta:* $\exp(-ip^2 t/2m\hbar)\Phi(p, 0)$.

(b) Calcule $\Phi(p, 0)$ para o pacote de onda gaussiano móvel (Problema 2.43) e monte $\Phi(p, t)$ para esse caso. Monte também $|\Phi(p, t)|^2$, e note que é independente do tempo.

(c) Calcule $\langle p \rangle$ e $\langle p^2 \rangle$ por meio de avaliação das integrais apropriadas que envolvem Φ e compare suas respostas ao Problema 2.43.

(d) Demonstre que $\langle H \rangle \equiv \langle p \rangle^2/2m + \langle H \rangle_0$ (em que o índice 0 representa o *estacionário* gaussiano) e comente esse resultado.

---

[34] Especialmente se estabelecermos $t = 0$ e descartarmos o índice em t_0,

$$\langle Q(t) \rangle = \langle \Psi(x,t) | \hat{Q} | \Psi(x,t) \rangle = \langle \Psi(x,0) | \hat{U}^{-1}\hat{Q}\hat{U} | \Psi(x,0) \rangle,$$

em que $\hat{U} \equiv \exp(-i\hat{H}t/\hbar)$. Isso significa que você pode calcular os valores esperados de Q tanto imprensando $\hat{Q}$ entre $\Psi(x, t)^*$ e $\Psi(x, t)$ quanto como sempre fazemos (deixando as funções de onda carregar a dependência de tempo), ou, ainda, imprensando $\hat{U}^{-1}\hat{Q}\hat{U}$ entre $\Psi(x, 0)^*$ e $\Psi(x, 0)$, deixando assim que o *operador* carregue a dependência do tempo. O primeiro é chamado de **representação de Schrödinger**, e o último é chamado de **representação de Heisenberg**.

Capítulo 4
Mecânica quântica em três dimensões

4.1 Equação de Schrödinger em coordenadas esféricas

A generalização para três dimensões é simples. A equação de Schrödinger diz que

$$i\hbar \frac{\partial \Psi}{\partial t} = H\Psi;$$ [4.1]

o operador[1] Hamiltoniano H é obtido da energia clássica

$$\frac{1}{2}mv^2 + V = \frac{1}{2m}(p_x^2 + p_y^2 + p_z^2) + V$$

pela receita-padrão (aplicada agora a y e a z, bem como a x):

$$p_x \to \frac{\hbar}{i}\frac{\partial}{\partial x}, \quad p_y \to \frac{\hbar}{i}\frac{\partial}{\partial y}, \quad p_z \to \frac{\hbar}{i}\frac{\partial}{\partial z},$$ [4.2]

ou

$$\mathbf{p} \to \frac{\hbar}{i}\nabla,$$ [4.3]

para resumir. Assim

$$i\hbar \frac{\partial \Psi}{\partial t} = -\frac{\hbar^2}{2m}\nabla^2 \Psi + V\Psi,$$ [4.4]

---
[1] Para evitar confusão, tenho colocado 'acento circunflexo' nos operadores para distingui-los dos observáveis clássicos correspondentes. Não creio que haverá muitas ambiguidades neste capítulo, e os acentos circunflexos são um pouco trabalhosos, de modo que vou eliminá-los de agora em diante.

onde

$$\nabla^2 \equiv \frac{\partial^2}{\partial x^2} + \frac{\partial^2}{\partial y^2} + \frac{\partial^2}{\partial z^2} \qquad [4.5]$$

é o **Laplaciano**, em coordenadas cartesianas.

A energia potencial V e a função de onda Ψ são agora funções de $\mathbf{r} = (x, y, z)$ e t. A probabilidade de se encontrar a partícula no volume infinitesimal $d^3\mathbf{r} = dx\,dy\,dz$ é de $|\Psi(\mathbf{r}, t)|^2 d^3\mathbf{r}$, e a condição de normalização diz que

$$\int |\Psi|^2 d^3\mathbf{r} = 1, \qquad [4.6]$$

com a integral percorrendo todo o espaço. Se o potencial é independente do tempo, haverá um conjunto completo de estados estacionários,

$$\Psi_n(\mathbf{r},t) = \psi_n(\mathbf{r}) e^{-iE_n t/\hbar}, \qquad [4.7]$$

nos quais a função de onda espacial ψ_n satisfaz a equação de Schrödinger *independente* do tempo:

$$-\frac{\hbar^2}{2m}\nabla^2 \psi + V\psi = E\psi. \qquad [4.8]$$

A solução geral para a equação de Schrödinger (*dependente* do tempo) é

$$\Psi(\mathbf{r},t) = \sum c_n \psi_n(\mathbf{r}) e^{-iE_n t/\hbar}, \qquad [4.9]$$

com as constantes c_n determinadas pela função de onda inicial, $\Psi(\mathbf{r}, 0)$, como sempre. (Se o potencial admite estados contínuos, então a somatória da Equação 4.9 se torna uma integral.)

*Problema 4.1

(a) Resolva todas as **relações de comutação canônicas** para os componentes dos operadores $\mathbf{r}$ e $\mathbf{p}$: $[x, y]$, $[x, p_y]$, $[x, p_x]$, $[p_y, p_z]$, e assim por diante. *Resposta*:

$$[r_i, p_j] = -[p_i, r_j] = i\hbar \delta_{ij}, \quad [r_i, r_j] = [p_i, p_j] = 0, \qquad [4.10]$$

em que os índices representam x, y ou z, e $r_x = x$, $r_y = y$ e $r_z = z$.

(b) Confirme o teorema de Ehrenfest para três dimensões:

$$\frac{d}{dt}\langle \mathbf{r} \rangle = \frac{1}{m}\langle \mathbf{p} \rangle \quad \text{e} \quad \frac{d}{dt}\langle \mathbf{p} \rangle = \langle -\nabla V \rangle. \qquad [4.11]$$

(Cada uma delas, é claro, representa *três* equações, uma para cada componente.) *Dica:* primeiro verifique se a Equação 3.71 é válida em três dimensões.

(c) Formule o princípio da incerteza de Heisenberg em três dimensões. *Resposta*:

$$\sigma_x \sigma_{p_x} \geq \hbar/2, \quad \sigma_y \sigma_{p_y} \geq \hbar/2, \quad \sigma_z \sigma_{p_z} \geq \hbar/2, \qquad [4.12]$$

mas vamos dizer que não haja restrição em $\sigma_x \sigma_{py}$.

4.1.1 Separação de variáveis

Tipicamente, o potencial é uma função somente da distância da origem. Nesse caso, é natural adotar **coordenadas esféricas** (r, θ, ϕ) (veja a Figura 4.1). Nas coordenadas esféricas o Laplaciano toma a forma de[2]

$$\nabla^2 = \frac{1}{r^2}\frac{\partial}{\partial r}\left(r^2\frac{\partial}{\partial r}\right) + \frac{1}{r^2\operatorname{sen}\theta}\frac{\partial}{\partial \theta}\left(\operatorname{sen}\theta\frac{\partial}{\partial \theta}\right) + \frac{1}{r^2\operatorname{sen}^2\theta}\left(\frac{\partial^2}{\partial \phi^2}\right). \qquad [4.13]$$

Nas coordenadas esféricas, então, a equação de Schrödinger independente do tempo diz que

$$-\frac{\hbar^2}{2m}\left[\frac{1}{r^2}\frac{\partial}{\partial r}\left(r^2\frac{\partial \psi}{\partial r}\right) + \frac{1}{r^2\operatorname{sen}\theta}\frac{\partial}{\partial \theta}\left(\operatorname{sen}\theta\frac{\partial \psi}{\partial \theta}\right) + \frac{1}{r^2\operatorname{sen}^2\theta}\left(\frac{\partial^2 \psi}{\partial \phi^2}\right)\right] + V\psi = E\psi. \qquad [4.14]$$

Começamos buscando soluções que sejam separáveis em produtos:

$$\psi(r,\theta,\phi) = R(r)Y(\theta,\phi). \qquad [4.15]$$

Inserindo isso na Equação 4.14, temos

$$-\frac{\hbar^2}{2m}\left[\frac{Y}{r^2}\frac{d}{dr}\left(r^2\frac{dR}{dr}\right) + \frac{R}{r^2\operatorname{sen}\theta}\frac{\partial}{\partial \theta}\left(\operatorname{sen}\theta\frac{\partial Y}{\partial \theta}\right) + \frac{R}{r^2\operatorname{sen}^2\theta}\frac{\partial^2 Y}{\partial \phi^2}\right] + VRY = ERY.$$

Dividindo por RY e multiplicando por $-2mr^2/\hbar^2$:

$$\left\{\frac{1}{R}\frac{d}{dr}\left(r^2\frac{dR}{dr}\right) - \frac{2mr^2}{\hbar^2}[V(r)-E]\right\}$$
$$+ \frac{1}{Y}\left\{\frac{1}{\operatorname{sen}\theta}\frac{\partial}{\partial \theta}\left(\operatorname{sen}\theta\frac{\partial Y}{\partial \theta}\right) + \frac{1}{\operatorname{sen}^2\theta}\frac{\partial^2 Y}{\partial \phi^2}\right\} = 0.$$

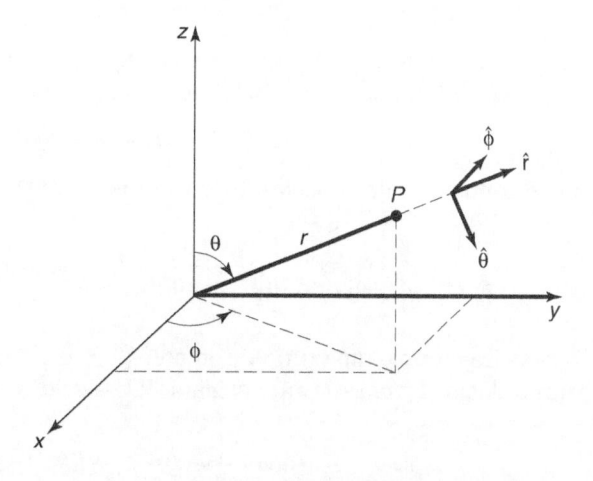

FIGURA 4.1 Coordenadas esféricas: raio r, ângulo polar θ e ângulo azimutal ϕ.

---

[2] Em princípio, isso pode ser obtido pela troca de variáveis da expressão cartesiana (Equação 4.5). Entretanto, há maneiras muito mais eficientes de obtê-lo; veja, por exemplo, M. Boas, *Mathematical Methods in the Physical Sciences*, 2ª ed. (Wiley, Nova York, 1983), Capítulo 10, Seção 9.

O termo na primeira chave depende somente de r, considerando-se que o restante depende apenas de θ e ϕ; consequentemente, cada um deve ser uma constante. Por razões que surgirão no devido momento,[3] escreverei essa 'constante de separação' na forma $l(l+1)$:

$$\frac{1}{R}\frac{d}{dr}\left(r^2\frac{dR}{dr}\right) - \frac{2mr^2}{\hbar^2}[V(r)-E] = l(l+1); \quad [4.16]$$

$$\frac{1}{Y}\left\{\frac{1}{\operatorname{sen}\theta}\frac{\partial}{\partial\theta}\left(\operatorname{sen}\theta\frac{\partial Y}{\partial\theta}\right) + \frac{1}{\operatorname{sen}^2\theta}\frac{\partial^2 Y}{\partial\phi^2}\right\} = -l(l+1). \quad [4.17]$$

*Problema 4.2 Use a separação de variáveis em coordenadas *cartesianas* para resolver o poço *cúbico* infinito (ou 'partícula em uma caixa'):

$$V(x,y,z) = \begin{cases} 0, & \text{se } x,y,z \text{ estão entre 0 e } a; \\ \infty, & \text{caso contrário.} \end{cases}$$

(a) Calcule os estados estacionários e suas energias correspondentes.

(b) Chame de $E_1, E_2, E_3...$ as energias distintas, em ordem crescente. Encontre E_1, E_2, E_3, E_4, E_5 e E_6. Determine a degenerescência de cada um desses valores (ou seja, o número de estados distintos que compartilham da mesma energia). *Comentário:* em *uma* dimensão, não ocorrem estados ligados degenerados (veja o Problema 2.45), porém, em três dimensões eles são muito comuns.

(c) Qual é a degenerescência de E_{14}, e por que esse caso é interessante?

4.1.2 A equação angular

A Equação 4.17 determina a dependência de ψ em θ e ϕ; multiplicando por $Y\operatorname{sen}^2\theta$, torna-se

$$\operatorname{sen}\theta\frac{\partial}{\partial\theta}\left(\operatorname{sen}\theta\frac{\partial Y}{\partial\theta}\right) + \frac{\partial^2 Y}{\partial\phi^2} = -l(l+1)\operatorname{sen}^2\theta\, Y. \quad [4.18]$$

Você provavelmente reconhecerá essa equação. Ela aparece na solução da equação de Laplace na eletrodinâmica clássica. Como sempre, tentamos a separação de variáveis:

$$Y(\theta,\phi) = \Theta(\theta)\Phi(\phi). \quad [4.19]$$

Substituindo isso na equação e dividindo-a por $\Theta\Phi$, encontramos:

$$\left\{\frac{1}{\Theta}\left[\operatorname{sen}\theta\frac{d}{d\theta}\left(\operatorname{sen}\theta\frac{d\Theta}{d\theta}\right)\right] + l(l+1)\operatorname{sen}^2\theta\right\} + \frac{1}{\Phi}\frac{d^2\Phi}{d\phi^2} = 0.$$

O primeiro termo é uma função somente de θ, e o segundo é uma função somente de ϕ, de modo que cada um deverá ser uma constante. Dessa vez,[4] chamarei a constante de separação de m^2:

$$\frac{1}{\Theta}\left[\operatorname{sen}\theta\frac{d}{d\theta}\left(\operatorname{sen}\theta\frac{d\Theta}{d\theta}\right)\right] + l(l+1)\operatorname{sen}^2\theta = m^2; \quad [4.20]$$

---

[3] Observe que aqui não há perda de generalidade; nesse estágio, l poderia ser qualquer número complexo. Mais tarde, descobriremos que l deve ser, na verdade, um *número inteiro*, e é na antecipação desse resultado que expresso a constante de separação de uma forma que, nesse momento, pode parecer peculiar.

[4] Novamente, não há perda de generalidade, sendo que nesse estágio m poderia ser qualquer número complexo; logo mais, no entanto, descobriremos que m deve ser, na verdade, um *número inteiro*. *Cuidado:* a letra m tem agora dupla função, a de *massa* e a de constante de separação. Não há maneira elegante de evitar essa confusão, sendo que ambos os usos são padrão. Alguns autores usam M ou μ para massa, mas odeio mudar a notação no meio do caminho. Além do mais, creio que não haverá confusão, contanto que você esteja atento ao problema.

Capítulo 4 Mecânica quântica em três dimensões 103

$$\frac{1}{\Phi}\frac{d^2\Phi}{d\phi^2} = -m^2. \qquad [4.21]$$

A equação φ é fácil:

$$\frac{d^2\Phi}{d\phi^2} = -m^2\Phi \quad \Rightarrow \quad \Phi(\phi) = e^{im\phi}. \qquad [4.22]$$

[Na verdade, há *duas* soluções: exp(*im*φ) e exp(−*im*φ); porém, cobriremos a última, permitindo que *m* seja negativo. Poderia haver também um fator constante na frente, mas provavelmente o absorveremos em Θ. A propósito, na eletrodinâmica escreveríamos a função azimutal (Φ) em termos de senos e cossenos em vez de exponenciais, pois os potenciais elétricos devem ser *reais*. Na mecânica quântica não há tal restrição, e as exponenciais são muito mais fáceis de se trabalhar.] Agora, quando φ progride em 2π, voltamos ao mesmo ponto no espaço (veja a Figura 4.1), de modo que é natural exigir que[5]

$$\Phi(\phi + 2\pi) = \Phi(\phi). \qquad [4.23]$$

Em outras palavras, exp[*im*(φ + 2π)] = exp(*im*φ) ou exp(2π*im*) = 1. A partir daí, segue-se que *m* deve ser um *número inteiro*:

$$m = 0, \pm 1, \pm 2, \ldots \qquad [4.24]$$

A equação em θ,

$$\text{sen}\,\theta\frac{d}{d\theta}\left(\text{sen}\,\theta\frac{d\Theta}{d\theta}\right) + [l(l+1)\text{sen}^2\theta - m^2]\Theta = 0, \qquad [4.25]$$

não é tão simples. A solução é

$$\Theta(\theta) = AP_l^m(\cos\theta), \qquad [4.26]$$

em que P_l^m é a **função associada de Legendre**, definida por[6]

$$P_l^m(x) \equiv (1-x^2)^{|m|/2}\left(\frac{d}{dx}\right)^{|m|} P_l(x), \qquad [4.27]$$

e $P_l(x)$ é o *l*-ésimo **polinômio de Legendre**, definido pela **fórmula de Rodrigues**:

$$P_l(x) \equiv \frac{1}{2^l l!}\left(\frac{d}{dx}\right)^l (x^2-1)^l. \qquad [4.28]$$

Por exemplo,

$$P_0(x) = 1, \quad P_1(x) = \frac{1}{2}\frac{d}{dx}(x^2-1) = x,$$

$$P_2(x) = \frac{1}{4\cdot 2}\left(\frac{d}{dx}\right)^2 (x^2-1)^2 = \frac{1}{2}(3x^2-1),$$

e assim por diante. Os primeiros polinômios de Legendre estão listados na Tabela 4.1. Conforme o nome sugere, $P_l(x)$ é um polinômio (de grau *l*) em *x* e é par ou ímpar, de acordo com a paridade de *l*. Porém, $P_l^m(x)$ não é, em geral, um polinômio; se *m* é ímpar, ele carrega um fator de $\sqrt{1-x^2}$:

---

[5] Isso é mais incerto do que parece. Afinal, a densidade de *probabilidade* (|Φ|²) tem valor único, *independentemente* do *m*. Na Seção 4.3, obteremos a condição de *m* por meio de um argumento inteiramente diferente (e convincente).

[6] Note que $P_l^{-m} = P_l^m$. Alguns autores adotam uma convenção de sinais diferentes para valores negativos de *m*; veja Boas (nota de rodapé nº 2), p. 505.

TABELA 4.1 Os primeiros polinômios de Legendre, $P_l(x)$: (a) forma funcional, (b) gráficos.

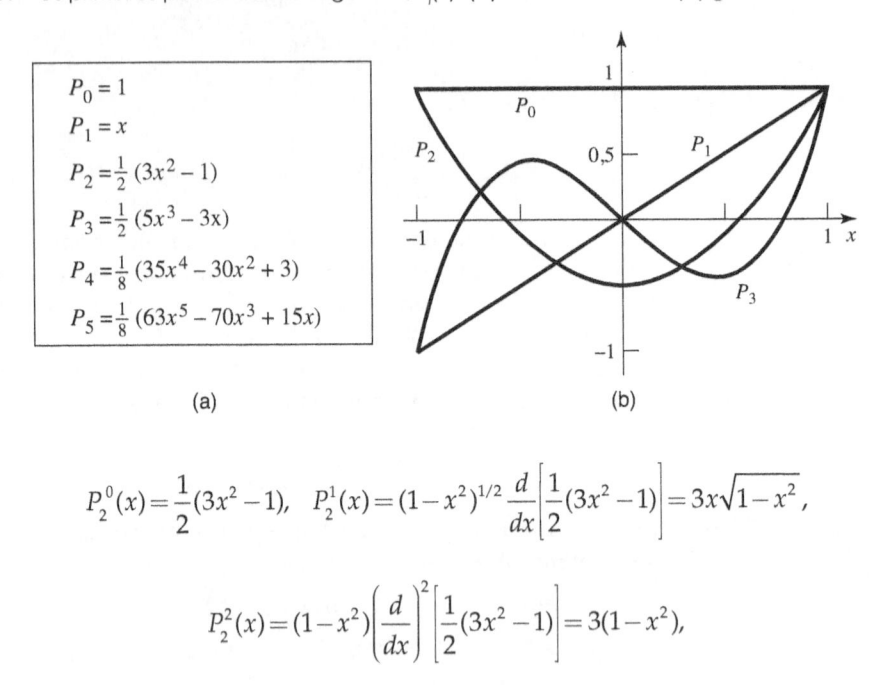

$P_0 = 1$
$P_1 = x$
$P_2 = \frac{1}{2}(3x^2 - 1)$
$P_3 = \frac{1}{2}(5x^3 - 3x)$
$P_4 = \frac{1}{8}(35x^4 - 30x^2 + 3)$
$P_5 = \frac{1}{8}(63x^5 - 70x^3 + 15x)$

(a)   (b)

$$P_2^0(x) = \frac{1}{2}(3x^2 - 1), \quad P_2^1(x) = (1-x^2)^{1/2}\frac{d}{dx}\left[\frac{1}{2}(3x^2-1)\right] = 3x\sqrt{1-x^2},$$

$$P_2^2(x) = (1-x^2)\left(\frac{d}{dx}\right)^2\left[\frac{1}{2}(3x^2-1)\right] = 3(1-x^2),$$

etc. (Por outro lado, *precisamos* de $P_l^m(\cos\theta)$ e $\sqrt{1-\cos^2\theta} = \sen\theta$, de modo que $P_l^m(\cos\theta)$ sempre será um polinômio em cos θ, multiplicado pelo sen θ — se *m* for ímpar. Algumas funções associadas de Legendre do cos θ estão listadas na Tabela 4.2.)

Observe que *l* deve ser um *número inteiro* não negativo para que a fórmula de Rodrigues faça sentido; além disso, se $|m| > l$, então a Equação 4.27 diz que $P_l^m = 0$. Para qualquer *l* dado, então, há $(2l + 1)$ possíveis valores de *m*:

$$l = 0, 1, 2 ...; \quad m = -l, -l+1, ..., -1, 0, 1, ..., l-1, l. \quad [4.29]$$

Mas espere! A Equação 4.25 é uma equação diferencial de segunda ordem: deveria ter *duas* soluções linearmente independentes para *quaisquer* valores anteriores de *l* e *m*. Onde estão as outras soluções? *Resposta*: elas *existem*, é claro, como soluções matemáticas para a equação, porém, são *fisicamente* inaceitáveis, pois divergem em θ = 0 e/ou θ = π (veja o Problema 4.4).

TABELA 4.2 Algumas funções associadas de Legendre, $P_l^m(\cos\theta)$: (a) forma funcional, (b) gráficos de $r = P_l^m(\cos\theta)$ (nesses gráficos, *r* diz qual a magnitude da função na direção θ; as figuras deveriam ser rotacionadas sobre o eixo *z*).

$P_0^0 = 1$ $\qquad P_2^0 = \frac{1}{2}(3\cos^2\theta - 1)$

$P_1^1 = \sen\theta$ $\qquad P_3^3 = 15\sen\theta(1-\cos^2\theta)$

$P_1^0 = \cos\theta$ $\qquad P_3^2 = 15\sen^2\theta\cos\theta$

$P_2^2 = 3\sen^2\theta$ $\qquad P_3^1 = \frac{3}{2}\sen\theta(5\cos^2\theta - 1)$

$P_2^1 = 3\sen\theta\cos\theta$ $\qquad P_3^0 = \frac{1}{2}(5\cos^3\theta - 3\cos\theta)$

(a)   (b)

Agora, o elemento de volume em coordenadas esféricas[7] é

$$d^3\mathbf{r} = r^2 \text{sen}\theta\, dr\, d\theta\, d\phi, \qquad [4.30]$$

então, a condição de normalização (Equação 4.6) se torna

$$\int |\psi|^2\, r^2 \text{sen}\theta\, dr\, d\theta\, d\phi = \int |R|^2\, r^2\, dr \int |Y|^2\, \text{sen}\theta\, d\theta\, d\phi = 1.$$

É conveniente que R e Y sejam normalizados separadamente:

$$\int_0^\infty |R|^2\, r^2\, dr = 1 \quad e \quad \int_0^{2\pi}\int_0^\pi |Y|^2\, \text{sen}\theta\, d\theta\, d\phi = 1. \qquad [4.31]$$

As funções de onda angulares normalizadas[8] são chamadas de **harmônicos esféricos**:

$$Y_l^m(\theta,\phi) = \epsilon \sqrt{\frac{(2l+1)}{4\pi}\frac{(l-|m|)!}{(l+|m|)!}}\, e^{im\phi} P_l^m(\cos\theta), \qquad [4.32]$$

em que $\epsilon = (-1)^m$ para $m \geq 0$ e $\epsilon = 1$ para $m \leq 0$. Como provaremos mais adiante, elas são automaticamente ortogonais, portanto

$$\int_0^{2\pi}\int_0^\pi [Y_l^m(\theta,\phi)]^* [Y_{l'}^{m'}(\theta,\phi)]\, \text{sen}\theta\, d\theta\, d\phi = \delta_{ll'}\delta_{mm'}. \qquad [4.33]$$

Na Tabela 4.3, listei os primeiros harmônicos esféricos. Por razões históricas, l é chamado de **número quântico azimutal**, e m, de **número quântico magnético**.

TABELA 4.3 Os primeiros harmônicos esféricos, $Y_l^m(\theta,\phi)$.

$Y_0^0 = \left(\dfrac{1}{4\pi}\right)^{1/2}$	$Y_2^{\pm 2} = \left(\dfrac{15}{32\pi}\right)^{1/2} \text{sen}^2\theta\, e^{\pm 2i\phi}$
$Y_1^0 = \left(\dfrac{3}{4p}\right)^{1/2} \cos\theta$	$Y_3^0 = \left(\dfrac{7}{16\pi}\right)^{1/2}(5\cos^3\theta - 3\cos\theta)$
$Y_1^{\pm 1} = \mp\left(\dfrac{3}{8\pi}\right)^{1/2} \text{sen}\,\theta e^{\pm i\phi}$	$Y_3^{\pm 1} = \mp\left(\dfrac{21}{64\pi}\right)^{1/2}\text{sen}\,\theta(5\cos^2\theta - 1)e^{\pm i\phi}$
$Y_2^0 = \left(\dfrac{5}{16\pi}\right)^{1/2}(3\cos^2\theta - 1)$	$Y_3^{\pm 2} = \left(\dfrac{105}{32\pi}\right)^{1/2}\text{sen}^2\theta\cos\theta e^{\pm 2i\phi}$
$Y_2^{\pm 1} = \mp\left(\dfrac{15}{8\pi}\right)^{1/2}\text{sen}\,\theta\cos\theta e^{\pm i\phi}$	$Y_3^{\pm 3} = \mp\left(\dfrac{35}{64\pi}\right)^{1/2}\text{sen}^3\theta e^{\pm 3i\phi}$

*__Problema 4.3__   Utilize as equações 4.27, 4.28 e 4.32 para montar Y_0^0 e Y_2^1. Certifique-se de que eles estejam normalizados e sejam ortogonais.

Problema 4.4   Mostre que

$$\Theta(\theta) = A\ln[\text{tg}(\theta/2)]$$

satisfaz a equação de θ (Equação 4.25) para $l = m = 0$. Essa é a 'segunda solução' inaceitável; o que há de *errado* com ela?

---

[7] Veja, por exemplo, Boas (nota de rodapé nº 2), Capítulo 5, Seção 4.

[8] O fator de normalização é obtido no Problema 4.54; ε (que é sempre 1 ou −1) é escolhido pela coerência com a notação que iremos utilizar na teoria do momento angular; é utilizado com razoável frequência, embora alguns livros antigos usem outras convenções. Observe que

$$Y_l^{-m} = (-1)^m (Y_l^m)^*.$$

Problema 4.5 Utilize a Equação 4.32 para montar $Y_1^1(\theta, \phi)$ e $Y_3^2(\theta, \phi)$. (Você pode pegar P_3^2 da Tabela 4.2, porém, terá de trabalhar P_l^l das equações 4.27 e 4.28.) Verifique se eles satisfazem a equação angular (Equação 4.18) para os valores apropriados de l e m.

Problema 4.6 Partindo da fórmula de Rodrigues, obtenha a condição de ortonormalidade para os polinômios de Legendre:

$$\int_{-1}^{1} P_l(x) P_{l'}(x)\, dx = \left(\frac{2}{2l+1}\right)\delta_{ll'}. \quad [4.34]$$

Dica: use a integração por partes.

4.1.3 Equação radial

Observe que a parte angular da função de onda, $Y(\theta, \phi)$, é a mesma para todos os potenciais esfericamente simétricos; o *formato* real do potencial, $V(r)$, afeta somente a parte *radial* da função de onda, $R(r)$, a qual é determinada pela Equação 4.16:

$$\frac{d}{dr}\left(r^2 \frac{dR}{dr}\right) - \frac{2mr^2}{\hbar^2}[V(r) - E]R = l(l+1)R. \quad [4.35]$$

Essa equação ficará mais simples se mudarmos as variáveis: seja

$$u(r) \equiv rR(r), \quad [4.36]$$

tal que, $R = u/r$, $dR/dr = [r(du/dr) - u]/r^2$, $(d/dr)[r^2(dR/dr)] = rd^2u/dr^2$, e, portanto,

$$-\frac{\hbar^2}{2m}\frac{d^2u}{dr^2} + \left[V + \frac{\hbar^2}{2m}\frac{l(l+1)}{r^2}\right]u = Eu. \quad [4.37]$$

Essa equação é chamada de **radial**;[9] ela é *idêntica em forma* à equação de Schrödinger unidimensional (Equação 2.5), mas a energia **potencial efetiva**,

$$V_{ef} = V + \frac{\hbar^2}{2m}\frac{l(l+1)}{r^2}, \quad [4.38]$$

possui uma peça extra, o chamado **termo centrífugo**, $(\hbar^2/2m)[l(l+1)/r^2]$. Ele tende a jogar a partícula para fora (para longe da origem), assim como a (pseudo) força centrífuga o faz na mecânica clássica. Enquanto isso, a condição de normalização (Equação 4.31) se transforma em

$$\int_0^\infty |u|^2\, dr = 1. \quad [4.39]$$

Aqui é o mais longe que podemos ir até que um determinado potencial $V(r)$ seja fornecido.

Exemplo 4.1 Considere o **poço esférico infinito**,

$$V(r) = \begin{cases} 0, & \text{se } r \leq a; \\ \infty, & \text{se } r > a. \end{cases} \quad [4.40]$$

Calcule as funções de onda e as energias permitidas.

---

[9] Aqueles m representam *massas*, é claro. A constante de separação m não aparece na equação radial.

Resposta: fora do poço, a função de onda é *zero*; dentro do poço, a equação radial diz que

$$\frac{d^2u}{dr^2} = \left[\frac{l(l+1)}{r^2} - k^2\right]u,\qquad [4.41]$$

na qual

$$k \equiv \frac{\sqrt{2mE}}{\hbar},\qquad [4.42]$$

como sempre. Nosso problema é resolver essa equação, que está sujeita à condição de contorno $u(a) = 0$. O caso $l = 0$ é fácil:

$$\frac{d^2u}{dr^2} = -k^2 u \;\Rightarrow\; u(r) = A\,\text{sen}(kr) + B\cos(kr).$$

Mas, lembre-se: a função de onda radial real é $R(r) = u(r)/r$, e $[\cos(kr)]/r$ diverge quando $r \to 0$. Assim,[10] devemos escolher $B = 0$. A condição de contorno, então, requer $\text{sen}(ka) = 0$, e, portanto, $ka = n\pi$, para um número inteiro n. As energias permitidas são evidentemente

$$E_{n0} = \frac{n^2 \pi^2 \hbar^2}{2ma^2},\quad (n=1,2,3,\dots),\qquad [4.43]$$

as mesmas para o poço quadrado infinito unidimensional (Equação 2.27). Normalizar $u(r)$ produz $A = \sqrt{2/a}$; atrelando a parte angular (trivial, nesse exemplo, sendo que $Y_0^0(\theta,\phi) = 1/\sqrt{4\pi}$), concluímos que

$$\psi_{n00} = \frac{1}{\sqrt{2\pi a}}\frac{\text{sen}(n\pi r/a)}{r}.\qquad [4.44]$$

[Observe que os estados estacionários estão rotulados por *três* **números quânticos**, n, l e m: $\psi_{nlm}(r,\theta,\phi)$. A *energia*, entretanto, depende somente de n e l: E_{nl}.]

A solução geral para a Equação 4.41 (para um número l inteiro *arbitrário*) não é tão familiar:

$$u(r) = A r j_l(kr) + B r n_l(kr),\qquad [4.45]$$

em que $j_l(x)$ é a **função esférica de Bessel** de ordem l e $n_l(x)$ é a **função esférica de Neumann** de ordem l. Elas são definidas da seguinte forma:

$$j_l(x) \equiv (-x)^l\left(\frac{1}{x}\frac{d}{dx}\right)^l \frac{\text{sen}\,x}{x};\quad n_l(x) \equiv -(-x)^l\left(\frac{1}{x}\frac{d}{dx}\right)^l \frac{\cos x}{x}.\qquad [4.46]$$

Por exemplo,

$$j_0(x) = \frac{\text{sen}\,x}{x};\quad n_0(x) = -\frac{\cos x}{x};$$

$$j_1(x) = (-x)\frac{1}{x}\frac{d}{dx}\left(\frac{\text{sen}\,x}{x}\right) = \frac{\text{sen}\,x}{x^2} - \frac{\cos x}{x};$$

$$j_2(x) = (-x)^2\left(\frac{1}{x}\frac{d}{dx}\right)^2 \frac{\text{sen}\,x}{x} = x^2\left(\frac{1}{x}\frac{d}{dx}\right)\frac{x\cos x - \text{sen}\,x}{x^3}$$

$$= \frac{3\text{sen}\,x - 3x\cos x - x^2\text{sen}\,x}{x^3};$$

---

10 Na verdade, precisamos apenas que a função de onda seja *normalizável*, e não que seja *finita*: $R(r) \sim 1/r$ na origem é normalizável (por causa de r^2 na Equação 4.31). Você pode encontrar uma prova mais convincente de que $B = 0$ em R. Shankar, *Principles of Quantum Mechanics* (Plenum, Nova York, 1980), p. 351.

e assim por diante. As primeiras funções esféricas de Bessel e de Neumann estão listadas na Tabela 4.4. Para pequenos valores de x (em que sen $x = x - x^3/3! + x^5/5! - \ldots$ e $\cos x = 1 - x^2/2 + x^4/4! - \ldots$),

$$j_0(x) \approx 1; \quad n_0(x) \approx -\frac{1}{x}; \quad j_1(x) \approx \frac{x}{3}; \quad j_2(x) \approx \frac{x^2}{15}$$

etc. Note que as funções de Bessel são *finitas* na origem, mas as funções de Neumann *divergem* na origem. Consequentemente, devemos ter $B_l = 0$ e, portanto,

$$R(r) = A j_l(kr). \qquad [4.47]$$

Resta a condição de contorno, $R(a) = 0$. Evidentemente, k deve ser escolhido tal que

$$j_l(ka) = 0; \qquad [4.48]$$

isto é, (ka) é um zero da função esférica de Bessel de l-ésima ordem. Agora, as funções de Bessel são oscilatórias (veja a Figura 4.2); cada uma tem um número infinito de zeros.

Porém (e infelizmente para nós), elas não estão localizadas em pontos sensíveis precisos (como n, ou $n\pi$, ou outros); elas têm de ser calculadas numericamente.[11] De qualquer maneira, a condição de contorno exige que

$$k = \frac{1}{a}\beta_{nl}, \qquad [4.49]$$

na qual β_{nl} é o n-ésimo zero da função esférica de Bessel de ordem l. As energias permitidas, então, são dadas por

$$E_{nl} = \frac{\hbar^2}{2ma^2}\beta_{nl}^2, \qquad [4.50]$$

e as funções de onda são

$$\psi_{nlm}(r,\theta,\phi) = A_{nl} j_l(\beta_{nl} r / a) Y_l^m(\theta,\phi), \qquad [4.51]$$

com a constante A_{nl} sendo determinada pela normalização. Cada nível de energia é $(2l + 1)$ vezes degenerado, pois há $(2l + 1)$ valores diferentes de m para cada valor de l (veja a Equação 4.29).

TABELA 4.4 As primeiras funções esféricas de Bessel e de Neumann, $j_n(x)$ e $n_l(x)$; formas assintóticas para pequenos valores de x.

$j_0 = \dfrac{\operatorname{sen} x}{x}$	$n_0 = -\dfrac{\cos x}{x}$
$j_1 = \dfrac{\operatorname{sen} x}{x^2} - \dfrac{\cos x}{x}$	$n_1 = -\dfrac{\cos x}{x^2} - \dfrac{\operatorname{sen} x}{x}$
$j_2 = \left(\dfrac{3}{x^3} - \dfrac{1}{x}\right)\operatorname{sen} x - \dfrac{3}{x^2}\cos x$	$n_2 = -\left(\dfrac{3}{x^3} - \dfrac{1}{x}\right)\cos x - \dfrac{3}{x^2}\operatorname{sen} x$
$j_l \to \dfrac{2^l l!}{(2l+1)!}x^l,$	$n_l \to -\dfrac{(2l)!}{2^l l!}\dfrac{1}{x^{l+1}}$, para $x \ll 1$.

---

[11] Abramowitz e Stegun, eds., *Handbook of Mathematical Functions* (Dover, Nova York, 1965), Capítulo 10, fornece uma listagem ampla.

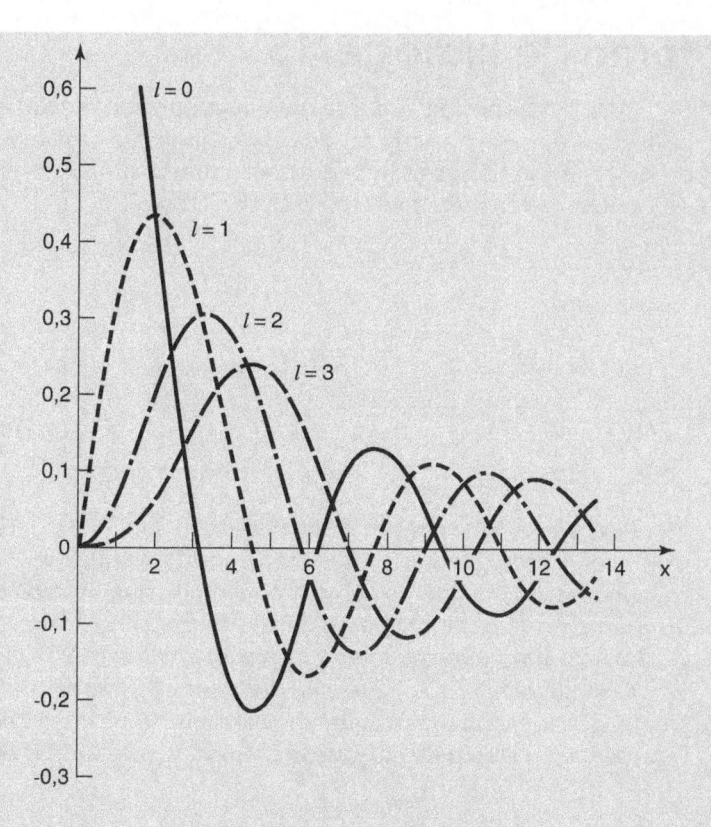

FIGURA 4.2 Gráficos das quatro primeiras funções esféricas de Bessel.

Problema 4.7

(a) A partir da definição (Equação 4.46), monte $n_1(x)$ e $n_2(x)$.

(b) Expanda os senos e cossenos para obter fórmulas aproximadas para $n_1(x)$ e $n_2(x)$, válidas quando $x \ll 1$. Confirme que elas divergem na origem.

Problema 4.8

(a) Certifique-se de que $Arj_1(kr)$ satisfaz a equação radial com $V(r) = 0$ e $l = 1$.

(b) Determine graficamente as energias permitidas para o poço esférico infinito, quando $l = 1$. Mostre que para grandes valores de n, $E_{n1} \approx (\hbar^2\pi^2/2ma^2)(n+1/2)^2$. *Dica:* primeiro mostre que $j_1(x) = 0 \to x = \text{tg } x$. Apresente x e tg x no mesmo gráfico e determine os pontos da interseção.

**Problema 4.9 Uma partícula de massa m é colocada em um poço esférico *finito*:

$$V(r) = \begin{cases} -V_0 & \text{se } r \leq a; \\ 0, & \text{se } r > a. \end{cases}$$

Calcule o estado fundamental resolvendo a equação radial com $l = 0$. Demonstre que não há nenhum estado ligado se $V_0 a^2 < \pi^2\hbar^2/8m$.

4.2 O átomo de hidrogênio

O átomo de hidrogênio consiste em um próton pesado e essencialmente imóvel (também podemos colocá-lo na origem) de carga e junto de um elétron bem mais leve (carga $-e$) que orbita em torno dele, ligado pela atração mútua de cargas opostas (veja a Figura 4.3). Pela lei de Coulomb, a energia potencial (em unidades SI) é

$$V(r) = -\frac{e^2}{4\pi\epsilon_0}\frac{1}{r}, \qquad [4.52]$$

e a equação radial (Equação 4.37) diz que

$$-\frac{\hbar^2}{2m}\frac{d^2u}{dr^2} + \left[-\frac{e^2}{4\pi\epsilon_0}\frac{1}{r} + \frac{\hbar^2}{2m}\frac{l(l+1)}{r^2}\right]u = Eu. \qquad [4.53]$$

Nosso problema é resolver essa equação para $u(r)$ e determinar as energias permitidas E. O átomo de hidrogênio é um caso tão importante que não darei as soluções dessa vez; vamos trabalhá-las em detalhes, por meio do método que usamos na solução analítica para o oscilador harmônico. (Se algum passo desse processo não ficar claro, você deverá consultar a Seção 2.3.2 para uma explicação mais completa.)

Coincidentemente, o potencial de Coulomb (Equação 4.52) admite estados *contínuos* (com E > 0), descrevendo o espalhamento elétron-próton, assim como estados *ligados* discretos que representam o átomo de hidrogênio, mas devemos limitar nossa atenção ao último.

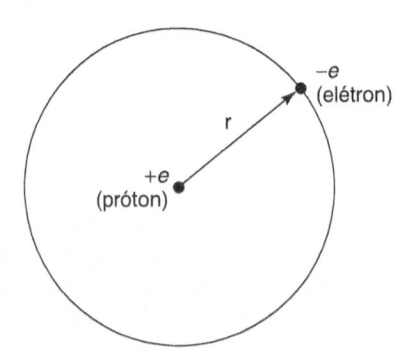

FIGURA 4.3 O átomo de hidrogênio.

4.2.1 A função de onda radial

Nossa primeira tarefa será organizar a notação. Seja

$$\kappa \equiv \frac{\sqrt{-2mE}}{\hbar}. \qquad [4.54]$$

(Para estados ligados, E é negativo, então, k é real.) Dividindo a Equação 4.53 por E, teremos

$$\frac{1}{\kappa^2}\frac{d^2u}{dr^2} = \left[1 - \frac{me^2}{2\pi\epsilon_0\hbar^2\kappa}\frac{1}{(\kappa r)} + \frac{l(l+1)}{(\kappa r)^2}\right]u.$$

Isso sugere que façamos

$$\rho \equiv \kappa r \quad \text{e} \quad \rho_0 \equiv \frac{me^2}{2\pi\epsilon_0\hbar^2\kappa}, \qquad [4.55]$$

de modo que

$$\frac{d^2u}{d\rho^2} = \left[1 - \frac{\rho_0}{\rho} + \frac{l(l+1)}{\rho^2}\right]u. \qquad [4.56]$$

Em seguida, examinemos a forma assintótica das soluções. Quando $p \to \infty$, o termo constante em colchetes domina, assim (aproximadamente),

$$\frac{d^2u}{d\rho^2} = u.$$

A solução geral é

$$u(\rho) = Ae^{-\rho} + Be^{\rho}, \qquad [4.57]$$

porém, e^{ρ} diverge (quando $p \to \infty$), portanto $B = 0$. Evidentemente,

$$u(\rho) \sim Ae^{-\rho}, \qquad [4.58]$$

para grandes valores de p. Por sua vez, quando $p \to 0$, o termo centrífugo domina;[12] então, aproximadamente,

$$\frac{d^2u}{d\rho^2} = \frac{l(l+1)}{\rho^2}u.$$

A solução geral (verifique!) é

$$u(\rho) = C\rho^{l+1} + D\rho^{-l},$$

porém, ρ^{-l} diverge (quando $p \to 0$), assim $D = 0$. Portanto,

$$u(\rho) \sim C\rho^{l+1}, \qquad [4.59]$$

para pequenos valores de p.

O próximo passo é remover o comportamento assintótico, introduzindo a nova função $v(\rho)$:

$$u(p) = \rho^{l+1}e^{-\rho}v(p), \qquad [4.60]$$

na esperança de que $v(\rho)$ se torne mais simples do que $u(\rho)$. As primeiras indicações não são favoráveis:

$$\frac{du}{d\rho} = \rho^{l}e^{-\rho}\left[(l+1-\rho)v + p\frac{dv}{d\rho}\right],$$

e

$$\frac{d^2u}{d\rho^2} = \rho^{l}e^{-\rho}\left\{\left[(-2l+2+\rho+\frac{l(l+1)}{\rho}\right]v + 2(l+1-\rho)\frac{dv}{d\rho} + \rho\frac{d^2v}{d\rho^2}\right\}.$$

Em termos de $v(\rho)$, então, a equação radial (Equação 4.56) diz que

$$\rho\frac{d^2v}{d\rho^2} + 2(l+1-\rho)\frac{dv}{d\rho} + [\rho_0 - 2(l+1)]v = 0. \qquad [4.61]$$

Por fim, supomos que a solução, $v(\rho)$, pode ser expressa como uma série de potências em ρ:

$$v(\rho) = \sum_{j=0}^{\infty} c_j \rho^j. \qquad [4.62]$$

---

[12] Esse raciocínio não se aplica quando $l = 0$ (na verdade, apesar da conclusão, a Equação 4.59 é válida para aquele caso também). Mas não se preocupe; o que estou tentando fazer é dar *motivação* para uma mudança de variáveis (Equação 4.60).

Nosso problema é determinar os coeficientes ($c_0, c_1, c_2...$). Diferenciando termo por termo:

$$\frac{dv}{d\rho} = \sum_{j=0}^{\infty} jc_j \rho^{j-1} = \sum_{j=0}^{\infty} (j+1)c_{j+1}\rho^j.$$

[Na segunda somatória, renomeei o 'índice postiço': $j \to j+1$. Se isso o incomoda, escreva os primeiros termos explicitamente e *verifique-os*. Você poderá argumentar que a somatória deveria começar em $j = -1$, mas, de qualquer modo, o fator $(j+1)$ anula aquele termo, e por isso deveremos começar em zero.] Diferenciando mais uma vez,

$$\frac{d^2v}{d\rho^2} = \sum_{j=0}^{\infty} j(j+1)c_{j+1}\rho^{j-1}.$$

Ao inserir esse resultado na Equação 4.61, teremos

$$\sum_{j=0}^{\infty} j(j+1)c_{j+1}\rho^j + 2(l+1)\sum_{j=0}^{\infty}(j+1)c_{j+1}\rho^j$$

$$-2\sum_{j=0}^{\infty} jc_j \rho^j + [\rho_0 - 2(l+1)]\sum_{j=0}^{\infty} c_j \rho^j = 0.$$

Igualando os coeficientes de mesmas potências, produz-se

$$j(j+1)c_{j+1} + 2(l+1)(j+1)c_{j+1} - 2jc_j + [\rho_0 - 2(l+1)]c_j = 0,$$

ou:

$$c_{j+1} = \left\{ \frac{2(j+l+1) - \rho_0}{(j+1)(j+2l+2)} \right\} c_j. \qquad [4.63]$$

Essa fórmula de recursão determina os coeficientes, e, portanto, a função $v(\rho)$: iniciamos com c_0 (que se torna uma constante geral a ser eventualmente fixada pela normalização), e a Equação 4.63 nos dá c_1; e utilizando-o como realimentação, obtemos c_2, e assim por diante.[13]

Agora, vejamos quais são os coeficientes para grandes valores de j (isso corresponde a grandes ρ, em que as maiores potências dominam). Nesse regime a fórmula de recursão diz que[14]

$$c_{j+1} \cong \frac{2j}{j(j+1)} c_j = \frac{2}{j+1} c_j.$$

Suponha por um momento que isso fosse *exato*. Então,

$$c_j = \frac{2^j}{j!} c_0, \qquad [4.64]$$

e, por isso,

$$v(\rho) = c_0 \sum_{j=0}^{\infty} \frac{2^j}{j!} \rho^j = c_0 e^{2\rho},$$

---

13 Você deve estar pensando no porquê de eu não ter usado o método de séries diretamente em $u(\rho)$. Por que fatorar o comportamento assintótico antes de aplicar esse procedimento? Bem, a razão para fatorar ρ^{l+1} é, em grande parte, estética: sem isso, a sequência começaria com uma longa cadeia de zeros (sendo o primeiro coeficiente não zero c_{l+1}); fatorando ρ^{l+1}, obteremos uma série que se inicia com ρ^0. O fator $e^{-\rho}$ é mais crítico: se você não retirá-lo, obterá uma fórmula de recursão de três termos envolvendo c_{j+2}, c_{j+1} e c_j (tente!), o que é imensamente mais difícil de se trabalhar.

14 Você pode estar se perguntando por que não descartei o 1 em $j + 1$, afinal, estou ignorando $2(l+1) - \rho_0$ no numerador e $2l + 2$ no denominador. Nessa aproximação, seria bom descartar o 1 também, mas mantê-lo torna o argumento um pouco mais limpo. Tente resolver sem o 1, e você entenderá o que quero dizer.

e, portanto,

$$u(\rho) = c_0 \rho^{l+1} e^\rho, \quad [4.65]$$

que diverge para grandes valores de ρ. Na Equação 4.57, o exponencial positivo é precisamente o comportamento assintótico que *não* queremos. (Não por acaso, ele reaparece aqui; afinal, ele *representa* a forma assintótica de *algumas* soluções para a equação radial. Mas eles não são os que nos interessam, pois não são normalizáveis.) Há apenas uma maneira de acabar com esse dilema: *a série deve terminar*. Deve ocorrer algum número inteiro máximo, $j_{máx}$, tal que

$$c_{(j_{máx}+1)} = 0 \quad [4.66]$$

(e além do qual todos os coeficientes desapareçam automaticamente). Evidentemente (Equação 4.63),

$$2(j_{máx} + l + 1) - \rho_0 = 0.$$

Definindo

$$n \equiv j_{máx} + l + 1 \quad [4.67]$$

(o chamado **número quântico principal**), temos

$$\rho_0 = 2n. \quad [4.68]$$

Porém, ρ_0 determina E (equações 4.54 e 4.55):

$$E = -\frac{\hbar^2 \kappa^2}{2m} = -\frac{me^4}{8\pi^2 \epsilon_0^2 \hbar^2 \rho_0^2}, \quad [4.69]$$

então, as energias permitidas são

$$E_n = -\left[\frac{m}{2\hbar^2}\left(\frac{e^2}{4\pi\epsilon_0}\right)^2\right]\frac{1}{n^2} = \frac{E_1}{n^2}, \quad n = 1, 2, 3, \ldots \quad [4.70]$$

Essa é a famosa **fórmula de Bohr**, o resultado mais importante de toda a mecânica quântica. Bohr a obteve em 1913 por meio de uma combinação casual de física clássica inaplicável e teoria quântica prematura (a equação de Schrödinger não surgiria até 1924).

Combinando as equações 4.55 e 4.68, descobrimos que

$$\kappa = \left(\frac{me^2}{4\pi\epsilon_0 \hbar^2}\right)\frac{1}{n} = \frac{1}{an}, \quad [4.71]$$

em que

$$a \equiv \frac{4\pi\epsilon_0 \hbar^2}{me^2} = 0{,}529 \times 10^{-10}\,\text{m} \quad [4.72]$$

é o chamado **raio de Bohr**.[15] Conclui-se (por causa da Equação 4.55, de novo) que

$$\rho = \frac{r}{an}. \quad [4.73]$$

---

15 É tradicional escrever o raio de Bohr com um subscrito: a_0. Mas é complicado e desnecessário, por isso prefiro deixar o subscrito de fora.

As funções de onda espaciais para o hidrogênio são classificadas por três números quânticos (n, l e m):

$$\psi_{nlm}(r,\theta,\phi) = R_{nl}(r) Y_l^m(\theta,\phi), \qquad [4.74]$$

em que (em referência às equações 4.36 e 4.60)

$$R_{nl}(r) = \frac{1}{r}\rho^{l+1}e^{-\rho}v(\rho), \qquad [4.75]$$

e $v(\rho)$ é um polinômio de grau $j_{máx} = n - l - 1$ em ρ, cujos coeficientes são determinados (até um fator de normalização geral) pela fórmula de recursão

$$c_{j+1} = \frac{2(j+l+1-n)}{(j+1)(j+2l+2)}c_j. \qquad [4.76]$$

O **estado fundamental** (isto é, o estado de menor energia) é o caso $n = 1$; colocando os valores aceitos para as constantes físicas, teremos:

$$E_1 = -\left[\frac{m}{2\hbar^2}\left(\frac{e^2}{4\pi\epsilon_0}\right)^2\right] = -13{,}6 \text{ eV}. \qquad [4.77]$$

Evidentemente, a **energia de ligação** do hidrogênio (a quantidade de energia que você teria que dar ao elétron no estado fundamental a fim de ionizar o átomo) é de 13,6 eV. A Equação 4.67 força $l = 0$, em que também $m = 0$ (veja a Equação 4.29), então

$$\psi_{100}(r,\theta,\phi) = R_{10}(r) Y_0^0(\theta,\phi). \qquad [4.78]$$

A fórmula de recursão trunca após o primeiro termo (Equação 4.76 com $j = 0$, produzindo $c_1 = 0$), assim que $v(\rho)$ é uma constante (c_0) e

$$R_{10}(r) = \frac{c_0}{a}e^{-r/a}. \qquad [4.79]$$

Normalizando-a de acordo com a Equação 4.31:

$$\int_0^\infty |R_{10}|^2 r^2 dr = \frac{|c_0|^2}{a^2}\int_0^\infty e^{-2r/a}r^2\,dr = |c_0|^2 \frac{a}{4} = 1,$$

de modo que $c_0 = 2/\sqrt{a}$. Enquanto isso, $Y_0^0 = 1/\sqrt{4\pi}$ e, portanto, o estado fundamental do hidrogênio é

$$\psi_{100}(r,\theta,\phi) = \frac{1}{\sqrt{\pi a^3}}e^{-r/a}. \qquad [4.80]$$

Se $n = 2$, a energia é

$$E_2 = \frac{-13{,}6 \text{ eV}}{4} = 3{,}4 \text{ eV}; \qquad [4.81]$$

esse é o primeiro estado excitado, ou melhor, *estados*, pois podemos tanto ter $l = 0$ (caso no qual $m = 0$) quanto $l = 1$ (com $m = -1$, 0, ou $+1$); evidentemente, quatro diferentes estados compartilham da mesma energia. Se $l = 0$, a relação de recursão (Equação 4.76) leva a

$$c_1 = -c_0 (\text{usando } j = 0) \quad \text{e} \quad c_2 = 0 (\text{usando } j = 1),$$

de modo que $v(\rho) = c_0(1 - \rho)$ e, portanto,

$$R_{20}(r) = \frac{c_0}{2a}\left(1 - \frac{r}{2a}\right)e^{-r/2a}. \qquad [4.82]$$

[Observe que os coeficientes da expansão $\{c_j\}$ são completamente diferentes para números quânticos diferentes n e l.] Se $l = 1$, a fórmula de recursão termina a série após um único termo; $v(\rho)$ é uma constante, e encontramos

$$R_{21}(r) = \frac{c_0}{4a^2} r e^{-r/2a}. \qquad [4.83]$$

(A constante c_0 deve ser determinada pela normalização em cada caso. Veja o Problema 4.11.) Para n arbitrário, os valores possíveis de l (compatíveis com a Equação 4.67) são

$$l = 0, 1, 2, \ldots, n-1, \qquad [4.84]$$

e para cada l há $(2l + 1)$ valores possíveis de m (Equação 4.29), de modo que a degenerescência total do nível de energia E_n é

$$d(n) = \sum_{l=0}^{n-1}(2l+1) = n^2. \qquad [4.85]$$

O polinômio $v(\rho)$ (definido pela fórmula de recursão, Equação 4.76) é uma função bem conhecida dos matemáticos aplicados; à parte da normalização, pode ser escrito como

$$v(\rho) = L_{n-l-1}^{2l+1}(2\rho), \qquad [4.86]$$

em que

$$L_{q-p}^p(x) \equiv (-1)^p \left(\frac{d}{dx}\right)^p L_q(x) \qquad [4.87]$$

é um **polinômio associado de Laguerre**, e

$$L_q(x) \equiv e^x \left(\frac{d}{dx}\right)^q (e^{-x} x^q) \qquad [4.88]$$

é o q-ésimo **polinômio de Laguerre**.[16] (Os primeiros polinômios de Laguerre estão listados na Tabela 4.5; alguns polinômios associados de Laguerre são dados na Tabela 4.6. As primeiras funções de onda radiais estão listadas na Tabela 4.7 e são apresentadas graficamente na Figura 4.4.) As funções de onda normalizadas do hidrogênio são[17]

$$\psi_{nlm} = \sqrt{\left(\frac{2}{na}\right)^3 \frac{(n-l-1)!}{2n[(n+l)!]^3}} e^{-r/na}\left(\frac{2r}{na}\right)^l \left[L_{n-l-1}^{2l+1}(2r/na)\right] Y_l^m(\theta, \phi). \qquad [4.89]$$

Não são nada bonitas, mas não reclame. Esse é um dos poucos sistemas realistas que podem ser resolvidos completamente, de forma fechada perfeita. Observe que, apesar de as funções de onda dependerem dos três números quânticos, as *energias* (Equação 4.70) são determinadas unicamente por n. Essa é a peculiaridade do potencial de Coulomb; no caso do poço esférico, você deve lembrar, as energias dependem também de l (Equação 4.50). As funções de onda são mutuamente ortogonais:

$$\int \psi_{nlm}^* \psi_{n'l'm'} r^2 \operatorname{sen}\theta \, dr\, d\theta\, d\phi = \delta_{nn'}\delta_{ll'}\delta_{mm'}. \qquad [4.90]$$

---

16 Como sempre, há convenções de normalização concorrentes na literatura; adotei a mais próxima do que seria o padrão.

17 Se você quiser ver como o fator de normalização é calculado, estude (por exemplo) L. Schiff, *Quantum Mechanics*, 2ª ed. (McGraw-Hill, Nova York, 1968), p. 93.

TABELA 4.5 Os primeiros polinômios de Laguerre, $L_q(x)$.

$$L_0 = 1$$
$$L_1 = -x + 1$$
$$L_2 = x^2 - 4x + 2$$
$$L_3 = -x^3 + 9x^2 - 18x + 6$$
$$L_4 = x^4 - 16x^3 + 72x^2 - 96x + 24$$
$$L_5 = -x^5 + 25x^4 - 200x^3 + 600x^2 - 600x + 120$$
$$L_6 = x^6 - 36x^5 + 450x^4 - 2400x^3 + 5400x^2 - 4320x + 720$$

TABELA 4.6 Alguns polinômios associados de Laguerre, $L^p_{q-p}(x)$.

$$L^0_0 = 1 \qquad L^2_0 = 2$$
$$L^0_1 = -x + 1 \qquad L^2_1 = -6x + 18$$
$$L^0_2 = x^2 - 4x + 2 \qquad L^2_2 = 12x^2 - 96x + 144$$
$$L^1_0 = 1 \qquad L^3_0 = 6$$
$$L^1_1 = -2x + 4 \qquad L^3_1 = -24x + 96$$
$$L^1_2 = 3x^2 - 18x + 18 \qquad L^3_2 = 60x^2 - 600x + 1200$$

TABELA 4.7 As primeiras funções de onda radiais para o hidrogênio, $R_{nl}(r)$.

$$R_{10} = 2a^{-3/2} \exp(-r/a)$$

$$R_{20} = \frac{1}{\sqrt{2}} a^{-3/2} \left(1 - \frac{1}{2}\frac{r}{a}\right) \exp(-r/2a)$$

$$R_{21} = \frac{1}{\sqrt{24}} a^{-3/2} \frac{r}{a} \exp(-r/2a)$$

$$R_{30} = \frac{2}{\sqrt{27}} a^{-3/2} \left(1 - \frac{2}{3}\frac{r}{a} + \frac{2}{27}\left(\frac{r}{a}\right)^2\right) \exp(-r/3a)$$

$$R_{31} = \frac{8}{27\sqrt{6}} a^{-3/2} \left(1 - \frac{1}{6}\frac{r}{a}\right)\left(\frac{r}{a}\right) \exp(-r/3a)$$

$$R_{32} = \frac{4}{81\sqrt{30}} a^{-3/2} \left(\frac{r}{a}\right)^2 \exp(-r/3a)$$

$$R_{40} = \frac{1}{4} a^{-3/2} \left(1 - \frac{3}{4}\frac{r}{a} + \frac{1}{8}\left(\frac{r}{a}\right)^2 - \frac{1}{192}\left(\frac{r}{a}\right)^3\right) \exp(-r/4a)$$

$$R_{41} = \frac{\sqrt{5}}{16\sqrt{3}} a^{-3/2} \left(1 - \frac{1}{4}\frac{r}{a} + \frac{1}{80}\left(\frac{r}{a}\right)^2\right) \frac{r}{a} \exp(-r/4a)$$

$$R_{42} = \frac{1}{64\sqrt{5}} a^{-3/2} \left(1 - \frac{1}{12}\frac{r}{a}\right)\left(\frac{r}{a}\right)^2 \exp(-r/4a)$$

$$R_{43} = \frac{1}{768\sqrt{35}} a^{-3/2} \left(\frac{r}{a}\right)^3 \exp(-r/4a)$$

Isso decorre da ortogonalidade dos harmônicos esféricos (Equação 4.33) e (para $n \neq n'$) do fato de serem autofunções de H com autovalores distintos.

Visualizar as funções de onda do hidrogênio não é fácil. Os químicos gostam de desenhar 'gráficos de densidade', nos quais o brilho da nuvem é proporcional a $|\psi|^2$ (Figura 4.5). Mais quantitativas (porém, talvez, mais difíceis de ler) são as superfícies de densidade de probabilidade constante (Figura 4.6).

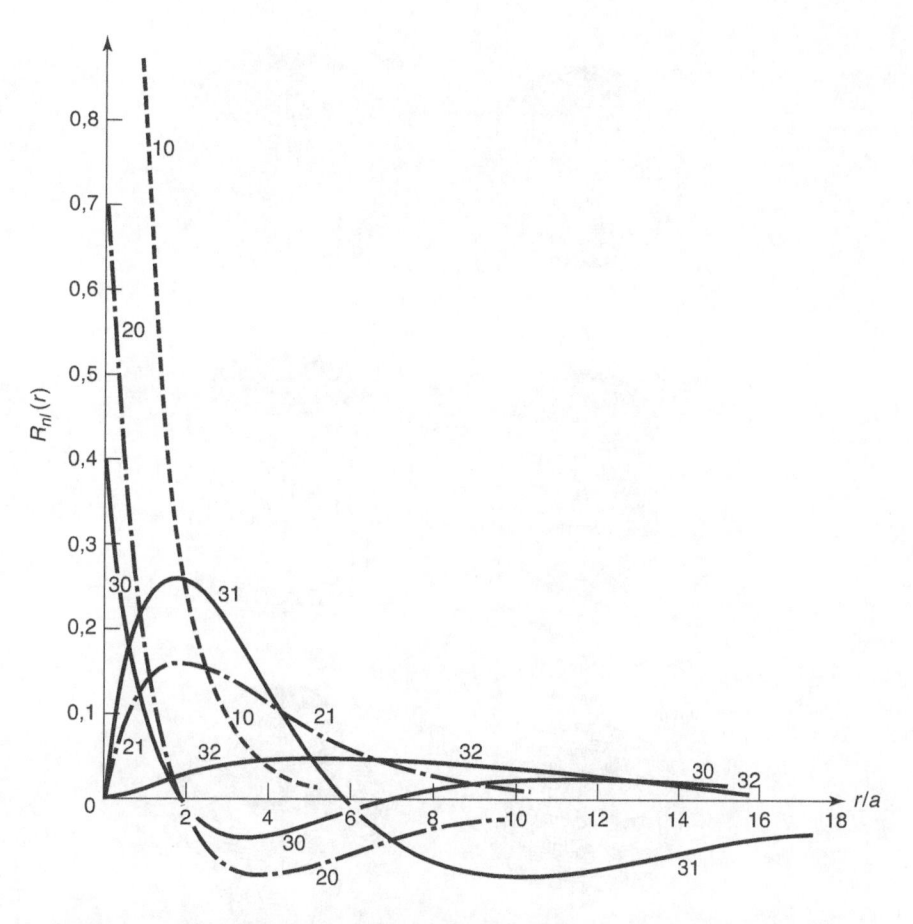

FIGURA 4.4 Gráficos das primeiras funções de onda radiais do hidrogênio, $R_{nl}(r)$.

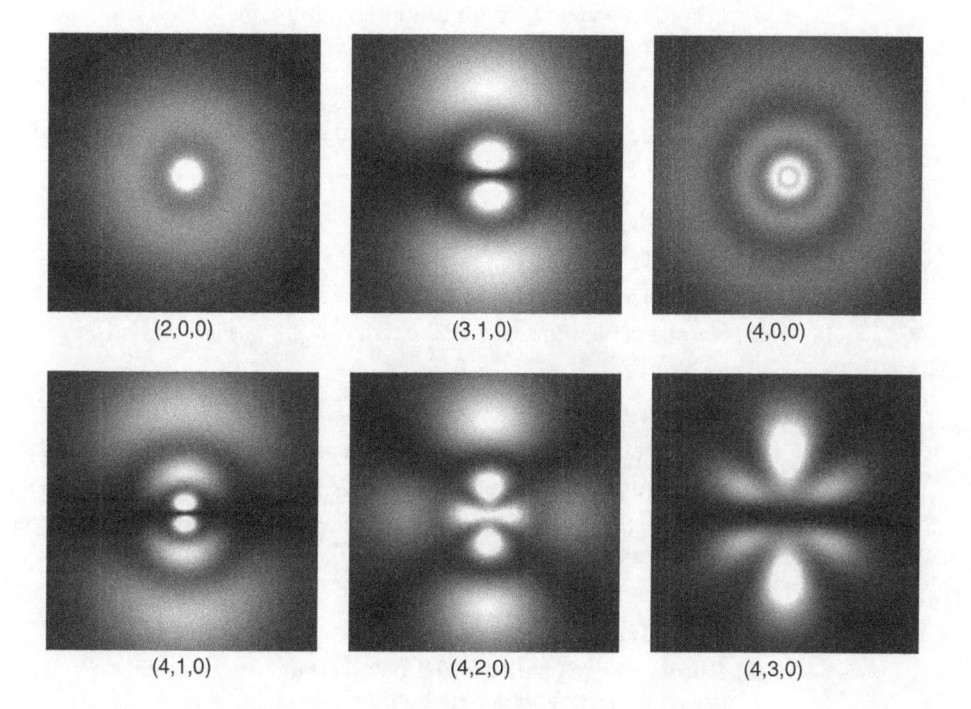

FIGURA 4.5 Gráficos de densidade para as funções de onda do hidrogênio (n, l, m). Imagine cada uma das imagens girando sobre o eixo (vertical) z. Impresso com a devida permissão, usando 'Átomo na Caixa', v1.0.8, de Dauger Research. Você pode fazer suas próprias imagens acessando o site <http://dauger.com>.

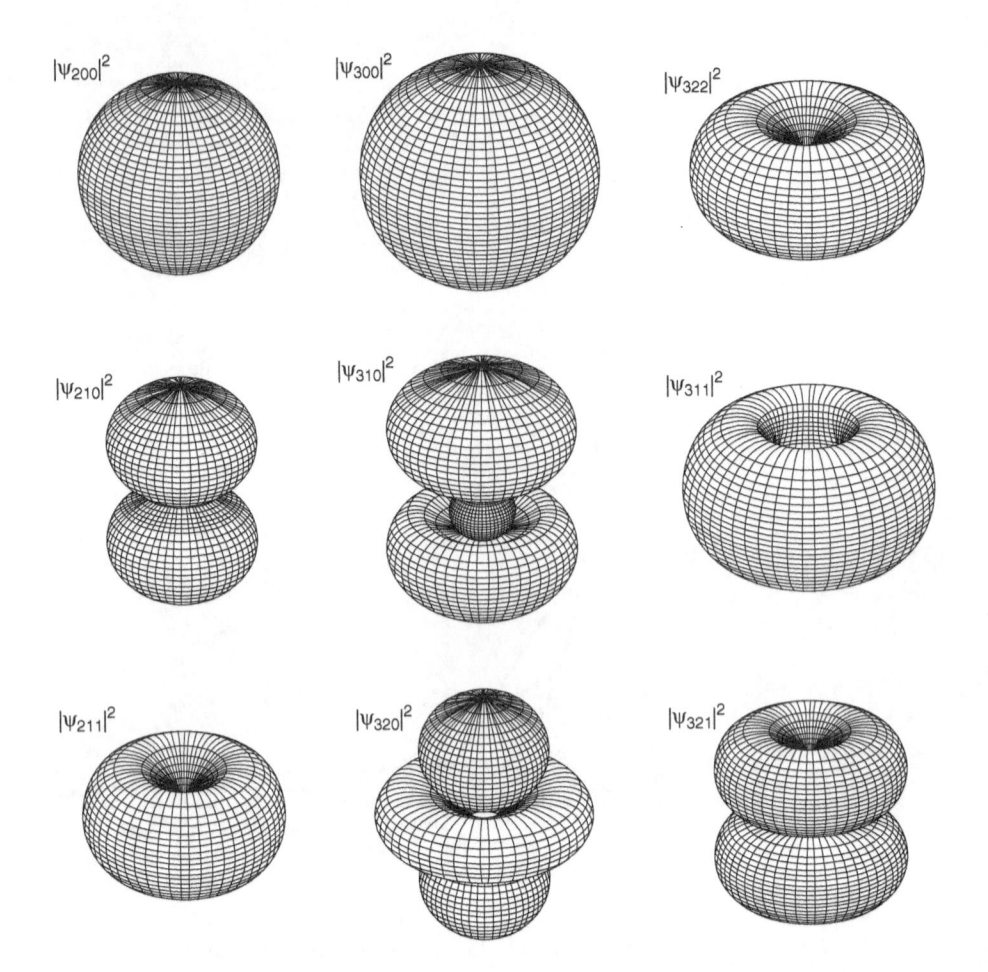

FIGURA 4.6 Superfícies de $|\psi|^2$ constante para as primeiras funções de onda do hidrogênio. Reimpresso com permissão de Siegmund Brandt e Hans Dieter Dahmen, *The Picture Book of Quantum Mechanics*, 3ª ed., Springer, Nova York (2001).

*Problema 4.10 Resolva as funções de onda radiais R_{30}, R_{31} e R_{32} usando a fórmula de recursão (Equação 4.76). Não tente normalizá-las.

*Problema 4.11
 (a) Normalize R_{20} (Equação 4.82) e monte a função ψ_{200}.
 (b) Normalize R_{21} (Equação 4.83) e monte ψ_{211}, ψ_{210} e ψ_{21-1}.

*Problema 4.12
 (a) Usando a Equação 4.88, resolva os quatro primeiros polinômios de Laguerre.
 (b) Usando as equações 4.86, 4.87 e 4.88, calcule $v(\rho)$, para o caso $n = 5, l = 2$.
 (c) Calcule $v(\rho)$ novamente (para o caso $n = 5, l = 2$), mas dessa vez obtenha o resultado a partir da fórmula de recursão (Equação 4.76).

*Problema 4.13
 (a) Calcule $\langle r \rangle$ e $\langle r^2 \rangle$ para um elétron no estado fundamental do hidrogênio. Expresse sua resposta nos termos do raio de Bohr.
 (b) Calcule $\langle x \rangle$ e $\langle x^2 \rangle$ para um elétron no estado fundamental do hidrogênio. *Dica:* isso não requer nova integração. Observe que $r^2 = x^2 + y^2 + z^2$, e explore a simetria do estado fundamental.
 (c) Calcule $\langle x^2 \rangle$ no estado $n = 2, l = 1, m = 1$. *Atenção:* esse estado *não* é simétrico em x, y, z. Use $x = r \operatorname{sen} \theta \cos \phi$.

Problema 4.14 Qual é o valor *mais provável* de r no estado fundamental do hidrogênio? (A resposta *não* é zero!) *Dica:* primeiro você deve descobrir a probabilidade com que o elétron pode ser encontrado entre r e $r + dr$.

Problema 4.15 Um átomo de hidrogênio se inicia na seguinte combinação linear de estados estacionários: $n = 2, l = 1, m = 1$ e $n = 2, l = 1, m = -1$:

$$\Psi(\mathbf{r},0) = \frac{1}{\sqrt{2}}(\psi_{211} + \psi_{21-1}).$$

(a) Monte $\Psi(\mathbf{r}, t)$. Simplifique o máximo que puder.

(b) Calcule o valor esperado da energia potencial, $\langle V \rangle$. (Ela depende de t?) Obtenha tanto a fórmula quanto o número real em elétron volts.

4.2.2 O espectro do hidrogênio

Em princípio, se você colocar um átomo de hidrogênio em um estado estacionário Ψ_{nlm}, ele deveria permanecer lá para sempre. Entretanto, se você *cutucá-lo* de leve (por exemplo, fazendo com que ele colida com outro átomo, ou iluminando-o), o elétron pode sofrer uma **transição** para algum outro estado estacionário, tanto por meio da *absorção* de energia, movendo-se para um estado de maior energia, quanto da *distribuição* de energia (na forma de radiação eletromagnética, tipicamente), movendo-se para baixo.[18] Na prática, tais perturbações estão *sempre* presentes; transições (ou, como às vezes são chamadas, 'saltos quânticos') ocorrem constantemente, e o resultado é que um recipiente de hidrogênio emite luz (fótons), cuja energia corresponde à *diferença* de energia entre os estados inicial e final:

$$E_\gamma = E_i - E_f = 13{,}6 \text{ eV}\left(\frac{1}{n_i^2} - \frac{1}{n_f^2}\right). \quad [4.91]$$

De acordo com a **fórmula de Planck**,[19] a energia de um fóton é proporcional a sua frequência:

$$E_\gamma = h\nu. \quad [4.92]$$

Enquanto isso, o *comprimento de onda* é dado por $\lambda = c/\nu$, então,

$$\frac{1}{\lambda} = R\left(\frac{1}{n_f^2} - \frac{1}{n_i^2}\right), \quad [4.93]$$

em que

$$R \equiv \frac{m}{4\pi c \hbar^3}\left(\frac{e^2}{4\pi\epsilon_0}\right)^2 = 1{,}097 \times 10^7 \text{ m}^{-1} \quad [4.94]$$

é conhecida como **constante de Rydberg**. A Equação 4.93 é a **fórmula de Rydberg** para o espectro do hidrogênio; foi descoberta empiricamente no século XIX, e o maior triunfo da teoria de Bohr foi sua capacidade de explicar esse resultado de modo satisfatório e de calcular R em termos de constantes fundamentais da natureza. As transições para o estado fundamental

---

[18] Por natureza, isso envolve uma interação dependente do tempo, e teremos de esperar pelos detalhes até o Capítulo 9; para nossos objetivos imediatos, o mecanismo real envolvido é imaterial.

[19] O fóton é um quantum de radiação eletromagnética; é um objeto relativístico, se é que já houve um, e, portanto, está fora do âmbito da mecânica quântica não relativística. Será útil em alguns casos falar de fótons e invocar a fórmula de Planck para sua energia, porém, tenha em mente que isso não faz parte da teoria que estamos desenvolvendo.

($n_f = 1$) estão no ultravioleta; são conhecidas pelos espectroscopistas como **série de Lyman**. As transições para o primeiro estado excitado ($n_f = 2$) se encontram na região visível; elas constituem a **série de Balmer**. As transições para $n_f = 3$ (**série de Paschen**) estão no infravermelho; e assim por diante (veja a Figura 4.7). (Em temperatura ambiente, a maior parte dos átomos de hidrogênio está no estado fundamental; para obter o espectro de emissão, você deve, primeiramente, preencher os vários estados excitados; isso é feito, tipicamente, passando uma faísca elétrica por meio do gás.)

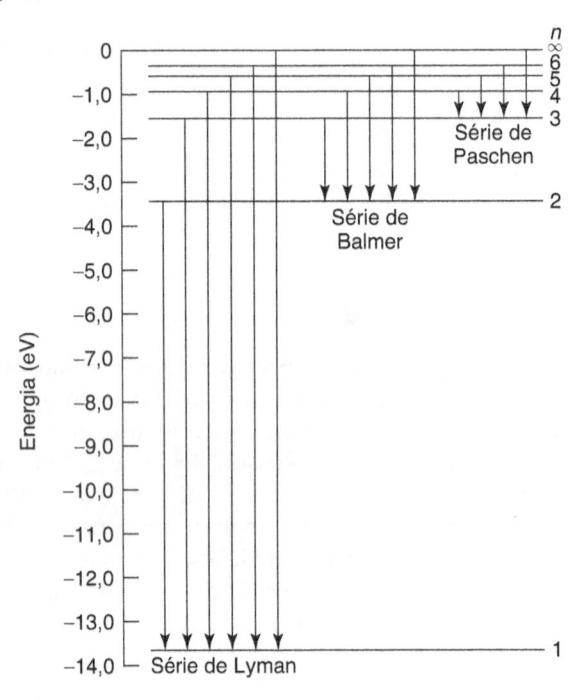

FIGURA 4.7 Níveis de energia e transições no espectro de hidrogênio.

*Problema 4.16** Um **átomo do tipo de hidrogênio** consiste de um único elétron que orbita em torno de um núcleo com Z prótons (Z = 1 seria o próprio hidrogênio, Z = 2 seria o hélio ionizado, Z = 3 seria o lítio duplamente ionizado, e assim por diante). Determine as energias de Bohr $E_n(Z)$, a energia de ligação $E_1(Z)$, o raio de Bohr $a(Z)$ e a constante de Rydberg $R(Z)$ para o átomo do tipo do hidrogênio (expresse suas respostas em múltiplos adequados aos valores do hidrogênio). Onde, no espectro eletromagnético, situar-se-ia a série de Lyman para Z = 2 e Z = 3? *Dica:* não há muito o que *calcular* aqui. No potencial (Equação 4.52), $e^2 \to Ze^2$, então tudo o que você tem a fazer é a mesma substituição em todos os resultados finais.

Problema 4.17 Considere o sistema Terra-Sol como um análogo gravitacional do átomo de hidrogênio.

(a) Qual é a função da energia potencial (substituindo a Equação 4.52)? (Seja m a massa da Terra e M a massa do Sol.)

(b) Qual é o 'raio de Bohr', a_g, para esse sistema? Trabalhe o número real.

(c) Escreva a 'fórmula de Bohr' gravitacional e, igualando E_n à energia clássica de um planeta em uma órbita circular de raio r_0, demonstre que $n = \sqrt{r_0/a_g}$. A partir daí, calcule o número quântico n da Terra.

(d) Suponha que a Terra tenha feito uma transição para o próximo nível mais baixo ($n - 1$). Quanta energia (em Joules) seria liberada? Qual seria o comprimento de onda do fóton emitido (ou, mais provavelmente, gráviton)? (Dê sua resposta em anos-luz. A resposta[20] incomum é uma coincidência?)

---

20 Agradeço a John Meyer por essa indicação.

4.3 Momento angular

Como já vimos, os estados estacionários do átomo de hidrogênio são rotulados por três números quânticos: n, l e m. O principal número quântico (n) determina a energia do estado (Equação 4.70); l e m estão relacionados com o momento angular orbital. Na teoria clássica de forças centrais, a energia e o momento angular são as quantidades conservadas fundamentais, e não surpreende que o momento angular desempenhe papel significativo (na verdade, *até* mais importante) na teoria quântica.

Classicamente, o momento angular de uma partícula (em relação à origem) é dado pela fórmula

$$\mathbf{L} = \mathbf{r} \times \mathbf{p}, \qquad [4.95]$$

o que significa,

$$L_x = yp_z - zp_y, \quad L_y = zp_x - xp_z, \quad L_z = xp_y - yp_x. \qquad [4.96]$$

Os operadores quânticos correspondentes são obtidos pela receita-padrão $p_x \to -i\hbar \partial/\partial x$, $p_y \to -i\hbar \partial/\partial y$, $p_z \to -i\hbar \partial/\partial z$. Na seção seguinte, obteremos os autovalores dos operadores do momento angular por meio de uma técnica puramente algébrica, reminiscente de uma outra utilizada no Capítulo 2 para obter as energias permitidas do oscilador harmônico; tudo está baseado na exploração inteligente das relações de comutação. Depois, voltaremos ao problema mais difícil de determinar as autofunções.

4.3.1 Autovalores

Os operadores L_x e L_y não comutam; na verdade[21]

$$[L_x, L_y] = [yp_z - zp_y, zp_x - xp_z]$$
$$= [yp_z, zp_x] - [yp_z, xp_z] - [zp_y, zp_x] + [zp_y, xp_z]. \qquad [4.97]$$

A partir das relações de comutação canônicas (Equação 4.10), sabemos que os únicos operadores que *falham* em comutar são o x com p_x, y com p_y e z com p_z. Então, os dois termos do meio são descartados, restando

$$[L_x, L_y] = yp_x[p_z, z] + xp_y[z, p_z] = i\hbar(xp_y - yp_x) = i\hbar L_z. \qquad [4.98]$$

É claro que poderíamos ter começado com $[L_y, L_z]$ ou $[L_z, L_x]$, porém, não há necessidade de calculá-los separadamente; podemos obtê-los imediatamente por meio de permutação cíclica dos índices ($x \to y, y \to z, z \to x$):

$$[L_x, L_y] = i\hbar L_z; \quad [L_y, L_z] = i\hbar L_x; \quad [L_z, L_x] = i\hbar L_y. \qquad [4.99]$$

Essas são as relações de comutação fundamentais para o momento angular; todo o resto decorre a partir delas.

Observe que L_x, L_y e L_z são observáveis *incompatíveis*. De acordo com o princípio da incerteza generalizado (Equação 3.62),

$$\sigma_{L_x}^2 \sigma_{L_y}^2 \geq \left(\frac{1}{2i}\langle i\hbar L_z\rangle\right)^2 = \frac{\hbar^2}{4}\langle L_z\rangle^2,$$

ou

$$\sigma_{L_x} \sigma_{L_y} \geq \frac{\hbar}{2}|\langle L_z\rangle|. \qquad [4.100]$$

---

[21] Observe que todos os operadores que encontramos na mecânica quântica (nota de rodapé nº 15, Capítulo 1) são *distributivos* em relação à somatória: $A(B + C) = AB + AC$. Especialmente $[A, B + C] = [A, B] + [A, C]$.

Por isso, seria inútil procurar estados que são simultaneamente autofunções de L_x e L_y. Por outro lado, o *quadrado* do momento angular *total*,

$$L^2 \equiv L_x^2 + L_y^2 + L_z^2, \qquad [4.101]$$

comuta com L_x:

$$\begin{aligned}[L^2, L_x] &= [L_x^2, L_x] + [L_y^2, L_x] + [L_z^2, L_x] \\ &= L_y[L_y, L_x] + [L_y, L_x]L_y + L_z[L_z, L_x] + [L_z, L_x]L_z \\ &= L_y(-i\hbar L_z) + (-i\hbar L_z)L_y + L_z(i\hbar L_y) + (i\hbar L_y)L_z \\ &= 0.\end{aligned}$$

(Usei a Equação 3.64 para simplificar os comutadores; note também que *qualquer* operador comuta com *ele mesmo*.) Segue-se, naturalmente, que L^2 comuta também com L_y e L_z:

$$[L^2, L_x] = 0, \quad [L^2, L_y] = 0, \quad [L^2, L_z] = 0, \qquad [4.102]$$

ou, mais compactamente,

$$[L^2, \mathbf{L}] = 0. \qquad [4.103]$$

Então, L^2 é compatível com cada componente de $\mathbf{L}$, e podemos *esperar* encontrar autoestados simultâneos de L^2 e (por exemplo) L_z:

$$L^2 f = \lambda f \quad \text{e} \quad L_z f = \mu f. \qquad [4.104]$$

Usaremos a técnica do 'operador escada', muito similar à que aplicamos ao oscilador harmônico na Seção 2.3.1. Seja

$$L_\pm \equiv L_x \pm iL_y. \qquad [4.105]$$

O comutador com L_z é

$$[L_z, L_\pm] = [L_z, L_x] \pm i[L_z, L_y] = i\hbar L_y \pm i(-i\hbar L_x) = \pm\hbar(L_x \pm iL_y),$$

então

$$[L_z, L_\pm] = \pm\hbar L_\pm. \qquad [4.106]$$

E, é claro,

$$[L^2, L_\pm] = 0. \qquad [4.107]$$

Afirmo que se f é uma autofunção de L^2 e L_z, então $L_\pm f$ também o é: a Equação 4.107 diz que

$$L^2(L_\pm f) = L_\pm(L^2 f) = L_\pm(\lambda f) = \lambda(L_\pm f), \qquad [4.108]$$

então $L_\pm f$ é uma autofunção de L^2, com o mesmo autovalor λ, e a Equação 4.106 diz que

$$\begin{aligned}L_z(L_\pm f) &= (L_z L_\pm - L_\pm L_z)f + L_\pm L_z f = \pm\hbar L_\pm f + L_\pm(\mu f) \\ &= (\mu \pm \hbar)(L_\pm f),\end{aligned} \qquad [4.109]$$

então $L_\pm f$ é uma autofunção de L_z, com o *novo* autovalor $\mu \pm \hbar$. Chamamos L_+ de operador de 'levantamento', pois *aumenta* o autovalor de L_z em $\hbar$, e L_- de operador de 'abaixamento', pois *diminui* o autovalor em $\hbar$.

Para um dado valor de λ, então, obtivemos uma 'escada' de estados, com cada 'degrau' separado dos outros por uma unidade de $\hbar$ no autovalor de L_z (veja a Figura 4.8). Para subir a escada, aplicamos o operador de levantamento, e, para descer, o operador de abaixamento.

FIGURA 4.8 'Escada' dos estados do momento angular.

Porém, esse processo não pode continuar ocorrendo eternamente: eventualmente, atingiremos o estado para o qual o componente z excede o *total*, e isso não pode acontecer.[22] Tem de existir um 'degrau máximo', f_t, tal que[23]

$$L_+ f_t = 0. \qquad [4.110]$$

Seja $\hbar l$ o autovalor de L_z nesse degrau máximo (a adequação da letra 'l' aparecerá em breve):

$$L_z f_t = \hbar l f_t; \quad L^2 f_t = \lambda f_t. \qquad [4.111]$$

Agora,

$$L_\pm L_\mp = (L_x \pm iL_y)(L_x \mp iL_y) = L_x^2 + L_y^2 \mp i(L_x L_y - L_y L_x)$$
$$= L^2 - L_z^2 \mp i(i\hbar L_z),$$

ou, explicando de outra maneira,

$$L^2 = L_\pm L_\mp + L_z^2 \mp \hbar L_z. \qquad [4.112]$$

---

22 Formalmente, $\langle L^2 \rangle = \langle L_x^2 \rangle + \langle L_y^2 \rangle + \langle L_z^2 \rangle$, mas $\langle L_x^2 \rangle = \langle f | L_x^2 f \rangle = \langle L_x f | L_x f \rangle \geq 0$ (o mesmo vale para L_y), então $\lambda = \langle L_x^2 \rangle + \langle L_y^2 \rangle + \mu^2 \geq \mu^2$.

23 Na verdade, o que podemos concluir é que $L_+ f_t$ não é *normalizável*; sua norma pode ser *infinita* em vez de zero. O Problema 4.18 explora essa alternativa.

Segue-se que

$$L^2 f_t = (L_- L_+ + L_z^2 + \hbar L_z) f_t = (0 + \hbar^2 l^2 + \hbar^2 l) f_t = \hbar^2 l(l+1) f_t,$$

e, portanto,

$$\lambda = \hbar^2 l(l+1). \qquad [4.113]$$

Isso nos diz o autovalor de L^2 em termos do autovalor *máximo* de L_z.

Ao mesmo tempo, há também (pela mesma razão) um degrau *mais baixo*, f_b, tal que

$$L_- f_b = 0. \qquad [4.114]$$

Seja $\hbar \bar{l}$ o autovalor de L_z nesse degrau mais baixo:

$$L_z f_b = \hbar \bar{l} f_b; \quad L^2 f_b = \lambda f_b. \qquad [4.115]$$

Usando a Equação 4.112, temos

$$L^2 f_b = (L_+ L_- + L_z^2 - \hbar L_z) f_b = (0 + \hbar^2 \bar{l}^2 - \hbar^2 \bar{l}) f_b = \hbar^2 \bar{l}(\bar{l}-1) f_b,$$

e, portanto,

$$\lambda = \hbar^2 \bar{l}(\bar{l}-1). \qquad [4.116]$$

Comparando as equações 4.113 e 4.116 vemos que $l(l+1) = \bar{l}(\bar{l}-1)$, então, ou $\bar{l} = l+1$ (o que é absurdo, já que o degrau mais baixo seria mais alto do que o degrau mais alto!) ou

$$\bar{l} = -l. \qquad [4.117]$$

Evidentemente, os autovalores de L_z são $m\hbar$, em que m (a adequação dessa letra será esclarecida em breve) vai de $-l$ a $+l$ em N passos inteiros. Em especial, segue-se que $l = -l + N$, e, portanto, $l = N/2$, sendo que l deve ser *um número inteiro ou semi-inteiro*. As autofunções são caracterizadas pelos números l e m:

$$L^2 f_l^m = \hbar^2 l(l+1) f_l^m; \quad L_z f_l^m = \hbar m f_l^m, \qquad [4.118]$$

em que

$$l = 0,\ 1/2,\ 1,\ 3/2,\ldots;\quad m = -l,\ -l+1,\ldots,l-1,\ l. \qquad [4.119]$$

Para um valor dado de l, há $2l+1$ valores diferentes de m (isto é, $2l+1$ 'degraus' na 'escada').

Algumas pessoas gostam de ilustrar esse resultado com o diagrama da Figura 4.9 (elaborado para o caso $l = 2$). As setas devem representar os possíveis momentos angulares. Em unidades de $\hbar$ eles têm o mesmo comprimento $\sqrt{l(l+1)}$ (nesse caso, $\sqrt{6} = 2,45$), e seus componentes z são os valores permitidos de m ($-2, -1, 0, 1, 2$). Observe que a magnitude dos vetores (o raio da esfera) é *maior* do que o componente z máximo! (Em geral, $\sqrt{l(l+1)} > l$, exceto para o caso 'trivial' $l = 0$.) Evidentemente, você não pode obter o momento angular que indicará perfeitamente a direção z. A princípio, isso parece absurdo. 'Por que não posso *escolher* meus eixos para que z indique a direção do vetor de momento angular?' Bem, para que isso acontecesse você teria de conhecer os três componentes simultaneamente, e o princípio da incerteza (Equação 4.100) diz que isso é impossível. 'Tudo bem, mas, certamente, de vez em quando, com alguma sorte, vai acontecer de a direção de **L** estar na mira do meu eixo z.' Não, não! Você não entendeu. Não é que você não *conheça* as três componentes de **L**; simplesmente não existem três componentes. Uma partícula não pode *ter* um determinado vetor de momento angular, assim como também não pode ter simultaneamente uma posição e um momento determinados. Se L_z tem um valor bem definido, então L_x e L_y não o têm. Até mesmo *desenhar* os vetores na Figura 4.9 seria um equívoco; na melhor das hipóteses, eles deveriam ser distribuídos em torno das linhas de latitude para indicar que L_x e L_y são indeterminados.

Espero que você esteja impressionado: por *meios puramente algébricos*, iniciando com as relações de comutação fundamental para o momento angular (Equação 4.99), determinamos os

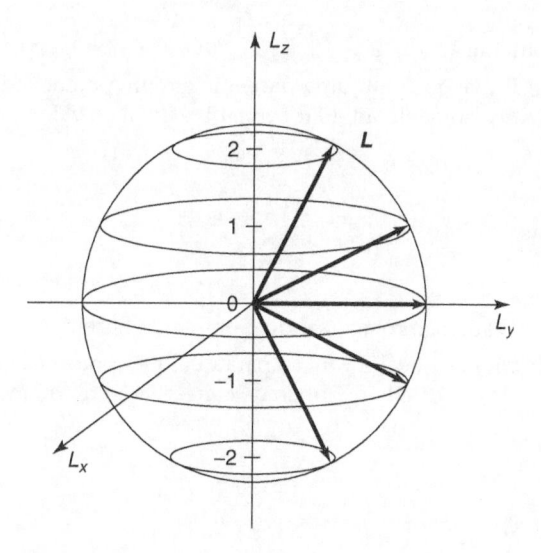

FIGURA 4.9 Estados do momento angular (para $l = 2$).

autovalores de L^2 e L_z sem nem mesmo ter visto as autofunções! Voltaremos agora ao problema da construção das autofunções; porém, devo avisá-lo de que isso é muito mais complicado. Só para você saber que direção iremos tomar, começarei com uma frase de efeito: $f_l^m = Y_l^m$. As autofunções de L^2 e L_z nada mais são do que os antigos harmônicos esféricos, aos quais chegamos por um caminho bem diferente na Seção 4.1.2 (e é por isso que escolhi as letras l e m, é claro). E agora posso dizer por que os harmônicos esféricos são ortogonais: porque eles são autofunções dos operadores hermitianos (L^2 e L_z) pertencentes a autovalores distintos (Teorema 2, Seção 3.3.1).

*Problema 4.18 Os operadores de levantamento e abaixamento mudam o valor de m em uma unidade:

$$L_\pm f_l^m = (A_l^m) f_l^{m\pm 1}, \qquad [4.120]$$

em que A_l^m é uma constante. *Pergunta:* qual é o valor de A_l^m se as autofunções devem ser *normalizadas*? *Dica:* primeiro mostre que $L_\mp$ é o conjugado hermitiano de $L_\pm$ (já que L_x e L_y são *observáveis*, você deve supor que são também hermitianos... mas *verifique*, se quiser); então, use a Equação 4.112. *Resposta:*

$$A_l^m = \hbar\sqrt{l(l+1) - m(m\pm 1)} = \hbar\sqrt{(l\mp m)(l\pm m + 1)}. \qquad [4.121]$$

Observe o que acontece no topo e na base da escada (isto é, quando você aplica L_+ para f_l^l ou L_- para f_l^{-l}).

*Problema 4.19

(a) Começando pelas relações de comutação canônicas para posição e momento (Equação 4.10), resolva os seguintes comutadores:

$$[L_z, x] = i\hbar y, \quad [L_z, y] = -i\hbar x, \quad [L_z, z] = 0,$$
$$[L_z, p_x] = i\hbar p_y, \quad [L_z, p_y] = -i\hbar p_x, \quad [L_z, p_z] = 0. \qquad [4.122]$$

(b) Utilize os resultados de (a) para obter $[L_z e L_x] = i\hbar L_y$ diretamente da Equação 4.96.

(c) Avalie os comutadores $[L_z, r^2]$ e $[L_z, p^2]$ (nos quais, é claro, $r^2 = x^2 + y^2 + z^2$ e $p^2 = p_x^2 + p_y^2 + p_z^2$).

(d) Demonstre que o Hamiltoniano $H = (p^2/2m) + V$ comuta com os três componentes de **L**, sendo que V depende somente de r. (De modo que H, L^2 e L_z são observáveis mutuamente compatíveis.)

Problema 4.20

(a) Prove que para uma partícula em um potencial $V(\mathbf{r})$ a taxa de mudança do valor esperado do momento angular orbital **L** é igual ao valor esperado do torque:

$$\frac{d}{dt}\langle \mathbf{L}\rangle = \langle \mathbf{N}\rangle,$$

em que

$$\mathbf{N} = \mathbf{r}\times(-\nabla V).$$

(Esse é o análogo rotacional do teorema de Ehrenfest.)

(b) Mostre que $d\langle \mathbf{L}\rangle/dt = 0$ para qualquer potencial esfericamente simétrico. (Essa é uma forma do enunciado quântico de **conservação do momento angular**.)

4.3.2 Autofunções

Primeiro precisamos reescrever L_x, L_y e L_z em termos de coordenadas esféricas. Bem, $\mathbf{L} = (\hbar/i)(\mathbf{r}\times\nabla)$, e o gradiente é, em coordenadas esféricas:[24]

$$\nabla = \hat{r}\frac{\partial}{\partial r} + \hat{\theta}\frac{1}{r}\frac{\partial}{\partial \theta} + \hat{\phi}\frac{1}{r\operatorname{sen}\theta}\frac{1}{\partial \phi}; \qquad [4.123]$$

ao mesmo tempo, $\mathbf{r} = r\hat{r}$, e, portanto,

$$\mathbf{L} = \frac{\hbar}{i}\left[r(\hat{r}\times\hat{r})\frac{\partial}{\partial r} + (\hat{r}\times\hat{\theta})\frac{\partial}{\partial \theta} + (\hat{r}\times\hat{\phi})\frac{1}{\operatorname{sen}\theta}\frac{\partial}{\partial \phi}\right].$$

Mas $(\hat{r}\times\hat{r}) = 0$, $(\hat{r}\times\hat{\theta}) = \hat{\phi}$ e $(\hat{r}\times\hat{\phi}) = -\hat{\theta}$ (veja a Figura 4.1), e, portanto,

$$L = \frac{\hbar}{i}\left(\hat{\phi}\frac{\partial}{\partial \theta} - \hat{\theta}\frac{1}{\operatorname{sen}\theta}\frac{\partial}{\partial \phi}\right). \qquad [4.124]$$

Os vetores unitários $\hat{\theta}$ e $\hat{\phi}$ podem ser decompostos segundo seus componentes cartesianos:

$$\hat{\theta} = (\cos\theta\cos\phi)\hat{i} + (\cos\theta\operatorname{sen}\phi)\hat{j} - (\operatorname{sen}\theta)\hat{k}; \qquad [4.125]$$

$$\hat{\phi} = -(\operatorname{sen}\phi)\hat{i} + (\cos\phi)\hat{j}. \qquad [4.126]$$

Portanto,

$$\mathbf{L} = \frac{\hbar}{i}\Bigg[(-\operatorname{sen}\phi\,\hat{i} + \cos\phi\,\hat{j})\frac{\partial}{\partial \theta}$$
$$-(\cos\theta\cos\phi\,\hat{i} + \cos\theta\operatorname{sen}\phi\,\hat{j} - \operatorname{sen}\theta\,\hat{k})\frac{1}{\operatorname{sen}\theta}\frac{\partial}{\partial \phi}\Bigg].$$

Evidentemente

$$L_x = \frac{\hbar}{i}\left(-\operatorname{sen}\phi\frac{\partial}{\partial \theta} - \cos\phi\cot\theta\frac{\partial}{\partial \phi}\right), \qquad [4.127]$$

$$L_y = \frac{\hbar}{i}\left(+\cos\phi\frac{\partial}{\partial \theta} - \operatorname{sen}\phi\cot\theta\frac{\partial}{\partial \phi}\right), \qquad [4.128]$$

---

[24] George Arfken e Hans-Jurgen Weber, *Mathematical Methods for Physicists*, 5ª ed., Academic Press, Orlando (2000), Seção 2.5.

e

$$L_z = \frac{\hbar}{i}\frac{\partial}{\partial\phi}.$$ [4.129]

Também precisaremos dos operadores de levantamento e abaixamento:

$$L_\pm = L_x \pm iL_y = \frac{\hbar}{i}\left[(-\text{sen}\,\phi \pm i\cos\phi)\frac{\partial}{\partial\theta} - (\cos\phi \pm i\,\text{sen}\,\phi)\cot\theta\frac{\partial}{\partial\phi}\right].$$

Mas $\phi \pm i\,\text{sen}\,\phi = e^{\pm i\phi}$, então

$$L_\pm = \pm\hbar e^{\pm i\phi}\left(\frac{\partial}{\partial\theta} \pm i\cot\theta\frac{\partial}{\partial\phi}\right).$$ [4.130]

Em especial (Problema 4.21(a)):

$$L_+L_- = -\hbar^2\left(\frac{\partial^2}{\partial\theta^2} + \cot\theta\frac{\partial}{\partial\theta} + \cot^2\theta\frac{\partial^2}{\partial\phi^2} + i\frac{\partial}{\partial\phi}\right),$$ [4.131]

e, portanto, (Problema 4.21(b)):

$$L^2 = -\hbar^2\left[\frac{1}{\text{sen}\,\theta}\frac{\partial}{\partial\theta}\left(\text{sen}\,\theta\frac{\partial}{\partial\theta}\right) + \frac{1}{\text{sen}^2\theta}\frac{\partial^2}{\partial\phi^2}\right].$$ [4.132]

Estamos agora em posição de determinar $f_l^m(\theta, \phi)$. É uma autofunção de L^2, com autovalor $\hbar^2 l(l + 1)$:

$$L^2 f_l^m = -\hbar^2\left[\frac{1}{\text{sen}\,\theta}\frac{\partial}{\partial\theta}\left(\text{sen}\,\theta\frac{\partial}{\partial\theta}\right) + \frac{1}{\text{sen}^2\theta}\frac{\partial^2}{\partial\phi^2}\right]f_l^m = \hbar^2 l(l+1)f_l^m.$$

Porém, essa é precisamente a 'equação angular' (Equação 4.18). E é também uma autofunção de L_z, com autovalor $m\hbar$:

$$L_z f_l^m = \frac{\hbar}{i}\frac{\partial}{\partial\phi}f_l^m = \hbar m f_l^m,$$

mas isso é equivalente à equação azimutal (Equação 4.21). Já resolvemos esse sistema de equações: o resultado (apropriadamente normalizado) é o harmônico esférico, $Y_l^m(\theta, \phi)$. *Conclusão:* os harmônicos esféricos *são* autofunções de L^2 e L_z. Quando resolvemos a equação de Schrödinger por separação de variáveis, na Seção 4.1, fomos inadvertidamente construindo autofunções simultâneas dos três operadores H, L^2 e L_z que comutam entre si:

$$H\psi = E\psi, \quad L^2\psi = \hbar^2 l(l+1)\psi, \quad L_z\psi = \hbar m\psi.$$ [4.133]

Por acaso, podemos usar a Equação 4.132 para reescrever a equação de Schrödinger (Equação 4.14) mais compactamente:

$$\frac{1}{2mr^2}\left[-\hbar^2\frac{\partial}{\partial r}\left(r^2\frac{\partial}{\partial r}\right) + L^2\right]\psi + V\psi = E\psi.$$

Há uma última e curiosa reviravolta nessa história: a teoria *algébrica* do momento angular permite que l (e, portanto, m também) assuma valores semi-inteiros (Equação 4.119), enquanto a separação de variáveis produziu autofunções somente para valores *inteiros* (Equação 4.29). Você poderia supor que as soluções semi-inteiras são falsas, mas, de fato, elas são de profunda importância, como veremos nas próximas seções.

*Problema 4.21

(a) Obtenha a Equação 4.131 da Equação 4.130. *Dica:* use uma função teste; caso contrário, você provavelmente descartará alguns termos.

(b) Obtenha a Equação 4.132 das equações 4.129 e 4.131. *Dica:* use a Equação 4.112.

*Problema 4.22

(a) Qual é o valor de $L_+ Y_l^l$? (Nenhum cálculo é permitido!)

(b) Utilize o resultado de (a) juntamente com a Equação 4.130 e o fato de que $L_z Y_l^l = \hbar l Y_l^l$ para determinar $Y_l^l(\theta,\phi)$, até uma constante de normalização.

(c) Determine a constante de normalização por integração direta. Compare sua resposta com a que você obteve no Problema 4.5.

Problema 4.23 No Problema 4.3 você demonstrou que

$$Y_2^1(\theta,\phi) = -\sqrt{15/8\pi}\,\text{sen}\,\theta\cos\theta\, e^{i\phi}.$$

Utilize o operador de levantamento para encontrar $Y_2^2(\theta,\phi)$. Faça uso da Equação 4.121 para obter a normalização.

Problema 4.24 Duas partículas de massa m estão ligadas às extremidades de uma haste rígida sem massa de comprimento a. O sistema é livre para rotacionar em três dimensões em torno do centro (porém, o próprio ponto central é fixo).

(a) Demonstre que as energias permitidas desse **rotor rígido** são

$$E_n = \frac{\hbar^2 n(n+1)}{ma^2}, \quad \text{para } n = 0, 1, 2,\ldots$$

Dica: primeiramente, expresse a energia (clássica) em termos do momento angular total.

(b) Quais são as autofunções normalizadas para esse sistema? Qual é a degenerescência do n-ésimo nível de energia?

4.4 Spin

Na mecânica *clássica*, um objeto rígido admite dois tipos de momento angular: o **orbital** ($\mathbf{L} = \mathbf{r} \times \mathbf{p}$), associado ao movimento *do* centro da massa, e o **spin** ($\mathbf{S} = \mathbf{I}\,\omega$), associado ao movimento *em torno* do centro de massa. Por exemplo, a Terra tem um momento angular orbital atribuível à sua revolução anual em torno do Sol e o momento angular de spin proveniente de sua rotação diária sobre o eixo norte-sul. No contexto clássico, essa distinção é uma questão de conveniência, pois quando você o aborda, **S** nada mais é do que a somatória dos momentos angulares 'orbitais' de todas as pedras e blocos de lama que formam a Terra, já que eles circulam em torno do eixo. Mas uma coisa semelhante acontece na mecânica quântica, e aqui a distinção é absolutamente fundamental. Além do momento angular orbital, associado (no caso do hidrogênio) ao movimento do elétron em torno do núcleo (e descrito pelos harmônicos esféricos), o elétron também traz *outra* forma de momento angular, a qual nada tem a ver com o movimento no espaço (e que não é, portanto, descrita por qualquer função das variáveis de posição r, θ, ϕ), mas que é de alguma maneira semelhante ao spin clássico (e para a qual, portanto, usamos a mesma palavra). Não vale a pena forçar muito essa analogia: o elétron (até onde sabemos) é uma partícula pontual sem estrutura e seu momento angular de spin não pode ser decomposto em momentos angulares orbitais das partes constituintes (veja o Problema 4.25).[25] Basta dizer que partículas elementares carregam um momento angular **intrínseco** (**S**), além de seu momento angular 'extrínseco' (**L**).

A teoria *algébrica* de spin é uma cópia carbono da teoria do momento angular orbital, a começar pelas relações de comutação fundamental:[26]

$$[S_x, S_y] = i\hbar S_z, \quad [S_y, S_z] = i\hbar S_x, \quad [S_z, S_x] = i\hbar S_y. \qquad [4.134]$$

Segue-se que (como antes) os autovetores de S^2 e S_z satisfazem[27]

$$S^2 |sm\rangle = \hbar^2 s(s+1)|sm\rangle; \quad S_z |sm\rangle = \hbar m |sm\rangle; \qquad [4.135]$$

e

$$S_\pm |sm\rangle = \hbar\sqrt{s(s+1) - m(m\pm 1)}\,|s(m\pm 1)\rangle, \qquad [4.136]$$

em que $S_\pm \equiv S_x \pm i S_y$. Mas, dessa vez, os autovetores não são harmônicos esféricos (eles não são funções de θ e φ), e não há razão, *a priori*, para excluir os valores semi-inteiros de *s* e *m*:

$$s = 0, \frac{1}{2}, 1, \frac{3}{2}, \ldots; \quad m = -s, -s+1, \ldots, s-1, s. \qquad [4.137]$$

Acontece que cada partícula elementar tem um valor *específico e imutável* de *s*, o qual chamamos de **'o' spin** daquela espécie determinada: mésons pi têm spin 0; elétrons têm spin 1/2; fótons têm spin 1; deltas têm spin 3/2; grávitons têm spin 2; e assim por diante. Do contrário, o número quântico do momento angular *orbital l* (para um elétron em um átomo de hidrogênio, por exemplo) pode assumir qualquer valor (inteiro) que você queira, e mudará de um para outro quando o sistema for perturbado. Porém, *s* é *fixo* para qualquer partícula dada, e isso faz com que a teoria de spin seja comparativamente simples.[28]

Problema 4.25
Se os elétrons fossem uma esfera sólida clássica, com raio

$$r_c = \frac{e^2}{4\pi\epsilon_0 mc^2} \qquad [4.138]$$

(o chamado **raio clássico do elétron**, obtido por suposição de que a massa do elétron seja atribuível à energia armazenada em seu campo elétrico, via fórmula de Einstein $E = mc^2$), e seu momento angular fosse $(1/2)\hbar$, então o quão rápido (em m/s) um ponto se moveria sobre o 'equador'? Esse modelo faz sentido? (Na verdade, o raio do elétron é conhecido experimentalmente por ser bem menor do que r_c, mas isso só faz as coisas piorarem.)

---

25 Para uma interpretação contrária, veja Hans C. Ohanian, 'What is Spin?', *Am J. Phys.* **54**, 500 (1986).

26 Devemos tomá-los como *postulados* da teoria de spin; as fórmulas semelhantes para o momento angular *orbital* (Equação 4.99) foram *derivadas* da forma conhecida dos operadores (Equação 4.96). Em um tratamento mais sofisticado, ambos podem ser obtidos a partir da invariância rotacional em três dimensões (veja, por exemplo, Leslie E. Ballentine, *Quantum Mechanics: A Modern Development*, World Scientific, Singapura (1998), Seção 3.3). Na verdade, essas relações de comutação fundamentais se aplicam a *todas* as formas de momento angular, sejam elas spin, orbital ou o momento angular combinado de um sistema composto, que poderia incluir spin e orbital.

27 Como os autoestados de spin não são *funções*, usarei a notação 'ket' para eles. (Eu poderia ter feito o mesmo na Seção 4.3, escrevendo $|lm\rangle$ no lugar de Y_l^m, mas, naquele contexto, a notação de função parecia mais natural.) A propósito, estou começando a ficar sem letras, então usarei *m* para o autovalor de S_z, assim como fiz para L_z (para que fique bem claro, alguns autores usam m_l e m_s para esse estágio).

28 Na verdade, no sentido matemático, spin 1/2 é o sistema quântico não trivial mais simples possível, já que admite somente dois estados-base. No lugar do espaço de Hilbert unidimensional infinito, com todas as suas sutilezas e complicações, trabalhamos com um vetor de espaço bidimensional; no lugar de equações diferenciais não familiares e funções agradáveis, somos confrontados com matrizes 2 x 2 e vetores de 2 componentes. Por essa razão, alguns autores *dão início à* mecânica quântica com o estudo do spin. (Um exemplo marcante é John S. Townsend, *A Modern Approach to Quantum Mechanics*, University Books, Sausalito, CA, 2000.) Porém, o preço da simplicidade matemática é a abstração conceitual, e prefiro não fazer isso.

4.4.1 Spin 1/2

O caso mais importante, certamente, é $s = 1/2$, já que é o spin das partículas que compõem a matéria comum (prótons, nêutrons e elétrons), bem como de todos os quarks e léptons. Além disso, uma vez que você entende o spin 1/2, fica fácil de resolver o formalismo para qualquer spin maior. Há apenas *dois* autoestados: $|\frac{1}{2}\frac{1}{2}\rangle$, o qual chamamos de **spin para cima** (informalmente, ↑) e $|\frac{1}{2}(-\frac{1}{2})\rangle$, o qual chamamos de **spin para baixo** (↓). Utilizando-os como vetores-base, o estado geral de uma partícula de spin 1/2 pode ser expresso como uma matriz coluna de dois elementos (ou **spinor**):

$$\chi = \begin{pmatrix} a \\ b \end{pmatrix} = a\chi_+ + b\chi_-, \qquad [4.139]$$

com

$$\chi_+ = \begin{pmatrix} 1 \\ 0 \end{pmatrix} \qquad [4.140]$$

representando o spin para cima, e

$$\chi_- = \begin{pmatrix} 0 \\ 1 \end{pmatrix} \qquad [4.141]$$

representando o spin para baixo.

Enquanto isso, os operadores de spin se tornam matrizes 2 x 2, as quais podemos trabalhar observando seus efeitos sobre χ_+ e χ_-. A Equação 4.135 diz que

$$\mathbf{S}^2\chi_+ = \frac{3}{4}\hbar^2\chi_+ \quad \text{e} \quad \mathbf{S}^2\chi_- = \frac{3}{4}\hbar^2\chi_-. \qquad [4.142]$$

Se escrevermos $\mathbf{S}^2$ como uma matriz com (até agora) elementos indeterminados,

$$\mathbf{S}^2 = \begin{pmatrix} c & d \\ e & f \end{pmatrix},$$

então, a primeira equação diz que

$$\begin{pmatrix} c & d \\ e & f \end{pmatrix}\begin{pmatrix} 1 \\ 0 \end{pmatrix} = \frac{3}{4}\hbar^2\begin{pmatrix} 1 \\ 0 \end{pmatrix}, \quad \text{ou} \quad \begin{pmatrix} c \\ e \end{pmatrix} = \begin{pmatrix} \frac{3}{4}\hbar^2 \\ 0 \end{pmatrix},$$

então $c = (3/4)\hbar^2$ e $e = 0$. A segunda equação diz que

$$\begin{pmatrix} c & d \\ e & f \end{pmatrix}\begin{pmatrix} 0 \\ 1 \end{pmatrix} = \frac{3}{4}\hbar^2\begin{pmatrix} 0 \\ 1 \end{pmatrix}, \quad \text{ou} \quad \begin{pmatrix} d \\ f \end{pmatrix} = \begin{pmatrix} 0 \\ \frac{3}{4}\hbar^2 \end{pmatrix},$$

então $d = 0$ e $f = (3/4)\hbar^2$. *Conclusão:*

$$\mathbf{S}^2 = \frac{3}{4}\hbar^2\begin{pmatrix} 1 & 0 \\ 0 & 1 \end{pmatrix}. \qquad [4.143]$$

Similarmente,

$$\mathbf{S}_z\chi_+ = \frac{\hbar}{2}\chi_+, \quad \mathbf{S}_z\chi_- = -\frac{\hbar}{2}\chi_-, \qquad [4.144]$$

a partir da qual temos

$$\mathbf{S}_z = \frac{\hbar}{2}\begin{pmatrix} 1 & 0 \\ 0 & -1 \end{pmatrix}. \qquad [4.145]$$

Enquanto isso, a Equação 4.136 diz que

$$S_+\chi_- = \hbar\chi_+, \quad S_-\chi_+ = \hbar\chi_-, \quad S_+\chi_+ = S_-\chi_- = 0,$$

então

$$S_+ = \hbar\begin{pmatrix} 0 & 1 \\ 0 & 0 \end{pmatrix}, \quad S_- = \hbar\begin{pmatrix} 0 & 0 \\ 1 & 0 \end{pmatrix}. \qquad [4.146]$$

Agora $S_\pm = S_x \pm iS_y$, portanto, $S_x = (1/2)(S_+ + S_-)$ e $S_y = (1/2i)(S_+ - S_-)$, e por isso

$$S_x = \frac{\hbar}{2}\begin{pmatrix} 0 & 1 \\ 1 & 0 \end{pmatrix}, \quad S_y = \frac{\hbar}{2}\begin{pmatrix} 0 & -i \\ i & 0 \end{pmatrix}. \qquad [4.147]$$

Já que S_x, S_y e S_z trazem um fator de $\hbar/2$, é mais exato escrever $S = (\hbar/2)\sigma$, em que

$$\sigma_x \equiv \begin{pmatrix} 0 & 1 \\ 1 & 0 \end{pmatrix}, \quad \sigma_y \equiv \begin{pmatrix} 0 & -i \\ -i & 0 \end{pmatrix}, \quad \sigma_z \equiv \begin{pmatrix} 1 & 0 \\ 0 & -1 \end{pmatrix}. \qquad [4.148]$$

Essas são as famosas **matrizes de spin de Pauli**. Observe que S_x, S_y, S_z e S^2 são todos *hermitianos* (como *deveriam* ser, pois representam observáveis). Por outro lado, S_+ e S_- não são herminitanos e, portanto, não são observáveis.

Os autospinores de S_z são (é claro):

$$\chi_+ = \begin{pmatrix} 1 \\ 0 \end{pmatrix}, \left(\text{autovalor} + \frac{\hbar}{2}\right); \quad \chi_- = \begin{pmatrix} 0 \\ 1 \end{pmatrix}, \left(\text{autovalor} - \frac{\hbar}{2}\right). \qquad [4.149]$$

Se você medir S_z em uma partícula no estado geral χ (Equação 4.139), você pode obter $+\hbar/2$, com probabilidade $|a|^2$ ou $-\hbar/2$ com probabilidade $|b|^2$. Sendo essas as *únicas* possibilidades,

$$|a|^2 + |b|^2 = 1 \qquad [4.150]$$

(isto é, o spinor deve ser *normalizado*).[29]

Mas e se, em vez disso, você escolhesse medir S_x? Quais são os resultados possíveis e quais as suas respectivas probabilidades? De acordo com a interpretação estatística generalizada, precisamos saber os autovalores e autospinores de S_x. A equação característica é

$$\begin{vmatrix} -\lambda & \hbar/2 \\ \hbar/2 & -\lambda \end{vmatrix} = 0 \Rightarrow \lambda^2 = \left(\frac{\hbar}{2}\right)^2 \Rightarrow \lambda = \pm\frac{\hbar}{2}.$$

Não é surpresa que os valores possíveis de S_x sejam os mesmos para S_z. Os autospinores são obtidos da maneira usual:

$$\frac{\hbar}{2}\begin{pmatrix} 0 & 1 \\ 0 & 0 \end{pmatrix}\begin{pmatrix} \alpha \\ \beta \end{pmatrix} = \pm\frac{\hbar}{2}\begin{pmatrix} \alpha \\ \beta \end{pmatrix} \Rightarrow \begin{pmatrix} \beta \\ \alpha \end{pmatrix} = \pm\begin{pmatrix} \alpha \\ \beta \end{pmatrix},$$

então $\beta = \pm\alpha$. Evidentemente, os autospinores (normalizados) de S_x são

$$\chi_+^{(x)} = \begin{pmatrix} \frac{1}{\sqrt{2}} \\ \frac{1}{\sqrt{2}} \end{pmatrix}, \left(\text{autovalor} + \frac{\hbar}{2}\right); \quad \chi_-^{(x)} = \begin{pmatrix} \frac{1}{\sqrt{2}} \\ -\frac{1}{\sqrt{2}} \end{pmatrix}, \left(\text{autovalor} - \frac{\hbar}{2}\right). \qquad [4.151]$$

---

29 As pessoas geralmente dizem que $|a|^2$ é a 'probabilidade de que a partícula esteja no estado de spin para cima', mas essa é uma linguagem ruim; o que elas *querem* dizer é que se você *medir* S_z, $|a|^2$ é a probabilidade de se obter $\hbar/2$. Veja nota de rodapé nº 16, no Capítulo 3.

Como autovetores de uma matriz hermitiana, eles geram o espaço; o spinor genérico χ (Equação 4.139) pode ser expresso como uma combinação linear deles:

$$\chi = \left(\frac{a+b}{\sqrt{2}}\right)\chi_+^{(x)} + \left(\frac{a-b}{\sqrt{2}}\right)\chi_-^{(x)}. \qquad [4.152]$$

Se você medir S_x, a probabilidade de obter $+\hbar/2$ é de $(1/2)|a+b|^2$, e a probabilidade de obter $-\hbar/2$ é de $(1/2)|a-b|^2$. (Você mesmo deveria verificar que essas probabilidades somadas são igual a 1.)

Exemplo 4.2 Suponha que uma partícula spin 1/2 esteja no estado

$$\chi = \frac{1}{\sqrt{6}}\begin{pmatrix} 1+i \\ 2 \end{pmatrix}.$$

Quais são as probabilidades de se obter $+\hbar/2$ e $-\hbar/2$ se você medir S_z e S_x?

Resposta: aqui $a=(1+i)/\sqrt{6}$ e $b=2/\sqrt{6}$, então, para S_z, a probabilidade de se obter $+\hbar/2$ é de $|(1+i)/\sqrt{6}|^2 = 1/3$, e a probabilidade de se obter $-\hbar/2$ é de $|2/\sqrt{6}|^2 = 2/3$. Para S_x, a probabilidade de se obter $+\hbar/2$ é de $(1/2)|(3+i)/\sqrt{6}|^2 = 5/6$, e a probabilidade de se obter $-\hbar/2$ é de $(1/2)|(-1+i)/\sqrt{6}|^2 = 1/6$. Por acaso, o valor *esperado* de S_x é

$$\frac{5}{6}\left(+\frac{\hbar}{2}\right) + \frac{1}{6}\left(-\frac{\hbar}{2}\right) = \frac{\hbar}{3},$$

o qual poderíamos, também, ter obtido de forma mais direta:

$$\langle S_x \rangle = \chi^\dagger \mathbf{S}_x \chi = \begin{pmatrix} \frac{(1-i)}{\sqrt{6}} & \frac{2}{\sqrt{6}} \end{pmatrix} \begin{pmatrix} 0 & \hbar/2 \\ \hbar/2 & 0 \end{pmatrix} \begin{pmatrix} (1+i)/\sqrt{6} \\ 2/\sqrt{6} \end{pmatrix} = \frac{\hbar}{3}.$$

Gostaria agora de orientá-lo por meio de um cenário imaginário de medição que envolve o spin 1/2, pois serve para ilustrar, em termos muito concretos, algumas das ideias abstratas que discutimos no Capítulo 1. Podemos começar com uma partícula no estado χ_+. Se alguém pergunta 'qual é a componente z do momento angular de spin da partícula?', poderíamos responder, inequivocamente: $+\hbar/2$. Uma medição de S_z certamente resultaria naquele valor. Porém, se em vez disso nosso interrogador perguntar 'qual é a componente x do momento angular de spin da partícula?' somos obrigados a nos esquivar: se você medir S_x, as chances de se obter tanto $\hbar/2$ quanto $-\hbar/2$ são iguais. Se o questionador for um físico clássico ou um 'realista' (no sentido da Seção 1.2), verá isso como uma resposta inadequada, para não dizer absurda: 'você está me dizendo que *não conhece* o estado verdadeiro da partícula?' Pelo contrário: sei *precisamente* qual é o estado da partícula: χ_+. 'Bem, então, como é possível que você não saiba dizer qual é componente x do seu spin?' Isso ocorre simplesmente porque *não existe* um componente x de spin determinado. Na verdade, isso não pode acontecer, pois, se S_x e S_z forem bem definidos, o princípio da incerteza seria violado.

Nesse momento, nosso desafiante agarra o tubo de ensaio e *mede* a componente x do seu spin; digamos que ele obtenha o valor $+\hbar/2$. 'Arrá!' (ele grita triunfante), 'Você *mentiu*! Essa partícula tem um valor perfeitamente bem definido de S_x: $\hbar/2$'. Sim, claro... *agora* ela tem, mas isso não prova que ela *tinha* aquele valor antes da medição. 'Você foi, obviamente, reduzido a distinções insignificantes. E, afinal, o que aconteceu com seu princípio da incerteza? Agora conheço tanto S_x quanto S_z'. Desculpe-me, mas você *não* conhece: no processo de medição, você alterou o estado da partícula; ela está agora no estado $\chi_{+}^{(x)}$, e considerando que você sabe o valor de S_x, você não sabe o valor de S_z. 'Mas fui extremamente cuidadoso para não perturbar a partícula quando medi S_x'. Muito bem, se você não acredita em mim, *confira*: faça a medição de S_z e veja o resultado. (É claro que ele pode obter $+\hbar/2$, o que será constrangedor para o meu caso. Mas se repetirmos o mesmo cenário várias vezes, ele obterá $-\hbar/2$ em metade das vezes.)

Para o leigo, o filósofo ou o físico clássico, uma afirmação do tipo 'essa partícula não tem uma posição bem definida' (ou momento, ou componente x do momento angular de spin, ou o que quer que seja) soa vaga, incompetente ou (pior ainda) profunda. E ela não é nenhuma dessas alternativas. Mas seu significado específico é, acho, quase impossível de ser transmitido a quem não estudou mecânica quântica com certa profundidade. Se você achar que sua própria compreensão é falha, de tempos em tempos (se você *não* fizer isso, provavelmente não entendeu o problema) volte ao sistema de spin 1/2: é o contexto mais simples e mais claro para entender os paradoxos conceituais da mecânica quântica.

Problema 4.26
  (a) Certifique-se de que as matrizes de spin (equações 4.145 e 4.147) obedecem às relações de comutação fundamentais para o momento angular, Equação 4.134.
  (b) Demonstre que as matrizes de spin de Pauli (Equação 4.148) satisfazem a regra do produto

$$\sigma_j \sigma_k = \delta_{jk} + i \sum_l \epsilon_{jkl} \sigma_l, \qquad [4.153]$$

em que os índices significam x, y ou z e ϵ_{jkl} é o símbolo **Levi-Civita**: $+1$ se $jkl = 123, 231$ ou 312; -1 se $jkl = 132, 213$ ou 321; 0 caso contrário.

*Problema 4.27 Um elétron está no estado de spin

$$\chi = A \begin{pmatrix} 3i \\ 4 \end{pmatrix}.$$

  (a) Determine a constante de normalização A.
  (b) Calcule o valor esperado de S_x, S_y e S_z.
  (c) Calcule as 'incertezas' σ_{S_x}, σ_{S_y} e σ_{S_z}. (*Nota*: esses sigmas são desvios-padrão, e não matrizes de Pauli!)
  (d) Confira se seus resultados são consistentes com os três princípios da incerteza (Equação 4.100 e suas permutações cíclicas, somente com S no lugar de L, é claro).

*Problema 4.28 Para o spinor normalizado geral χ (Equação 4.139), calcule $\langle S_x \rangle$, $\langle S_y \rangle$, $\langle S_z \rangle$, $\langle S_x^2 \rangle$, $\langle S_y^2 \rangle$ e $\langle S_z^2 \rangle$. Verifique se $\langle S_x^2 \rangle + \langle S_y^2 \rangle + \langle S_z^2 \rangle = \langle S^2 \rangle$.

*Problema 4.29
  (a) Calcule os autovalores e autospinores de $\mathbf{S}_y$.
  (b) Se você mediu S_y em uma partícula no estado geral χ (Equação 4.139), quais valores você poderá obter e qual é a probabilidade para cada um? Verifique que as probabilidades somadas são igual a 1. *Nota: a* e *b* não precisam ser reais!
  (c) Se você mediu S_y^2, quais valores você deve obter e com quais probabilidades?

Problema 4.30 Construa a matriz $\mathbf{S}_r$ representando a componente do momento angular de spin ao longo de uma direção arbitrária $\hat{r}$. Use coordenadas esféricas, para as quais

$$\hat{r} = \text{sen}\,\theta\cos\phi\,\hat{i} + \text{sen}\,\theta\,\text{sen}\,\phi\,\hat{j} + \cos\theta\,\hat{k}. \qquad [4.154]$$

Calcule os autovalores e autospinores (normalizados) de $\mathbf{S}_r$. Responda:

$$\chi_+^{(r)} = \begin{pmatrix} \cos(\theta/2) \\ e^{i\phi}\text{sen}(\theta/2) \end{pmatrix}; \quad \chi_-^{(r)} = \begin{pmatrix} e^{-i\phi}\text{sen}(\theta/2) \\ -\cos(\theta/2) \end{pmatrix}. \qquad [4.155]$$

Nota: você é sempre livre para multiplicar por um fator de fase arbitrário — $e^{i\phi}$, por exemplo —, portanto, sua resposta pode *não* se parecer exatamente com a minha.

Problema 4.31 Construa as matrizes de spin ($\mathbf{S}_x$, $\mathbf{S}_y$ e $\mathbf{S}_z$) para uma partícula de spin 1. *Dica:* quantos autoestados de $\mathbf{S}_z$ há? Determine a ação de $\mathbf{S}_z$, $\mathbf{S}_+$ e $\mathbf{S}_-$ em cada um desses estados. Siga o procedimento usado no texto para o spin 1/2.

4.4.2 Elétron em um campo magnético

Uma partícula carregada girando constitui um dipolo magnético. Seu **momento de dipolo magnético**, μ, é proporcional ao seu momento angular de spin, $\mathbf{S}$:

$$\boldsymbol{\mu} = \gamma \mathbf{S}; \qquad [4.156]$$

a constante de proporcionalidade, γ, é chamada de **razão giromagnética**.[30] Quando um dipolo magnético é posicionado em um campo magnético $\mathbf{B}$, experimenta um torque, $\boldsymbol{\mu} \times \mathbf{B}$, o qual tende a alinhá-lo paralelo ao campo (assim como a agulha de um compasso). A energia associada a esse torque é de[31]

$$H = -\boldsymbol{\mu} \cdot \mathbf{B}, \qquad [4.157]$$

e por isso o Hamiltoniano de uma partícula carregada girando, em repouso[32] em um campo magnético $\mathbf{B}$, é

$$H = -\gamma \mathbf{B} \cdot \mathbf{S}. \qquad [4.158]$$

Exemplo 4.3 **Precessão de Larmor:** imagine uma partícula de spin 1/2 em repouso em um campo magnético uniforme que aponte para a direção z:

$$\mathbf{B} = B_0 \hat{k}. \qquad [4.159]$$

O Hamiltoniano (Equação 4.158), na forma matricial, é

$$\mathbf{H} = -\gamma B_0 \mathbf{S}_z = -\frac{\gamma B_0 \hbar}{2}\begin{pmatrix} 1 & 0 \\ 0 & -1 \end{pmatrix}. \qquad [4.160]$$

---

[30] Veja, por exemplo, D. Griffiths, *Eletrodinâmica*, 3ª ed. (Pearson Prentice Hall, São Paulo, SP, 2011), página 175. Classicamente, a razão giromagnética de um objeto cuja carga e massa estão identicamente distribuídas é $q/2m$, em que q é a carga e m é a massa. Por razões que são explicadas apenas na teoria quântica relativística, a razão giromagnética do elétron é (quase) exatamente o *dobro* do valor clássico: $\gamma = -e/m$.

[31] Griffiths (nota de rodapé nº 30), página 177.

[32] Se a partícula está autorizada a se *mover*, haverá energia cinética a ser considerada; além disso, ela estará sujeita à força de Lorentz ($q\mathbf{v} \times \mathbf{B}$), a qual não é derivada da função de energia potencial e, portanto, não se encaixa na equação de Schrödinger como a formulamos até agora. Mostrarei, mais tarde, como lidar com isso (Problema 4.59), mas, por enquanto, vamos supor apenas que a partícula é livre para *rodar*, mas é estacionária.

Os autoestados de **H** são os mesmos de S_z:

$$\begin{cases} \chi_+, & \text{com energia } E_+ = -(\gamma B_0 \hbar)/2, \\ \chi_-, & \text{com energia } E_- = +(\gamma B_0 \hbar)/2. \end{cases} \qquad [4.161]$$

Evidentemente, a energia é mais baixa quando o momento dipolar é paralelo ao campo; classicamente, é assim que teria de ser.

Sendo o Hamiltoniano independente do tempo, a solução geral para a equação de Schrödinger dependente do tempo,

$$i\hbar \frac{\partial \chi}{\partial t} = \mathbf{H}\chi, \qquad [4.162]$$

pode ser expressa em termos de estados estacionários:

$$\chi(t) = a\chi_+ e^{-iE_+ t/\hbar} + b\chi_- e^{-iE_- t/\hbar} = \begin{pmatrix} ae^{i\gamma B_0 t/2} \\ be^{-i\gamma B_0 t/2} \end{pmatrix}.$$

As constantes a e b são determinadas pelas condições iniciais:

$$\chi(0) = \begin{pmatrix} a \\ b \end{pmatrix}$$

(é claro que $|a|^2 + |b|^2 = 1$). Sem perda de generalidade essencial,[33] escreverei $a = \cos(\alpha/2)$ e $b = \text{sen}(\alpha/2)$, em que α é um ângulo fixo cujo significado físico aparecerá em breve. Então,

$$\chi(t) = \begin{pmatrix} \cos(\alpha/2) e^{i\gamma B_0 t/2} \\ \text{sen}(\alpha/2) e^{-i\gamma B_0 t/2} \end{pmatrix}. \qquad [4.163]$$

Para termos noção do que está acontecendo aqui, vamos calcular o valor esperado de **S**, como uma função de tempo:

$$\langle S_x \rangle = \chi(t)^\dagger \mathbf{S}_x \chi(t) = (\cos(\alpha/2) e^{-i\gamma B_0 t/2} \quad \text{sen}(\alpha/2) e^{i\gamma B_0 t/2})$$

$$\times \frac{\hbar}{2} \begin{pmatrix} 0 & 1 \\ 1 & 0 \end{pmatrix} \begin{pmatrix} \cos(\alpha/2) e^{i\gamma B_0 t/2} \\ \text{sen}(\alpha/2) e^{-i\gamma B_0 t/2} \end{pmatrix} \qquad [4.164]$$

$$= \frac{\hbar}{2} \text{sen}\,\alpha \cos(\gamma B_0 t).$$

Similarmente,

$$\langle S_y \rangle = \chi(t)^\dagger \mathbf{S}_y \chi(t) = -\frac{\hbar}{2} \text{sen}\,\alpha \,\text{sen}(\gamma B_0 t), \qquad [4.165]$$

e

$$\langle S_z \rangle = \chi(t)^\dagger \mathbf{S}_z \chi(t) = \frac{\hbar}{2} \cos\alpha. \qquad [4.166]$$

Evidentemente, $\langle \mathbf{S} \rangle$ está inclinada em um ângulo constante α ao eixo z e precessiona em relação ao campo na **frequência de Larmor**

$$\omega = \gamma B_0, \qquad [4.167]$$

---

[33] Isso faz supor que a e b sejam *reais*; você pode resolver o caso geral se quiser, mas ele só adicionará uma constante para t.

assim como faria classicamente[34] (veja a Figura 4.10). Nada de *surpresas* até aqui; o teorema de Ehrenfest (na forma derivada no Problema 4.20) garante que $\langle \mathbf{S} \rangle$ evolui de acordo com as leis clássicas. Mas é bom ver como isso funciona em um contexto específico.

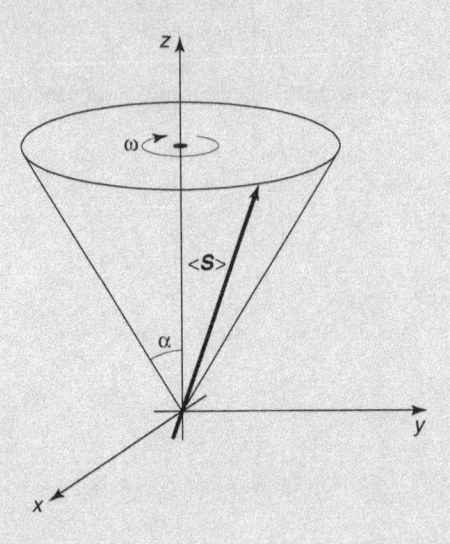

FIGURA 4.10 Precessão de $\langle \mathbf{S} \rangle$ em um campo magnético uniforme.

Exemplo 4.4 **O experimento de Stern-Gerlach:** em um campo magnético *não homogêneo*, não há apenas um *torque*, mas também uma *força* sobre um dipolo magnético:[35]

$$\mathbf{F} = \nabla(\boldsymbol{\mu} \cdot \mathbf{B}). \qquad [4.168]$$

Essa força pode ser usada para separar partículas com determinada orientação de spin, como veremos a seguir. Imagine um feixe de átomos neutros relativamente pesados,[36] movendo-se na direção y, que passe por uma região de campo magnético não homogêneo (Figura 4.11). Digamos que

$$\mathbf{B}(x,y,z) = -\alpha x \hat{i} + (B_0 + \alpha z)\hat{k}, \qquad [4.169]$$

em que B_0 é um forte campo uniforme e a constante α descreve um pequeno desvio da homogeneidade. (Na verdade, *gostaríamos* apenas da componente z, mas infelizmente isso é impossível; violaria a lei eletromagnética $\nabla \cdot \mathbf{B} = 0$; goste ou não, uma componente x também aparece.) A força nesses átomos é de

$$\mathbf{F} = \gamma\alpha(-S_x \hat{i} + S_z \hat{k}).$$

Mas por causa da precessão de Larmor sobre B_0, S_x oscila rapidamente e sua *média* é zero; a força *resultante* está na direção z:

$$F_z = \gamma\alpha S_z, \qquad [4.170]$$

---

34 Veja, por exemplo, *The Feynman Lectures on Physics* (Addison-Wesley, Reading, 1964), Volume II, Seção 34-3. É claro que no caso clássico é o próprio vetor de momento angular, e não somente seu valor esperado, que precessiona em torno do campo magnético.

35 Griffiths (nota de rodapé nº 30), página 177. Observe que **F** é o gradiente negativo da energia (Equação 4.157).

36 Nós os neutralizamos para evitar a deformação em grande escala, o que poderia resultar da força de Lorentz, e os tornamos pesados para que possamos construir pacotes de onda localizados e tratar o movimento em termos de trajetórias de partículas clássicas. Na prática, o experimento de Stern-Gerlach, por exemplo, não funciona com um feixe de elétrons livres.

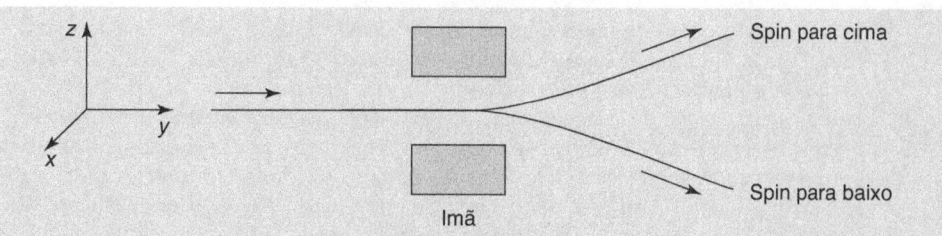

FIGURA 4.11 Aparato de Stern-Gerlach.

e o feixe é desviado para cima ou para baixo, na proporção da componente z do momento angular de spin. *Classicamente*, esperaríamos uma *mancha* (pois S_z não seria quantizada), mas, na verdade, o feixe se divide em $2s + 1$ correntes separadas, demonstrando exemplarmente a quantização do momento angular. (Se você usar átomos de prata, por exemplo, todos os elétrons internos estarão emparelhados de tal forma que seus momentos angulares orbital e de spin se cancelam. O spin resultante é simplesmente o do elétron mais externo (desemparelhado), de modo que, nesse caso, $s = 1/2$, e o feixe divide-se em dois.)

Aquele argumento era puramente *clássico*, até à última fase; a 'força' não tem lugar em um cálculo quântico adequado e, portanto, você pode preferir a abordagem seguinte para o mesmo problema.[37] Examinamos o processo a partir da perspectiva de um quadro de referência que se move juntamente com o feixe. Nesse quadro, o Hamiltoniano inicial é nulo, é ligado em um tempo T (conforme a partícula passa pelo ímã) e depois é desligado novamente:

$$H(t) = \begin{cases} 0, & \text{para } t < 0, \\ -\gamma(B_0 + \alpha z)S_z, & \text{para } 0 \leq t \leq T, \\ 0, & \text{para } t > T. \end{cases} \quad [4.171]$$

(Ignoro o complicado componente x de **B**, o qual, pelas razões indicadas anteriormente, é irrelevante ao problema.) Suponha que o átomo tenha spin 1/2 e seja iniciado no estado

$$\chi(t) = a\chi_+ + b\chi_-, \quad \text{para } t \leq 0.$$

Enquanto o Hamiltoniano age, $\chi(t)$ evolui da maneira usual:

$$\chi(t) = a\chi_+ e^{-iE_+ t/\hbar} + b\chi_- e^{-iE_- t/\hbar}, \quad \text{para } 0 \leq t \leq T,$$

em que (da Equação 4.158)

$$E_{\pm} = \mp\gamma(B_0 + \alpha z)\frac{\hbar}{2}, \quad [4.172]$$

e, portanto, emerge no estado

$$\chi(t) = \left(ae^{i\gamma TB_0/2}\chi_+\right)e^{i(\alpha\gamma T/2)z} + (be^{-i\gamma TB_0/2}\chi_-)e^{-i(\alpha\gamma T/2)z}, \quad [4.173]$$

(para $t \geq T$). Os dois termos agora carregam *momento* na direção z (veja a Equação 3.32); a componente de spin para cima tem momento

$$p_z = \frac{\alpha\gamma T\hbar}{2}, \quad [4.174]$$

e se move na direção de z positivo; a componente de spin para baixo tem o momento contrário e se move na direção de z negativo. Assim, o feixe se divide em dois, como antes. (Observe que a Equação 4.174 é coerente com o resultado anterior (Equação 4.170), pois, nesse caso, $S_z = \hbar/2$, e em $p_z = F_z T$.)

---

37 Esse argumento segue o de L. Ballentine (nota de rodapé nº 26), Seção 9.1.

O experimento de Stern-Gerlach desempenhou um papel importante na filosofia da mecânica quântica, em que serve tanto como protótipo para a preparação de um estado quântico quanto para um modelo esclarecedor a certo tipo de medição quântica. Casualmente, tendemos a pressupor que o estado *inicial* de um sistema é *conhecido* (a equação de Schrödinger nos diz como ele evolui posteriormente), mas é natural se perguntar como colocar um sistema em um determinado estado. Bem, se você quer preparar um feixe de átomos em dada configuração de spin, basta passar um feixe não polarizado através de um ímã de Stern-Gerlach e selecionar o feixe de saída no qual você está interessado (fechando os outros com defletores e persianas adequados). Inversamente, se você quiser *medir* a componente z do spin de um átomo, deve passá-lo pelo mecanismo de Stern-Gerlach e registrar em que posição ele aterrissa. Não afirmo que essa seja sempre a forma mais *prática* de se fazer o trabalho, mas é, *conceitualmente*, muito limpo e, portanto, um contexto útil para se explorar os problemas do estado de preparação e medição.

Problema 4.32 No Exemplo 4.3
  (a) Se você medir a componente de um momento angular de spin ao longo da direção x, no tempo t, qual é a probabilidade de que vá obter $+\hbar/2$?
  (b) Responda à mesma pergunta, mas para a componente y.
  (c) Responda à mesma pergunta, mas para a componente z.

Problema 4.33 Um elétron está em repouso em um campo magnético oscilante

$$\mathbf{B} = B_0 \cos(\omega t)\hat{k},$$

em que B_0 e ω são constantes.

  (a) Monte a matriz Hamiltoniana para esse sistema.
  (b) O elétron inicia (em $t = 0$) no estado de spin para cima em relação ao eixo x (isto é: $\chi(0) = \chi_+^{(x)}$). Determine $\chi(t)$ em qualquer tempo posterior. *Alerta:* esse é um Hamiltoniano *dependente* do tempo e, portanto, você não pode obter $\chi(t)$ da maneira usual a partir dos estados estacionários. Felizmente, nesse caso, você pode resolver a equação de Schrödinger dependente do tempo (Equação 4.162) diretamente.
  (c) Calcule a probabilidade de se obter $-\hbar/2$ ao medir S_x. *Resposta:*

$$\mathrm{sen}^2\left(\frac{\gamma B_0}{2\omega}\mathrm{sen}(\omega t)\right).$$

Qual é o campo mínimo (B_0) exigido para forçar um giro completo em S_x?

4.4.3 Soma de momentos angulares

Suponha que tenhamos *duas* partículas de spin 1/2, o elétron e o próton no estado fundamental[38] do hidrogênio, por exemplo. Como ambos podem ter spin para cima ou spin para baixo, há quatro possibilidades no total:[39]

$$\uparrow\uparrow, \uparrow\downarrow, \downarrow\uparrow, \downarrow\downarrow, \qquad [4.175]$$

em que a primeira seta se refere ao elétron, e, a segunda, ao próton. *Pergunta:* qual é o momento angular *total* do átomo? Seja

$$\mathbf{S} \equiv \mathbf{S}^{(1)} + \mathbf{S}^{(2)}. \qquad [4.176]$$

---

[38] Coloquei-os no estado fundamental, pois assim não haverá qualquer momento angular *orbital* com o qual se preocupar.

[39] Mais precisamente, cada partícula está em uma *combinação linear* de spin para cima e spin para baixo, e o sistema composto está em uma *combinação linear* dos quatro estados listados.

Cada um desses quatro estados compostos é um autoestado de S_z; as componentes z simplesmente se *somam*:

$$S_z \chi_1 \chi_2 = (S_z^{(1)} + S_z^{(2)})\chi_1 \chi_2 = (S_z^{(1)}\chi_1)\chi_2 + \chi_1(S_z^{(2)}\chi_2)$$
$$= (\hbar m_1 \chi_1)\chi_2 + \chi_1(\hbar m_2 \chi_2) = \hbar(m_1 + m_2)\chi_1 \chi_2$$

(note que $\mathbf{S}^{(1)}$ age somente em χ_1, e $\mathbf{S}^{(2)}$, somente em χ_2; essa notação pode não ser elegante, mas cumpre sua função.) Assim, m (o número quântico para o sistema composto) é somente $m_1 + m_2$:

$\uparrow\uparrow$: $m = 1$;
$\uparrow\downarrow$: $m = 0$;
$\downarrow\uparrow$: $m = 0$;
$\downarrow\downarrow$: $m = -1$.

À primeira vista, não parece certo: m supostamente deveria avançar em números inteiros, de $-s$ a $+s$, então parece que $s = 1$; mas há um estado 'extra' com $m = 0$. Uma forma de desvendar esse problema é aplicar o operador de abaixamento $S_- = S_-^{(1)} + S_-^{(2)}$ para o estado $\uparrow\uparrow$ usando a Equação 4.146:

$$S_-(\uparrow\uparrow) = (S_-^{(1)}\uparrow)\uparrow + \uparrow(S_-^{(2)}\uparrow)$$
$$= (\hbar\downarrow)\uparrow + \uparrow(\hbar\downarrow) = \hbar(\downarrow\uparrow + \uparrow\downarrow).$$

Evidentemente, os três estados com $s = 1$ são (na notação $|s\,m\rangle$):

$$\left\{\begin{array}{l} |1\,1\rangle = \uparrow\uparrow \\ |1\,0\rangle = \frac{1}{\sqrt{2}}(\uparrow\downarrow + \downarrow\uparrow) \\ |1\,-1\rangle = \downarrow\downarrow \end{array}\right\} \quad s = 1 \text{ (tripleto)}. \qquad [4.177]$$

(Para verificar se isso está correto, tente aplicar o operador de abaixamento para $|1\,0\rangle$; o que você *deveria* obter? Veja o problema 4.34(a).) Por razões óbvias, isso é chamado de combinação **tripleto**. Enquanto isso, o estado ortogonal com $m = 0$ carrega $s = 0$:

$$\left\{|0\,0\rangle = \frac{1}{\sqrt{2}}(\uparrow\downarrow - \downarrow\uparrow)\right\} \quad s = 0 \text{ (singleto)}. \qquad [4.178]$$

(Se você aplicar os operadores de levantamento e abaixamento para *esse* estado, obterá zero. Veja o Problema 4.34(b).)

Afirmo que a combinação de duas partículas de spin 1/2 pode carregar um spin total de 1 ou 0, dependendo se ocupam a configuração tripleto ou singleto. Para *confirmar* isso, preciso provar que os estados tripletos são autovetores de S^2 com autovalor $2\hbar^2$ e que o estado singleto é um autovetor de S^2 com autovalor 0. Então,

$$S^2 = (\mathbf{S}^{(1)} + \mathbf{S}^{(2)})\cdot(\mathbf{S}^{(1)} + \mathbf{S}^{(2)}) = (S^{(1)})^2 + (S^{(2)})^2 + 2\mathbf{S}^{(1)}\cdot\mathbf{S}^{(2)}. \qquad [4.179]$$

Usando as equações 4.145 e 4.147, temos

$$\mathbf{S}^{(1)}\cdot\mathbf{S}^{(2)}(\uparrow\downarrow) = (S_x^{(1)}\uparrow)(S_x^{(2)}\downarrow) + (S_y^{(1)}\uparrow)(S_y^{(2)}\downarrow) + (S_z^{(1)}\uparrow)(S_z^{(2)}\downarrow)$$
$$= \left(\frac{\hbar}{2}\downarrow\right)\left(\frac{\hbar}{2}\uparrow\right) + \left(\frac{i\hbar}{2}\downarrow\right)\left(\frac{-i\hbar}{2}\uparrow\right) + \left(\frac{\hbar}{2}\uparrow\right)\left(\frac{-\hbar}{2}\downarrow\right)$$
$$= \frac{\hbar^2}{4}(2\downarrow\uparrow - \uparrow\downarrow).$$

Similarmente,
$$\mathbf{S}^{(1)} \cdot \mathbf{S}^{(2)}(\downarrow\uparrow) = \frac{\hbar^2}{4}(2\uparrow\downarrow - \downarrow\uparrow).$$

Segue-se que

$$\mathbf{S}^{(1)} \cdot \mathbf{S}^{(2)}|1\ 0\rangle = \frac{\hbar^2}{4}\frac{1}{\sqrt{2}}(2\downarrow\uparrow - \uparrow\downarrow + 2\uparrow\downarrow - \downarrow\uparrow) = \frac{\hbar^2}{4}|1\ 0\rangle, \qquad [4.180]$$

e

$$\mathbf{S}^{(1)} \cdot \mathbf{S}^{(2)}|0\ 0\rangle = \frac{\hbar^2}{4}\frac{1}{\sqrt{2}}(2\downarrow\uparrow - \uparrow\downarrow - 2\uparrow\downarrow + \downarrow\uparrow) = \frac{3\hbar^2}{4}|0\ 0\rangle. \qquad [4.181]$$

Retornando à Equação 4.179 (e usando a Equação 4.142), concluímos que

$$S^2|1\ 0\rangle = \left(\frac{3\hbar^2}{4} + \frac{3\hbar^2}{4} + 2\frac{\hbar^2}{4}\right)|1\ 0\rangle = 2\hbar^2|1\ 0\rangle, \qquad [4.182]$$

de forma que $|1\ 0\rangle$ é, de fato, um autoestado de S^2 com autovalor $2\hbar^2$; e

$$S^2|0\ 0\rangle = \left(\frac{3\hbar^2}{4} + \frac{3\hbar^2}{4} - 2\frac{3\hbar^2}{4}\right)|0\ 0\rangle = 0, \qquad [4.183]$$

portanto, $|0\ 0\rangle$ é um autoestado de S^2 com autovalor 0. (Deixarei a você a missão de confirmar que $|1\ 1\rangle$ e $|1\ -1\rangle$ são autoestados de S^2, com o autovalor apropriado. Veja o Problema 4.34(c).)

O que acabamos de fazer (combinando spin 1/2 com spin 1/2 para obter spin 1 e spin 0) é o exemplo mais simples de um problema amplo: se você combina o spin s_1 com o spin s_2, quais spins s totais você obtém?[40] A resposta[41] é que você obtém cada spin de $(s_1 + s_2)$ até $(s_1 - s_2)$, ou $(s_2 - s_1)$, se $s_2 > s_1$ em degraus inteiros:

$$s = (s_1 + s_2),\ (s_1 + s_2 - 1),\ (s_1 + s_2 - 2), ...,\ |s_1 - s_2|. \qquad [4.184]$$

(A grosso modo, o maior spin total acontece quando os spins individuais estão alinhados paralelamente um ao outro, e o menor acontece quando eles estão desalinhados.) Por exemplo, se você junta uma partícula de spin 3/2 com uma partícula de spin 2, poderia obter um spin total de 7/2, 5/2, 3/2 ou 1/2; depende da configuração. Outro exemplo: se um átomo de hidrogênio está no estado ψ_{nlm}, o momento angular líquido do elétron (spin mais orbital) é $l + 1/2$ ou $l - 1/2$ então, se você jogar o spin do *próton*, o número quântico do momento angular *total* do átomo será $l+1$, l ou $l - 1$ (e pode-se chegar a l de duas maneiras distintas, a depender de o elétron sozinho estar na configuração $l + 1/2$ ou na configuração $l - 1/2$).

O estado combinado $|s\ m\rangle$ com spin total s e componente z igual a m será alguma combinação linear dos estados compostos $|s_1 m_1\rangle |s_2 m_2\rangle$:

$$|sm\rangle = \sum_{m_1+m_2=m} C^{s_1 s_2 s}_{m_1 m_2 m} |s_1 m_1\rangle|s_2 m_2\rangle \qquad [4.185]$$

(e como as componentes z se *adicionam*, os únicos estados compostos que contribuem são aqueles em que $m_1 + m_2 = m$). As equações 4.177 e 4.178 são casos especiais dessa forma geral, com $s_1 = s_2 = 1/2$ (usei a notação informal $\uparrow = \left|\frac{1}{2}\frac{1}{2}\right\rangle$, $\downarrow = \left|\frac{1}{2}\left(-\frac{1}{2}\right)\right\rangle$). As constantes $C^{s_1 s_2 s}_{m_1 m_2 m}$ são chamadas de **coeficientes de Clebsch-Gordan**. Alguns dos casos mais simples estão listados na Tabela 4.8.[42] Por exemplo, a coluna sombreada da tabela 2 × 1 nos diz que

$$|3\ 0\rangle = \tfrac{1}{\sqrt{5}}|21\rangle|1-1\rangle + \sqrt{\tfrac{3}{5}}|20\rangle|10\rangle + \tfrac{1}{\sqrt{5}}|2-1\rangle|11\rangle.$$

---

[40] Uso o termo *spins* para simplificar, mas qualquer um (ou ambos) poderia ser também o momento angular *orbital* (para o qual, entretanto, usaríamos a letra *l*).

[41] Para tirar a prova, você deve consultar um texto mais avançado; veja, por exemplo, Claude Cohen-Tannoudji, Bernard Diu e Franck Laloë, *Quantum Mechanics* (Wiley, Nova York, 1977), Vol. 2, Capítulo X.

[42] A fórmula geral é obtida em Arno Bohm, *Quantum Mechanics: Foundations and Applications*, 2ª ed. (Springer, 1986), p. 172.

TABELA 4.8 Coeficientes de Clebsch-Gordan. (Um sinal de raiz quadrada está implícito para cada entrada; o sinal negativo, se presente, fica do *lado de fora* do radical.)

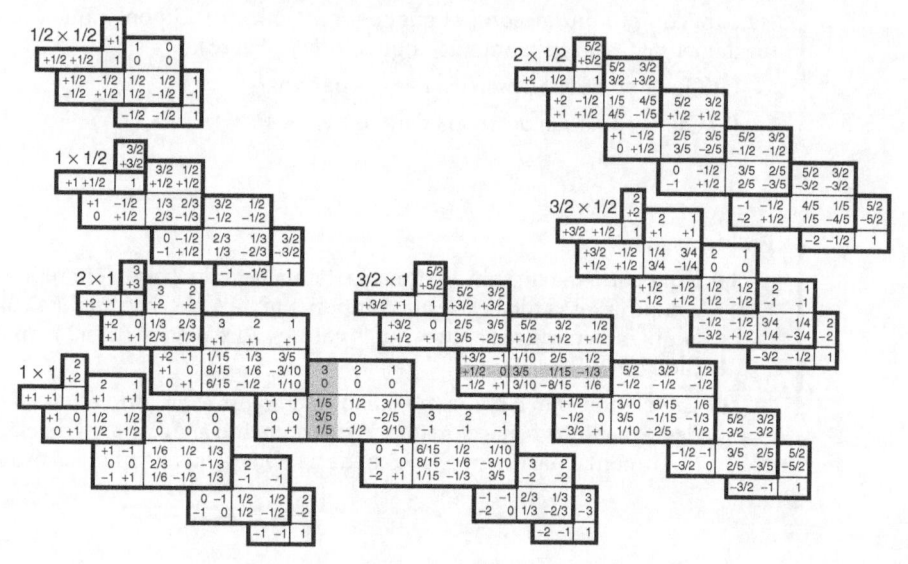

Em especial, se duas partículas (de spin 2 e 1) estão em repouso em uma caixa e o spin *total* for 3, e sua componente z for 0, então a medição de $S_z^{(1)}$ poderia resultar em $\hbar$ (com probabilidade 1/5), ou 0 (com probabilidade 3/5) ou $-\hbar$ (com probabilidade 1/5). Observe que a soma das probabilidades é 1 (a soma dos quadrados de qualquer coluna na tabela Clebsch-Gordan é 1).

Essas tabelas também funcionam ao contrário:

$$|s_1 m_1\rangle |s_2 m_2\rangle = \sum_s C^{s_1 s_2 s}_{m_1 m_2 m} |s m\rangle. \quad [4.186]$$

Por exemplo, a *linha* sombreada na tabela 3/2 x 1 nos diz que

$$|\tfrac{3}{2}\tfrac{1}{2}\rangle |10\rangle = \sqrt{\tfrac{3}{5}} |\tfrac{5}{2}\tfrac{1}{2}\rangle + \sqrt{\tfrac{1}{15}} |\tfrac{3}{2}\tfrac{1}{2}\rangle - \sqrt{\tfrac{1}{3}} |\tfrac{1}{2}\tfrac{1}{2}\rangle.$$

Se você colocar partículas de spin 3/2 e spin 1 na caixa e souber que a primeira tem $m_1 = 1/2$ e a segunda $m_2 = 0$ (logo, m é necessariamente 1/2), e medir o spin *total*, s, poderia obter 5/2 (com probabilidade 3/5), 3/2 (com probabilidade 1/15) ou 1/2 (com probabilidade 1/3). Novamente, a soma das probabilidades é 1 (a soma dos quadrados de cada *linha* na tabela Clebsch-Gordan é 1).

Se você acha que isso está começando a parecer numerologia mística, eu não o culpo. Não usaremos muito a tabela Clebsch-Gordan no restante do livro, mas quero que você saiba onde os coeficientes apresentados na tabela se encaixam no esquema para o caso de você encontrá-los mais adiante. No sentido matemático, tudo isso é **teoria de grupos** aplicada. Estamos falando sobre decomposição do produto direto de duas representações irredutíveis do grupo de rotação em uma soma direta de representações irredutíveis (você pode usar isso em uma conversa para impressionar seus amigos).

*Problema 4.34

(a) Aplique S_- a $|1\,0\rangle$ (Equação 4.177) e confirme a obtenção de $\sqrt{2}\hbar |1-1\rangle$.

(b) Aplique $S_\pm$ a $|0\,0\rangle$ (Equação 4.178) e confirme a obtenção de zero.

(c) Demonstre que $|1\,1\rangle$ e $|1-1\rangle$ (Equação 4.177) são autoestados de S^2 com o autovalor adequado.

Problema 4.35 **Quarks** carregam spin 1/2. Três quarks se juntam para compor um **bárion** (assim como o próton e o nêutron); dois quarks (ou, mais precisamente, um quark e um antiquark) unem-se para compor um **méson** (tal qual o píon e o káon). Suponha que os quarks estejam no estado fundamental (assim, o momento angular *orbital* é zero).

(a) Quais spins são possíveis para os bárions?

(b) Quais spins são possíveis para os mésons?

Problema 4.36

(a) Uma partícula de spin 1 e uma partícula de spin 2 estão em repouso em uma configuração em que a soma total é 3 e sua componente z é $\hbar$. Se você medir a componente z do momento angular da partícula spin 2, quais valores você deverá obter? E qual será a probabilidade de cada um?

(b) Um elétron com o spin para baixo está no estado ψ_{510} do átomo de hidrogênio. Se você pudesse medir somente o quadrado do momento angular total do elétron (*não* incluindo o spin do próton), quais valores você poderia obter e quais seriam as probabilidades de cada um?

Problema 4.37
Determine o comutador de S^2 com $S_z^{(1)}$ (em que $\mathbf{S} \equiv \mathbf{S}^{(1)} + \mathbf{S}^{(2)}$). Generalize seu resultado para mostrar que

$$[S^2, \mathbf{S}^{(1)}] = 2i\hbar(\mathbf{S}^{(1)} \times \mathbf{S}^{(2)}). \quad [4.187]$$

Comentário: como $S_z^{(1)}$ não comuta com S^2, não podemos esperar encontrar estados que sejam simultaneamente autovetores de ambos. Para formar autoestados de S^2 precisamos de *combinações lineares* de autoestados de $S_z^{(1)}$. Isso é precisamente o que os coeficientes de Clebsch-Gordan (na Equação 4.185) fazem por nós. Por outro lado, segue-se por dedução óbvia, com base na Equação 4.187, que a *soma* $\mathbf{S}^{(1)} + \mathbf{S}^{(2)}$ *comuta* com S^2, que é um caso especial de algo que já sabíamos (veja a Equação 4.103).

Mais problemas para o Capítulo 4

*****Problema 4.38** Considere o **oscilador harmônico tridimensional** para o qual o potencial é

$$V(r) = \frac{1}{2}m\omega^2 r^2. \quad [4.188]$$

(a) Demonstre que a separação de variáveis em coordenadas cartesianas transforma isso em três osciladores unidimensionais e explore seu conhecimento do último para determinar as energias permitidas. *Resposta:*

$$E_n = (n + 3/2)\hbar\omega. \quad [4.189]$$

(b) Determine a degenerescência $d(n)$ de E_n.

*******Problema 4.39** Como o potencial do oscilador harmônico tridimensional (Equação 4.188) é esfericamente simétrico, a equação de Schrödinger pode ser tratada pela separação de variáveis em coordenadas *esféricas*, bem como em coordenadas cartesianas. Use o método de série de potências para resolver a equação radial. Calcule a fórmula de recursão para os coeficientes e determine as energias permitidas. Verifique sua resposta comparando-a com a Equação 4.189.

******Problema 4.40**

(a) Prove o **teorema do virial tridimensional**:

$$2\langle T \rangle = \langle \mathbf{r} \cdot \nabla V \rangle \quad [4.190]$$

(para estados estacionários). *Dica:* consulte o Problema 3.31.

(b) Aplique o teorema do virial ao caso do hidrogênio e demonstre que

$$\langle T \rangle = -E_n; \quad \langle V \rangle = 2E_n. \quad [4.191]$$

(c) Aplique o teorema do virial ao oscilador harmônico tridimensional (Problema 4.38) e demonstre que, nesse caso

$$\langle T \rangle = \langle V \rangle = E_n / 2. \quad [4.192]$$

*******Problema 4.41** [Tente resolver esse problema somente se estiver familiarizado com cálculo vetorial.] Defina a **corrente de probabilidade** (tridimensional) por generalização do Problema 1.14:

$$\mathbf{J} \equiv \frac{i\hbar}{2m}(\Psi \nabla \Psi^* - \Psi^* \nabla \Psi). \quad [4.193]$$

(a) Demonstre que **J** satisfaz a **equação de continuidade**

$$\nabla \cdot \mathbf{J} = -\frac{\partial}{\partial t}|\Psi|^2, \quad [4.194]$$

a qual expressa **conservação de probabilidade** local. Segue-se (do teorema de divergência) que

$$\int_S \mathbf{J} \cdot d\mathbf{a} = -\frac{d}{dt}\int_\mathcal{V} |\Psi|^2 \, d^3\mathbf{r}, \quad [4.195]$$

em que $\mathcal{V}$ é um volume (fixo), e $\mathcal{S}$, o contorno superficial. Em outras palavras: o fluxo de probabilidade através da superfície é igual à diminuição da probabilidade de se encontrar a partícula no volume.

(b) Encontre **J** para o hidrogênio no estado $n = 2, l = 1$ e $m = 1$. Resposta:

$$\frac{\hbar}{64\pi m a^5} r e^{-r/a} \operatorname{sen}\theta \, \hat{\phi}.$$

(c) Se interpretarmos $m\mathbf{J}$ como o fluxo de *massa*, o momento angular será

$$\mathbf{L} = m \int (\mathbf{r} \times \mathbf{J}) d^3\mathbf{r}.$$

Use isso para calcular L_z para o estado ψ_{211} e comente o resultado.

***Problema 4.42** A **função de onda no espaço de momento** (independente do tempo) em três dimensões é definida pela generalização natural da Equação 3.54:

$$\phi(\mathbf{p}) \equiv \frac{1}{(2\pi\hbar)^{3/2}} \int e^{-i(\mathbf{p}\cdot\mathbf{r})/\hbar} \psi(\mathbf{r}) d^3\mathbf{r}. \quad [4.196]$$

(a) Calcule a função de onda no espaço de momento para o estado fundamental do hidrogênio (Equação 4.80). *Dica:* use coordenadas esféricas, escolhendo o eixo polar na direção de **p**. Resolva a integral em ϕ primeiro. *Resposta:*

$$\phi(\mathbf{p}) = \frac{1}{\pi}\left(\frac{2a}{\hbar}\right)^{3/2} \frac{1}{[1+(ap/\hbar)^2]^2}. \quad [4.197]$$

(b) Certifique-se de que $\phi(\mathbf{p})$ esteja normalizada.
(c) Use $\phi(\mathbf{p})$ para calcular $\langle p^2 \rangle$ no estado fundamental do hidrogênio.
(d) Qual é o valor esperado da energia cinética nesse estado? Expresse sua resposta como múltiplo de E_1 e verifique se ela é coerente com o teorema do virial (Equação 4.191).

Problema 4.43

(a) Construa a função de onda espacial (ψ) para o hidrogênio no estado $n = 3, l = 2$ e $m = 1$. Expresse sua resposta como função *somente* de r, θ, ϕ e de a (o raio de Bohr); nenhuma outra variável (p, z etc.), função (Y, v etc.), constante (A, c_0 etc.) ou derivada são permitidas (π pode, além de e e 2 etc.).

(b) Verifique se essa função de onda está adequadamente normalizada executando as integrais adequadas sobre r, θ e ϕ.

(c) Calcule os valores esperados de r^s nesse estado. Para qual intervalo de s (positivo e negativo) o resultado é finito?

Problema 4.44

(a) Monte a função de onda para o hidrogênio no estado $n = 4, l = 3, m = 3$. Expresse sua resposta como função de coordenadas esféricas r, θ e ϕ.

(b) Calcule o valor esperado de r nesse estado. (Como sempre, procure por qualquer integral não trivial.)

(c) Se você pudesse, de alguma maneira, medir o observável $L_x^2 + L_y^2$ em um átomo nesse estado, qual valor (ou valores) poderia obter e quais seriam as probabilidades de cada um?

Problema 4.45 Qual é a probabilidade de que um elétron no estado fundamental do hidrogênio seja encontrado *dentro do núcleo*?

(a) Primeiro calcule a resposta *exata*, supondo que a função de onda (Equação 4.80) esteja correta para $r = 0$. Seja b o raio do núcleo.

(b) Expanda o resultado que você obtém como uma série de potências de $\epsilon \equiv 2b/a$ pequeno e mostre que o termo de mais baixa ordem é o cúbico $P \approx (4/3)(b/a)^3$. Essa deve ser uma aproximação adequada, contanto que $b \ll a$ (o que é verdade).

(c) Como alternativa, poderíamos supor que $\psi(r)$ é essencialmente constante sobre o (pequeno) volume do núcleo, tal que $P \approx (4/3)\pi b^3 |\psi(0)|^2$. Certifique-se de que obterá a mesma resposta dessa maneira.

(d) Use $b \approx 10^{-15}$ m e $a \approx 0{,}5 \times 10^{-10}$ m para obter uma estimativa numérica para P. A grosso modo, isso representa a 'fração de seu tempo que o elétron gasta dentro do núcleo'.

Problema 4.46

(a) Utilize a fórmula de recursão (Equação 4.76) para confirmar que quando $l = n - 1$ a função de onda radial toma a seguinte forma:

$$R_{n(n-1)} = N_n r^{n-1} e^{-r/na},$$

e determine a normalização constante N_n por integração direta.

(b) Calcule $\langle r \rangle$ e $\langle r^2 \rangle$ para estados na forma de $\psi_{n(n-1)m}$.

(c) Demonstre que a 'incerteza' em r (σ_r) é $\langle r \rangle/\sqrt{2n+1}$ para tais estados. Note que a propagação fracionada em r diminui com o aumento de n (nesse sentido, o sistema 'começa a parecer clássico', com 'órbitas' circulares identificáveis para n grande). Esboce as funções de onda radiais para vários valores de n, ilustrando esse ponto.

Problema 4.47 Linhas coincidentes espectrais.[43]
De acordo com a fórmula de Rydberg (Equação 4.93),

---

[43] Nicholas Wheeler, 'Coincident Spectral Lines' (não publicado, Reed College report, 2001).

o comprimento de onda de uma linha no espectro do hidrogênio é determinado pelos números quânticos principais dos estados inicial e final. Calcule dois pares distintos $\{n_i, n_f\}$ que produzam o *mesmo* λ. Por exemplo, {6851, 6409} e {15283, 11687} serviriam, mas você não está autorizado a usá-los!

Problema 4.48 Considere os observáveis $A = x^2$ e $B = L_z$.

(a) Monte o princípio da incerteza para $\sigma_A \sigma_B$.

(b) Avalie σ_B no estado ψ_{nlm} do hidrogênio.

(c) O que você pode concluir sobre $\langle xy \rangle$ nesse estado?

Problema 4.49 Um elétron está no estado de spin

$$\chi = A \begin{pmatrix} 1-2i \\ 2 \end{pmatrix}.$$

(a) Determine a constante A normalizando χ.

(b) Se você medir S_z nesse elétron, quais valores você poderia obter e quais seriam as probabilidades de cada um? Qual é o valor esperado de S_z?

(c) Se você medir S_x nesse elétron, quais valores você poderia obter e quais seriam as probabilidades de cada um? Qual é o valor esperado de S_x?

(d) Se você medir S_y nesse elétron, quais valores você poderia obter e quais seriam as probabilidades de cada um? Qual é o valor esperado de S_y?

*****Problema 4.50** Suponha que duas partículas de spin 1/2 sejam conhecidas por terem configuração singleto (Equação 4.178). Seja $S_a^{(1)}$ a componente do momento angular de spin da partícula de número 1, na direção definida pelo vetor unitário $\hat{a}$. Similarmente, seja $S_b^{(2)}$ a componente do momento angular da partícula de número 2 na direção $\hat{b}$. Mostre que

$$\langle S_a^{(1)} S_b^{(2)} \rangle = -\frac{\hbar^2}{4}\cos\theta, \qquad [4.198]$$

em que θ é o ângulo entre $\hat{a}$ e $\hat{b}$.

*****Problema 4.51**

(a) Resolva os coeficientes de Clebsch-Gordan para o caso $s_1 = 1/2$, $s_2 = $ qualquer coisa. *Dica:* você está à procura dos coeficientes A e B em

$$|s\,m\rangle = A\,|\tfrac{1}{2}\tfrac{1}{2}\rangle\,|s_2(m-\tfrac{1}{2})\rangle + B\,|\tfrac{1}{2}(-\tfrac{1}{2})\rangle\,|s_2(m+\tfrac{1}{2})\rangle,$$

tal que $|s\,m\rangle$ é um autoestado de S^2. Utilize o método aplicado nas equações 4.179 até 4.182. Se não conseguir entender o que $S_x^{(2)}$ (por exemplo) faz para $|\,s_2\,m_2\rangle$, consulte a Equação 4.136 e a linha antes da Equação 4.147. *Resposta:*

$$A = \sqrt{\frac{s_2 \pm m + 1/2}{2s_2+1}};\quad B = \pm\sqrt{\frac{s_2 \mp m + 1/2}{2s_2+1}},$$

em que os sinais são determinados por $s = s_2 \pm 1/2$.

(b) Verifique esse resultado geral comparando com três ou quatro registros na Tabela 4.8.

Problema 4.52 Encontre a matriz que representa S_x para a partícula de spin 3/2 (usando, como sempre, a base dos autoestados de S_z). Resolva a equação característica para determinar os autovalores de S_x.

*****Problema 4.53** Trabalhe as matrizes de spin para spin arbitrário s, generalizando spin 1/2 (equações 4.145 e 4.147), spin 1 (Problema 4.31) e spin 3/2 (Problema 4.52). *Resposta:*

$$\mathbf{S}_z = \hbar \begin{pmatrix} s & 0 & 0 & \cdots & 0 \\ 0 & s-1 & 0 & \cdots & 0 \\ 0 & 0 & s-2 & \cdots & 0 \\ \vdots & \vdots & \vdots & \cdots & \vdots \\ 0 & 0 & 0 & \cdots & -s \end{pmatrix}$$

$$\mathbf{S}_x = \frac{\hbar}{2} \begin{pmatrix} 0 & b_s & 0 & 0 & \cdots & 0 & 0 \\ b_s & 0 & b_{s-1} & 0 & \cdots & 0 & 0 \\ 0 & b_{s-1} & 0 & b_{s-2} & \cdots & 0 & 0 \\ 0 & 0 & b_{s-2} & 0 & \cdots & 0 & 0 \\ \vdots & \vdots & \vdots & \vdots & \cdots & \vdots & \vdots \\ 0 & 0 & 0 & 0 & \cdots & 0 & b_{-s+1} \\ 0 & 0 & 0 & 0 & \cdots & b_{-s+1} & 0 \end{pmatrix}$$

$$\mathbf{S}_y = \frac{\hbar}{2} \begin{pmatrix} 0 & -ib_s & 0 & 0 & \cdots & 0 & 0 \\ ib_s & 0 & -ib_{s-1} & 0 & \cdots & 0 & 0 \\ 0 & ib_{s-1} & 0 & -ib_{s-2} & \cdots & 0 & 0 \\ 0 & 0 & ib_{s-2} & 0 & \cdots & 0 & 0 \\ \vdots & \vdots & \vdots & \vdots & \cdots & \vdots & \vdots \\ 0 & 0 & 0 & 0 & \cdots & 0 & -ib_{-s+1} \\ 0 & 0 & 0 & 0 & \cdots & ib_{-s+1} & 0 \end{pmatrix}$$

em que

$$b_j \equiv \sqrt{(s+j)(s+1-j)}.$$

*****Problema 4.54** Resolva o fator de normalização para os harmônicos esféricos da seguinte maneira: da Seção 4.1.2 sabemos que

$$Y_l^m = B_l^m e^{im\phi} P_l^m(\cos\theta);$$

o problema é determinar o fator B_l^m (o qual *citei*, mas não calculei, na Equação 4.32). Utilize as equações 4.120, 4.121 e 4.130 para obter uma relação de recursão que resulte em B_l^{m+1} em termos de B_l^m. Você deve resolvê-la por indução em m para obter B_l^m até uma constante geral, $C(l)$. Por fim, utilize o resultado do Problema 4.22 para fixar a constante. A seguinte fórmula para a derivada de uma função associada de Legendre pode ser útil:

$$(1-x^2)\frac{d\,P_l^m}{dx} = \sqrt{1-x^2}\,P_l^{m+1} - mx\,P_l^m. \qquad [4.199]$$

Problema 4.55 O elétron em um átomo de hidrogênio ocupa o estado combinado de spin e posição

$$R_{21}\left(\sqrt{1/3}\, Y_1^0 \chi_+ + \sqrt{2/3}\, Y_1^1 \chi_- \right).$$

(a) Se você medir o quadrado do momento angular orbital (L^2), quais valores você pode obter e quais as probabilidades de cada um?

(b) Responda à mesma questão para a componente z do momento angular orbital (L_z).

(c) Responda à mesma questão para o quadrado do momento angular de spin (S^2).

(d) Responda à mesma questão para a componente z do momento angular de spin (S_z).

Seja $\mathbf{J} \equiv \mathbf{L} + \mathbf{S}$ o momento angular *total*.

(e) Se você medir J^2, quais valores obterá e quais as probabilidades de cada um?

(f) Responda à mesma questão para J_z.

(g) Se você medir a *posição* da partícula, qual será a densidade de probabilidade de encontrá-la em r, θ e ϕ?

(h) Se você medir a componente z do spin *e* a distância da origem (note que essas são observáveis compatíveis), qual é a densidade de probabilidade de encontrar a partícula com spin para cima e no raio r?

***Problema 4.56**

(a) Para uma função $f(\phi)$, que pode ser expandida em uma série de Taylor, demonstre que

$$f(\phi + \varphi) = e^{iL_z\varphi/\hbar} f(\phi)$$

(em que φ é um ângulo arbitrário). Por essa razão, $L_z/\hbar$ é chamado de **gerador de rotações** sobre o eixo z. *Dica:* utilize a Equação 4.129 e consulte o Problema 3.39.

Em geral, $\mathbf{L} \cdot \hat{n}/\hbar$ é o gerador de rotações na direção $\hat{n}$, no sentido de que $\exp(i\mathbf{L} \cdot \hat{n}\varphi/\hbar)$ realiza a rotação pelo ângulo φ (respeitando a regra da mão direita) sobre o eixo $\hat{n}$. No caso do *spin*, o gerador de rotações é $\mathbf{S} \cdot \hat{n}/\hbar$. Em especial, para spin 1/2

$$\chi' = e^{i(\boldsymbol{\sigma}\cdot\hat{n})\varphi/2} \chi \qquad [4.200]$$

nos diz como *spinores* giram.

(b) Monte a matriz (2 x 2) que representa a rotação de 180° sobre o eixo x e mostre que ela converte o 'spin para cima' (χ_+) em 'spin para baixo' (χ_-), como era de se esperar.

(c) Monte a matriz que representa a rotação de 90° sobre o eixo y e verifique o que ela faz com χ_+.

(d) Monte a matriz que representa a rotação de 360° sobre o eixo z. Se a resposta não é bem o que você esperava, discuta suas implicações.

(e) Demonstre que

$$e^{i(\boldsymbol{\sigma}\cdot\hat{n})\varphi/2} = \cos(\varphi/2) + i(\hat{n}\cdot\boldsymbol{\sigma})\mathrm{sen}(\varphi/2). \qquad [4.201]$$

**Problema 4.57 As relações de comutação fundamentais para o momento angular (Equação 4.99) permitem autovalores semi-inteiros (bem como inteiros). Mas, para o momento angular *orbital*, apenas os valores inteiros ocorrem. Deve haver alguma restrição *extra* na forma específica $\mathbf{L} = \mathbf{r} \times \mathbf{p}$ que exclui os valores semi-inteiros.[44] Seja a uma constante conveniente para as dimensões de comprimento (o raio de Bohr, por exemplo, se estivermos falando de hidrogênio), defina os operadores

$$q_1 \equiv \frac{1}{\sqrt{2}}\left[x + (a^2/\hbar)p_y\right]; \quad p_1 \equiv \frac{1}{\sqrt{2}}\left[p_x - (\hbar/a^2)y\right];$$

$$q_2 \equiv \frac{1}{\sqrt{2}}\left[x - (a^2/\hbar)p_y\right]; \quad p_2 \equiv \frac{1}{\sqrt{2}}\left[p_x + (\hbar/a^2)y\right].$$

(a) Verifique que $[q_1, q_2] = [p_1, p_2] = 0$; $[q_1, p_1] = [q_2, p_2] = i\hbar$. Desse modo, os q e os p satisfazem as relações de comutação canônicas para posição e momento, e aqueles do índice 1 são compatíveis com os do índice 2.

(b) Demonstre que

$$L_z = \frac{\hbar}{2a^2}\left(q_1^2 - q_2^2\right) + \frac{a^2}{2\hbar}\left(p_1^2 - p_2^2\right).$$

(c) Verifique que $L_z = H_1 - H_2$, em que cada H é o Hamiltoniano para um oscilador harmônico com massa $m = \hbar/a^2$ e frequência $\omega = 1$.

(d) Sabemos que os autovalores do Hamiltoniano do oscilador harmônico são $(n + 1/2)\hbar\omega$, em que $n = 0, 1, 2, \ldots$ (Na teoria algébrica da Seção 2.3.1, isso decorre da forma do Hamiltoniano e das relações de comutação canônicas.) Utilize essa informação para concluir que os autovalores de L_z devem ser inteiros.

Problema 4.58 Deduza a condição de incerteza mínima em S_x e S_y (ou seja, a *igualdade* na expressão $\sigma_{S_x}\sigma_{S_y} \geq (\hbar/2)|\langle S_z\rangle|$), para uma partícula de spin 1/2 no estado genérico (Equação 4.139). *Resposta:* sem perda de generalidade, podemos escolher a para ser real; então, a condição para a incerteza mínima é a de que b seja tanto puramente real quanto puramente imaginário.

***Problema 4.59** Na eletrodinâmica clássica, a força sobre uma partícula de carga q movendo-se com velocidade $\mathbf{v}$ através de campos elétricos e magnéticos $\mathbf{E}$ e $\mathbf{B}$ é dada pela **lei da força de Lorentz**:

$$\mathbf{F} = q(\mathbf{E} + \mathbf{v} \times \mathbf{B}). \qquad [4.202]$$

Essa força não pode ser expressa como o gradiente de uma função escalar de energia potencial, e, portanto, a equação de Schrödinger em sua forma original (Equação 1.1) não pode aceitá-la. Porém, na forma mais sofisticada

$$i\hbar\frac{\partial\Psi}{\partial t} = H\Psi \qquad [4.203]$$

---

44 Esse problema se baseia no argumento de Ballentine (nota de rodapé nº 26), página 127.

não há problema; o Hamiltoniano clássico[45] é

$$H = \frac{1}{2m}(\mathbf{p} - q\mathbf{A})^2 + q\varphi \quad [4.204]$$

em que $\mathbf{A}$ é o potencial vetor ($\mathbf{B} = \nabla \times \mathbf{A}$) e φ é o potencial escalar ($\mathbf{E} = -\nabla\varphi - \partial\mathbf{A}/\partial t$), então, a equação de Schrödinger (feita a substituição canônica $\mathbf{p} \to (\hbar/i)\nabla$) se transforma em

$$i\hbar\frac{\partial \Psi}{\partial t} = \left[\frac{1}{2m}\left(\frac{\hbar}{i}\nabla - q\mathbf{A}\right)^2 + q\varphi\right]\Psi. \quad [4.205]$$

(a) Demonstre que

$$\frac{d\langle\mathbf{r}\rangle}{dt} = \frac{1}{m}\langle(\mathbf{p} - q\mathbf{A})\rangle. \quad [4.206]$$

(b) Como sempre (veja a Equação 1.32), identificamos $d\langle\mathbf{r}\rangle/dt$ com $\langle\mathbf{v}\rangle$. Demonstre que

$$m\frac{d\langle\mathbf{v}\rangle}{dt} = q\langle\mathbf{E}\rangle + \frac{q}{2m}\langle(\mathbf{p}\times\mathbf{B} - \mathbf{B}\times\mathbf{p})\rangle - \frac{q^2}{m}\langle(\mathbf{A}\times\mathbf{B})\rangle. \quad [4.207]$$

(c) Em particular, se os campos $\mathbf{E}$ e $\mathbf{B}$ são *uniformes* para o volume do pacote de onda, demonstre que

$$m\frac{d\langle\mathbf{v}\rangle}{dt} = q(\mathbf{E} + \langle\mathbf{v}\rangle\times\mathbf{B}), \quad [4.208]$$

de modo que o *valor esperado* de $\langle\mathbf{v}\rangle$ move-se de acordo com a lei da força de Lorentz, como seria de se esperar do teorema de Ehrenfest.

***Problema 4.60** [Consulte o Problema 4.59 para referência.] Suponha que

$$\mathbf{A} = \frac{B_0}{2}(x\hat{j} - y\hat{i}) \quad \text{e} \quad \varphi = Kz^2,$$

em que B_0 e K sejam constantes.

(a) Calcule os campos $\mathbf{E}$ e $\mathbf{B}$.

(b) Calcule as energias permitidas para uma partícula de massa m e carga q nesses campos. *Resposta:*

$$E(n_1, n_2) = (n_1 + \tfrac{1}{2})\hbar\omega_1 + (n_2 + \tfrac{1}{2})\hbar\omega_2, \quad [4.209]$$
$$(n_1, n_2 = 0, 1, 2, \ldots),$$

em que $\omega_1 \equiv qB_0/m$ e $\omega_2 \equiv \sqrt{2qK/m}$. *Comentário:* se $K = 0$, esse é o análogo quântico ao **movimento de cíclotron**; ω_1 é a frequência clássica de cíclotron, e é uma partícula livre na direção z. As energias permitidas, $(n_1 + \tfrac{1}{2})\hbar\omega_1$, são chamadas de **níveis de Landau**.[46]

**Problema 4.61 [Consulte o Problema 4.59 para referência.] Na eletrodinâmica clássica, os potenciais $\mathbf{A}$ e φ não são unicamente determinados;[47] as quantidades *físicas* são os *campos* $\mathbf{E}$ e $\mathbf{B}$.

(a) Demonstre que os potenciais

$$\varphi' \equiv \varphi - \frac{\partial \Lambda}{\partial t}, \quad \mathbf{A}' \equiv \mathbf{A} + \nabla\Lambda \quad [4.210]$$

(em que Λ é uma função real arbitrária de posição e tempo) produzem os mesmos campos que φ e $\mathbf{A}$. A Equação 4.210 é chamada de **transformação de gauge**, e a teoria, de **invariância de gauge**.

(b) Na mecânica quântica, os potenciais desempenham um papel mais direto, e é de interesse saber se a teoria permanece invariante de gauge. Demonstre que

$$\Psi' \equiv e^{iq\Lambda/\hbar}\Psi \quad [4.211]$$

satisfaz a equação de Schrödinger (4.205) com os potenciais transformados de gauge φ' e $\mathbf{A}'$. Já que Ψ' difere de Ψ somente por um *fator de fase*, ela representa o mesmo estado físico,[48] e a teoria *é* invariante de gauge (veja a Seção 10.2.3 para outros debates).

---

[45] Veja, por exemplo, H. Goldstein, C. P. Poole e J. L. Safko, *Classical Mechanics*, 3ª ed. (Prentice Hall, Upper Saddle River, NJ, 2002), p. 342.

[46] Para outros debates, veja Ballentine (nota de rodapé nº 26), Seção 11.3.

[47] Veja, por exemplo, Griffiths (nota de rodapé nº 30), Seção 10.1.2.

[48] Isso é para dizer que $\langle\mathbf{r}\rangle$, $d\langle\mathbf{r}\rangle/dt$ etc. estão inalterados. Como Λ depende da posição, $\langle\mathbf{p}\rangle$ (com $\mathbf{p}$ representado pelo operador $(\hbar/i)\nabla$) *muda*, mas, como vimos na Equação 4.206, $\mathbf{p}$ não representa o momento mecânico ($m\mathbf{v}$) nesse contexto (na mecânica lagrangiana ele é chamado de **momento canônico**).

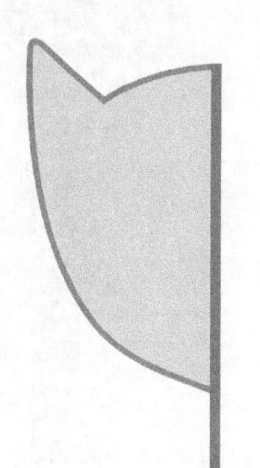

Capítulo 5
Partículas idênticas

5.1 Sistemas de duas partículas

Para uma partícula única, $\Psi(\mathbf{r}, t)$ é uma função das coordenadas espaciais, $\mathbf{r}$, e do tempo, t (ignoraremos o spin por enquanto). O estado de um sistema de *duas* partículas é uma função das coordenadas da partícula um ($\mathbf{r}_1$), da partícula dois ($\mathbf{r}_2$) e do tempo:

$$\Psi(\mathbf{r}_1, \mathbf{r}_2, t). \qquad [5.1]$$

Sua evolução no tempo é determinada (como sempre) pela equação de Schrödinger:

$$i\hbar \frac{\partial \Psi}{\partial t} = H\Psi, \qquad [5.2]$$

em que H é o Hamiltoniano para todo o sistema:

$$H = -\frac{\hbar^2}{2m_1}\nabla_1^2 - \frac{\hbar^2}{2m_2}\nabla_2^2 + V(\mathbf{r}_1, \mathbf{r}_2, t) \qquad [5.3]$$

(O subscrito de ∇ indica a diferenciação em relação às coordenadas da partícula 1 ou da partícula 2, conforme o caso.) A interpretação estatística acontece da forma óbvia:

$$|\Psi(\mathbf{r}_1, \mathbf{r}_2, t)|^2 d^3\mathbf{r}_1 d^3\mathbf{r}_2 \qquad [5.4]$$

é a probabilidade de se encontrar a partícula 1 no volume $d^3\mathbf{r}_1$, e a partícula 2, no volume $d^3\mathbf{r}_2$; evidentemente, Ψ deve ser normalizada de maneira que

$$\int |\Psi(\mathbf{r}_1, \mathbf{r}_2, t)|^2 d^3\mathbf{r}_1 d^3\mathbf{r}_2 = 1. \qquad [5.5]$$

Para potenciais independentes do tempo, obtemos um conjunto completo de soluções por separação de variáveis:

$$\Psi(\mathbf{r}_1, \mathbf{r}_2, t) = \psi(\mathbf{r}_1, \mathbf{r}_2)e^{-iEt/\hbar}, \qquad [5.6]$$

em que a função de onda espacial (ψ) satisfaz a equação de Schrödinger independente do tempo:

$$-\frac{\hbar^2}{2m_1}\nabla_1^2\psi - \frac{\hbar^2}{2m_2}\nabla_2^2\psi + V\psi = E\psi, \qquad [5.7]$$

e E é a energia total do sistema.

Problema 5.1 Normalmente, o potencial de interação depende apenas do vetor $\mathbf{r} \equiv \mathbf{r}_1 - \mathbf{r}_2$ entre duas partículas. Nesse caso, a equação de Schrödinger se separa se mudarmos as variáveis $\mathbf{r}_1$, $\mathbf{r}_2$ para $\mathbf{r}$ e $\mathbf{R} \equiv (m_1\mathbf{r}_1 + m_2\mathbf{r}_2)/(m_1 + m_2)$ (o centro da massa).

(a) Demonstre que $\mathbf{r}_1 = \mathbf{R} + (\mu/m_1)\mathbf{r}$, $\mathbf{r}_2 = \mathbf{R} - (\mu/m_2)\mathbf{r}$, e $\nabla_1 = (\mu/m_2)\nabla_R + \nabla_r$, $\nabla_2 = (\mu/m_1)\nabla_R - \nabla_r$, em que

$$\mu \equiv \frac{m_1 m_2}{m_1 + m_2} \qquad [5.8]$$

é a **massa reduzida** do sistema.

(b) Demonstre que a equação de Schrödinger (independente do tempo) se transforma em

$$-\frac{\hbar^2}{2(m_1+m_2)}\nabla_R^2\psi - \frac{\hbar}{2\mu}\nabla_r^2\psi + V(\mathbf{r})\psi = E\psi.$$

(c) Separe as variáveis, deixando que $\psi(\mathbf{R},\mathbf{r}) = \psi_R(\mathbf{R})\psi_r(\mathbf{r})$. Observe que ψ_R satisfaz a equação de Schrödinger de uma partícula com massa *total* $(m_1 + m_2)$ no lugar de m, potencial zero e energia E_R, enquanto ψ_r satisfaz a equação de Schrödinger de uma partícula com massa *reduzida* no lugar de m, potencial $V(\mathbf{r})$ e energia E_r. A energia total é a soma $E = E_R + E_r$. Isso nos diz que o centro da massa se move como uma partícula livre e que o movimento *relativo* (isto é, o movimento da partícula 2 em relação à partícula 1) é o mesmo que teríamos caso tivéssemos uma partícula *única* com a massa *reduzida* sujeita ao potencial V. A mesma decomposição acontece na mecânica *clássica*;[1] ela reduz o problema de dois corpos para um problema equivalente de um corpo.

Problema 5.2 Tendo em vista o Problema 5.1, podemos corrigir o movimento do núcleo no hidrogênio simplesmente substituindo a massa do elétron pela massa reduzida.

(a) Calcule o porcentual de erro (para dois algarismos significativos) na energia de ligação do hidrogênio (Equação 4.77) introduzida pelo uso de m em vez de μ.

(b) Calcule a separação em comprimento de onda entre as linhas vermelhas de Balmer ($n = 3 \to n = 2$) para o hidrogênio e para o deutério.

(c) Descubra qual é a energia de ligação do **positrônio** (no qual o próton é substituído por um pósitron; pósitrons têm a mesma massa que os elétrons, mas com cargas opostas).

(d) Suponha que você queira confirmar a existência do **hidrogênio muônico**, no qual o elétron é substituído por um múon (mesma carga, porém, 206,77 vezes mais pesado). Onde (isto é, em qual comprimento de onda) você procuraria pela linha 'α de Lyman' ($n = 2 \to n = 1$)?

Problema 5.3 O cloro possui dois isótopos naturais, Cl^{35} e Cl^{37}. Demonstre que o espectro vibracional de HCl deve consistir de dubletos proximamente separados, com uma separação dada por $\Delta\nu = 7{,}51 \times 10^{-4}\nu$, em que ν é a frequência do fóton emitido. *Dica:* considere-o como um oscilador harmônico, com $\omega = \sqrt{k/\mu}$, em que μ é a massa reduzida (Equação 5.8) e k é, provavelmente, o mesmo para ambos os isótopos.

---

[1] Veja, por exemplo, Jerry B. Marion e Stephen T. Thornton, *Classical Dynamics of Particles and Systems*, 4ª ed., Saunders, Fort Worth, TX (1995), Seção 8.2.

5.1.1 Bósons e férmions

Suponha que a partícula 1 esteja no estado (de partícula simples) $\psi_a(\mathbf{r})$, e a partícula 2 esteja no estado $\psi_b(\mathbf{r})$. (Lembre-se: por enquanto, estou ignorando o spin.) Nesse caso, $\psi(\mathbf{r}_1, \mathbf{r}_2)$ é um *produto* simples:[2]

$$\psi(\mathbf{r}_1, \mathbf{r}_2) = \psi_a(\mathbf{r}_1)\psi_b(\mathbf{r}_2). \qquad [5.9]$$

É claro que isso nos faz supor que podemos separar as partículas; caso contrário, não faria sentido afirmar que a número 1 está no estado ψ_a e a número 2 está no estado ψ_b; tudo o que poderíamos dizer é que *uma* delas está no estado ψ_a e a outra está no estado ψ_b, mas não saberíamos qual seria qual. Se estivéssemos falando de mecânica *clássica*, essa seria uma dúvida boba: você *sempre* pode separar as partículas, em princípio; basta pintar uma de vermelho e a outra de azul, ou carimbar números de identificação nelas, ou contratar detetives particulares para segui-las. Porém, na mecânica quântica, a situação é fundamentalmente diferente: você não pode pintar um elétron de vermelho ou colocar um rótulo nele, e as observações de um detetive iriam, inevitável e imprevisivelmente, alterar seu estado, gerando dúvidas sobre se os dois, talvez, teriam trocado de lugar. O fato é que todos os elétrons são *completamente idênticos* de uma maneira que dois objetos clássicos nunca serão. Não é que não saibamos qual é qual. *Deus* não sabe qual é qual, *pois tal coisa* como 'esse' ou 'aquele' elétron não existe; a única coisa sobre a qual podemos falar com segurança é 'um' elétron.

A mecânica quântica acolhe perfeitamente a existência de partículas *indistinguíveis em princípio*: simplesmente construímos uma função de onda que não tenha reservas quanto a qual partícula está em qual estado. Há *duas* maneiras de fazê-lo:

$$\psi_{\pm}(\mathbf{r}_1, \mathbf{r}_2) = A[\psi_a(\mathbf{r}_1)\psi_b(\mathbf{r}_2) \pm \psi_b(\mathbf{r}_1)\psi_a(\mathbf{r}_2)]. \qquad [5.10]$$

Assim, a teoria admite dois tipos de partículas idênticas: **bósons**, para o qual usamos o sinal de mais, e **férmions**, para o qual usamos o sinal de menos. Fótons e mésons são bósons; prótons e elétrons são férmions. Acontece que

$$\begin{cases} \text{todas as partículas com spin } inteiros \text{ são bósons, e} \\ \text{todas as partículas com spin } semi\text{-}inteiros \text{ são férmions.} \end{cases} \qquad [5.11]$$

Essa conexão entre **spin e estatística** (como veremos, bósons e férmions têm propriedades estatísticas bem diferentes) pode ser *comprovada* na mecânica quântica *relativística*; na teoria não relativística ela é considerada um axioma.[3]

Ocorre, em particular, que *dois férmions idênticos* (por exemplo, dois elétrons) *não podem ocupar o mesmo estado*. Se $\psi_a = \psi_b$, então

$$\psi_-(\mathbf{r}_1, \mathbf{r}_2) = A[\psi_a(\mathbf{r}_1)\psi_a(\mathbf{r}_2) - \psi_a(\mathbf{r}_1)\psi_a(\mathbf{r}_2)] = 0,$$

e não nos resta função de onda alguma.[4] Esse é o famoso **princípio da exclusão de Pauli**. Não é uma hipótese *ad hoc* estranha, aplicável apenas aos elétrons (como você pode ser levado a crer), mas, sim, uma consequência das regras de construção das funções de onda de duas partículas aplicáveis a *todos* os férmions idênticos.

---

[2] Não é, de modo algum, verdade que cada função de onda de duas partículas seja um produto de função de onda de cada partícula. Existem os chamados **estados entrelaçados** que *não podem* ser decompostos desse modo. Entretanto, se a partícula 1 estiver no estado *a* e a partícula 2 estiver no estado *b*, então o estado de duas partículas será um produto. Sei o que você está pensando: 'Como a partícula 1 poderia *não* estar em *um* estado e a partícula 2, em outro estado?' O exemplo clássico é a configuração singleto do spin (Equação 4.178). Não posso lhe dizer o estado de uma partícula por si só, pois ela está 'entrelaçada' (definição adorável de Schrödinger) com o estado da partícula 2. Se medirmos a partícula 2 e descobrirmos que ela tem o spin *para cima*, então 1 será spin *para baixo*, mas se a 2 for spin *para baixo*, então 1 será spin *para cima*.

[3] Parece estranho que a *relatividade* não tenha nada a ver com isso, e ultimamente há muita discussão sobre se seria possível provar a conexão spin-estatística de outras formas (mais simples). Veja, por exemplo, Robert C. Hilborn, *Am. J. Phys.* **63**, 298 (1995); Ian Duck e E. C. G. Sudarshan, *Pauli and the Spin-Statistics Theorem*, World Scientific, Singapore (1997).

[4] Ainda estou deixando o spin de fora, não se esqueça. Se isso o incomoda (afinal, em termos, um férmion sem spin é uma contradição), suponha que estejam no *mesmo* estado de spin. O spin será explicitamente incorporado em breve.

Pressupus que uma partícula esteja no estado ψ_a, e a outra, no estado ψ_b, mas há uma maneira mais geral (e mais sofisticada) de formular o problema. Vamos definir o **operador de troca**, P, que troca as duas partículas:

$$P f(\mathbf{r}_1, \mathbf{r}_2) = f(\mathbf{r}_2, \mathbf{r}_1). \qquad [5.12]$$

Claramente, $P^2 = 1$, e acontece (prove isso a si mesmo) que os autovalores de P são ± 1. Agora, se as duas partículas são idênticas, o Hamiltoniano deve tratá-las igualmente: $m_1 = m_2$ e $V(\mathbf{r}_1, \mathbf{r}_2) = V(\mathbf{r}_2, \mathbf{r}_1)$. Segue-se que P e H são observáveis compatíveis,

$$[P, H] = 0, \qquad [5.13]$$

e, portanto, podemos encontrar um conjunto completo de funções que são autoestados simultâneos de ambas. Isto é, podemos encontrar soluções para a equação de Schrödinger que são tanto simétricas (autovalor +1) quanto antissimétricas (autovalor −1) sob a mudança:

$$\psi(\mathbf{r}_1, \mathbf{r}_2) = \pm \psi(\mathbf{r}_2, \mathbf{r}_1). \qquad [5.14]$$

Além disso, se um sistema for iniciado em tal estado, ele permanecerá em tal estado. A *nova* lei (que chamarei de **simetrização necessária**) é que, para partículas idênticas, a função de onda não é apenas *permitida*, mas *necessária* para satisfazer a Equação 5.14, com o sinal positivo para os bósons e o sinal negativo para o férmions.[5] Essa é a afirmação *geral*, da qual a Equação 5.10 é um caso especial.

Exemplo 5.1 Suponha que tenhamos duas partículas não interativas (elas passam diretamente uma através da outra... Não importa como você vai configurar isso na prática!), ambas de massa m, no poço quadrado infinito (Seção 2.2). Os estados de uma partícula são

$$\psi_n(x) = \sqrt{\frac{2}{a}} \operatorname{sen}\left(\frac{n\pi}{a} x\right), \quad E_n = n^2 K$$

(em que $K \equiv \pi^2 \hbar^2 / 2ma^2$, por conveniência). Se as partículas são *distinguíveis*, com #1 no estado n_1 e #2 no estado n_2, a função de onda composta será um produto simples:

$$\psi_{n_1 n_2}(x_1, x_2) = \psi_{n_1}(x_1) \psi_{n_2}(x_2), \quad E_{n_1 n_2} = (n_1^2 + n_2^2) K.$$

Por exemplo, o estado fundamental é

$$\psi_{11} = \frac{2}{a} \operatorname{sen}(\pi x_1 / a) \operatorname{sen}(\pi x_2 / a), \quad E_{11} = 2K;$$

o primeiro estado excitado é duplamente degenerado:

$$\psi_{12} = \frac{2}{a} \operatorname{sen}(\pi x_1 / a) \operatorname{sen}(2\pi x_2 / a), \quad E_{12} = 5K,$$

$$\psi_{21} = \frac{2}{a} \operatorname{sen}(2\pi x_1 / a) \operatorname{sen}(\pi x_2 / a), \quad E_{21} = 5K;$$

---

5 Às vezes é sugerido que a necessidade de simetrização (Equação 5.14) é *forçada* pelo fato de que P e H comutam. Isso é falso: é perfeitamente possível imaginar um sistema de duas partículas *distinguíveis* (um elétron e um pósitron, por exemplo) para o qual o Hamiltoniano é simétrico, e ainda não há necessidade de que a função de onda seja simétrica (ou antissimétrica). Porém, partículas *idênticas* têm de ocupar estados simétricos ou antissimétricos, e essa é uma *lei* totalmente *nova e fundamental* — está em pé de igualdade, logicamente, com a equação de Schrödinger e com a interpretação estatística. É claro que não precisariam ser partículas idênticas; poderia acontecer que cada partícula na natureza fosse distinguível de todas as outras. A mecânica quântica permite a *possibilidade* de partículas idênticas, e a natureza (sendo preguiçosa) aproveitou essa oportunidade. (Mas não estou reclamando; isso torna a questão muito mais simples!)

e assim sucessivamente. Se as duas partículas são *bósons* idênticos, o estado fundamental fica inalterado, mas o primeiro estado excitado é *não degenerado*:

$$\frac{2}{\sqrt{a}}[\text{sen}(\pi x_1/a)\text{sen}(\pi x_2/a) + \text{sen}(2\pi x_1/a)\text{sen}(\pi x_2/a)],$$

(ainda com energia 5K). E se as partículas são *férmions* idênticos, *não* há um estado com energia 2K; o estado fundamental será

$$\frac{2}{\sqrt{a}}[\text{sen}(\pi x_1/a)\text{sen}(\pi x_2/a) - \text{sen}(2\pi x_1/a)\text{sen}(\pi x_2/a)]$$

e sua energia será 5K.

*Problema 5.4

(a) Se ψ_a e ψ_b são ortogonais, e ambas normalizáveis, qual é o valor da constante A na Equação 5.10?

(b) Se $\psi_a = \psi_b$ (e é normalizada), qual é o valor de A? (Isso ocorre somente com os bósons, é claro.)

Problema 5.5

(a) Escreva o Hamiltoniano para duas partículas idênticas não interativas no poço quadrado infinito. Verifique se o estado fundamental do férmion dado no Exemplo 5.1 é uma autofunção de H, com o autovalor adequado.

(b) Descubra os dois estados excitados seguintes (além daqueles do Exemplo 5.1) — funções de onda e energias — para cada um dos três casos (distinguíveis, bósons idênticos, férmions idênticos).

5.1.2 Forças de troca

Para que você tenha uma ideia do que a necessidade de simetrização realmente *faz*, trabalharei um exemplo unidimensional simples. Suponha que uma partícula esteja no estado $\psi_a(x)$, e uma outra, no estado $\psi_b(x)$, e que esses dois estados sejam ortogonais e normalizados. Se as duas partículas são distinguíveis e a número 1 é a do estado ψ_a, então a função de onda combinada é

$$\psi(x_1, x_2) = \psi_a(x_1)\psi_b(x_2); \qquad [5.15]$$

se elas são bósons idênticos, a função de onda composta será (veja o Problema 5.4 para a normalização)

$$\psi_+(x_1, x_2) = \frac{1}{\sqrt{2}}[\psi_a(x_1)\psi_b(x_2) + \psi_b(x_1)\psi_a(x_2)]; \qquad [5.16]$$

e se eles são férmions idênticos, ela será

$$\psi_-(x_1, x_2) = \frac{1}{\sqrt{2}}[\psi_a(x_1)\psi_b(x_2) - \psi_b(x_1)\psi_a(x_2)]. \qquad [5.17]$$

Vamos calcular o valor esperado do quadrado da distância de separação entre as duas partículas,

$$\langle (x_1 - x_2)^2 \rangle = \langle x_1^2 \rangle + \langle x_2^2 \rangle - 2\langle x_1 x_2 \rangle. \qquad [5.18]$$

Caso 1: partículas distinguíveis. Para a função de onda na Equação 5.15,

$$\langle x_1^2 \rangle = \int x_1^2 |\psi_a(x_1)|^2 \, dx_1 \int |\psi_b(x_2)|^2 \, dx_2 = \langle x^2 \rangle_a$$

(o valor esperado de x^2 no estado de uma partícula ψ_a),

$$\langle x_2^2 \rangle = \int |\psi_a(x_1)|^2 \, dx_1 \int x_2^2 |\psi_b(x_2)|^2 \, dx_2 = \langle x^2 \rangle_b,$$

e

$$\langle x_1 x_2 \rangle = \int x_1 |\psi_a(x_1)|^2 \, dx_1 \int x_2 |\psi_b(x_2)|^2 \, dx_2 = \langle x \rangle_a \langle x \rangle_b.$$

Nesse caso, então,

$$\langle (x_1 - x_2)^2 \rangle_d = \langle x^2 \rangle_a + \langle x^2 \rangle_b - 2\langle x \rangle_a \langle x \rangle_b. \qquad [5.19]$$

(Coincidentemente, a resposta seria, naturalmente, a mesma se a partícula 1 estivesse no estado ψ_b, e a partícula 2, no estado ψ_a.)

Caso 2: partículas idênticas. Para as funções de onda nas equações 5.16 e 5.17,

$$\begin{aligned}\langle x_1^2 \rangle &= \frac{1}{2}\Big[\int x_1^2 |\psi_a(x_1)|^2 \, dx_1 \int |\psi_b(x_2)|^2 \, dx_2 \\ &+ \int x_1^2 |\psi_b(x_1)|^2 \, dx_1 \int |\psi_a(x_2)|^2 \, dx_2 \\ &\pm \int x_1^2 \psi_a(x_1)^* \psi_b(x_1) dx_1 \int \psi_b(x_2)^* \psi_a(x_2) dx_2 \\ &\pm \int x_1^2 \psi_b(x_1)^* \psi_a(x_1) dx_1 \int \psi_a(x_2)^* \psi_b(x_2) dx_2 \Big] \\ &= \frac{1}{2}\big[\langle x^2 \rangle_a + \langle x^2 \rangle_b \pm 0 \pm 0\big] = \frac{1}{2}\big(\langle x^2 \rangle_a + \langle x^2 \rangle_b\big).\end{aligned}$$

Similarmente,

$$\langle x_2^2 \rangle = \frac{1}{2}\big(\langle x^2 \rangle_b + \langle x^2 \rangle_a\big).$$

(Naturalmente, $\langle x_2^2 \rangle = \langle x_1^2 \rangle$, já que você não pode separá-los.) Porém,

$$\begin{aligned}\langle x_1 x_2 \rangle &= \frac{1}{2}\Big[\int x_1 |\psi_a(x_1)|^2 \, dx_1 \int x_2 |\psi_b(x_2)|^2 \, dx_2 \\ &+ \int x_1 |\psi_b(x_1)|^2 \, dx_1 \int x_2 |\psi_a(x_2)|^2 \, dx_2 \\ &\pm \int x_1 \psi_a(x_1)^* \psi_b(x_1) dx_1 \int x_2 \psi_b(x_2)^* \psi_a(x_2) dx_2 \\ &\pm \int x_1 \psi_b(x_1)^* \psi_a(x_1) dx_1 \int x_2 \psi_a(x_2)^* \psi_b(x_2) dx_2 \Big] \\ &= \frac{1}{2}\big(\langle x \rangle_a \langle x \rangle_b + \langle x \rangle_b \langle x \rangle_a \pm \langle x \rangle_{ab} \langle x \rangle_{ba} \pm \langle x \rangle_{ba} \langle x \rangle_{ab}\big) \\ &= \langle x \rangle_a \langle x \rangle_b \pm |\langle x \rangle_{ab}|^2,\end{aligned}$$

em que

$$\langle x_{ab} \rangle \equiv \int x \psi_a(x)^* \psi_b(x) dx. \qquad [5.20]$$

Evidentemente,

$$\langle (x_1 - x_2)^2 \rangle_\pm = \langle x^2 \rangle_a + \langle x^2 \rangle_b - 2\langle x \rangle_a \langle x \rangle_b \mp 2|\langle x \rangle_{ab}|^2. \qquad [5.21]$$

Comparando as equações 5.19 e 5.21, vemos que a diferença está no termo final:

$$\langle(\Delta x)^2\rangle_\pm = \langle(\Delta x)^2\rangle_d \mp 2|\langle x\rangle_{ab}|^2. \qquad [5.22]$$

Bósons idênticos (sinais de cima) tendem a estar um pouco mais próximos uns dos outros, e férmions idênticos (sinais de baixo) tendem a ficar um pouco mais distantes uns dos outros do que as partículas distinguíveis nos mesmos dois estados. Observe que $\langle x\rangle_{ab}$ *desaparece*, a menos que as duas funções de onda realmente se *sobreponham* [se $\psi_a(x)$ é zero sempre que $\psi_b(x)$ é *não* zero, a integral na Equação 5.20 será zero]. Assim, se ψ_a representa um elétron em um átomo em Chicago e ψ_b representa um elétron em um átomo em Seattle, não vai fazer nenhuma diferença se você antissimetrizar a função de onda ou não. Por uma questão *prática*, portanto, não há problema em fingir que elétrons com funções de onda não sobrepostas são distinguíveis. (Na verdade, essa é a única coisa que permite que físicos e químicos façam *qualquer* progresso, já que, por *princípio*, todo elétron no universo está ligado a todos os outros por meio da antissimetrização de suas funções de onda, e se isso realmente importasse, você não seria capaz de falar de nenhum deles, a menos que você estivesse preparado para lidar com *todos* eles!)

O caso *interessante* ocorre quando *há* uma sobreposição das funções de onda. O sistema se comporta como se houvesse uma 'força de atração' entre bósons idênticos, atraindo uns aos outros, e uma 'força de repulsão' entre férmions idênticos, separando uns dos outros (lembre-se de que, por enquanto, estamos ignorando o spin). Chamamos isso de **força de troca**, embora não seja realmente uma força, pois nenhum agente físico está empurrando as partículas; pelo contrário, o que ocorre é uma consequência puramente *geométrica* da necessidade de simetrização. É também um fenômeno estritamente mecânico quântico, sem nenhum equivalente clássico. No entanto, tem consequências profundas. Considere, por exemplo, a molécula de hidrogênio (H_2). A grosso modo, o estado fundamental é constituído por um elétron no estado fundamental atômico (Equação 4.80) centrado no núcleo 1, e um elétron no estado fundamental centrado no núcleo atômico 2. Se os elétrons fossem *bósons*, a necessidade de simetrização (ou, se preferir, a 'força de troca') tenderia a concentrar os elétrons em direção ao centro, entre os dois prótons (Figura 5.1(a)), e o acúmulo de carga negativa atrairia os prótons para dentro, o que explicaria a **ligação covalente**.[6] Infelizmente, elétrons *não são* bósons, eles são férmions, e isso significa que a concentração de carga negativa deveria realmente ser deslocada para os lados (Figura 5.1(b)), separando a molécula!

Mas espere! Ignoramos o *spin* até agora. O estado *completo* do elétron inclui não somente sua função de onda de posição, mas também um spinor que descreve a orientação de seu spin:[7]

$$\psi(\mathbf{r})\chi(\mathbf{s}). \qquad [5.23]$$

Quando juntamos o estado de dois elétrons, a totalidade, e não somente a parte espacial, deve ser antissimétrica em relação à troca. Uma olhada nos estados de spin compostos (equações 4.177 e 4.178) revela que a combinação singleto é antissimétrica (e, portanto, teria de ser combinada com uma função *simétrica* espacial), enquanto os três estados tripletos são simétricos (e exigiriam uma função espacial *antissimétrica*). Nesse caso, evidentemente, o estado

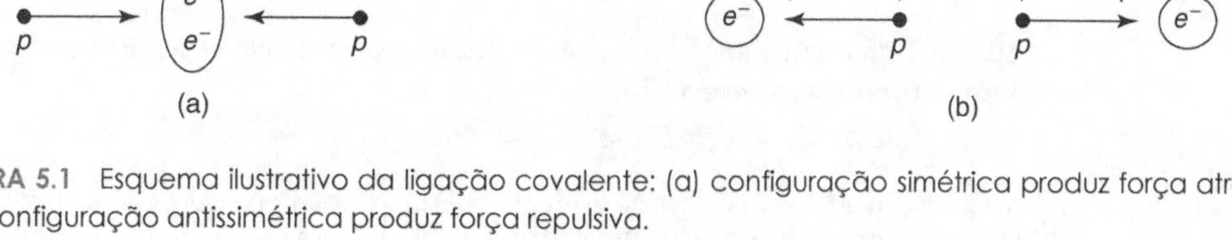

FIGURA 5.1 Esquema ilustrativo da ligação covalente: (a) configuração simétrica produz força atrativa. (b) Configuração antissimétrica produz força repulsiva.

---

[6] Uma ligação covalente acontece quando elétrons compartilhados congregam-se entre os núcleos, reunindo os átomos. Não é preciso envolver *dois* elétrons; na Seção 7.3 encontraremos uma ligação covalente com apenas *um* elétron.

[7] Na falta de acoplamento entre o spin e a posição, podemos supor que o estado é *separável* em seu spin e em coordenadas espaciais. Isso significa apenas que a probabilidade de se obter spin para cima é independente da *localização* da partícula. Na *presença* de acoplamento, o estado geral assumiria a forma de uma combinação linear: $\psi_+(\mathbf{r})\chi_+ + \psi_-(\mathbf{r})\chi_-$, como no Problema 4.55.

singleto deveria levar à *ligação* e o tripleto à *antiligação*. Certo mesmo é que os químicos nos dizem que a ligação covalente exige que os dois elétrons ocupem o estado singleto com spin total zero.[8]

*Problema 5.6 Imagine duas partículas não interagentes, cada uma com massa m, no poço quadrado infinito. Se uma está no estado ψ_n(Equação 2.28) e a outra no estado ψ_l ($l \neq n$), calcule $\langle (x_1 - x_2)^2 \rangle$, supondo (a) que sejam partículas distinguíveis, (b) que sejam bósons idênticos e (c) que sejam férmions idênticos.

Problema 5.7 Imagine que você tenha *três* partículas, uma no estado $\psi_a(x)$, uma no estado $\psi_b(x)$ e uma no estado $\psi_c(x)$. Supondo que ψ_a, ψ_b e ψ_c sejam ortonormais, construa estados de três partículas (semelhantes às equações 5.15, 5.16 e 5.17) que representem (a) partículas distinguíveis, (b) bósons idênticos e (c) férmions idênticos. Tenha em mente que (b) deve ser completamente simétrico na troca de *qualquer* par de partículas e (c) deve ser completamente *antissimétrico*, no mesmo sentido. *Comentário:* há um pequeno truque para se construir funções de onda completamente antissimétricas. Elabore o **determinante de Slater**, cuja primeira linha é $\psi_a(x_1)$, $\psi_b(x_1)$, $\psi_c(x_1)$ etc., cuja segunda linha é $\psi_a(x_2)$, $\psi_b(x_2)$, $\psi_c(x_2)$ etc., e assim por diante (esse mecanismo funciona para qualquer número de partículas).

5.2 Átomos

Um átomo neutro, de número atômico Z, consiste de um núcleo pesado, com carga elétrica Ze, cercado por Z elétrons (massa m e carga $-e$). O Hamiltoniano para esse sistema é[9]

$$H = \sum_{j=1}^{Z} \left\{ -\frac{\hbar^2}{2m} \nabla_j^2 - \left(\frac{1}{4\pi\epsilon_0}\right)\frac{Ze^2}{r_j} \right\} + \frac{1}{2}\left(\frac{1}{4\pi\epsilon_0}\right)\sum_{j \neq k}^{Z} \frac{e^2}{|r_j - r_k|}. \quad [5.24]$$

O termo entre chaves representa a soma das energias cinética e potencial do j-ésimo elétron no campo elétrico do núcleo; a segunda somatória (que é executada sobre todos os valores de j e k, exceto para $j = k$) é a energia potencial associada à repulsão mútua dos elétrons (o fator de ½ na frente corrige o fato de que a somatória conta cada par duas vezes). O problema é resolver a equação de Schrödinger,

$$H\psi = E\psi, \quad [5.25]$$

para as funções de onda $\psi(\mathbf{r}_1, \mathbf{r}_2, ..., \mathbf{r}_Z)$. Mas como os elétrons são férmions idênticos, nem todas as soluções são aceitáveis: somente aquelas para as quais o estado completo (posição e spin),

$$\psi(\mathbf{r}_1, \mathbf{r}_2, ..., \mathbf{r}_Z)\chi(\mathbf{s}_1, \mathbf{s}_2, ..., \mathbf{s}_Z), \quad [5.26]$$

é antissimétrico em relação à troca de quaisquer dois elétrons. Em especial, dois elétrons não podem ocupar o *mesmo* estado.

---

[8] Em linguagem informal, geralmente se diz que os elétrons estão 'alinhados opostamente' (um com spin para cima e outro com spin para baixo). Isso é produto de uma simplificação, uma vez que o mesmo poderia ser dito do estado tripleto $m = 0$. Uma afirmação precisa seria a de que eles estão na configuração singleto.

[9] Suponho que o núcleo seja *estacionário*. O truque para calcular o movimento nuclear usando a massa reduzida (Problema 5.1) só funciona para o problema de *dois* corpos; felizmente, o núcleo tem uma massa tão maior do que os elétrons, e por isso a correção é extremamente pequena, mesmo no caso do hidrogênio (veja o Problema 5.2(a)), e é menor ainda para os átomos mais pesados. Há mais efeitos interessantes por causa das interações magnéticas associadas ao spin do elétron, das correções relativísticas e do tamanho finito do núcleo. Veremos isso nos capítulos posteriores, mas todos eles são correções imediatas para o átomo 'puramente coulombiano' descrito pela Equação 5.24.

Infelizmente, a equação de Schrödinger com o Hamiltoniano na Equação 5.24 não pode ser resolvida com exatidão (e de qualquer maneira, isso *não* ocorreu), exceto para o caso simples $Z = 1$ (hidrogênio). Na prática, deve-se recorrer à elaboração de métodos de aproximação. Alguns desses métodos serão explorados na Parte II deste livro; por enquanto, pretendo apenas esboçar algumas características qualitativas das soluções, obtidas ao ignorarmos o termo de repulsão eletrônica completamente. Na Seção 5.2.1, estudaremos o estado fundamental e os estados excitados do hélio, e, na Seção 5.2.2, estudaremos os estados fundamentais de átomos maiores.

Problema 5.8 Suponha que você pudesse encontrar uma solução ($\psi(\mathbf{r}_1, \mathbf{r}_2, ..., \mathbf{r}_Z)$) para a equação de Schrödinger (Equação 5.25), para o Hamiltoniano na Equação 5.24. Descreva como você construiria, a partir dessa solução, uma função completamente simétrica e uma função completamente antissimétrica que também satisfizessem a equação de Schrödinger com a mesma energia.

5.2.1 Hélio

Depois do hidrogênio, o átomo mais simples é o do hélio ($Z = 2$). O Hamiltoniano,

$$H = \left\{ -\frac{\hbar^2}{2m}\nabla_1^2 - \frac{1}{4\pi\epsilon_0}\frac{2e^2}{r_1} \right\} + \left\{ -\frac{\hbar^2}{2m}\nabla_2^2 - \frac{1}{4\pi\epsilon_0}\frac{2e^2}{r_2} \right\} + \frac{1}{4\pi\epsilon_0}\frac{e^2}{|\mathbf{r}_1 - \mathbf{r}_2|}, \qquad [5.27]$$

consiste de dois Hamiltonianos *hidrogênicos* (com carga nuclear $2e$), um para o elétron 1 e um para o elétron 2, juntamente com um termo final para descrever a repulsão dos dois elétrons. É esse último termo que causa todo o problema. Se simplesmente o *ignorarmos*, a equação de Schrödinger pode ser separada e as soluções podem ser escritas como produtos das funções de onda do *hidrogênio*:

$$\psi(\mathbf{r}_1, \mathbf{r}_2) = \psi_{nlm}(\mathbf{r}_1)\psi_{n'l'm'}(\mathbf{r}_2), \qquad [5.28]$$

apenas com a metade do raio de Bohr (Equação 4.72) e quatro vezes a energia de Bohr (Equação 4.70). Se você não entende o porquê, consulte o Problema 4.16. A energia total seria de

$$E = 4(E_n + E_{n'}), \qquad [5.29]$$

em que $E_n = -13,6/n^2$ eV. Em especial, o estado fundamental seria

$$\psi_0(\mathbf{r}_1, \mathbf{r}_2) = \psi_{100}(\mathbf{r}_1)\psi_{100}(\mathbf{r}_2) = \frac{8}{\pi a^3}e^{-2(r_1+r_2)/a} \qquad [5.30]$$

(veja a Equação 4.80) e sua energia seria

$$E_0 = 8(-13,6 \text{ eV}) = -109 \text{ eV}. \qquad [5.31]$$

Como ψ_0 é uma função simétrica, o estado de spin tem de ser *antissimétrico*, portanto, o estado fundamental do hélio deveria ser uma configuração *singleto*, com spins 'opostamente alinhados'. O estado fundamental *real* do hélio é, na verdade, um singleto, mas a energia experimentalmente determinada é $-78,975$ eV, de modo que a convenção não é muito boa. Mas isso não surpreende: ignoramos a repulsão eletrônica, o que, certamente, *não* é uma contribuição pequena. É claramente *positiva* (veja a Equação 5.27), o que é reconfortante. Evidentemente, aumenta a energia total de -109 para -79 eV (veja o Problema 5.11).

Os estados excitados do hélio consistem de um elétron no estado fundamental hidrogênico, e outro em um estado excitado:

$$\psi_{nlm}\psi_{100}. \qquad [5.32]$$

[Se você tentar colocar *ambos* os elétrons em estados excitados, um imediatamente voltará ao estado fundamental, liberando energia suficiente para quicar o outro para o contínuo ($E > 0$), deixando você com um *íon* de hélio (He⁺) e um elétron livre. Esse é um sistema interessante por si só (veja o Problema 5.9), mas não é nossa preocupação no momento.] Podemos construir ambas as combinações, simétrica e antissimétrica, como é de costume (Equação 5.10); a primeira acompanha a configuração spin *antissimétrica* (o singleto), e é chamada de **parahélio**, enquanto a última exige uma configuração spin *simétrica* (o tripleto) e é conhecida como **ortohélio**. O estado fundamental é necessariamente parahélio; os estados excitados surgem em ambas as formas. Como o estado espacial simétrico reúne os elétrons (como discutimos na Seção 5.1.2), esperamos maior interação energética no parahélio, e, de fato, foi confirmado com base em experimentos que os estados parahélio têm uma energia maior do que seus homólogos ortohélio (veja a Figura 5.2).

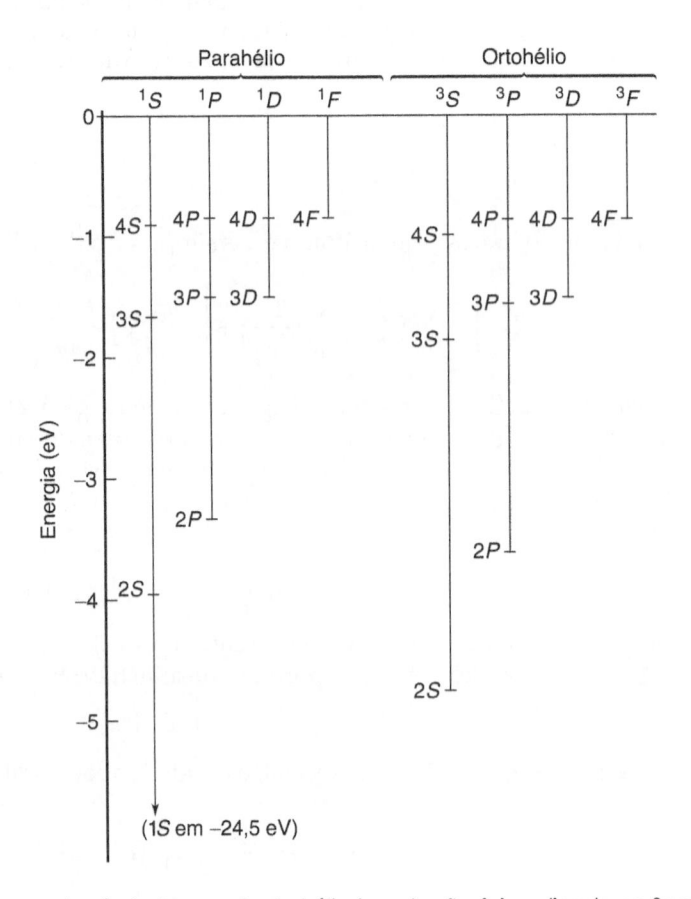

FIGURA 5.2 Diagrama de níveis de energia do hélio (a notação foi explicada na Seção 5.2.2). Note que as energias do parahélio são uniformemente maiores do que seus homólogos ortohélio. Os valores numéricos na escala vertical estão relacionados ao estado fundamental do hélio ionizado (He⁺): 4 × (−13,6) eV = −54,4 eV; para obter a energia *total* do estado, subtraia 54,4 eV.

Problema 5.9

(a) Suponha que você coloque ambos os elétrons em um átomo de hélio no estado $n = 2$; qual seria a energia do elétron emitido?

(b) Descreva (quantitativamente) o espectro do íon hélio, He⁺.

Problema 5.10 Discuta (qualitativamente) o quadro de níveis de energia para o hélio (a) se elétrons fossem bósons idênticos e (b) se elétrons fossem partículas distinguíveis (porém, com mesma massa e carga). Finja que esses 'elétrons' ainda têm spin ½, para que, então, as configurações de spin sejam o singleto e o tripleto.

Problema 5.11

(a) Calcule $\langle (1/|\mathbf{r}_1 - \mathbf{r}_2|)\rangle$ para o estado ψ_0 (Equação 5.30). *Dica:* resolva primeiro a integral $d^3\mathbf{r}_2$, usando coordenadas esféricas e estabelecendo o eixo polar junto a $\mathbf{r}_1$, assim

$$|\mathbf{r}_1 - \mathbf{r}_2| = \sqrt{r_1^2 + r_2^2 - 2r_1 r_2 \cos\theta_2}.$$

A integral em θ_2 é fácil, mas seja cuidadoso ao extrair sua *raiz positiva*. Você terá de quebrar a integral em r_2 em duas partes, uma que vá de 0 a r_1, e outra que vá de r_1 ao ∞. *Resposta:* $5/4a$.

(b) Utilize sua resposta em (a) para estimar a energia de interação do elétron no estado fundamental do hélio. Expresse sua resposta em elétron volts, e a adicione a E_0 (Equação 5.31) para obter uma estimativa corrigida da energia do estado fundamental. Compare com o valor experimental. (Como ainda estamos trabalhando com uma função de onda aproximada, não espere uma sintonia *perfeita*.)

5.2.2 A tabela periódica

As configurações de estado fundamental de elétrons para átomos mais pesados podem ser reunidas da mesma maneira. À primeira aproximação (ignorando completamente sua repulsão mútua), os elétrons individuais ocupam estados hidrogênicos de uma partícula (n, l, m) chamados de **orbitais**, no potencial de Coulomb de um núcleo com carga Ze. Se elétrons fossem bósons (ou partículas distinguíveis), todos iriam se assentar no estado fundamental $(1, 0, 0)$, e a química seria bem maçante. Mas os elétrons são, de fato, férmions idênticos, sujeitos ao princípio de exclusão de Pauli, sendo que somente *dois* deles podem ocupar qualquer orbital dado (um com spin para cima e outro com spin para baixo, ou, mais precisamente, na configuração singleto). Há n^2 funções de onda hidrogênicas (todas com a mesma energia E_n) para um valor dado n, de modo que a **camada** $n = 1$ tem espaço para 2 elétrons, a camada $n = 2$ tem espaço para 8, $n = 3$ tem espaço para 18, e, em geral, a n-ésima camada pode guardar $2n^2$ elétrons. Qualitativamente, as linhas horizontais da **tabela periódica** correspondem ao preenchimento de cada camada (se isso fosse tudo, elas teriam comprimentos de 2, 8, 18, 32, 50 etc., em vez de 2, 8, 8, 18, 18 etc.; veremos em breve como a repulsão elétron-elétron descarta as contagens).

Com hélio, a camada $n = 1$ está preenchida, e, assim, o próximo átomo, o lítio ($Z = 3$), tem de colocar um elétron na camada $n = 2$. Já para $n = 2$, podemos ter $l = 0$ ou $l = 1$; qual deles o terceiro elétron escolherá? Na falta de interação elétron-elétron, ambos têm a mesma energia (as energias de Bohr dependem de n, lembre-se, porém, não dependem de l). Mas o efeito da repulsão do elétron favorece o valor mais baixo de l pelo seguinte motivo: o momento angular tende a jogar o elétron para fora, e quanto mais longe ele for, maior a eficácia dos elétrons internos em **blindar** o núcleo (a grosso modo, o elétron mais interno 'vê' a carga nuclear completa Ze, mas o elétron mais externo vê uma carga efetiva que dificilmente será maior do que e). Dentro de uma dada camada, portanto, o estado com a energia mais baixa (isto é, o elétron mais fortemente ligado) é $l = 0$, e a energia aumenta com o crescimento de l. Assim, o terceiro elétron do lítio ocupa o orbital $(2, 0, 0)$. O próximo átomo (berílio, com $Z = 4$) também se encaixa nesse estado (somente com 'spin oposto'), porém, o boro ($Z = 5$) tem de usar $l = 1$.

Seguindo por esse caminho, chegamos ao neon ($Z = 10$), momento em que a camada $n = 2$ está preenchida, e avançamos para a próxima linha da tabela periódica, começando a preencher a camada $n = 3$. Primeiramente, há dois átomos (sódio e magnésio) com $l = 0$, e depois há seis átomos com $l = 1$ (alumínio até argônio). Na sequência do argônio, 'deveria' haver 10 átomos com $n = 3$ e $l = 2$; entretanto, nesse momento, o efeito de blindagem é tão forte que se sobrepõe à próxima camada, assim, o potássio ($Z = 19$) e o cálcio ($Z = 20$) escolhem $n = 4$, $l = 0$ em vez de $n = 3, l = 2$. Depois disso, baixamos novamente para pegar o $n = 3, l = 2$ retardatários (escândio até zinco), seguido por $n = 4$, $l = 1$ (gálio até criptônio), momento em que voltamos a fazer um salto antecipado para a próxima linha ($n = 5$), esperando até o final para deslizar nos orbitais $l = 2$ e $l = 3$ da camada $n = 4$. Para mais detalhes sobre esse intrincado contraponto, indico qualquer livro sobre física atômica.[10]

Eu seria um criminoso se não mencionasse a nomenclatura antiga para estados atômicos, porque todos os químicos e também a maioria dos físicos a utilizam (e as pessoas que compõem o Graduate Record Exam *adoram* esse tipo de coisa). Por razões bem conhecidas pelos espectroscopistas do século XIX, $l = 0$ é chamado de *s* (para 'sharp' — agudo), $l = 1$ é chamado de *p* (de 'principal'), $l = 2$, de *d* ('difuso') e $l = 3$ é chamado de *f* ('fundamental'); depois disso, acho que eles ficaram sem ideias, pois o restante segue em ordem alfabética (*g*, *h*, *i* — eles ignoram o *j*, apenas para serem completamente perversos — *k*, *l* etc.).[11] O estado de um elétron em especial está representado pelo par *nl*, sendo *n* (o número) representando a camada e *l* (a letra) especificando o momento angular orbital; o número quântico magnético *m* não está listado, mas um expoente é usado para indicar o número de elétrons que ocupam o estado em questão. Assim, a configuração

$$(1s)^2(2s)^2(2p)^2 \quad [5.33]$$

nos diz que há dois elétrons no orbital (1, 0, 0), dois no orbital (2, 0, 0) e dois em alguma combinação dos orbitais (2, 1, 1), (2, 1, 0) e (2, 1, –1). Esse é o estado fundamental do carbono.

Nesse exemplo há dois elétrons com o número quântico do momento angular orbital 1, então o número quântico do momento angular orbital *total*, L (L maiúsculo em vez de *l* para indicar que pertence ao *total*, e não a qualquer partícula), poderia ser 2, 1 ou 0. Enquanto isso, os dois elétrons (1*s*) estão juntos, presos no estado singleto, com spin total zero, e os dois elétrons (2*s*) também estão presos, porém, os dois elétrons (2*p*) poderiam estar na configuração singleto ou tripleto. Assim, o número quântico spin *total* S (novamente maiúsculo, pois é o *total*) poderia ser 1 ou 0. Evidentemente, o total *geral* (orbital mais spin), J, poderia ser 3, 2, 1 ou 0. Existem rituais conhecidos como **Regras de Hund** (veja o Problema 5.13) que ajudam a esclarecer quais serão esses totais para um determinado átomo. O resultado está registrado conforme o hieróglifo:

$$^{2S+1}L_J \quad [5.34]$$

(em que S e J são números e L, a letra — maiúscula, dessa vez, porque estamos falando de *totais*). O estado fundamental do carbono é o $^3P_0$: o spin total é 1 (por isso o 3), o momento angular orbital total é 1 (por isso o P) e o momento angular *total* é zero (por isso o 0). Na Tabela 5.1 as configurações individuais e os momentos angulares totais (na notação da Equação 5.34) estão listados para essas quatro primeiras linhas da tabela periódica.[12]

*Problema 5.12

(a) Descubra as configurações do elétron (na notação da Equação 5.33) para as duas primeiras linhas da tabela periódica (até o neon) e verifique seus resultados comparando-os à Tabela 5.1.

(b) Calcule os momentos angulares totais correspondentes para os quatro primeiros elementos na notação da Equação 5.34. Liste todas as *possibilidades* para o boro, para o carbono e para o nitrogênio.

---

10 Veja, por exemplo, U. Fano e L. Fano, *Basic Physics of Atoms and Molecules*, Wiley, Nova York (1959), Capítulo 18, ou o clássico de G. Herzberg, *Atomic Spectra and Atomic Structure*, Dover, Nova York (1944).

11 As camadas são determinadas por apelidos igualmente arbitrários, a começar (não me perguntem por quê) com K: a camada K tem $n = 1$, a camada L tem $n = 2$, a M, $n = 3$, e assim por diante (ao menos estão em ordem alfabética).

12 Após o criptônio (elemento 36), a situação fica mais complicada (a estrutura fina começa a desempenhar um papel significativo na ordenação dos estados) e, portanto, não é por falta de espaço que a tabela termina.

TABELA 5.1 Configurações de estado fundamental do elétron para as primeiras quatro linhas da tabela periódica.

Z	Elemento	Configuração	
1	H	$(1s)$	$^2S_{1/2}$
2	He	$(1s)^2$	$^1S_0$
3	Li	$(He)(2s)$	$^2S_{1/2}$
4	Be	$(He)(2s)^2$	$^1S_0$
5	B	$(He)(2s)^2(2p)$	$^2P_{1/2}$
6	C	$(He)(2s)^2(2p)^2$	$^3P_0$
7	N	$(He)(2s)^2(2p)^3$	$^4S_{3/2}$
8	O	$(He)(2s)^2(2p)^4$	$^3P_2$
9	F	$(He)(2s)^2(2p)^5$	$^2P_{3/2}$
10	Ne	$(He)(2s)^2(2p)^6$	$^1S_0$
11	Na	$(Ne)(3s)$	$^2S_{1/2}$
12	Mg	$(Ne)(3s)^2$	$^1S_0$
13	Al	$(Ne)(3s)^2(3p)$	$^2P_{1/2}$
14	Si	$(Ne)(3s)^2(3p)^2$	$^3P_0$
15	P	$(Ne)(3s)^2(3p)^3$	$^4S_{3/2}$
16	S	$(Ne)(3s)^2(3p)^4$	$^3P_2$
17	Cl	$(Ne)(3s)^2(3p)^5$	$^2P_{3/2}$
18	Ar	$(Ne)(3s)^2(3p)^6$	$^1S_0$
19	K	$(Ar)(4s)$	$^2S_{1/2}$
20	Ca	$(Ar)(4s)^2$	$^1S_0$
21	Sc	$(Ar)(4s)^2(3d)$	$^2D_{3/2}$
22	Ti	$(Ar)(4s)^2(3d)^2$	$^3F_2$
23	V	$(Ar)(4s)^2(3d)^3$	$^4F_{3/2}$
24	Cr	$(Ar)(4s)(3d)^5$	$^7S_3$
25	Mn	$(Ar)(4s)^2(3d)^5$	$^6S_{5/2}$
26	Fe	$(Ar)(4s)^2(3d)^6$	$^5D_4$
27	Co	$(Ar)(4s)^2(3d)^7$	$^4F_{9/2}$
28	Ni	$(Ar)(4s)^2(3d)^8$	$^3F_4$
29	Cu	$(Ar)(4s)(3d)^{10}$	$^2S_{1/2}$
30	Zn	$(Ar)(4s)^2(3d)^{10}$	$^1S_0$
31	Ga	$(Ar)(4s)^2(3d)^{10}(4p)$	$^2P_{1/2}$
32	Ge	$(Ar)(4s)^2(3d)^{10}(4p)^2$	$^3P_0$
33	As	$(Ar)(4s)^2(3d)^{10}(4p)^3$	$^4S_{3/2}$
34	Se	$(Ar)(4s)^2(3d)^{10}(4p)^4$	$^3P_2$
35	Br	$(Ar)(4s)^2(3d)^{10}(4p)^5$	$^2P_{3/2}$
36	Kr	$(Ar)(4s)^2(3d)^{10}(4p)^6$	$^1S_0$

∗∗Problema 5.13

(a) **A primeira regra de Hund** diz que, de acordo com o princípio de Pauli, o estado com o spin total mais alto (S) terá a menor energia. O que isso prevê, no caso dos estados excitados do hélio?

(b) **A segunda regra de Hund** diz que, para um spin dado, o estado com o momento angular orbital total (L) mais alto, compatível com a antissimetrização geral, terá a menor energia. Por que o carbono não tem $L = 2$? *Dica*: observe que o 'topo da escada' ($M_L = L$) é simétrico.

(c) **A terceira regra de Hund** diz que, se uma subcamada (n, l) não estiver preenchida além da metade, então o menor nível de energia tem $J = |L - S|$; se estiver preenchida além da metade, então $J = L + S$ tem a menor energia. Use isso para resolver a ambiguidade do boro no Problema 5.12(b).

(d) Utilize as regras de Hund, juntamente com o fato de que um estado de spin simétrico deve acompanhar um estado de posição antissimétrico (e vice-versa), para resolver as ambiguidades do carbono e do nitrogênio no Problema 5.12(b). *Dica*: consulte sempre o 'topo da escada' para descobrir a simetria de um estado.

Problema 5.14 O estado fundamental do disprósio (elemento 66, na sexta linha da tabela periódica) está listado como $^5I_8$. Qual é o spin total, o orbital total e os números quânticos do momento angular total geral? Sugira uma provável configuração eletrônica para o disprósio.

5.3 Sólidos

No estado sólido, alguns dos elétrons de **valência** ultraperiféricos ligados em cada átomo se separam e vagam por todo o material, não mais sujeitos apenas ao campo de Coulomb de um núcleo 'pai' específico, mas também ao potencial conjunto da rede cristalina inteira. Nesta seção, analisaremos dois modelos extremamente primitivos: o primeiro, a teoria do gás de elétrons de Sommerfeld, a qual ignora *todas* as forças (exceto os limites confinantes) que tratam os elétrons soltos como partículas livres em uma caixa (o análogo tridimensional para um poço quadrado infinito); o segundo, a teoria de Bloch, a qual apresenta um potencial periódico que representa a atração elétrica dos núcleos regularmente espaçados, carregados positivamente (mas que ainda ignora a repulsão elétron-elétron). Esses modelos nada mais são do que os primeiros passos incertos em direção a uma teoria quântica de sólidos, mas já revelam o papel fundamental do princípio de exclusão de Pauli no cálculo de 'solidez' e esclarecem as propriedades elétricas notáveis de condutores, semicondutores e isolantes.

5.3.1 O gás de elétrons livres

Suponha que o objeto em questão seja um sólido retangular com dimensões l_x, l_y e l_z, e imagine que um elétron lá dentro não sofra nenhuma força, exceto nas paredes impenetráveis:

$$V(x,y,z) = \begin{cases} 0, & \text{se } 0 < x < l_x, \ 0 < y < l_y, \text{ e } 0 < z < l_z; \\ \infty, & \text{caso contrário.} \end{cases} \quad [5.35]$$

A equação de Schrödinger,

$$-\frac{\hbar^2}{2m}\nabla^2\psi = E\psi,$$

separa, em coordenadas cartesianas: $\psi(x, y, z) = X(x)Y(y)Z(z)$, com

$$-\frac{\hbar^2}{2m}\frac{d^2X}{dx^2} = E_x X; \quad -\frac{\hbar^2}{2m}\frac{d^2Y}{dy^2} = E_y Y; \quad -\frac{\hbar^2}{2m}\frac{d^2Z}{dz^2} = E_z Z,$$

e $E = E_x + E_y + E_z$. Sendo

$$k_x \equiv \frac{\sqrt{2mE_x}}{\hbar}, \quad k_y \equiv \frac{\sqrt{2mE_y}}{\hbar}, \quad k_z \equiv \frac{\sqrt{2mE_z}}{\hbar},$$

obtemos as soluções gerais

$$X(x) = A_x \operatorname{sen}(k_x x) + B_x \cos(k_x x), \quad Y(y) = A_y \operatorname{sen}(k_y y) + B_y \cos(k_y y)$$
$$Z(z) = A_z \operatorname{sen}(k_z z) + B_z \cos(k_z z).$$

As condições de contorno exigem que $X(0) = Y(0) = Z(0) = 0$, então $B_x = B_y = B_z = 0$, e $X(l_x) = Y(l_y) = Z(l_z) = 0$, assim

$$k_x l_x = n_x \pi, \quad k_y l_y = n_y \pi, \quad k_z l_z = n_z \pi, \quad [5.36]$$

em que cada n é um numero inteiro positivo:

$$n_x = 1,2,3,..., \quad n_y = 1,2,3,..., \quad n_z = 1,2,3,... \qquad [5.37]$$

As funções de onda (normalizadas) são

$$\psi_{n_x n_y n_z} = \sqrt{\frac{8}{l_x l_y l_z}} \operatorname{sen}\left(\frac{n_x \pi}{l_x} x\right) \operatorname{sen}\left(\frac{n_y \pi}{l_y} y\right) \operatorname{sen}\left(\frac{n_z \pi}{l_z} z\right), \qquad [5.38]$$

e as energias permitidas são

$$E_{n_x n_y n_z} = \frac{\hbar^2 \pi^2}{2m}\left(\frac{n_x^2}{l_x^2} + \frac{n_y^2}{l_y^2} + \frac{n_z^2}{l_z^2}\right) = \frac{\hbar^2 k^2}{2m}, \qquad [5.39]$$

em que k é a magnitude do **vetor de onda**, $\mathbf{k} \equiv (k_x, k_y, k_z)$.

Se você imaginar um espaço tridimensional com eixos k_x, k_y e k_z, e planos elaborados em $k_x = (\pi/l_x), (2\pi/l_x), (3\pi/l_x), ...$, em $k_y = (\pi/l_y), (2\pi/l_y), (3\pi/l_y),...$, e em $k_z = (\pi/l_z), (2\pi/l_z), (3\pi/l_z),...$, cada ponto de intersecção representará um estado estacionário distinto (de uma partícula) (Figura 5.3). Cada bloco nessa grade, e portanto cada estado, também ocupará um volume

$$\frac{\pi^3}{l_x l_y l_z} = \frac{\pi^3}{V} \qquad [5.40]$$

de 'espaço k', em que $V \equiv l_x\, l_y\, l_z$ é o volume do próprio objeto. Suponha que nosso exemplo contenha N átomos, e que cada átomo contribua com q elétrons livres. (Na prática, N será

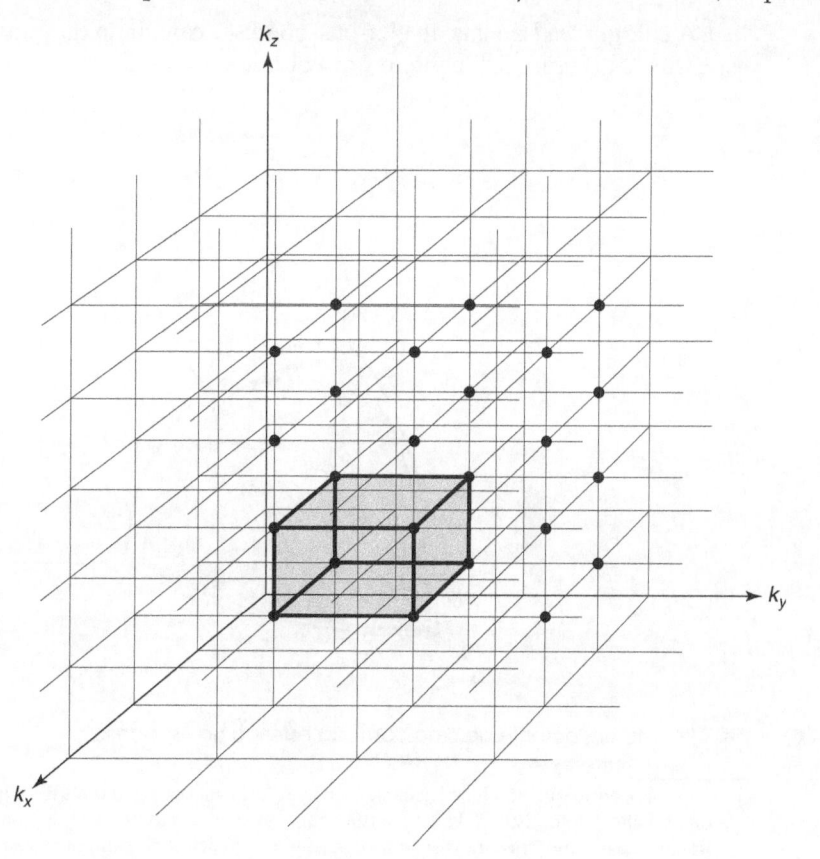

FIGURA 5.3 Gás de elétrons livres. Cada intersecção na grade representa um estado estacionário. A parte sombreada indica um 'bloco'; há um estado para cada bloco.

gigante — na ordem do número de Avogadro, para um objeto de tamanho macroscópico —, enquanto q será um número pequeno — 1 ou 2, geralmente.) Se elétrons fossem bósons (ou partículas distinguíveis), todos se estabeleceriam no estado fundamental, ψ_{111}.[13] Porém, os elétrons são, na verdade, *férmions* idênticos, sujeitos ao princípio de exclusão de Pauli, sendo que somente dois deles podem ocupar quaisquer estados dados. Eles preencherão um octante de uma *esfera* no espaço k,[14] cujo raio, k_F, é determinado pelo fato de que cada par de elétrons necessita de um volume π^3/V (Equação 5.40):

$$\frac{1}{8}\left(\frac{4}{3}\pi k_F^3\right) = \frac{Nq}{2}\left(\frac{r^3}{V}\right).$$

Portanto,

$$k_F = (3\rho\pi^2)^{1/3}, \qquad [5.41]$$

em que

$$\rho \equiv \frac{Nq}{V} \qquad [5.42]$$

é a *densidade de elétrons livres* (o número de elétrons livres por unidade de volume).

O limite que separa os estados ocupados e desocupados, no espaço k, é chamado de **superfície de Fermi** (daí o subscrito F). A energia correspondente é chamada de **energia de Fermi**, E_F; para um gás de elétrons livres,

$$E_F = \frac{\hbar^2}{2m}(3\rho\pi^2)^{2/3}. \qquad [5.43]$$

A energia *total* do gás de elétrons pode ser calculada da seguinte forma: uma camada de espessura dk (Figura 5.4) contém um volume

$$\frac{1}{8}(4\pi k^2)dk,$$

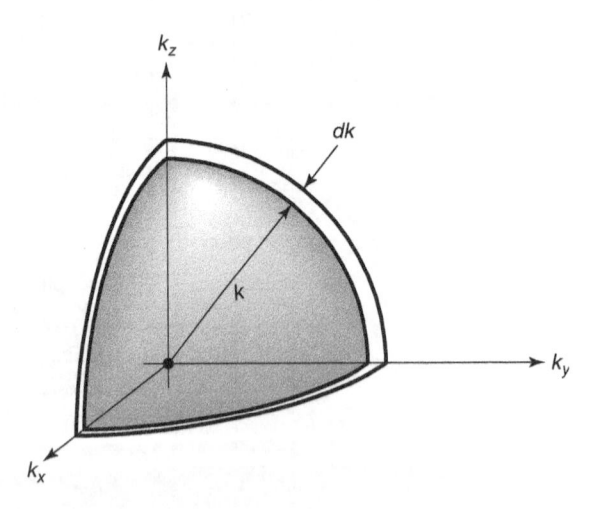

FIGURA 5.4 Um octante de uma camada esférica no espaço k.

---

13 Suponho, aqui, que não haja excitação sensível térmica, ou outro distúrbio, que tire o sólido de seu estado fundamental coletivo. Estou falando de um sólido 'frio', mas (como você demonstrará no Problema 5.16(c)) sólidos típicos são mesmo 'frios' nesse sentido, mesmo muito acima da temperatura ambiente.

14 Como N é um número muito grande, não precisamos nos preocupar com a distinção entre a extremidade real irregular da grade e a superfície lisa esférica que se aproxima.

então, o número de estados eletrônicos na camada é

$$\frac{2[(1/2)\pi k^2 dk]}{(\pi^3/V)} = \frac{V}{\pi^2}k^2 dk.$$

Cada um desses estados carrega uma energia $\hbar^2 k^2/2m$ (Equação 5.39), então, a energia da camada é

$$dE = \frac{\hbar^2 k^2}{2m}\frac{V}{\pi^2}k^2 dk, \qquad [5.44]$$

e, portanto, a energia total é

$$E_{tot} = \frac{\hbar^2 V}{2\pi^2 m}\int_0^{k_F} k^4 dk = \frac{\hbar^2 k_F^5 V}{10\pi^2 m} = \frac{\hbar^2 (3\pi^2 Nq)^{5/3}}{10\pi^2 m}V^{-2/3}. \qquad [5.45]$$

Essa energia mecânica quântica desempenha um papel bastante análogo à energia *térmica* interna (U) de um gás ordinário. Ela exerce *pressão* principalmente sobre as paredes, pois se a caixa se expande em uma quantidade dV, a energia total diminui:

$$dE_{tot} = -\frac{2}{3}\frac{\hbar^2(3\pi^2 Nq)^{5/3}}{10\pi^2 m}V^{-5/3}dV = -\frac{2}{3}E_{tot}\frac{dV}{V},$$

e isso parece com o trabalho feito no lado externo ($dW = P\,d\,V$) pela pressão quântica P. Evidentemente,

$$P = \frac{2}{3}\frac{E_{tot}}{V} = \frac{2}{3}\frac{\hbar^2 k_F^5}{10\pi^2 m} = \frac{(3\pi^2)^{2/3}\hbar^2}{5m}\rho^{5/3}. \qquad [5.46]$$

Aqui, então, temos uma resposta parcial para a questão de por que um objeto sólido frio simplesmente não *colapsa*: há uma pressão interna estabilizante que nada tem a ver com a repulsão elétron-elétron (a qual ignoramos) ou com o movimento térmico (o qual excluímos), mas que é estritamente mecânica quântica e deriva essencialmente da necessidade de antissimetrização para as funções de onda dos férmions idênticos. É chamada, às vezes, de **pressão de degeneração**, embora 'pressão de exclusão' seja um termo melhor.[15]

Problema 5.15 Encontre a energia média por elétron livre (E_{tot}/Nq) como uma fração da energia de Fermi. *Resposta*: $(3/5)E_F$.

Problema 5.16 A densidade do cobre é 8,96 g/cm^3 e seu peso atômico é 63,5 g/mol.
(a) Calcule a energia de Fermi para o cobre (Equação 5.43). Suponha que $q = 1$ e dê a resposta em elétron volts.
(b) Qual é a velocidade do elétron correspondente? *Dica*: defina $E_F = (1/2)mv^2$. É seguro presumir que os elétrons no cobre sejam não relativísticos?
(c) A que temperatura a energia térmica característica ($k_B T$, em que k_B é a constante de Boltzmann e T é a temperatura Kelvin) seria equivalente à energia de Fermi para o cobre? *Comentário*: essa é a chamada **temperatura de Fermi**. Contanto que a temperatura *real* seja substancialmente inferior à temperatura de Fermi, o material poderá ser considerado 'frio', com a maioria dos elétrons no estado acessível mais baixo. Sendo o ponto de fusão do cobre igual a 1.356 K, o cobre sólido é *sempre* frio.
(d) Calcule a pressão de degeneração (Equação 5.46) do cobre no modelo de gás de elétrons.

---

15 *Derivamos* as equações 5.41, 5.43, 5.45 e 5.46 para o caso especial de um poço retangular infinito, mas elas servem para recipientes de qualquer formato, contanto que o número de partículas seja bem grande.

Problema 5.17 O **módulo de compressibilidade** de uma substância é a proporção de uma pequena diminuição na pressão para o aumento de volume resultante fracionário:

$$B = -V \frac{dP}{dV}.$$

Mostre que $B = (5/3)P$ no modelo de gás de elétrons livres e utilize o resultado obtido no Problema 5.16(d) para estimar o módulo de compressibilidade do cobre. *Comentário*: o valor observado é 13,4 × 10^{10} N/m², mas não espere por um acordo perfeito; afinal, estamos desprezando todas as forças elétron-núcleo e elétron-elétron! Na verdade, é surpreendente que esse cálculo seja *tão* aproximado.

5.3.2 Estrutura de banda

Aprimoraremos agora o modelo de elétron livre ao incluir as forças exercidas nos elétrons pelos núcleos regularmente espaçados, positivamente carregados e essencialmente estacionários. O comportamento qualitativo de sólidos é ditado por um grau notável pelo simples fato de esse potencial ser *periódico*; sua *forma* real é relevante apenas para os detalhes mais singulares. Para mostrar como isso funciona, desenvolverei o modelo mais simples possível: uma **rede de Dirac** unidimensional, que consiste de pontos uniformemente espaçados de função delta (Figura 5.5).[16] Mas preciso, em primeiro lugar, apresentar um poderoso teorema que simplifica amplamente a análise de potenciais periódicos.

Um potencial periódico é o que se repete após algumas distâncias fixas a:

$$V(x + a) = V(x). \quad [5.47]$$

O **teorema de Bloch** nos diz que, para tal potencial, as soluções para a equação de Schrödinger,

$$-\frac{\hbar^2}{2m} \frac{d^2\psi}{dx^2} + V(x)\psi = E\psi, \quad [5.48]$$

podem ser escolhidas para satisfazer a condição

$$\psi(x + a) = e^{iKa}\psi(x), \quad [5.49]$$

para alguma constante K (por 'constante' quero dizer que é independente de x; ou que também pode depender de E).

Prova: seja D o operador de 'deslocamento':

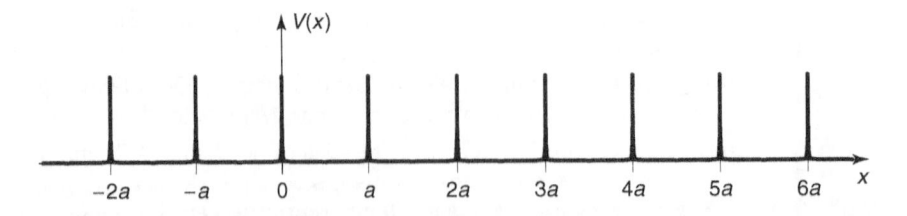

$$Df(x) = f(x + a). \quad [5.50]$$

FIGURA 5.5 A rede de Dirac, Equação 5.57.

---

[16] Seria mais natural deixar que as funções delta *diminuíssem*, para então representar a força de atração dos núcleos. Mas, então, haveria soluções de energia negativa, assim como soluções de energia positiva, o que tornaria os cálculos mais complexos (veja o Problema 5.20). Já que estamos tentando explorar as consequências da periodicidade, é mais simples adotar esse formato não tão plausível; se isso o deixar mais tranquilo, pense que os núcleos estão em ± a/2, ± 3a/2, ± 5a/2....

Para um potencial periódico (Equação 5.47), D comuta com o Hamiltoniano:

$$[D, H] = 0, \qquad [5.51]$$

e, portanto, estamos livres para escolher as autofunções de H, que são simultaneamente autofunções de D: $D\psi = \lambda\psi$, ou

$$\psi(x+a) = \lambda\psi(x). \qquad [5.52]$$

Agora, λ certamente não é *zero* (se *fosse* — já que a Equação 5.52 serve para *todos os x* —, então obteríamos $\psi(x) = 0$ imediatamente, a qual não é uma autofunção admissível); como qualquer número complexo diferente de zero, pode ser expresso como um exponencial:

$$\lambda = e^{iKa}, \qquad [5.53]$$

para alguma constante K.   QED

Nessa fase, a Equação 5.53 é apenas uma forma estranha de se escrever o autovalor λ, mas logo descobriremos que K é, na verdade, *real*, de modo que, apesar de $\psi(x)$ não ser periódico, $|\psi(x)|^2$ é:

$$|\psi(x+a)|^2 = |\psi(x)|^2, \qquad [5.54]$$

como seria, certamente, de se esperar.[17]

Naturalmente, nenhum sólido *real* se estende eternamente, e as extremidades interferirão na periodicidade de $V(x)$, e tornarão o teorema de Bloch inaplicável. Entretanto, é difícil imaginar que os efeitos das extremidades poderão influenciar significativamente o comportamento dos elétrons mais internos, para qualquer cristal macroscópico que contenha algo da ordem do número de Avogadro de átomos. Isso sugere o seguinte dispositivo para salvar o teorema de Bloch: envolvemos o eixo x em um círculo e conectamos suas duas pontas, depois de um grande número $N \approx 10^{23}$ de períodos; formalmente, impomos as seguintes condições de contorno:

$$\psi(x+Na) = \psi(x). \qquad [5.55]$$

Segue-se (da Equação 5.49) que

$$e^{iNKa}\psi(x) = \psi(x),$$

assim, $e^{iNKa} = 1$ ou $NKa = 2\pi n$, e, portanto,

$$K = \frac{2\pi n}{Na} \quad (n = 0, \pm 1, \pm 2,...). \qquad [5.56]$$

K deve ser, necessariamente, real, principalmente para essa disposição. A virtude do teorema de Bloch é que precisamos apenas resolver a equação de Schrödinger *em uma única célula* (digamos que seja no intervalo $0 \leq x < a$); a aplicação recursiva da Equação 5.49 gera a solução em qualquer outro lugar.

Agora suponha que o potencial consista em uma longa série de pontos função delta (a rede de Dirac):

$$V(x) = \alpha \sum_{j=0}^{N-1} \delta(x - ja). \qquad [5.57]$$

(Na Figura 5.5, você deve imaginar que o eixo x foi 'envolvido', assim o N-ésimo pico realmente aparece em $x = -a$.) Ninguém fingiria que esse é um modelo *realista*, mas lembre-se de que estamos interessados somente no efeito de *periodicidade*; o estudo clássico[18] utilizou

---

[17] Na verdade, você pode se sentir tentado a inverter o argumento, *começando* com a Equação 5.54, como meio de provar o teorema de Bloch. A tática não funciona porque a Equação 5.54, por si só, permite que o fator de fase na Equação 5.49 seja uma *função de x*.

[18] R. de L. Kronig e W. G. Penney, *Proc. R. Soc. Lond.*, série A, **130**, 499 (1930).

um padrão de repetição *retangular*, e ele ainda é o preferido de muitos autores.[19] Na região $0 < x < a$ o potencial é zero, assim

$$-\frac{\hbar^2}{2m}\frac{d^2\psi}{dx^2} = E\psi,$$

ou

$$\frac{d^2\psi}{dx^2} = -k^2\psi,$$

em que

$$k \equiv \frac{\sqrt{2mE}}{\hbar}, \qquad [5.58]$$

como sempre.

A solução geral é

$$\psi(x) = A\,\text{sen}(kx) + B\cos(kx), \quad (0 < x < a). \qquad [5.59]$$

De acordo com o teorema de Bloch, a função de onda na célula imediatamente à *esquerda* da origem é

$$\psi(x) = e^{-iKa}[A\,\text{sen}\,k(x+a) + B\cos k(x+a)], \quad (-a < x < 0). \qquad [5.60]$$

Em $x = 0$, ψ deve ser contínuo, então

$$B = e^{-iKa}[A\,\text{sen}\,(ka) + B\cos(ka)]; \qquad [5.61]$$

sua derivada sofre uma descontinuidade proporcional à força da função delta (Equação 2.125, com o sinal de α trocado, uma vez que esses são pontos em vez de poços):

$$kA - e^{-iKa}k[A\cos(ka) - B\,\text{sen}(ka)] = \frac{2m\alpha}{\hbar^2}B. \qquad [5.62]$$

Resolvendo a Equação 5.61 para A, sen(ka) produz

$$A\,\text{sen}(ka) = [e^{iKa} - \cos(ka)]B. \qquad [5.63]$$

Substituindo isso na Equação 5.62 e cancelando kB, encontramos

$$[e^{iKa} - \cos(ka)][1 - e^{-iKa}\cos(ka)] + e^{-iKa}\text{sen}^2(ka) = \frac{2m\alpha}{\hbar^2 k}\text{sen}(ka),$$

que é simplificada para

$$\cos(Ka) = \cos(Ka) + \frac{m\alpha}{\hbar^2 k}\text{sen}(ka). \qquad [5.64]$$

Esse é o resultado fundamental, a partir do qual tudo o mais decorre. Para o potencial de Kronig-Penney (veja nota de rodapé nº 18), a fórmula é mais complicada, mas compartilha das mesmas características que exploraremos em breve.

A Equação 5.64 determina os valores possíveis de k e, portanto, as energias permitidas. Para simplificar a notação, seja

$$z \equiv ka \quad \text{e} \quad \beta \equiv \frac{m\alpha a}{\hbar^2}, \qquad [5.65]$$

---

[19] Veja, por exemplo, D. Park, *Introduction to the Quantum Theory*, 3ª ed., McGraw-Hill, Nova York (1992).

assim, o lado direito da Equação 5.64 pode ser escrito como

$$f(z) \equiv \cos(z) + \beta \frac{\text{sen}(z)}{z}. \qquad [5.66]$$

A constante β é uma medida adimensional da 'força' da função delta. Na Figura 5.6 tracei $f(z)$, para o caso $\beta = 10$. O mais importante a se destacar é que $f(z)$ se dispersa para fora do intervalo $(-1, +1)$, e em tais regiões não há esperança de se resolver a Equação 5.64, já que $|\cos(Ka)|$, é claro, não pode ser maior do que 1. Essas **lacunas** representam as energias *proibidas*; elas são separadas por **bandas** de energias *permitidas*. Dentro de uma banda dada, qualquer energia é virtualmente permitida, sendo que, de acordo com a Equação 5.56, $Ka = 2\pi n/N$, em que N é um número enorme e n pode ser qualquer número inteiro. Você pode imaginar o desenho de N linhas horizontais na Figura 5.6, em valores de $\cos(2\pi n/N)$ variando de $+1$ $(n = 0)$ até -1 $(n = N/2)$, e de volta a quase $+1$ $(n = N-1)$; nesse momento, o fator de Bloch e^{iKa} é reciclado, e por isso nenhuma nova solução é gerada por um novo aumento de n. A intersecção de cada uma dessas linhas com $f(z)$ produz uma energia permitida. Evidentemente, há N estados em cada banda, tão juntos que, na maior parte dos casos, podemos considerá-los como uma sequência contínua (Figura 5.7).

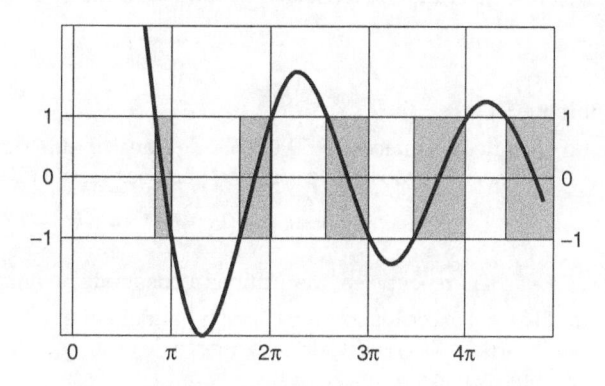

FIGURA 5.6 Gráfico de $f(z)$ (Equação 5.66) para $\beta = 10$, mostrando bandas permitidas (sombreadas) separadas por lacunas proibidas (onde $|f(z)| > 1$).

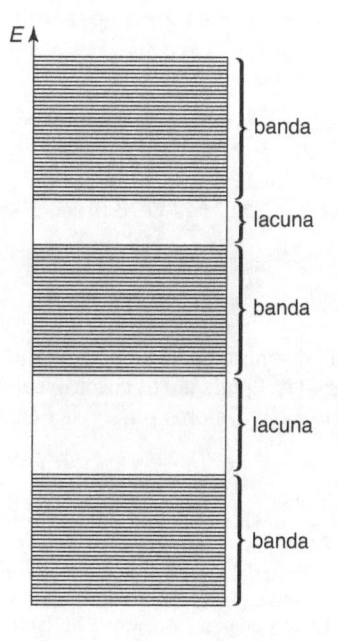

FIGURA 5.7 Energias permitidas para uma forma potencial periódica de bandas essencialmente contínuas.

Até agora, colocamos somente *um* elétron em nosso potencial. Na prática, haverá Nq deles, nos quais q é novamente o número de elétrons 'livres' por átomo. Por causa do princípio da exclusão de Pauli, somente dois elétrons podem ocupar um estado espacial dado, então, se $q = 1$, eles preencherão a primeira banda pela metade, se $q = 2$, preencherão completamente a primeira banda, se $q = 3$, preencherão a segunda banda pela metade, e assim por diante — tudo isso sempre no estado fundamental. (Em três dimensões e com potenciais mais realistas, a estrutura de banda pode ser mais complicada, mas a *existência* de bandas permitidas, separadas por lacunas proibidas, persistem; a estrutura de banda é a *assinatura* de um potencial periódico.)

Agora, se uma banda está inteiramente preenchida, necessita-se de uma energia relativamente alta para excitar um elétron, pois este tem de saltar a zona proibida. Tais materiais são **isolantes** elétricos. Por outro lado, se uma banda está somente *parcialmente* preenchida, é preciso pouca energia para excitar um elétron, e tais materiais são tipicamente **condutores**. Se você **dopar** um isolante com poucos átomos de maiores ou menores valores q, isso coloca alguns elétrons 'extras' na banda imediatamente superior, ou cria alguns **buracos** na banda previamente preenchida, permitindo tanto em um caso quanto no outro que uma corrente elétrica fraca flua; tais materiais são chamados de **semicondutores**.* No modelo de elétron livre, *todos* os sólidos deveriam ser condutores excelentes, pois não há amplas lacunas no espectro de energias permitidas. A teoria de banda é necessária para dar conta da extraordinária variedade de condutividades elétricas exibidas pelos sólidos na natureza.

Problema 5.18

(a) Usando as equações 5.59 e 5.63, demonstre que a função de onda para uma partícula no potencial função delta periódico pode ser escrita da seguinte forma:

$$\psi(x) = C[\operatorname{sen}(kx) + e^{-iKa} \operatorname{sen} k(a-x)], \quad (0 \leq x \leq a).$$

(Não se preocupe em determinar a constante de normalização C.)

(b) Há uma exceção: no topo de uma banda, em que z é um inteiro múltiplo de π (Figura 5.6), (a) produz $\psi(x) = 0$. Calcule a função de onda correta para esse caso. Observe o que acontece com ψ em cada função delta.

Problema 5.19 Encontre a energia na parte inferior da primeira banda permitida para o caso $\beta = 10$, e a corrija para três algarismos significativos. Suponha que $\alpha/a = 1$ eV.

**Problema 5.20 Suponha que usemos *poços* de função delta em vez de *picos* (isto é, mude o sinal de α na Equação 5.57). Analise esse caso, construindo o análogo para a Figura 5.6. Isso não exigirá novos cálculos para as soluções de energia positiva (exceto que β agora é negativo; para o gráfico, use $\beta = -1,5$), mas você precisa, *sim*, trabalhar as soluções com energia negativa (seja $\kappa \equiv \sqrt{-2mE}/\hbar$ e $z \equiv -\kappa a$, para $E < 0$). Quantos estados existem na primeira banda permitida?

Problema 5.21 Demonstre que a *maioria* das energias determinadas pela Equação 5.64 são duplamente degeneradas. Quais são os casos excepcionais? *Dica*: tente com $N = 1, 2, 3, 4...$ para ver o que acontece. Quais são os valores possíveis de $\cos(Ka)$ em cada caso?

---

* Nota do revisor técnico: o revisor técnico (e também o Prof. Griffiths, autor deste livro, após diálogo com este revisor) considera essa definição de material semicondutor não apropriada. A definição de material semicondutor não necessita de dopagem ou introdução de átomos estranhos no material original. Na verdade, toda descrição da diferença entre um material metálico, isolante ou semicondutor deve ser realizada utilizando-se apenas bandas de energia. Para uma explicação mais adequada de toda teoria veja o livro: *Física do estado sólido*, de N. W. Aschcroft e N. D. Mermin, editora Cengage Learning, São Paulo — Brasil.

5.4 Mecânica estatística quântica

Em zero absoluto, um sistema físico ocupa sua configuração de energia permitida mais baixa. Conforme aumentamos a temperatura, a atividade térmica aleatória começará a preencher os estados excitados, e isso levanta a seguinte questão: se temos um amplo número de partículas N em equilíbrio térmico à temperatura T, qual é a probabilidade de que uma partícula, selecionada ao acaso, tenha a energia específica E_j? Note que a 'probabilidade' em questão não tem nada a ver com a indeterminação quântica. A mesma questão surge na mecânica estatística *clássica*. A razão pela qual devemos nos contentar com a resposta *probabilística* é que normalmente lidamos com um enorme número de partículas e não poderíamos acompanhar cada uma delas separadamente, fosse a mecânica base determinística ou não.

O **pressuposto fundamental da mecânica estatística** é que, no **equilíbrio térmico**, todos os estados distintos com a mesma energia *total, E*, são igualmente prováveis. Movimentos térmicos aleatórios mudam constantemente a energia de uma partícula para outra, e de uma forma (de rotação, cinética, vibração etc.) para outra, mas (na ausência de influências externas) o *total* é fixado pela conservação de energia. O pressuposto (e isso é *profundo*, vale a pena ser levado em consideração) é que essa redistribuição contínua de energia não favorece nenhum estado em particular. A **temperatura**, T, é simplesmente uma medida da energia total de um sistema em equilíbrio térmico. A única novidade introduzida pela mecânica quântica tem a ver com a *forma como contamos os estados distintos* (na verdade, é *mais fácil* do que na teoria clássica, pois os estados são geralmente discretos), e isso depende muito de as partículas envolvidas serem distinguíveis, bósons idênticos ou férmions idênticos. Os argumentos são relativamente simples, porém, a *aritmética* se torna muito densa, de modo que começarei com um exemplo absurdamente simples para que você tenha uma noção clara do que estamos falando quando chegarmos ao caso geral.

5.4.1 Um exemplo

Suponha que tenhamos *três* partículas não interativas (todas de massa m) no poço quadrado infinito unidimensional (Seção 2.2). A energia total será

$$E = E_A + E_B + E_C = \frac{\pi^2 \hbar^2}{2ma^2}(n_A^2 + n_B^2 + n_C^2) \qquad [5.67]$$

(veja a Equação 2.27), em que n_A, n_B e n_C são números inteiros positivos. Agora suponha que $E = 363(\pi^2\hbar^2/2ma^2)$, o que significaria que

$$n_A^2 + n_B^2 + n_C^2 = 363. \qquad [5.68]$$

Existem 13 combinações de três números inteiros positivos cuja soma dos quadrados é 363: os três poderiam ser 11, dois poderiam ser 13 e um poderia ser 5 (que ocorre em três permutações); um poderia ser 19 e dois poderiam ser 1 (novamente, três permutações), ou um poderia ser 17, um poderia ser 7, e um poderia ser 5 (seis permutações). Assim (n_A, n_B, n_C) é um dos seguintes:

(11, 11, 11),

(13, 13, 5), (13, 5, 13), (5, 13, 13),

(1, 1, 19), (1, 19, 1), (19, 1, 1),

(5, 7, 17), (5, 17, 7), (7, 5, 17), (7, 17, 5) (17, 5, 7), (17, 7, 5).

Se as partículas forem *distinguíveis*, cada um deles representa um estado quântico distinto, e o pressuposto fundamental da mecânica estatística diz que no equilíbrio térmico[20] todos eles

---

[20] O modo como as partículas manterão o equilíbrio térmico, se não interagirem de maneira alguma, é um problema com o qual eu não gostaria de me preocupar; talvez Deus apareça de vez em quando e agite as coisas (com cuidado para não adicionar ou remover qualquer energia). Na vida real, é claro, a redistribuição contínua de energia é causada precisamente pela interação entre as partículas, de modo que, se você não aprova a intervenção divina, permita que haja interações extremamente fracas — mas que sejam suficientes para termalizar o sistema (por, pelo menos, longos períodos), porém, muito pequenas para alterar consideravelmente os estados estacionários e as energias permitidas.

são igualmente prováveis. Porém, não estou interessado em saber *qual* partícula está em *qual* estado (de partícula simples), o que me interessa é o *número* total de partículas em cada estado — o **número de ocupação atômica**, N_n, para o estado ψ_n. O conjunto de todos os números de ocupação para dado estado de três partículas será chamado de **configuração**. Se os três estiverem em ψ_{11}, a configuração será

$$(0, 0, 0, 0, 0, 0, 0, 0, 0, 0, 3, 0, 0, 0, 0, 0, 0, 0,...) \qquad [5.69]$$

(isto é, $N_{11} = 3$, todos os outros zero). Se dois estiverem em ψ_{13} e um estiver em ψ_5, a configuração será

$$(0, 0, 0, 0, 1, 0, 0, 0, 0, 0, 0, 0, 2, 0, 0, 0, 0,...) \qquad [5.70]$$

(isto é, $N_5 = 1$, $N_{13} = 2$, todos os outros zero). Se dois estiverem em ψ_1 e um estiver em ψ_{19}, a configuração será

$$(2, 0, 0, 0, 0, 0, 0, 0, 0, 0, 0, 0, 0, 0, 0, 0, 0, 0, 1, 0,...) \qquad [5.71]$$

(isto é, $N_1 = 2$, $N_{19} = 1$, todos os outros zero). E se houver uma partícula em ψ_5, uma em ψ_7, e uma em ψ_{17}, a configuração será

$$(0, 0, 0, 0, 1, 0, 1, 0, 0, 0, 0, 0, 0, 0, 0, 1, 0, 0,...) \qquad [5.72]$$

(isto é, $N_5 = N_7 = N_{17} = 1$, todos os outros zero). Desses, a última é a configuração *mais provável*, pois pode ser feita de seis maneiras diferentes, enquanto as duas intermediárias ocorrem de três maneiras e a primeira, somente de uma.

Voltando agora à minha questão original, se selecionarmos uma dessas três partículas aleatoriamente, qual é a probabilidade (P_n) de obtermos uma energia (permitida) específica E_n? A única maneira de se obter E_1 é se ela estiver na terceira configuração (Equação 5.71); as chances de o sistema estar na configuração são 3 em 13, e, naquela configuração, a probabilidade de se obter E_1 é de 2/3, e, portanto, $P_1 = (3/13) \times (2/3) = 2/13$. Você poderia obter E_5 tanto da configuração 2 (Equação 5.70) — 3 chances em 13 — com probabilidade 1/3, ou da configuração 4 (Equação 5.72) — 6 chances em 13 — com probabilidade 1/3, assim $P_5 = (3/13) \times (1/3) + (6/13) \times (1/3) = 3/13$. Você pode obter E_7 somente a partir da configuração 4: $P_7 = (6/13) \times (1/3) = 2/13$. Da mesma forma, E_{11} é obtido somente a partir da primeira configuração (Equação 5.69) — 1 chance em 13 — com probabilidade 1: $P_{11} = (1/13)$. Similarmente, $P_{13} = (3/13) \times (2/3) = 2/13$, $P_{17} = (6/13) \times (1/3) = 2/13$ e $P_{19} = (3/13) \times (1/3) = 1/13$. Apenas como verificação, observe que

$$P_1 + P_5 + P_7 + P_{11} + P_{13} + P_{17} + P_{19} = \frac{2}{13} + \frac{3}{13} + \frac{2}{13} + \frac{1}{13} + \frac{2}{13} + \frac{2}{13} + \frac{1}{13} = 1.$$

É o que ocorre quando as partículas são distinguíveis. Se de fato elas são *férmions idênticos*, a necessidade de antissimetrização (deixando o spin de lado, para simplificar, ou supondo que estejam todas no *mesmo* estado de spin, como você preferir) exclui as três primeiras configurações (as quais atribuem duas — ou, pior até, três — partículas para o mesmo estado), e há apenas *um* estado na quarta configuração (veja o Problema 5.22(a)). Para os férmions idênticos, então $P_5 = P_7 = P_{17} = 1/3$ (e novamente a soma das probabilidades é 1). Por outro lado, se eles são *bósons idênticos*, a necessidade de simetrização permite *um* estado em cada configuração (veja o Problema 5.22(b)), assim $P_1 = (1/4) \times (2/3) = 1/6$, $P_5 = (1/4) \times (1/3) + (1/4) \times (1/3) = 1/6$, $P_7 = (1/4) \times (1/3) = 1/12$, $P_{11} = (1/4) \times (1) = 1/4$, $P_{13} = (1/4) \times (2/3) = 1/6$, $P_{17} = (1/4) \times (1/3) = 1/12$ e $P_{19} = (1/4) \times (1/3) = 1/12$. Como sempre, a soma é 1.

O objetivo desse exemplo foi mostrar como a contagem dos estados depende da natureza das partículas. Por um lado, foi realmente uma situação *mais complicada* do que a situação real, em que N é um número enorme. Conforme N vai aumentando, a configuração mais provável (nesse exemplo, $N_5 = N_7 = N_{17} = 1$, para o caso das partículas distinguíveis) torna-se muito *mais provável* do que seus concorrentes, de modo que, para fins estatísticos, podemos nos dar ao luxo de ignorar completamente todas as outras:[21] *a distribuição de energias das partículas indi-*

---

[21] Esse é um fato incrível e inesperado sobre as estatísticas de números grandes. Para um debate interessante, veja Ralph Baierlein, *Thermal Physics*, Cambridge U.P. (1999), Seção 2.1.

viduais, em equilíbrio, é simplesmente sua distribuição na configuração mais provável. (Se isso fosse verdade para N = 3 — o que, obviamente, não é —, poderíamos concluir que $P_5 = P_7 = P_{17} = 1/3$ para o caso das partículas distinguíveis.) Voltarei a essa questão na Seção 5.4.3, mas primeiro temos de generalizar o próprio processo de contagem.

*Problema 5.22

(a) Monte a função de onda completamente antissimétrica $\psi(x_A, x_B, x_C)$ para três férmions idênticos, um no estado ψ_5, um no estado ψ_7 e um no estado ψ_{17}.

(b) Monte a função de onda completamente simétrica $\psi(x_A, x_B, x_C)$ para três bósons idênticos, (i) se os três estiverem no estado ψ_{11}, (ii) se dois estiverem no estado ψ_1 e um no estado ψ_{19} e (iii) se um estiver no estado ψ_5, um no estado ψ_7 e um no estado ψ_{17}.

*Problema 5.23 Suponha que você tivesse três partículas (não interativas), em equilíbrio térmico, em um potencial do oscilador harmônico unidimensional, com a energia total $E = (9/2)\hbar\omega$.

(a) Se elas forem partículas distinguíveis (porém, todas com a mesma massa), quais as possíveis configurações de número de ocupação, e quantos estados distintos (de três partículas) há para cada um? Qual é a configuração mais provável? Se você escolher uma partícula aleatoriamente e medir a sua energia, quais valores você poderá obter e qual será a probabilidade de cada uma? Qual será a energia mais provável?

(b) Faça o mesmo para o caso dos férmions idênticos (ignorando o spin, como fizemos na Seção 5.4.1).

(c) Faça o mesmo para o caso dos bósons idênticos (ignorando o spin).

5.4.2 O caso geral

Considere agora um potencial arbitrário, para o qual as energias de uma partícula sejam $E_1, E_2, E_3...$, com degeneração $d_1, d_2, d_3...$ (isto é, há d_n estados de uma partícula distintos com energia E_n). Suponha que coloquemos N partículas (todas com a mesma massa) nesse potencial; estamos interessados na configuração $(N_1, N_2, N_3...)$, para a qual há N_1 partículas com energia E_1, N_2 partículas com energia E_2, e assim por diante. *Pergunta:* de quantas maneiras diferentes isso pode ser obtido (ou, mais precisamente, quantos estados diferentes correspondem a essa determinada configuração)? A resposta, $Q(N_1, N_2, N_3...)$ depende de as partículas serem distinguíveis, férmions idênticos ou bósons idênticos, de modo que trataremos os três casos separadamente.[22]

Primeiramente, suponha que as partículas sejam *distinguíveis*. Quantas maneiras existem de selecionar (a partir de N candidatos disponíveis) o N_1, para que ele fique na primeira 'caixa'? *Resposta:* o **coeficiente binomial**, 'N escolhe N_1',

$$\begin{pmatrix} N \\ N_1 \end{pmatrix} \equiv \frac{N!}{N_1!(N-N_1)!}. \quad [5.73]$$

Porque existem N formas de escolher a primeira partícula, deixando $(N-1)$ para o segundo, e assim por diante:

$$N(N-1)(N-2)...(N-N_1+1) = \frac{N!}{(N-N_1)!}.$$

---

[22] A apresentação aqui segue próxima àquela de Amnon Yariv, *An Introduction to Theory and Applications of Quantum Mechanics*, Wiley, Nova York (1982).

Entretanto, isso conta separadamente as $N_1!$ diferentes *permutações* das partículas N_1, enquanto não nos importamos se o número 37 foi escolhido na primeira extração ou na 29ª extração; assim, dividimos por $N_1!$, confirmando a Equação 5.73. Mas de quantas maneiras diferentes aquelas N_1 partículas podem ser organizadas *dentro* da primeira caixa? Bem, há d_1 estados na caixa, de modo que cada partícula tem um número d_1 de escolhas; evidentemente, há $(d_1)^{N_1}$ possibilidades ao todo. Assim, a quantidade de maneiras de colocar N_1 partículas selecionadas de um conjunto total N em uma caixa contendo d_1 opções distintas é de

$$\frac{N!d_1^{N_1}}{N_1!(N-N_1)!}.$$

O mesmo vale para a caixa 2, é claro, exceto que agora há somente $(N - N_1)$ partículas restantes para trabalharmos:

$$\frac{(N-N_1)!d_2^{N_2}}{N_2!(N-N_1-N_2)!};$$

e assim por diante. Segue-se que

$$Q(N_1, N_2, N_3, \ldots) = \frac{N!d_1^{N_1}}{N_1!(N-N_1)!} \frac{(N-N_1)!d_2^{N_2}}{N_2!(N-N_1-N_2)!} \frac{(N-N_1-N_2)!d_3^{N_3}}{N_3!(N-N_1-N_2-N_3)!} \cdots$$

$$= N!\frac{d_1^{N_1}d_2^{N_2}d_3^{N_3}}{N_1!N_2!N_3!\cdots} = N!\prod_{n=1}^{\infty}\frac{d_n^{N_n}}{N_n!}. \qquad [5.74]$$

(Você deve parar agora mesmo e *verificar* esse resultado para o exemplo na Seção 5.4.1 — veja o Problema 5.24.)

O problema é muito mais fácil para *férmions idênticos*. E como eles são indistinguíveis, não importa *quais* partículas estão em *quais* estados; a necessidade de antissimetrização significa que existe apenas *um* estado de N partículas no qual um conjunto específico de estados de uma partícula simples é ocupado. Além disso, somente uma partícula pode ocupar qualquer estado dado. Existem

$$\binom{d_n}{N_n}$$

maneiras de se escolher os N_n estados ocupados na n-ésima caixa,[23] assim

$$Q(N_1, N_2, N_3, \ldots) = \prod_{n=1}^{\infty}\frac{d_n!}{N_n!(d_n-N_n)!}. \qquad [5.75]$$

(Verifique esse resultado para o exemplo na Seção 5.4.1. Veja o Problema 5.24.)

O cálculo é mais difícil para o caso de *bósons idênticos*. Novamente, a necessidade de simetrização significa que há somente um estado de N partículas no qual um conjunto específico de estados de uma partícula é ocupado, mas, dessa vez, não há restrição ao número de partículas que podem compartilhar o mesmo estado de uma partícula. Para a n-ésima caixa, a questão muda: de quantas maneiras diferentes podemos atribuir N_n partículas idênticas para d_n diferentes espaços? Há muitos truques para resolver esse problema combinatório; um método especialmente inteligente é o seguinte: permita que pontos representem partículas e cruzes representem partições, de modo que, por exemplo, se $d_n = 5$ e $N_n = 7$,

• • x • x • • • x • x

---

[23] Deveria ser zero, é claro, se $N_n > d_n$, e realmente *é* zero, já que consideramos infinito o fatorial de um inteiro negativo.

indicaria que há duas partículas no primeiro estado, uma no segundo, três no terceiro, uma no quarto e nenhuma no quinto. Observe que há N_n pontos e $(d_n - 1)$ cruzes (dividindo os pontos em d_n grupos). Se os pontos individuais e cruzes estiverem *rotulados*, haveria $(N_n + d_n - 1)!$ maneiras diferentes de organizá-las. Mas, para nossos objetivos nesse caso, os pontos são todos equivalentes; permutá-los (de $N_n!$ maneiras) não muda o estado. Do mesmo modo, as cruzes são todas equivalentes; permutá-las (de $(d_n - 1)!$ maneiras) não muda nada. Então, na verdade há

$$\frac{(N_n + d_n - 1)!}{N_n!(d_n - 1)!} = \binom{N_n + d_n - 1}{N_n} \qquad [5.76]$$

maneiras diferentes de determinar as N_n partículas para os d_n estados de uma partícula na n-ésima caixa, e concluímos que

$$Q(N_1, N_2, N_3, \ldots) = \prod_{n=1}^{\infty} \frac{(N_n + d_n - 1)!}{N_n!(d_n - 1)!} \qquad [5.77]$$

(Faça uma verificação para o exemplo na Seção 5.4.1. Veja o Problema 5.24.)

*Problema 5.24 Verifique as equações 5.74, 5.75 e 5.77 para o exemplo na Seção 5.4.1.

**Problema 5.25 Obtenha a Equação 5.76 por indução. A questão combinatória é a seguinte: de quantas maneiras diferentes você pode colocar N bolas idênticas em d cestas (não se incomode com o subscrito n para esse problema). Você poderia colocar todas as N na terceira cesta, ou todas, exceto uma delas, na segunda cesta e uma na quinta, ou duas na primeira e três na terceira e todo o resto na sétima etc. Resolva explicitamente os casos $N = 1$, $N = 2$, $N = 3$ e $N = 4$; nesse estágio você já deve ser capaz de deduzir a fórmula geral.

5.4.3 A configuração mais provável

No equilíbrio térmico, todos os estados com uma dada energia total E e um número dado de partículas N são igualmente prováveis. Assim, a *configuração mais provável* $(N_1, N_2, N_3\ldots)$ é aquela que pode ser alcançada a partir do maior número de maneiras diferentes; é essa configuração, especialmente, para a qual $Q(N_1, N_2, N_3\ldots)$ é um máximo, sujeita a restrições

$$\sum_{n=1}^{\infty} N_n = N, \qquad [5.78]$$

e

$$\sum_{n=1}^{\infty} N_n E_n = E. \qquad [5.79]$$

O problema em maximizar a função $F(x_1, x_2, x_3, \ldots)$ de várias variáveis, sujeita às restrições $f_1(x_1, x_2, x_3, \ldots) = 0$, $f_2(x_1, x_2, x_3, \ldots) = 0$ etc., é mais convenientemente resolvido pelo método dos **multiplicadores de Lagrange**.[24] Apresentamos uma nova função

$$G(x_1, x_2, x_3, \ldots, \lambda_1, \lambda_2, \ldots) \equiv F + \lambda_1 f_1 + \lambda_2 f_2 + \ldots, \qquad [5.80]$$

---

[24] Veja, por exemplo, Mary Boas, *Mathematical Methods in the Physical Sciences*, 2ª ed., Wiley, Nova York (1983), Capítulo 4, Seção 9.

e definimos *todas* as suas derivadas iguais a zero:

$$\frac{\partial G}{\partial x_n} = 0; \quad \frac{\partial G}{\partial \lambda_n} = 0. \qquad [5.81]$$

Aqui nesse caso, é um pouco mais fácil trabalhar com o *logaritmo* de Q em vez de com o próprio Q; isso transforma os *produtos* em *somas*. Uma vez que o logaritmo é uma função monotônica de seu argumento, os máximos de Q e ln(Q) ocorrem no mesmo ponto. Então, seja

$$G \equiv \ln(Q) + \alpha \left[N - \sum_{n=1}^{\infty} N_n \right] + \beta \left[E - \sum_{n=1}^{\infty} N_n E_n \right], \qquad [5.82]$$

em que α e β são os multiplicadores de Lagrange. Definir as derivadas em relação a α e a β igual a zero apenas reproduz as restrições (equações 5.78 e 5.79); resta, então, definir a derivada em relação a N_n igual a zero.

Se as partículas são *distinguíveis*, então Q é dado pela Equação 5.74, e teremos

$$G = \ln(N!) + \sum_{n=1}^{\infty} [N_n \ln(d_n) - \ln(N_n!)]$$
$$+ \alpha \left[N - \sum_{n=1}^{\infty} N_n \right] + \beta \left[E - \sum_{n=1}^{\infty} N_n E_n \right]. \qquad [5.83]$$

Pressupondo que os números de ocupação relevantes (N_n) sejam grandes, podemos invocar a **aproximação de Stirling**:[25]

$$\ln(z!) \approx z \ln(z) - z \quad \text{para } z \gg 1, \qquad [5.84]$$

para escrever

$$G \approx \sum_{n=1}^{\infty} [N_n \ln(d_n) - N_n \ln(N_n) + N_n - \alpha N_n - \beta E_n N_n]$$
$$+ \ln(N!) + \alpha N + \beta E. \qquad [5.85]$$

Segue-se que

$$\frac{\partial G}{\partial N_n} = \ln(d_n) - \ln(N_n) - \alpha - \beta E_n. \qquad [5.86]$$

Ao definir essa derivada igual a zero, e resolvendo para N_n, concluímos que os *números de ocupação mais prováveis* para as partículas distinguíveis são

$$N_n = d_n e^{-(\alpha + \beta E_n)}. \qquad [5.87]$$

Se as partículas são *férmions idênticos*, então Q é dado pela Equação 5.75, e assim teremos

$$G = \sum_{n=1}^{\infty} \{\ln(d_n!) - \ln(N_n!) - \ln[d_n - N_n)!]\}$$
$$+ \alpha \left[N - \sum_{n=1}^{\infty} N_n \right] + \beta \left[E - \sum_{n=1}^{\infty} N_n E_n \right]. \qquad [5.88]$$

---

[25] A aproximação de Stirling pode ser aprimorada com a inclusão de mais termos na **série de Stirling**, mas os dois primeiros serão suficientes para nossos propósitos. Veja George Arfken e Hans-Jurgen Weber, *Mathematical Methods for Physicists*, 5ª ed., Academic Press, Orlando (2000), Seção 10.3. Se os números de ocupação relevantes *não* são grandes (como na Seção 5.4.1), então a mecânica estatística simplesmente não se aplica. A questão é lidar com números tão grandes que façam com que a inferência estatística seja um indicador confiável. Naturalmente, sempre haverá estados de uma partícula com energia extremamente alta que não estarão preenchidos de *maneira alguma*; felizmente, a aproximação de Stirling serve também para z = 0. Uso aqui a palavra 'relevante' para excluir quaisquer estados dispersos logo na margem, para o qual N_n não é nem grande nem zero.

Dessa vez, devemos supor não somente que N_n seja grande, mas também que $d_n \gg N_n$,[26] assim a aproximação de Stirling se aplicaria a ambos os termos. Nesse caso,

$$G \approx \sum_{n=1}^{\infty}\Big[\ln(d_n!) - N_n \ln(N_n) + N_n - (d_n - N_n)\ln(d_n - N_n)$$
$$+ (d_n - N_n) - \alpha N_n - \beta E_n N_n\Big] + \alpha N + \beta E, \qquad [5.89]$$

então,

$$\frac{\partial G}{\partial N_n} = -\ln(N_n) + \ln(d_n - N_n) - \alpha - \beta E_n. \qquad [5.90]$$

Estabelecendo que isso seja igual a zero e resolvendo para N_n, encontramos os *números de ocupação mais prováveis* para férmions idênticos:

$$N_n = \frac{d_n}{e^{(\alpha + \beta E_n)} + 1}. \qquad [5.91]$$

Por fim, se as partículas forem *bósons idênticos*, então Q é dado pela Equação 5.77, e teremos

$$G = \sum_{n=1}^{\infty} \{\ln[(N_n + d_n - 1)!] - \ln(N_n!) - \ln(d_n - 1)!]\}$$
$$+ \alpha\Big[N - \sum_{n=1}^{\infty} N_n\Big] + \beta\Big[E - \sum_{n=1}^{\infty} N_n E_n\Big]. \qquad [5.92]$$

Supondo (como sempre) que $N_n \gg 1$ e utilizando a aproximação de Stirling:

$$G \approx \sum_{n=1}^{\infty} \{(N_n + d_n - 1)\ln(N_n + d_n - 1) - (N_n + d_n - 1) - N_n \ln(N_n)$$
$$+ N_n - \ln[(d_n - 1)!] - \alpha N_n - \beta E_n N_n\} + \alpha N + \beta E, \qquad [5.93]$$

então,

$$\frac{\partial G}{\partial N_n} = \ln(N_n + d_n - 1) - \ln(N_n) - \alpha - \beta E_n. \qquad [5.94]$$

Fazendo isso igual a zero, e resolvendo para N_n, encontramos os *números de ocupação mais prováveis* para bósons idênticos:

$$N_n = \frac{d_n - 1}{e^{(\alpha + \beta E_n)} - 1}. \qquad [5.95]$$

(Para que haja coerência com a aproximação já executada no caso dos férmions, deveríamos descartar o 1 no numerador, e é o que eu farei daqui por diante.)

Problema 5.26 Utilize o método dos multiplicadores de Lagrange para calcular o retângulo com maior área, com lados paralelos aos eixos, que possam ser inscritos na elipse $(x/a)^2 + (y/b)^2 = 1$. Qual é a área máxima?

---

[26] Em *uma* dimensão, as energias são não degeneradas (veja o Problema 2.45), mas em três dimensões, d_n tipicamente aumenta rapidamente com o aumento de n (por exemplo, no caso do hidrogênio, $d_n = n^2$). Portanto, não é absurdo supor que, para a *maioria* dos estados ocupados, $d_n \gg 1$. Por outro lado, d_n certamente *não* é muito maior do que N_n em zero absoluto, onde todos os estados até o nível Fermi estão preenchidos, e, portanto, $d_n = N_n$. Novamente somos salvos pelo fato de que a fórmula de Stirling serve para $z = 0$.

> **Problema 5.27**
> (a) Calcule o porcentual de erro na aproximação de Stirling para $z = 10$.
> (b) Qual é o menor número inteiro z para que o erro seja menor do que 1 por cento?

5.4.4 Os significados físicos de α e β

Os parâmetros α e β apareceram como multiplicadores de Lagrange, associados ao número total de partículas e à energia total, respectivamente. Matematicamente, são determinados pela substituição dos números de ocupação (equações 5.87, 5.91 e 5.95) nas restrições (equações 5.78 e 5.79). Para realizar a somatória, entretanto, precisamos saber quais as energias permitidas (E_n) e a degeneração (d_n) de cada uma para o potencial em questão. Como exemplo, usarei o caso do **gás ideal** — um grande número de partículas não interativas com a mesma massa no poço quadrado infinito tridimensional. Isso motivará a interpretação física de α e β.

Na Seção 5.3.1 encontramos as energias permitidas (Equação 5.39):

$$E_k = \frac{\hbar^2}{2m}k^2, \qquad [5.96]$$

em que

$$\mathbf{k} = \left(\frac{\pi n_x}{l_x}, \frac{\pi n_y}{l_y}, \frac{\pi n_z}{l_z}\right).$$

Como já fizemos antes, convertemos a somatória em uma integral, tratando $\mathbf{k}$ como uma variável contínua, com um estado (ou, para spin s, $2s+1$ estados) por volume π^3/V de espaço k. Considerando como 'caixas' as camadas esféricas no primeiro octante (veja Figura 5.4), a 'degenerescência' (isto é, o número de estados na caixa) será de

$$d_k = \frac{1}{8}\frac{4\pi k^2 dk}{(\pi^3/V)} = \frac{V}{2\pi^2}k^2 dk. \qquad [5.97]$$

Para partículas distinguíveis (Equação 5.87), a primeira restrição (Equação 5.78) vem a ser

$$N = \frac{V}{2\pi^2}e^{-\alpha}\int_0^\infty e^{-\beta\hbar^2 k^2/2m}k^2\, dk = Ve^{-\alpha}\left(\frac{m}{2\pi\beta\hbar^2}\right)^{3/2},$$

então,

$$e^{-\alpha} = \frac{N}{V}\left(\frac{2\pi\beta\hbar^2}{m}\right)^{3/2}. \qquad [5.98]$$

A segunda restrição (Equação 5.79) diz que

$$E = \frac{V}{2\pi^2}e^{-\alpha}\frac{\hbar^2}{2m}\int_0^\infty e^{-\beta\hbar^2 k^2/2m}k^4\, dk = \frac{3V}{2\beta}e^{-\alpha}\left(\frac{m}{2\pi\beta\hbar^2}\right)^{3/2},$$

ou, juntando à Equação 5.98 para $e^{-\alpha}$:

$$E = \frac{3N}{2\beta}. \qquad [5.99]$$

(Se você incluir o fator de spin, $2s + 1$, na Equação 5.97, este se cancela nesse momento e, portanto, a Equação 5.99 está correta para todos os spins.)

Esse resultado (Equação 5.99) é uma reminiscência da fórmula clássica para a energia cinética média de um átomo à temperatura T:[27]

$$\frac{E}{N} = \frac{3}{2} k_B T, \qquad [5.100]$$

onde k_B é a constante de Boltzmann. Isso sugere que β está relacionado à *temperatura*:

$$\beta = \frac{1}{k_B T}. \qquad [5.101]$$

Para provar que isso é uma regra geral, e não aplicável somente no caso das partículas distinguíveis no poço quadrado infinito tridimensional, teríamos de demonstrar que diferentes substâncias em equilíbrio térmico uma com a outra têm o mesmo valor de β. O argumento está esboçado em muitos livros,[28] mas não vou reproduzi-lo aqui. Adotarei a Equação 5.101 como *definição* de T.

Costuma-se substituir α (que, como ficou claro no caso especial da Equação 5.98, é uma função de T) pelo chamado **potencial químico**,

$$\mu(T) \equiv -\alpha k_B T, \qquad [5.102]$$

e reescrever as equações 5.87, 5.91 e 5.95 como fórmulas para o *número mais provável de partículas em determinado estado (de partícula simples) com energia* ϵ (para ir do número de partículas com uma energia dada para o número de partículas em um determinado *estado* com essa energia, basta dividir pela degenerescência do estado):

$$n(\epsilon) = \begin{cases} e^{-(\epsilon-\mu)/k_B T} & \text{MAXWELL - BOLTZMANN} \\ \dfrac{1}{e^{(\epsilon-\mu)/k_B T} + 1} & \text{FERMI-DIRAC} \\ \dfrac{1}{e^{(\epsilon-\mu)/k_B T} - 1} & \text{BOSE-EINSTEIN} \end{cases} \qquad [5.103]$$

A **distribuição de Maxwell-Boltzmann** é o resultado clássico para partículas *distinguíveis*; a **distribuição de Fermi-Dirac** se aplica aos *férmions idênticos* e a **distribuição de Bose-Einstein**, para os *bósons idênticos*.

A distribuição de Fermi-Dirac tem um comportamento particularmente simples conforme $T \to 0$:

$$e^{(\epsilon-\mu)/k_B T} \to \begin{cases} 0, & \text{se } \epsilon < \mu(0), \\ \infty, & \text{se } \epsilon > \mu(0), \end{cases}$$

assim

$$n(\epsilon) \to \begin{cases} 1, & \text{se } \epsilon < \mu(0), \\ 0, & \text{se } \epsilon > \mu(0), \end{cases} \qquad [5.104]$$

---

27 Veja, por exemplo, David Halliday, Robert Resnick e Jearl Walker, *Fundamentals of Physics*, 5ª ed., Wiley, Nova York (1997), Seção 20-5.

28 Veja, por exemplo, Yariv (nota de rodapé nº 22), Seção 15.4.

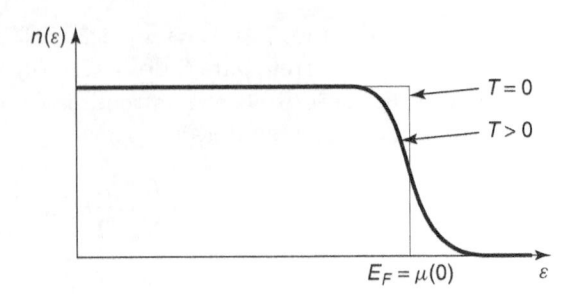

FIGURA 5.8 A distribuição de Fermi-Dirac para $T = 0$ e para T um pouco acima de zero.

Todos os estados estão preenchidos até a energia $\mu(0)$, e nenhum deles está ocupado para energias acima disso (Figura 5.8). Evidentemente, o potencial químico em zero absoluto é precisamente a energia Fermi:

$$\mu(0) = E_F. \qquad [5.105]$$

Conforme a temperatura sobe, a distribuição de Fermi-Dirac 'suaviza' o degrau, conforme indicado pela curva arredondada na Figura 5.8.

Voltando agora ao caso especial de um gás ideal, descobrimos que a energia total para partículas distinguíveis, em temperatura T, é (Equação 5.99)

$$E = \frac{3}{2} N k_B T, \qquad [5.106]$$

enquanto o potencial químico é (da Equação 5.98)

$$\mu(T) = k_B T \left[\ln\left(\frac{N}{V}\right) + \frac{3}{2} \ln\left(\frac{2\pi\hbar^2}{mk_B T}\right) \right]. \qquad [5.107]$$

Gostaria de trabalhar as fórmulas correspondentes para um gás ideal de férmions e bósons idênticos usando as equações 5.91 e 5.95 no lugar da Equação 5.87. A primeira restrição (Equação 5.78) vem a ser

$$N = \frac{V}{2\pi^2} \int_0^\infty \frac{k^2}{e^{[(\hbar^2 k^2/2m)-\mu]/k_B T} \pm 1} dk \qquad [5.108]$$

(com o sinal positivo para férmions e negativo para bósons), e a segunda restrição (Equação 5.79) diz que

$$E = \frac{V}{2\pi^2} \frac{\hbar^2}{2m} \int_0^\infty \frac{k^4}{e^{[(\hbar^2 k^2/2m)-\mu]/k_B T} \pm 1} dk. \qquad [5.109]$$

A primeira delas determina $\mu(T)$, e a segunda determina $E(T)$ (da última obtemos, por exemplo, a capacidade calorífica: $C = \partial E/\partial T$). Infelizmente, essas integrais não podem ser avaliadas em termos de funções elementares, então deixarei que você explore mais o assunto (veja os problemas 5.28 e 5.29).

Problema 5.28 Avalie as integrais (equações 5.108 e 5.109) para o caso de férmions idênticos em zero absoluto. Compare seus resultados com as equações 5.43 e 5.45. (Note que, para elétrons, há um fator extra de 2 nas equações 5.108 e 5.109, que considera a degenerescência do spin.)

***Problema 5.29**

(a) Demonstre que, para bósons, o potencial químico deve ser sempre menor do que a energia mínima permitida. *Dica*: $n(\epsilon)$ não pode ser negativo.

(b) Para o gás ideal de Bose, principalmente, $\mu(T) < 0$ para todo T. Demonstre que, nesse caso, $\mu(T)$ aumenta monotonicamente conforme T diminui, supondo que N e V ainda sejam constantes. *Dica*: estude a Equação 5.108 com o sinal negativo.

(c) Uma crise (chamada de **condensação de Bose**) ocorre quando (conforme diminuímos T) $\mu(T)$ atinge zero. Avalie a integral para $\mu = 0$ e obtenha a fórmula para a temperatura crítica T_c na qual isso acontece. Abaixo da temperatura crítica, as partículas se acumulam no estado fundamental e o dispositivo de cálculo da substituição da soma discreta (Equação 5.78) por uma integral (Equação 5.108) contínua perde a sua validade.[29] *Dica*:

$$\int_0^\infty \frac{x^{s-1}}{e^x - 1} dx = \Gamma(s)\zeta(s), \qquad [5.110]$$

em que Γ é a **função gama de Euler** e ζ é a **função zeta de Riemann**. Procure pelos valores numéricos apropriados.

(d) Calcule a temperatura crítica para ^{4}He. Sua densidade, a essa temperatura, é de 0,15 g/cm^3. *Comentário*: o valor experimental da temperatura crítica em ^{4}He é 2,17 K. As propriedades notáveis de ^{4}He em torno de T_c são discutidas na referência citada na nota de rodapé nº 29.

5.4.5 O espectro do corpo negro

Os fótons (quanta de campo eletromagnético) são bósons idênticos com spin 1, mas são muito especiais, pois são partículas *sem massa* e, portanto, intrinsecamente relativísticas. Podemos incluí-los aqui, se você estiver preparado para aceitar quatro afirmações que não pertencem à mecânica quântica não relativística:

1. A energia de um fóton está relacionada à sua frequência pela fórmula de Planck, $E = h\nu = \hbar\omega$.

2. O número de onda k está relacionado à frequência por $k = 2\pi/\lambda = \omega/c$, em que c é a velocidade da luz.

3. Somente dois estados de spin ocorrem (o número quântico m pode ser $+1$ ou -1, mas não 0).

4. O *número* de fótons não é uma quantidade conservada; quando a temperatura aumenta, o número de fótons (por volume unitário) aumenta.

Tendo em vista o item 4, a primeira restrição (Equação 5.78) não se aplica. Podemos calcular isso simplesmente determinando $\alpha \to 0$, na Equação 5.82 e em tudo o que vier depois. Assim, o número de ocupação mais provável para fótons é (Equação 5.95):

$$N_\omega = \frac{d_k}{e^{\hbar\omega/k_B T} - 1}. \qquad [5.111]$$

Para fótons livres em uma caixa de volume V, d_k é dado pela Equação 5.97,[30] multiplicado por 2 para o spin (item 3) e expresso em termos de ω em vez de k (item 2):

$$d_k = \frac{V}{\pi^2 c^3} \omega^2 d\omega. \qquad [5.112]$$

Então, a densidade de energia, $N_\omega \hbar\omega/V$, na faixa de frequência $d\omega$, é $\rho(\omega)d\omega$, onde

$$\rho(\omega) = \frac{\hbar\omega^3}{\pi^2 c^3 (e^{\hbar\omega/k_B T} - 1)}. \qquad [5.113]$$

---

29 Veja F. Mandl, *Statistical Physics*, Wiley, London (1971), Seção 11.5.

30 Para dizer a verdade, não deveríamos usar essa fórmula, a qual surgiu a partir da equação de Schrödinger (não relativística); felizmente, a degenerescência é exatamente a mesma para o caso relativístico. Veja o Problema 5.36.

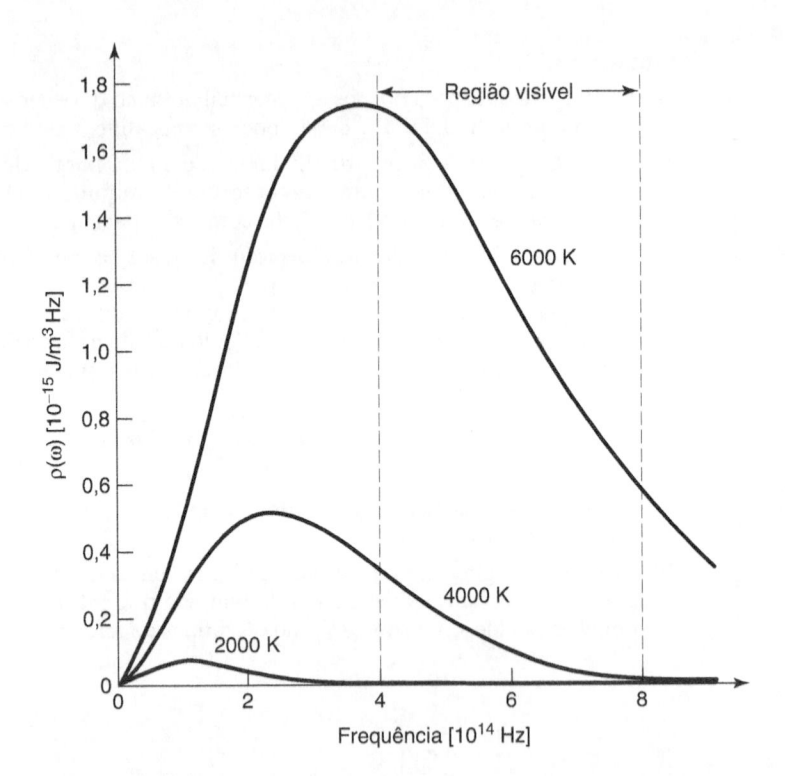

FIGURA 5.9 Fórmula de Planck para o espectro de corpo negro, Equação 5.113.

Essa é a famosa fórmula de Planck para o **espectro do corpo negro**, que gera a energia por volume unitário, por frequência unitária, para um campo eletromagnético em equilíbrio na temperatura T. O resultado está apresentado graficamente, para três temperaturas diferentes, na Figura 5.9.

Problema 5.30

(a) Utilize a Equação 5.113 para determinar a densidade de energia no intervalo de *comprimento de onda* $d\lambda$. *Dica*: seja $\rho(\omega)d\omega = \bar{\rho}(\lambda)d\lambda$, e resolva para $\bar{\rho}(\lambda)$.

(b) Deduza a **lei do deslocamento de Wien** para o comprimento de onda na qual a densidade de energia de corpo negro é um máximo:

$$\lambda_{máx} = \frac{2{,}90 \times 10^{-3}\,\text{mK}}{T}. \qquad [5.114]$$

Dica: você precisará resolver a equação transcendental $(5 - x) = 5e^{-x}$ usando uma calculadora ou um computador; obtenha a resposta numérica com três algarismos significativos corretos.

Problema 5.31 Derive a **fórmula de Stefan-Boltzmann** para a densidade de energia *total* na radiação do corpo negro:

$$\frac{E}{V} = \left(\frac{\pi^2 k_B^4}{15\hbar^3 c^3}\right)T^4 = \left(7{,}57 \times 10^{-16}\,\text{Jm}^{-3}\text{K}^{-4}\right)T^4. \qquad [5.115]$$

Dica: use a Equação 5.110 para avaliar a integral. Note que $\zeta(4) = \pi^4/90$.

Mais problemas para o Capítulo 5

Problema 5.32 Imagine duas partículas não interagentes, cada uma de massa m, no potencial do oscilador harmônico unidimensional (Equação 2.43). Se uma estiver no estado fundamental e a outra estiver no primeiro estado excitado, calcule $\langle(x_1 - x_2)^2\rangle$, supondo (a) que elas sejam partículas distinguíveis, (b) que elas sejam bósons idênticos e (c) que elas sejam férmions idênticos. Ignore o spin (se isso o incomoda, suponha apenas que ambas estejam no mesmo estado de spin).

Problema 5.33 Suponha que você tenha três partículas, e três diferentes estados de partícula simples ($\psi_a(x)$, $\psi_b(x)$ e $\psi_c(x)$) estejam disponíveis. Quantos estados de três partículas diferentes podem ser construídos (a) se elas forem partículas distinguíveis, (b) se elas forem bósons idênticos, (c) se elas forem férmions idênticos? (As partículas não precisam estar em estados *diferentes*; $\psi_a(x_1)\psi_a(x_2)\psi_a(x_3)$ seria uma possibilidade se as partículas fossem distinguíveis.)

Problema 5.34 Calcule a energia de Fermi para elétrons não interagentes em um poço quadrado infinito bidimensional. Seja σ o número de elétrons livres por unidade de área.

*****Problema 5.35** Certas estrelas frias (chamadas **anãs brancas**) são estabilizadas contra o colapso gravitacional pela pressão de degenerescência de seus elétrons (Equação 5.46). Considerando uma densidade constante, o raio R de tal objeto pode ser calculado da seguinte forma:

(a) Escreva a energia total do elétron (Equação 5.45) em termos do raio, do número de núcleons (prótons e nêutrons) N, do número de elétrons por núcleon q e da massa do elétron m.

(b) Procure, ou calcule, a energia gravitacional de uma esfera uniformemente densa. Expresse sua resposta em termos de G (a constante de gravitação universal), R, N e M (massa de um núcleo). Observe que a energia gravitacional é *negativa*.

(c) Calcule o raio para o qual a energia total (a) mais (b) seja mínima. *Resposta*:

$$R = \left(\frac{9\pi}{4}\right)^{2/3} \frac{\hbar^2 q^{5/3}}{GmM^2N^{1/3}}.$$

(Note que o raio *diminui* conforme a massa total *aumenta*!) Expresse em números reais, para tudo exceto N, utilizando $q = \frac{1}{2}$ (realmente, q diminui um pouco conforme o número atômico aumenta, mas isso tem algo a ver com nossos propósitos). *Resposta*: $R = 7{,}6 \times 10^{25} N^{-1/3}$m.

(d) Determine o raio, em quilômetros, de uma anã branca com a massa do Sol.

(e) Determine a energia de Fermi, em elétron volts, para a anã branca em (d), e compare-a com a energia de repouso de um elétron. Note que esse sistema está ficando perigosamente relativístico (veja o Problema 5.36).

*****Problema 5.36** Podemos estender a teoria de um gás de elétrons livres (Seção 5.3.1) para o domínio relativístico, substituindo a energia cinética clássica, $E = p^2/2m$, pela fórmula relativística, $E = \sqrt{p^2c^2 + m^2c^4} - mc^2$. O momento está relacionado ao vetor de onda da forma habitual: $\mathbf{p} = \hbar\mathbf{k}$. Em particular, no limite *extremo* relativístico, $E \approx pc = \hbar ck$.

(a) Substitua $\hbar^2 k^2/2m$ na Equação 5.44 pela expressão ultrarrelativística, $\hbar ck$, e calcule E_{tot} nesse regime.

(b) Repita as partes (a) e (b) do Problema 5.35 para o gás de elétrons ultrarrelativístico. Observe que, nesse caso, *não* há mínimo estável, independentemente de R; se a energia total é positiva, as forças de degenerescência excedem as forças gravitacionais e a estrela expandirá, enquanto que se o total for negativo, as forças gravitacionais triunfarão e a estrela entrará em colapso. Calcule o número crítico de núcleons, N_c, tal que o colapso gravitacional ocorra para $N > N_c$. Isso é chamado de **limite de Chandrasekhar**. *Resposta*: 2,04 $\times 10^{57}$. Qual é a massa estelar correspondente? (Dê a resposta como múltiplo da massa do Sol.) Estrelas mais pesadas do que essa não formarão anãs brancas, mas irão colapsar ainda mais, convertendo-se em (se as condições forem adequadas) **estrelas de nêutrons**.

(c) Em uma densidade extremamente alta, o **decaimento beta inverso**, $e^- + p^+ \to n + \nu$, converte quase todos os prótons e elétrons em nêutrons (liberando neutrinos, os quais ganham energia no processo). Eventualmente, a pressão de degenerescência de *nêutrons* estabiliza o colapso, assim como a degenerescência dos *elétrons* estabiliza a anã branca (veja o Problema 5.35). Calcule o raio de uma estrela de nêutron com a massa do Sol. Calcule também a energia de Fermi (do nêutron) e compare-a com a energia de repouso de um nêutron. É razoável tratar uma estrela de nêutron de forma não relativística?

*****Problema 5.37**

(a) Calcule o potencial químico e a energia total para partículas distinguíveis no potencial do oscilador harmônico tridimensional (Problema 4.38). *Dica*: as somatórias nas equações 5.78 e 5.79 podem ser avaliadas com exatidão nesse caso. Não há necessidade de usar uma aproximação integral, como fizemos para o poço quadrado infinito. Note que, por diferenciação das **séries geométricas**,

$$\frac{1}{1-x} = \sum_{n=0}^{\infty} x^n, \quad [5.116]$$

você pode obter

$$\frac{d}{dx}\left(\frac{x}{1-x}\right) = \sum_{n=1}^{\infty}(n+1)x^n$$

e resultados similares para maiores derivadas. *Resposta*:

$$E = \frac{3}{2}N\hbar\omega\left(\frac{1+e^{-\hbar\omega/k_B T}}{1-e^{-\hbar\omega/k_B T}}\right). \quad [5.117]$$

(b) Discuta o caso limite $k_B T \ll \hbar\omega$.

(c) Discuta o limite clássico, $k_B T \gg \hbar\omega$, à luz do **teorema da equipartição**.[31] Quantos **graus de liberdade** possui uma partícula no oscilador harmônico tridimensional?

---
31 Veja, por exemplo, Halliday e Resnick (nota de rodapé nº 27), Seção 20.9.

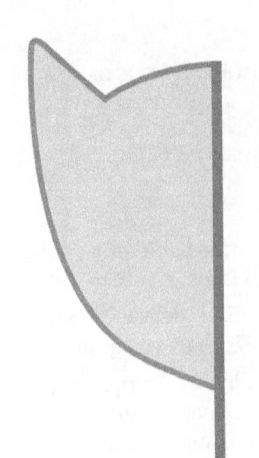

PARTE II APLICAÇÕES

Capítulo 6
Teoria de perturbação independente do tempo

6.1 Teoria de perturbação não degenerada

6.1.1 Formulação geral

Suponha que tenhamos resolvido a equação de Schrödinger (independente do tempo) para um potencial (o poço quadrado infinito unidimensional, por exemplo):

$$H^0 \psi_n^0 = E_n^0 \psi_n^0, \qquad [6.1]$$

e tenhamos obtido um conjunto completo de autofunções ortonormais, ψ_n^0,

$$\langle \psi_n^0 | \psi_m^0 \rangle = \delta_{nm}, \qquad [6.2]$$

e os autovalores correspondentes E_n^0. Agora, perturbamos levemente o potencial (colocando uma pequena saliência no fundo do poço, por exemplo — Figura 6.1). *Gostaríamos* de encontrar as novas autofunções e os novos autovalores a seguir:

$$H\psi_n = E_n \psi_n, \qquad [6.3]$$

porém, a menos que tenhamos muita sorte, não seremos capazes de resolver com exatidão a equação de Schrödinger para esse potencial mais complicado. A **teoria de perturbação** é um procedimento sistemático usado na obtenção de soluções *aproximadas* para o problema perturbado com base nas soluções exatas conhecidas para o caso *não perturbado*.

Para começar, escrevemos o novo Hamiltoniano como soma de dois termos:

$$H = H^0 + \lambda H', \qquad [6.4]$$

em que H' é a perturbação (o sobrescrito 0 sempre identifica a quantidade não perturbada). Por enquanto, consideraremos λ como um número pequeno; mais adiante, aumentaremos seu valor para 1 e H será o verdadeiro Hamiltoniano. Em seguida, escreveremos ψ_n e E_n como série de potências em λ:

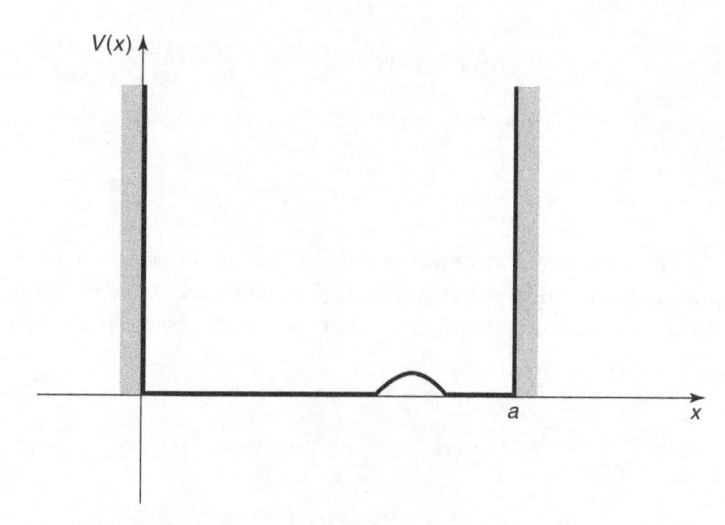

FIGURA 6.1 Poço quadrado infinito com leve perturbação.

$$\psi_n = \psi_n^0 + \lambda \psi_n^1 + \lambda^2 \psi_n^2 + \ldots;\qquad [6.5]$$

$$E_n = E_n^0 + \lambda E_n^1 + \lambda^2 E_n^2 + \ldots\qquad [6.6]$$

Nesse caso, E_n^1 é a **correção de primeira ordem** para o n-ésimo autovalor, e ψ_n^1 é a correção de primeira ordem para a n-ésima autofunção; E_n^2 e ψ_n^2 são as **correções de segunda ordem**, e assim por diante. Se adicionarmos as equações 6.5 e 6.6 na Equação 6.3, teremos:

$$(H^0 + \lambda H')[\psi_n^0 + \lambda \psi_n^1 + \lambda^2 \psi_n^2 + \ldots]$$
$$= (E_n^0 + \lambda E_n^1 + \lambda^2 E_n^2 + \ldots)[\psi_n^0 + \lambda \psi_n^1 + \lambda^2 \psi_n^2 + \ldots],$$

ou (organizando como potências de λ):

$$H^0 \psi_n^0 + \lambda(H^0 \psi_n^1 + H'\psi_n^0) + \lambda^2(H^0 \psi_n^2 + H'\psi_n^1) + \ldots$$
$$= E_n^0 \psi_n^0 + \lambda(E_n^0 \psi_n^1 + E_n^1 \psi_n^0) + \lambda^2(E_n^0 \psi_n^2 + E_n^1 \psi_n^1 + E_n^2 \psi_n^0) + \ldots.$$

A menor ordem[1] (λ^0) leva a $H^0 \psi_n^0 = E_n^0 \psi_n^0$, que nada tem de novo (Equação 6.1). Para a primeira ordem (λ^1),

$$H^0 \psi_n^1 + H'\psi_n^0 = E_n^0 \psi_n^1 + E_n^1 \psi_n^0.\qquad [6.7]$$

Para a segunda ordem λ^2,

$$H^0 \psi_n^2 + H'\psi_n^1 = E_n^0 \psi_n^2 + E_n^1 \psi_n^1 + E_n^2 \psi_n^0,\qquad [6.8]$$

e assim por diante. (Terminamos com λ — era apenas um mecanismo que nos manteria cientes das diferentes ordens —, de modo que podemos elevar seu valor a 1.)

6.1.2 Teoria de primeira ordem

Obtendo o produto interno da Equação 6.7 com ψ_n^0 (ou seja, multiplicando por $(\psi_n^0)^*$ e integrando),

$$\langle \psi_n^0 | H^0 \psi_n^1 \rangle + \langle \psi_n^0 | H'\psi_n^0 \rangle = E_n^0 \langle \psi_n^0 | \psi_n^1 \rangle + E_n^1 \langle \psi_n^0 | \psi_n^0 \rangle.$$

Mas H^0 é hermitiano, então

---

[1] Como sempre (Capítulo 2, nota de rodapé nº 25), a singularidade das expansões de séries de potências garante que os coeficientes de mesmas potências sejam iguais.

$$\langle \psi_n^0 | H^0 \psi_n^1 \rangle = \langle H^0 \psi_n^0 | \psi_n^1 \rangle = \langle E_n^0 \psi_n^0 | \psi_n^1 \rangle = E_n^0 \langle \psi_n^0 | \psi_n^1 \rangle,$$

cancelando o primeiro termo da direita. Além disso, $\langle \psi_n^0 | \psi_n^0 \rangle = 1$ e, portanto,[2]

$$E_n^1 = \langle \psi_n^0 | H' | \psi_n^0 \rangle. \qquad [6.9]$$

Esse é o resultado fundamental da teoria de perturbação de primeira ordem; como questão *prática*, pode muito bem ser a equação mais importante na mecânica quântica. Ela diz que a correção de primeira ordem para a energia é o *valor esperado* da perturbação no estado *não perturbado*.

Exemplo 6.1 As funções de onda não perturbadas para o poço quadrado infinito são (Equação 2.28)

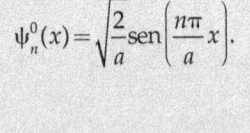

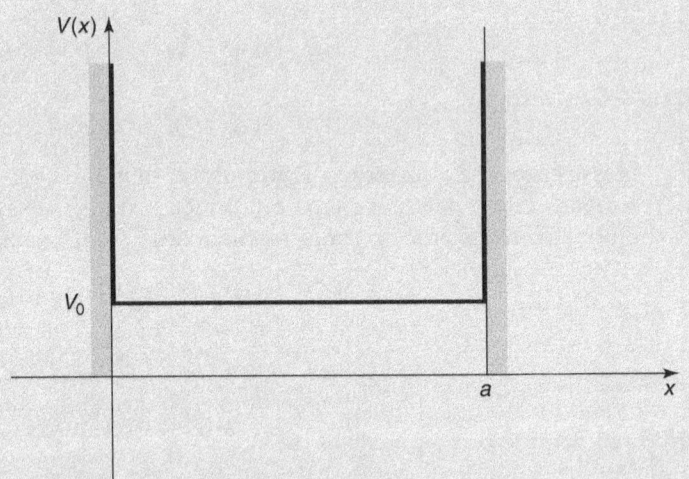

$$\psi_n^0(x) = \sqrt{\frac{2}{a}} \operatorname{sen}\left(\frac{n\pi}{a} x\right).$$

FIGURA 6.2 Perturbação constante sobre todo o poço.

Suponha que perturbemos o sistema simplesmente levantando o 'piso' do poço em um valor constante V_0 (Figura 6.2). Calcule a correção de primeira ordem para as energias.

Resposta: nesse caso, $H' = V_0$, e a correção de primeira ordem para a energia do n-ésimo estado é

$$E_n^1 = \langle \psi_n^0 | V_0 | \psi_n^0 \rangle = V_0 \langle \psi_n^0 | \psi_n^0 \rangle = V_0.$$

Os níveis de energia corrigidos são, então, $E_n \cong E_n^0 + V_0$; eles simplesmente são aumentados pelo valor V_0. É *claro*! O que surpreende nesse caso é que a teoria de primeira ordem produz a resposta *exata*. Evidentemente, para uma perturbação *constante*, todas as correções de maiores ordens somem.[3] Por sua vez, se a perturbação se estende apenas a meio caminho do poço (Figura 6.3), então

$$E_n^1 = \frac{2V_0}{a} \int_0^{a/2} \operatorname{sen}^2\left(\frac{n\pi}{a} x\right) dx = \frac{V_0}{2}.$$

Nesse caso, cada nível de energia é aumentado por $V_0/2$. Provavelmente, esse não é o resultado *exato*, mas parece razoável em termos de aproximação de primeira ordem.

---

[2] Nesse contexto, não importa se escrevemos $\langle \psi_n^0 | H' \psi_n^0 \rangle$ ou $\langle \psi_n^0 | H' | \psi_n^0 \rangle$ (com a barra vertical extra) porque usamos a própria função de onda para 'rotular' o estado. Porém, é preferível que utilizemos a segunda, pois ela nos desobriga dessa convenção específica.

[3] Aliás, nada aqui depende da natureza específica do poço quadrado infinito; o mesmo vale para *qualquer* potencial quando a perturbação for constante.

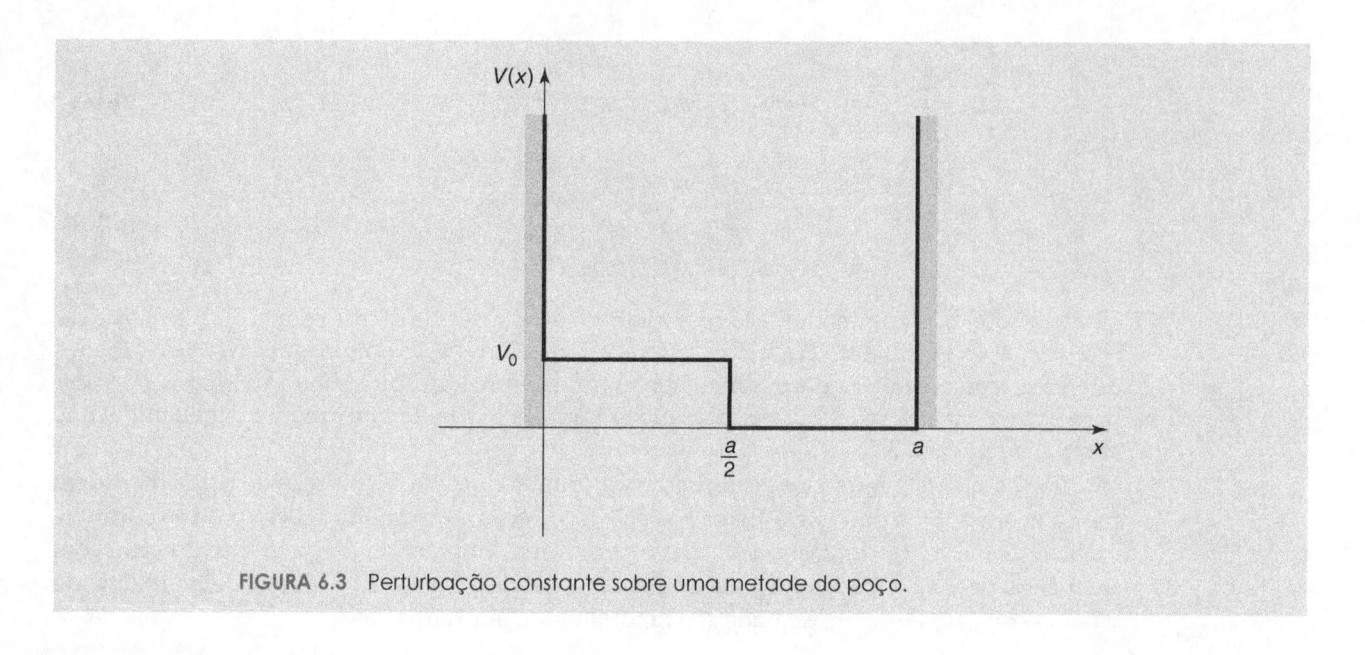

FIGURA 6.3 Perturbação constante sobre uma metade do poço.

A Equação 6.9 é a correção de primeira ordem para a *energia*; para encontrar a correção de primeira ordem para a *função de onda*, primeiramente temos de reescrever a Equação 6.7:

$$\left(H^0 - E_n^0\right)\psi_n^1 = -(H' - E_n^1)\psi_n^0. \quad [6.10]$$

O lado direito é uma função conhecida, então isso equivale a uma equação diferencial não homogênea para ψ_n^1. Agora, as funções de onda não perturbadas constituem um conjunto completo, então ψ_n^1 (assim como qualquer outra função) pode ser expressa como uma combinação linear delas:

$$\psi_n^1 = \sum_{m \neq n} c_m^{(n)} \psi_m^0. \quad [6.11]$$

Não há necessidade de incluir $m = n$ na somatória, pois se ψ_n^1 satisfaz a Equação 6.10, então $(\psi_n^1 + \alpha \psi_n^0)$ também o faz para qualquer constante α, e podemos usar essa liberdade para subtrair o termo ψ_n^0.[4] Se pudéssemos determinar os coeficientes de $c_m^{(n)}$, não precisaríamos calcular mais nada.

Bem, jogando a Equação 6.11 na Equação 6.10, e usando o fato de que ψ_m^0 satisfaz a equação de Schrödinger não perturbada (Equação 6.1), temos

$$\sum_{m \neq n}(E_m^0 - E_n^0)c_m^{(n)}\psi_m^0 = -(H' - E_n^1)\psi_n^0.$$

Tomando o produto interno com ψ_l^0,

$$\sum_{m \neq n}(E_m^0 - E_n^0)c_m^{(n)}\left\langle \psi_l^0 \mid \psi_m^0 \right\rangle = -\left\langle \psi_l^0 \mid H' \mid \psi_n^0 \right\rangle + E_n^1\left\langle \psi_l^0 \mid \psi_n^0 \right\rangle.$$

Se $l = n$, o lado esquerdo é zero e recuperamos a Equação 6.9; se $l \neq n$, obtemos

$$\left(E_l^0 - E_n^0\right)c_l^{(n)} = -\left\langle \psi_l^0 \mid H' \mid \psi_n^0 \right\rangle,$$

ou

---

[4] Alternativamente, uma consulta à Equação 6.5 revela que qualquer componente ψ_n^0 em ψ_n^1 pode muito bem ser retirada e combinada com o primeiro termo. Na verdade, a escolha $c_n^{(n)} = 0$ garante que ψ_n — com 1 como o coeficiente de ψ_n^0 na Equação 6.5 — seja *normalizada* (para primeira ordem em λ): $\langle \psi_n \mid \psi_n \rangle = \langle \psi_n^0 \mid \psi_n^0 \rangle + \lambda(\langle \psi_n^1 \mid \psi_n^0 \rangle + \langle \psi_n^0 \mid \psi_n^1 \rangle) + \lambda^2(\ldots) + \ldots$, mas a ortonormalidade dos estados não perturbados significa que o primeiro termo é 1 e que $\langle \psi_n^1 \mid \psi_n^0 \rangle = \langle \psi_n^0 \mid \psi_n^1 \rangle = 0$, contanto que ψ_n^1 não tenha componentes ψ_n^0.

assim
$$c_m^{(n)} = \frac{\langle \psi_m^0 | H' | \psi_n^0 \rangle}{E_n^0 - E_m^0},$$ [6.12]

$$\psi_n^1 = \sum_{m \neq n} \frac{\langle \psi_m^0 | H' | \psi_n^0 \rangle}{(E_n^0 - E_m^0)} \psi_m^0.$$ [6.13]

Note que o denominador está protegido (pois não há coeficiente com $m = n$) *contanto que o espectro de energia imperturbável seja não degenerado*. Porém, se dois estados não perturbados diferentes compartilham da mesma energia, temos um sério problema (dividimos por zero para obter a Equação 6.12); nesse caso, precisamos da **teoria de perturbação degenerada**, que abordarei na Seção 6.2.

Isso completa a teoria de perturbação de primeira ordem: a correção de primeira ordem para a energia, E_n^1, é dada pela Equação 6.9, e a correção de primeira ordem para a função de onda, ψ_n^1, é dada pela Equação 6.13. Devo avisar que, enquanto a teoria de perturbação com frequência produz energias surpreendentemente precisas (isto é, $E_n^0 + E_n^1$ está bem próximo ao valor exato E_n), as funções de onda são notoriamente improdutivas.

Problema 6.1 Suponha que coloquemos uma ondulação de função delta no centro do poço quadrado infinito:

$$H' = \alpha \delta(x - a/2),$$

em que α é uma constante.

(a) Calcule a correção de primeira ordem para as energias permitidas. Explique por que as energias não são perturbadas para n par.

(b) Calcule os três primeiros termos não nulos na expansão (Equação 6.13) da correção para o estado fundamental, ψ_1^1.

Problema 6.2 Para o oscilador harmônico [$V(x) = (1/2)kx^2$], as energias permitidas são

$$E_n = (n + 1/2)\hbar w, \quad (n = 0, 1, 2, \ldots),$$

em que $w = \sqrt{k/m}$ é a frequência clássica. Agora, suponha que a constante de mola aumente superficialmente: $k \to (1 + \epsilon)k$. (Talvez resfriemos a mola para que ela se torne menos flexível.)

(a) Calcule as novas energias *exatas* (isso é trivial, nesse caso). Expanda sua fórmula como uma série de potências em ϵ até a segunda ordem.

(b) Agora, calcule a perturbação de primeira ordem na energia usando a Equação 6.9. Qual é o H' aqui? Compare seu resultado com a parte (a). *Dica:* não é necessário — de fato, não é *permitido* — calcular nem uma integral sequer para resolver esse problema.

Problema 6.3 Dois bósons idênticos estão posicionados no poço quadrado infinito (Equação 2.19). Eles interagem muito pouco uns com os outros por meio do potencial

$$V(x_1, x_2) = -aV_0 \delta(x_1 - x_2)$$

(em que V_0 é uma constante com as dimensões de energia e a é a largura do poço).

(a) Primeiramente, ignorando a interação entre as partículas, calcule o estado fundamental e o primeiro estado excitado — suas funções de onda e energias associadas.

(b) Use a teoria de perturbação de primeira ordem para estimar o efeito da interação de partículas nas energias do estado fundamental e no primeiro estado excitado.

6.1.3 Energias de segunda ordem

Dando prosseguimento ao que fizemos anteriormente, tomamos o produto interno da equação de *segunda* ordem (Equação 6.8) com ψ_n^0:

$$\langle\psi_n^0|H^0\psi_n^2\rangle+\langle\psi_n^0|H'\psi_n^1\rangle=E_n^0\langle\psi_n^0|\psi_n^2\rangle+E_n^1\langle\psi_n^0|\psi_n^1\rangle+E_n^2\langle\psi_n^0|\psi_n^0\rangle.$$

Novamente, exploramos a hermeticidade de H^0:

$$\langle\psi_n^0|H^0\psi_n^2\rangle=\langle H^0\psi_n^0|\psi_n^2\rangle=E_n^0\langle\psi_n^0|\psi_n^2\rangle,$$

então, o primeiro termo da esquerda cancela o primeiro termo da direita. Enquanto isso, $\langle\psi_n^0|\psi_n^0\rangle=1$, e ficamos com uma fórmula para E_n^2:

$$E_n^2=\langle\psi_n^0|H'|\psi_n^1\rangle-E_n^1\langle\psi_n^0|\psi_n^1\rangle. \qquad [6.14]$$

Mas

$$\langle\psi_n^0|\psi_n^1\rangle=\sum_{m\neq n}c_m^{(n)}\langle\psi_n^0|\psi_m^0\rangle=0$$

(pois a somatória exclui $m=n$ e todos os outros são ortogonais), assim

$$E_n^2=\langle\psi_n^0|H'|\psi_n^1\rangle=\sum_{m\neq n}c_m^{(n)}\langle\psi_n^0|H'|\psi_m^0\rangle=\sum_{m\neq n}\frac{\langle\psi_m^0|H'|\psi_n^0\rangle\langle\psi_n^0|H'|\psi_m^0\rangle}{E_n^0-E_m^0},$$

ou, finalmente,

$$E_n^2=\sum_{m\neq n}\frac{|\langle\psi_m^0|H'|\psi_n^0\rangle|^2}{E_n^0-E_m^0}. \qquad [6.15]$$

Esse é o resultado fundamental da teoria de perturbação de segunda ordem.

Poderíamos dar um passo adiante e calcular a correção de segunda ordem para a função de onda (ψ_n^2), a correção de terceira ordem para a energia, e assim por diante, mas, na prática, a Equação 6.15 é o quão longe podemos ir normalmente no exercício desse método.[5]

---

*Problema 6.4

(a) Calcule a correção de segunda ordem das energias (E_n^2) para o potencial no Problema 6.1. *Comentário:* você pode somar as séries, obtendo $-2m(\alpha/\pi\hbar n)^2$ para n ímpar.

(b) Calcule a correção de segunda ordem do estado fundamental da energia (E_0^2) para o potencial no Problema 6.2. Verifique se sua resposta confere com a solução exata.

---

[5] Na notação abreviada $V_{mn}\equiv\langle\psi_m^0|H'|\psi_n^0\rangle$, $\Delta_{mn}\equiv E_m^0-E_n^0$, as três primeiras correções para a n-ésima energia são

$$E_n^1=V_{nn}, \quad E_n^2=\sum_{m\neq n}\frac{|V_{nm}|^2}{\Delta_{nm}}, \quad E_n^3=\sum_{l,m\neq n}\frac{V_{nl}V_{lm}V_{mn}}{\Delta_{nl}\Delta_{nm}}-V_{nn}\sum_{m\neq n}\frac{|V_{nm}|^2}{\Delta_{nm}^2}.$$

A correção de terceira ordem é dada em Landau e Lifschitz, *Quantum Mechanics: Non-Relativistic Theory*, 3ª ed., Pergamon, Oxford (1977), página 136; a quarta e a quinta ordem (juntamente com uma poderosa técnica geral para a obtenção de ordens mais elevadas) são desenvolvidas por Nicholas Wheeler, *Higher-Order Spectral Perturbation* (artigo não publicado, Reed College, 2000). Formulações alternativas esclarecedoras sobre a teoria da perturbação independente do tempo incluem o método Delgarno-Lewis e a intimamente relacionada teoria de perturbação 'logarítmica' (ver, por exemplo, T. Imbo e U. Sukhatme, *Am J. Phys.* **52**, 140 (1984), para LPT, e H. Mavromatis, *Am. J. Phys.* **59**, 738 (1991), para Delgarno-Lewis).

Problema 6.5 Considere uma partícula carregada no potencial do oscilador harmônico unidimensional. Suponha que ativemos um campo elétrico fraco (E), de modo que a energia potencial seja deslocada por uma quantidade de $H' = -qEx$.

(a) Demonstre que não há mudança de primeira ordem nos níveis de energia e calcule a correção de segunda ordem. *Dica:* veja o Problema 3.33.

(b) Nesse caso, a equação de Schrödinger pode ser resolvida diretamente por meio de uma troca de variáveis: $x' \equiv x - (qE/mw^2)$. Calcule as energias exatas e demonstre que elas são coerentes com a estimativa da teoria da perturbação.

6.2 Teoria de perturbação degenerada

Se os estados não perturbados são degenerados — isto é, se dois (ou mais) estados distintos (ψ_a^0 e ψ_b^0) compartilham da mesma energia —, então a teoria ordinária de perturbação falha: $c_a^{(b)}$ (Equação 6.12) e E_a^2 (Equação 6.15) divergem (a menos, talvez, que o numerador desapareça, $\langle\psi_a^0|H'|\psi_b^0\rangle = 0$ — uma lacuna que, mais tarde, será importante para nós). No caso degenerado, portanto, não há razão para confiar nem mesmo na correção de *primeira* ordem para a energia (Equação 6.9), e temos de procurar alguma outra forma de lidar com o problema.

6.2.1 Degenerescência dupla

Suponha que

$$H^0\psi_a^0 = E^0\psi_a^0, \quad H^0\psi_b^0 = E^0\psi_b^0, \quad \langle\psi_a^0|\psi_b^0\rangle = 0, \quad [6.16]$$

com ψ_a^0 e ψ_b^0 normalizadas. Observe que qualquer combinação linear desses estados,

$$\psi^0 = \alpha\psi_a^0 + \beta\psi_b^0, \quad [6.17]$$

ainda resultará em um autoestado de H^0, com o mesmo autovalor E^0:

$$H^0\psi^0 = E^0\psi^0. \quad [6.18]$$

Normalmente, a perturbação (H') 'quebrará' (ou 'levantará') a degenerescência: conforme aumentamos λ (de 0 para 1), a energia comum não perturbada E^0 se divide em duas (Figura 6.4). Seguindo a direção oposta, quando *desligamos* a perturbação, o estado 'superior' é reduzido a *uma* combinação linear de ψ_a^0 e ψ_b^0, e o estado 'inferior' é reduzido a uma combinação linear *ortogonal*, mas não sabemos *a priori* quais serão as **boas** combinações lineares. Portanto, não podemos nem calcular a energia de *primeira* ordem (Equação 6.9) — não sabemos quais estados não perturbados utilizar.

Nesse momento então escreveremos os 'bons' estados não perturbados apenas de forma genérica (Equação 6.17), mantendo α e β ajustáveis. Queremos resolver a equação de Schrödinger,

$$H\psi = E\psi, \quad [6.19]$$

com $H = H^0 + \lambda H$, e

$$E = E^0 + \lambda E^1 + \lambda^2 E^2 + ..., \quad \psi = \psi^0 + \lambda\psi^1 + \lambda^2\psi^2.... \quad [6.20]$$

Aplicando esses valores à Equação 6.19, e reunindo as potências idênticas de λ (como fizemos anteriormente), encontramos

$$H^0\psi^0 + \lambda(H'\psi^0 + H^0\psi^1) + ... = E^0\psi^0 + \lambda(E^1\psi^0 + E^0\psi^1) + ...$$

Mas $H^0\psi^0 = E^0\psi^0$ (Equação 6.18), de modo que o primeiro termo se cancela; na ordem λ^1, temos

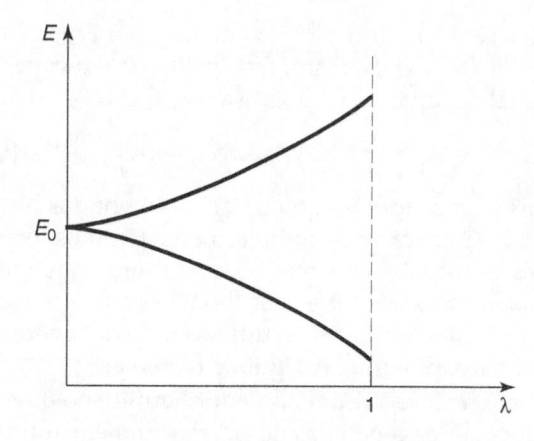

FIGURA 6.4 'Levantamento' da degenerescência por uma perturbação.

$$H^0\psi^1 + H'\psi^0 = E^0\psi^1 + E^1\psi^0. \qquad [6.21]$$

Tomando o produto interno com ψ_a^0:

$$\langle\psi_a^0|H^0\psi^1\rangle + \langle\psi_a^0|H'\psi^0\rangle = E^0\langle\psi_a^0|\psi^1\rangle + E^1\langle\psi_a^0|\psi^0\rangle.$$

Como H^0 é hermitiano, o primeiro termo da esquerda cancela o primeiro termo da direita. Introduzindo a Equação 6.17 e explorando a condição de ortonormalidade (Equação 6.16), obtemos

$$\alpha\langle\psi_a^0|H'|\psi_a^0\rangle + \beta\langle\psi_a^0|H'|\psi_b^0\rangle = \alpha E^1,$$

ou, mais compactamente,

$$\alpha W_{aa} + \beta W_{ab} = \alpha E^1, \qquad [6.22]$$

em que

$$W_{ij} \equiv \langle\psi_i^0|H'|\psi_j^0\rangle, \quad (i,j=a,b). \qquad [6.23]$$

Similarmente, o produto interno com ψ_b^0 produz

$$\alpha W_{ba} + \beta W_{bb} = \beta E^1. \qquad [6.24]$$

Observe que os W são (em princípio) *conhecidos*; eles são os 'elementos da matriz' de H' em relação às funções de onda não perturbadas ψ_a^0 e ψ_b^0. Multiplicando a Equação 6.24 por W_{ab}, e usando a Equação 6.22 para eliminar βW_{ab}, encontramos:

$$\alpha[W_{ab}W_{ba} - (E^1 - W_{aa})(E^1 - W_{bb})] = 0. \qquad [6.25]$$

Se α não é zero, a Equação 6.25 produz uma equação para E^1:

$$(E^1)^2 - E^1(W_{aa} + W_{bb}) + (W_{aa}W_{bb} - W_{ab}W_{ba}) = 0. \qquad [6.26]$$

Invocando a fórmula quadrática e observando (da Equação 6.23) que $W_{ba} = W_{ab}^*$, concluímos que

$$E_\pm^1 = \frac{1}{2}\left[W_{aa} + W_{bb} \pm \sqrt{(W_{aa} - W_{bb})^2 + 4|W_{ab}|^2}\right]. \qquad [6.27]$$

Esse é o resultado fundamental da teoria de perturbação degenerada; as duas raízes correspondem às duas energias perturbadas.

Mas e se α *for* zero? No caso de $\beta = 1$, a Equação 6.22 diz que $W_{ab} = 0$, e a Equação 6.24 produz $E^1 = W_{bb}$. Isso, de fato, está incluído no resultado geral (Equação 6.27), com sinal negativo (o sinal positivo corresponde a $\alpha = 1$, $\beta = 0$). Além do mais, as *respostas*,

$$E^1_+ = W_{aa} = \langle \psi_a^0 | H' | \psi_a^0 \rangle, \quad E^1_- = W_{bb} = \langle \psi_b^0 | H' | \psi_b^0 \rangle,$$

são precisamente aquelas que teriam sido obtidas na utilização da teoria de perturbação *não* degenerada (Equação 6.9). Simplesmente tivemos *sorte*: os estados ψ_a^0 e ψ_b^0 já eram as combinações lineares 'boas'. Obviamente, seria muito vantajoso para nós se pudéssemos, de alguma forma, *adivinhar* quais seriam os 'bons' estados desde o início; então, poderíamos seguir em frente e utilizar a teoria de perturbação *não* degenerada. Conforme se vê, podemos fazer isso muitas vezes explorando o seguinte teorema:

Teorema: seja A um operador hermitiano que comuta com H^0 e H'. Se ψ_a^0 e ψ_b^0 (as autofunções degeneradas de H^0) são também autofunções de A, com autovalores distintos,

$$A\psi_a^0 = \mu \psi_a^0, \quad A\psi_b^0 = \nu \psi_b^0 \quad \text{e} \quad \mu \neq \nu,$$

então $W_{ab} = 0$ (e, portanto, ψ_a^0 e ψ_b^0 são os estados 'bons' para serem usados na teoria de perturbação).

Prova: por suposição, $[A, H'] = 0$, assim

$$\langle \psi_a^0 | [A, H'] \psi_b^0 \rangle = 0$$
$$= \langle \psi_a^0 | AH' \psi_b^0 \rangle - \langle \psi_a^0 | H' A \psi_b^0 \rangle$$
$$= \langle A\psi_a^0 | H' \psi_b^0 \rangle - \langle \psi_a^0 | H' \nu \psi_b^0 \rangle$$
$$= (\mu - \nu)\langle \psi_a^0 | H' \psi_b^0 \rangle = (\mu - \nu) W_{ab}.$$

Mas $\mu \neq \nu$, então $W_{ab} = 0$. QED

Conclusão: se você se deparar com estados degenerados, busque algum operador hermitiano A que comute com H^0 e H'; faça a sua escolha como se seus estados não perturbados fossem simultaneamente autofunções de H^0 e de A. Utilize, então, a teoria de perturbação *ordinária* de primeira ordem. Se não conseguir encontrar tal operador, terá de recorrer à Equação 6.27, mas, na prática, isso raramente é necessário.

Problema 6.6 Sejam os seguintes dois 'bons' estados não perturbados:

$$\psi_{\pm}^0 = \alpha_{\pm} \psi_a^0 + \beta_{\pm} \psi_b^0,$$

em que $\alpha_{\pm}$ e $\beta_{\pm}$ são determinados (até a normalização) pela Equação 6.22 (ou Equação 6.24). Demonstre explicitamente que

(a) $\psi_{\pm}^0$ são ortogonais ($\langle \psi_+^0 | \psi_-^0 \rangle = 0$);

(b) $\langle \psi_+^0 | H' | \psi_-^0 \rangle = 0$;

(c) $\langle \psi_{\pm}^0 | H' | \psi_{\pm}^0 \rangle = E_{\pm}^1$, com $E_{\pm}^1$ dado pela Equação 6.27.

Problema 6.7 Considere uma partícula livre de massa m que se move em uma região unidimensional de comprimento L e que se fecha sobre si mesma (por exemplo, uma conta que desliza sem fricção em um fio circular de circunferência L, como no Problema 2.46).

(a) Demonstre que os estados estacionários podem ser escritos da seguinte forma:

$$\psi_n(x) = \frac{1}{\sqrt{L}} e^{2\pi i n x / L}, \quad (-L/2 < x < L/2),$$

em que $n = 0, \pm 1, \pm 2, ...$, e as energias permitidas são

$$E_n = \frac{2}{m}\left(\frac{n\pi\hbar}{L}\right)^2.$$

Observe que, com exceção do estado fundamental ($n = 0$), todos esses são duplamente degenerados.

(b) Agora suponha que introduzimos a perturbação

$$H' = -V_0 e^{-x^2/a^2},$$

em que $a \ll L$. (Isso provoca uma pequena 'ondulação' no potencial em $x = 0$, como se dobrássemos levemente o fio para montar uma 'armadilha'.) Calcule a correção de primeira ordem para E_n usando a Equação 6.27. *Dica:* para avaliar as integrais, explore o fato de que $a \ll L$ para expandir os limites de $\pm L/2$ para $\pm\infty$; afinal, H' é essencialmente zero fora de $-a < x < a$.

(c) Quais são as 'boas' combinações lineares de ψ_n e ψ_{-n} para esse problema? Demonstre que com esses estados você pode obter a correção de primeira ordem utilizando a Equação 6.9.

(d) Encontre um operador hermitiano A que se encaixe nos pré-requisitos do teorema e demonstre que os autoestados simultâneos de H^0 e A são precisamente os que você utilizou em (c).

6.2.2 Degenerescência de ordem superior

Na seção anterior, supus que a degenerescência era dupla, mas é fácil ver como o método é generalista. Reescreva as equações 6.22 e 6.24 na forma de matriz:

$$\begin{pmatrix} W_{aa} & W_{ab} \\ W_{ba} & W_{bb} \end{pmatrix} \begin{pmatrix} \alpha \\ \beta \end{pmatrix} = E^1 \begin{pmatrix} \alpha \\ \beta \end{pmatrix}. \qquad [6.28]$$

Evidentemente, os E^1 nada mais são do que *autovalores* da matriz W; a Equação 6.26 é a equação característica dessa matriz, e as 'boas' combinações lineares dos estados não perturbados são os autovetores de **W**.

No caso de degenerescência de grau n, buscamos os autovalores da matriz $n \times n$

$$W_{ij} = \langle \psi_i^0 | H' | \psi_j^0 \rangle. \qquad [6.29]$$

Na linguagem da álgebra linear, encontrar as 'boas' funções de onda não perturbadas leva à construção de uma base no subespaço degenerado que *diagonaliza* a matriz **W**. Mais uma vez, se você conseguir pensar em um operador A que *comute* com H' e usar as autofunções simultâneas de A e H^0, então a matriz W *automaticamente* será diagonal e você não terá de se incomodar em resolver a equação característica.[6] (Se você está preocupado com minha generalização casual de dupla degenerescência para a degenerescência de grau n, resolva o Problema 6.10.)

Exemplo 6.2 Considere o poço cúbico infinito tridimensional (Problema 4.2):

$$V(x, y, z) = \begin{cases} 0, & \text{se } 0 < x < a, 0 < y < a \text{ e } 0 < z < a; \\ \infty & \text{caso contrário.} \end{cases} \qquad [6.30]$$

---

[6] A teoria de perturbação degenerada equivale à diagonalização da parte degenerada do Hamiltoniano. A diagonalização de matrizes (e a diagonalização simultânea de matrizes comutantes) é discutida no Apêndice (Seção A.5).

Os estados estacionários são

$$\psi^0_{n_x n_y n_z}(x, y, z) = \left(\frac{2}{a}\right)^{3/2} \text{sen}\left(\frac{n_x \pi}{a}x\right)\text{sen}\left(\frac{n_y \pi}{a}y\right)\text{sen}\left(\frac{n_z \pi}{a}z\right), \quad [6.31]$$

em que n_x, n_y e n_z são inteiros positivos. As energias permitidas correspondentes são

$$E^0_{n_x n_y n_z} = \frac{\pi^2 \hbar^2}{2ma^2}(n_x^2 + n_y^2 + n_z^2). \quad [6.32]$$

Observe que o estado fundamental (ψ_{111}) é não degenerado; sua energia é

$$E^0_0 \equiv 3\frac{\pi^2 \hbar^2}{2ma^2}. \quad [6.33]$$

Como o primeiro estado excitado é (triplamente) degenerado:

$$\psi_a \equiv \psi_{112}, \quad \psi_b \equiv \psi_{121} \quad \text{e} \quad \psi_c \equiv \psi_{211} \quad [6.34]$$

todos compartilham a mesma energia

$$E^0_1 \equiv 3\frac{\pi^2 \hbar^2}{ma^2}. \quad [6.35]$$

Agora vamos introduzir a perturbação

$$H' = \begin{cases} V_0, & \text{se } 0 < x < a/2 \text{ e } 0 < y < a/2; \\ 0, & \text{caso contrário.} \end{cases} \quad [6.36]$$

Isso aumenta o potencial em um valor V_0 em um quarto da caixa (veja a Figura 6.5). A correção de primeira ordem para a energia do estado fundamental é dada pela Equação 6.9:

$$E^1_0 = \langle \psi_{111} | H' | \psi_{111} \rangle$$
$$= \left(\frac{2}{a}\right)^3 V_0 \int_0^{a/2} \text{sen}^2\left(\frac{\pi}{a}x\right)dx \int_0^{a/2} \text{sen}^2\left(\frac{\pi}{a}y\right)dy \int_0^{a} \text{sen}^2\left(\frac{\pi}{a}z\right)dz = \frac{1}{4}V_0, \quad [6.37]$$

a qual é exatamente o que esperávamos.

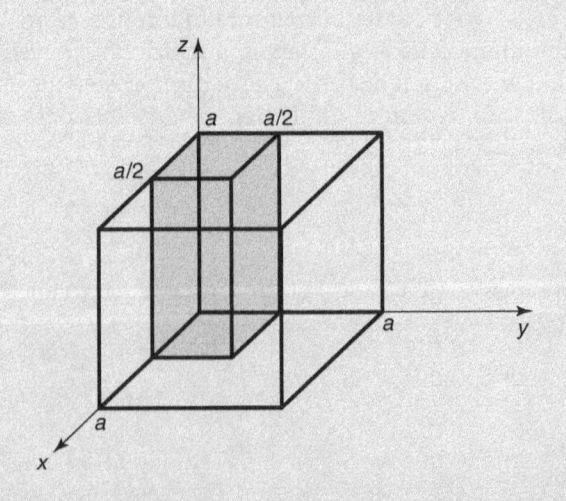

FIGURA 6.5 A perturbação aumenta o potencial em um valor V_0 no setor sombreado.

Para o primeiro estado excitado, precisamos de todo o mecanismo da teoria de perturbação degenerada. O primeiro passo é construir a matriz **W**. Os elementos diagonais são os mesmos do estado fundamental (exceto o argumento de um dos senos, que está dobrado); você mesmo pode verificar que

$$W_{aa} = W_{bb} = W_{cc} = \frac{1}{4}V_0.$$

Os elementos fora da diagonal são mais interessantes:

$$W_{ab} = \left(\frac{2}{a}\right)^3 V_0 \int_0^{a/2} \mathrm{sen}^2\left(\frac{\pi}{a}x\right)dx$$
$$\times \int_0^{a/2} \mathrm{sen}\left(\frac{\pi}{a}y\right)\mathrm{sen}\left(\frac{2\pi}{a}y\right)dy \int_0^a \mathrm{sen}\left(\frac{2\pi}{a}z\right)\mathrm{sen}\left(\frac{\pi}{a}z\right)dz.$$

Porém, a integral em z é zero (como também será para W_{ac}), assim

$$W_{ab} = W_{ac} = 0.$$

Por fim,

$$W_{bc} = \left(\frac{2}{a}\right)^3 V_0 \int_0^{a/2} \mathrm{sen}\left(\frac{\pi}{a}x\right)\mathrm{sen}\left(\frac{2\pi}{a}x\right)dx$$
$$\times \int_0^{a/2} \mathrm{sen}\left(\frac{2\pi}{a}y\right)\mathrm{sen}\left(\frac{\pi}{a}y\right)dy \int_0^a \mathrm{sen}^2\left(\frac{\pi}{a}z\right)dz = \frac{16}{9\pi^2}V_0.$$

Nesse caso,

$$\mathbf{W} = \frac{V_0}{4}\begin{pmatrix} 1 & 0 & 0 \\ 0 & 1 & \kappa \\ 0 & \kappa & 0 \end{pmatrix} \qquad [6.38]$$

em que $\kappa \equiv (8/3\pi)^2 \approx 0{,}7205$.

A equação característica para **W** (ou melhor, para $4\mathbf{W}/V_0$, que é mais fácil de se trabalhar) é

$$(1-w)^3 - \kappa^2(1-w) = 0,$$

e os autovalores são

$$w_1 = 1; \quad w_2 = 1+\kappa \approx 1{,}705; \quad w_3 = 1-\kappa \approx 0{,}2795.$$

A primeira ordem em λ, então,

$$E_1(\lambda) = \begin{cases} E_1^0 + \lambda V_0/4, \\ E_1^0 + \lambda(1+\kappa)V_0/4, \\ E_1^0 + \lambda(1-\kappa)V_0/4, \end{cases} \qquad [6.39]$$

em que E_1^0 é a energia (comum) não perturbada (Equação 6.35). A perturbação remove a degenerescência, dividindo E_1^0 em três níveis distintos de energia (veja a Figura 6.6). Observe que se tivéssemos utilizado inocentemente a teoria de perturbação *não* degenerada para resolver esse problema, teríamos concluído que a correção de primeira ordem (Equação 6.9) é a mesma para os três estados e igual para $V_0/4$ — o que, na verdade, está correto somente para o estado do meio.

Enquanto isso, os 'bons' estados não perturbados são combinações lineares da forma

$$\psi^0 = \alpha\psi_a + \beta\psi_b + \gamma\psi_c, \qquad [6.40]$$

em que os coeficientes (α, β e γ) formam os autovetores da matriz **W**:

$$\begin{pmatrix} 1 & 0 & 0 \\ 0 & 1 & \kappa \\ 0 & \kappa & 1 \end{pmatrix}\begin{pmatrix} \alpha \\ \beta \\ \gamma \end{pmatrix} = w\begin{pmatrix} \alpha \\ \beta \\ \gamma \end{pmatrix}.$$

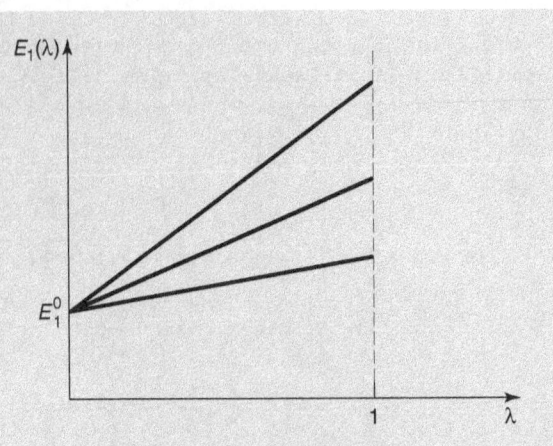

FIGURA 6.6 Levantamento da degenerescência no Exemplo 6.2 (Equação 6.39).

Para $w = 1$, obtemos $\alpha = 1$, $\beta = \gamma = 0$; para $w = 1 \pm \kappa$ obtemos $\alpha = 0$, $\beta = \pm \gamma = 1/\sqrt{2}$. (Normalizei-as conforme fui obtendo cada uma.) Assim, os 'bons' estados são[7]

$$\psi^0 = \begin{cases} \psi_a, \\ (\psi_b + \psi_c)/\sqrt{2}, \\ (\psi_b - \psi_c)/\sqrt{2}. \end{cases} \quad [6.41]$$

Problema 6.8 Suponha que perturbemos o poço cúbico infinito (Equação 6.30), colocando uma 'ondulação' função delta no ponto $(a/4, a/2, 3a/4)$:

$$H' = a^3 V_0 \delta(x - a/4)\delta(y - a/2)\delta(z - 3a/4).$$

Calcule as correções de primeira ordem para a energia do estado fundamental e os primeiros estados excitados (triplamente degenerados).

*Problema 6.9 Considere um sistema quântico com somente *três* estados linearmente independentes. Suponha que o Hamiltoniano, na forma de matriz, seja

$$\mathbf{H} = V_0 \begin{pmatrix} (1-\epsilon) & 0 & 0 \\ 0 & 1 & \epsilon \\ 0 & \epsilon & 2 \end{pmatrix},$$

em que V_0 é uma constante e ϵ é um número pequeno ($\epsilon \ll 1$).

(a) Escreva os autovetores e autovalores do Hamiltoniano *não perturbado* ($\epsilon = 0$).

(b) Descubra os autovalores *exatos* de **H**. Expanda cada um deles como série de potências em ϵ até a segunda ordem.

(c) Utilize a teoria de perturbação *não* degenerada de primeira e segunda ordem para encontrar os autovalores aproximados para o estado que surge a partir dos autovetores não degenerados de H^0. Compare o resultado exato com (a).

(d) Utilize a teoria de perturbação *degenerada* para calcular a correção de primeira ordem para dois autovalores inicialmente degenerados. Compare os resultados exatos.

---

[7] Poderíamos ter imaginado esse resultado desde o começo, notando que o operador P_{xy}, o qual alterna x e y, comuta com H'. Seus autovalores são +1 (para funções que sejam *pares* sob a alternação) e −1 (para funções ímpares). Nesse caso, ψ_a já é par, $(\psi_b + \psi_c)$ é par e $(\psi_b - \psi_c)$ é ímpar. Isso não é muito conclusivo, uma vez que qualquer combinação linear dos estados pares ainda seria par. Mas se também usarmos o operador Q, o qual leva z para $a - z$ — e observe que ψ_a é uma autofunção com autovalor −1, enquanto os outros dois são autofunções com autovalores +1 —, a ambiguidade estará resolvida. Aqui, os operadores P_{xy} e Q, juntos, desempenham o papel de A no teorema da Seção 6.2.1.

Problema 6.10 No texto, afirmei que as correções de primeira ordem para uma energia n-vezes degenerada são os autovalores da matriz W, e justifiquei essa alegação com a generalização 'natural' do caso $n = 2$. *Faça a sua verificação*, reproduzindo os passos da Seção 6.2.1, começando com

$$\psi^0 = \sum_{j=1}^{n} \alpha_j \psi_j^0$$

(generalizando a Equação 6.17) e encerrando ao mostrar que o equivalente para a Equação 6.22 pode ser interpretado como a equação de autovalor para a matriz W.

6.3 A estrutura fina do hidrogênio

Em nosso estudo do átomo do hidrogênio (Seção 4.2), supusemos que o Hamiltoniano era

$$H = -\frac{\hbar^2}{2m}\nabla^2 - \frac{e^2}{4\pi\epsilon_0}\frac{1}{r} \qquad [6.42]$$

(a energia cinética do elétron somada à energia potencial coulombiana). Mas isso não é tudo. Já aprendemos como corrigir o movimento do núcleo: substitua m pela massa reduzida (Problema 5.1). Mais significativa é a chamada **estrutura fina**, que se deve na verdade a dois mecanismos distintos: **correção relativística** e **acoplamento spin-órbita**. Comparada às energias de Bohr (Equação 4.70), a estrutura fina é uma pequena perturbação — menor por um fator de α^2, em que

$$\alpha \equiv \frac{e^2}{4\pi\epsilon_0 \hbar c} \cong \frac{1}{137,036} \qquad [6.43]$$

é a famosa **constante de estrutura fina**. Menor ainda (por mais um fator de α) é o **desvio de Lamb**, associado à quantização do campo elétrico, e menor ainda por outra ordem de magnitude é a **estrutura hiperfina**, que se deve à interação magnética entre os momentos de dipolo do elétron e do próton. Essa hierarquia foi resumida na Tabela 6.1. Na seção atual, analisaremos a estrutura fina do hidrogênio como uma aplicação da teoria de perturbação independente do tempo.

TABELA 6.1 Hierarquia das correções para as energias de Bohr do hidrogênio.

Energias de Bohr:	de ordem	$\alpha^2 mc^2$
Estrutura fina:	de ordem	$\alpha^4 mc^2$
Desvio de Lamb:	de ordem	$\alpha^5 mc^2$
Separação hiperfina:	de ordem	$(m/m_p)\alpha^4 mc^2$

Problema 6.11

(a) Expresse as energias de Bohr em termos da constante de estrutura fina e da energia de repouso (mc^2) do elétron.

(b) Calcule a constante de estrutura fina a partir de primeiros princípios (isto é, sem recorrer aos valores empíricos de ϵ_0, e, $\hbar$ e c). *Comentário:* a constante de estrutura fina é, sem dúvida, o número puro mais fundamental (adimensional) de toda a física. Ela relaciona as constantes fundamentais do eletromagnetismo (a carga do elétron), a relatividade (a velocidade da luz) e a mecânica quântica (a constante de Planck). Se você conseguir resolver a parte (b), então, certamente, o Prêmio Nobel mais certeiro da história o aguarda. Mas eu não recomendaria que você se concentrasse nisso por enquanto; muitas pessoas inteligentes tentaram e todas (até agora) falharam.

6.3.1 A correção relativística

O primeiro termo no Hamiltoniano, supostamente, representa a energia cinética:

$$T = \frac{1}{2}mv^2 = \frac{p^2}{2m}, \qquad [6.44]$$

e a substituição canônica $\mathbf{p} \to (\hbar/i)\nabla$ produz o operador

$$T = -\frac{\hbar^2}{2m}\nabla^2. \qquad [6.45]$$

Como a Equação 6.44 é a expressão *clássica* da energia cinética, a fórmula *relativística* é

$$T = \frac{mc^2}{\sqrt{1-(v/c)^2}} - mc^2. \qquad [6.46]$$

O primeiro termo é a energia relativística *total* (não contando a energia *potencial*, com a qual não nos preocuparemos no momento), e o segundo termo é a energia de *repouso* — a diferença é a energia atribuível ao movimento.

Precisamos expressar T em termos de momento (relativístico),

$$p = \frac{mv}{\sqrt{1-(v/c)^2}}, \qquad [6.47]$$

e não em termos de velocidade. Observe que

$$p^2c^2 + m^2c^4 = \frac{m^2v^2c^2 + m^2c^4\left[1-(v/c)^2\right]}{1-(v/c)^2} = \frac{m^2c^4}{1-(v/c)^2} = \left(T+mc^2\right)^2,$$

assim,

$$T = \sqrt{p^2c^2 + m^2c^4} - mc^2. \qquad [6.48]$$

Essa equação relativística para a energia cinética é reduzida (é claro) ao resultado clássico (Equação 6.44) no limite não relativístico $p \ll mc$; quando a expandimos em potências do número pequeno (p/mc), temos

$$T = mc^2\left[\sqrt{1+\left(\frac{p}{mc}\right)^2}-1\right] = mc^2\left[1+\frac{1}{2}\left(\frac{p}{mc}\right)^2 - \frac{1}{8}\left(\frac{p}{mc}\right)^4 \ldots - 1\right]$$

$$= \frac{p^2}{2m} - \frac{p^4}{8m^3c^2} + \ldots \qquad [6.49]$$

A correção relativística de menor ordem[8] para o Hamiltoniano é, evidentemente,

$$H'_r = -\frac{p^4}{8m^3c^2}. \qquad [6.50]$$

---

[8] A energia cinética do elétron no hidrogênio é da ordem de 10 eV, a qual é minúscula se comparada à sua energia de repouso (511.000 eV), então, o átomo de hidrogênio é, basicamente, não relativístico, e podemos nos dar ao luxo de manter apenas a correção da ordem mais baixa. Na Equação 6.49, p é o momento *relativístico* (Equação 6.47), e *não* o momento clássico mv. É o primeiro que agora associamos ao operador quântico $-i\hbar\nabla$ na Equação 6.50.

Na teoria de perturbação de primeira ordem, a correção para E_n é dada pelo valor esperado de H' no estado não perturbado (Equação 6.9):

$$E_r^1 = \langle H_r' \rangle = -\frac{1}{8m^3c^2}\langle \psi | p^4 \psi \rangle = -\frac{1}{8m^3c^2}\langle p^2\psi | p^2\psi \rangle. \qquad [6.51]$$

Agora, a equação de Schrödinger (para os estados não perturbados) diz que

$$p^2\psi = 2m(E-V)\psi, \qquad [6.52]$$

e, portanto,[9]

$$E_r^1 = -\frac{1}{2mc^2}\langle (E-V)^2 \rangle = -\frac{1}{2mc^2}\left[E^2 - 2E\langle V \rangle + \langle V^2 \rangle\right]. \qquad [6.53]$$

Até agora, isso esteve completamente genérico; mas estamos interessados no hidrogênio, para o qual $V(r) = -(1/4\pi\epsilon_0)e^2/r$:

$$E_r^1 = -\frac{1}{2mc^2}\left[E_n^2 + 2E_n\left(\frac{e^2}{4\pi\epsilon_0}\right)\left\langle\frac{1}{r}\right\rangle + \left(\frac{e^2}{4\pi\epsilon_0}\right)^2\left\langle\frac{1}{r^2}\right\rangle\right], \qquad [6.54]$$

em que E_n é a energia de Bohr do estado em questão.

Para completar o serviço, precisamos dos valores esperados de $1/r$ e $1/r^2$ no estado (não perturbado) ψ_{nlm} (Equação 4.89). O primeiro é fácil (veja o Problema 6.12):

$$\left\langle\frac{1}{r}\right\rangle = \frac{1}{n^2 a}, \qquad [6.55]$$

em que a é o raio de Bohr (Equação 4.72). O segundo não é tão simples de derivar (veja o Problema 6.33), mas a resposta é[10]

$$\left\langle\frac{1}{r^2}\right\rangle = \frac{1}{(l+1/2)n^3 a^2}. \qquad [6.56]$$

Segue-se que

$$E_r^1 = -\frac{1}{2mc^2}\left[E_n^2 + 2E_n\left(\frac{e^2}{4\pi\epsilon_0}\right)\frac{1}{n^2 a} + \left(\frac{e^2}{4\pi\epsilon_0}\right)^2\frac{1}{(l+1/2)n^3 a^2}\right],$$

ou eliminando a (utilizando-se a Equação 4.72) e expressando tudo em termos de E_n (utilizando-se a Equação 4.70):

$$E_r^1 = -\frac{(E_n)^2}{2mc^2}\left[\frac{4n}{l+1/2} - 3\right]. \qquad [6.57]$$

---

[9] Existe um truque nessa manobra, que explora a hermiticidade de p^2 e de $(E - V)$. Ocorre que o operador p^4 não é hermitiano para os estados com $l = 0$ (veja o Problema 6.15), e a aplicabilidade da teoria da perturbação na Equação 6.50 é, portanto, posta em questão (para o caso $l = 0$). Felizmente, a solução *exata* está disponível; pode ser obtida utilizando-se a equação (relativística) de Dirac no lugar da equação de Schrödinger (não relativística), e ela confirma os resultados que obtivemos aqui por meios não tão rigorosos (veja o Problema 6.19).

[10] A fórmula geral para o valor esperado de *qualquer* potência de r é dada em Hand A. Bethe e Edwin E. Salpeter, *Quantum Mechanics of One - and Two-Electron Atoms*, Plenum, Nova York (1977), p. 17.

Evidentemente, a correção relativística é menor do que E_n por um fator de cerca de $E_n/mc^2 = 2 \times 10^{-5}$.

Você deve ter notado que usei a teoria da perturbação *não* degenerada nesse cálculo (Equação 6.51), apesar de o átomo de hidrogênio ser altamente degenerado. Porém, a perturbação é esfericamente simétrica, e assim comuta com L^2 e L_z. Além disso, as autofunções desses operadores (em conjunto) têm autovalores distintos para n^2 estados com dada E_n. Felizmente, então, as funções de onda ψ_{nlm} *são* os estados 'bons' para esse problema (ou, como dizemos, n, l e m são os **números quânticos bons**), de modo que o uso da teoria de perturbações não degenerada era legítima (veja a 'Moral' para a Seção 6.2.1).

*Problema 6.12
Utilize o teorema do virial (Problema 4.40) para provar que a Equação 6.55 é verdadeira.

Problema 6.13
No Problema 4.43 você calculou o valor esperado de r^s no estado ψ_{321}. Verifique sua resposta para os casos especiais $s = 0$ (trivial), $s = -1$ (Equação 6.55), $s = -2$ (Equação 6.56) e $s = -3$ (Equação 6.64). Comente o caso $s = -7$.

**Problema 6.14
Encontre a correção relativística (de ordem mais baixa) para os níveis de energia do oscilador harmônico unidimensional. *Dica*: utilize a técnica do Exemplo 2.5.

***Problema 6.15
Demonstre que p^2 é hermitiano, mas que p^4 *não é*, para os estados de hidrogênio com $l = 0$. *Dica*: para tais estados, ψ é independente de θ e ϕ, assim

$$p^2 = -\frac{\hbar^2}{r^2} \frac{d}{dr}\left(r^2 \frac{d}{dr}\right)$$

(Equação 4.13). Utilizando a integração por partes, demonstre que

$$\langle f | p^2 g \rangle = -4\pi\hbar^2 \left(r^2 f \frac{dg}{dr} - r^2 g \frac{df}{dr}\right)\bigg|_0^\infty + \langle p^2 f | g \rangle.$$

Verifique que os termos de contorno desaparecem para ψ_{n00}, a qual se apresenta da seguinte forma:

$$\psi_{n00} \sim \frac{1}{\sqrt{\pi}(na)^{3/2}} \exp(-r/na)$$

próxima à origem. Agora, faça o mesmo para p^4 e demonstre que os termos de contorno não desaparecem. Na verdade:

$$\langle \psi_{n00} | \pi^4 \psi_{m00} \rangle = \frac{8\hbar^4}{a^4} \frac{(n-m)}{(nm)^{5/2}} + \langle p^4 \psi_{n00} | \psi_{m00} \rangle.$$

6.3.2 Acoplamento spin-órbita

Imagine o elétron em órbita em torno do núcleo; do ponto de vista do *elétron*, o próton circula em torno *dele* (Figura 6.7). Essa carga positiva em órbita configura um campo magnético **B** no quadro de elétrons, e exerce um torque sobre o elétron que gira, tendendo a alinhar seu momento magnético (μ) paralelamente à direção do campo. O Hamiltoniano (Equação 4.157) é

$$H = -\mu \cdot \mathbf{B}. \qquad [6.58]$$

Para começar, precisamos entender o campo magnético do próton (**B**) e o momento de dipolo do elétron (μ).

O campo magnético do próton. Se imaginarmos o próton (com base na perspectiva do elétron) como um circuito fechado de corrente contínua (Figura 6.7), seu campo magnético poderá ser calculado a partir da lei de Biot-Savart:

$$B = \frac{\mu_0 I}{2r},$$

com uma corrente eficaz $I = e/T$, em que e é a carga do próton e T é o período da órbita. Por sua vez, o momento angular orbital do *elétron* (no referencial de repouso do *núcleo*) é $L = rmv = 2\pi m r^2/T$. Além disso, **B** e **L** apontam para a mesma direção (para cima, na Figura 6.7), assim

$$\mathbf{B} = \frac{1}{4\pi\epsilon_0} \frac{e}{mc^2 r^3} \mathbf{L}. \qquad [6.59]$$

(Usei $c = 1/\sqrt{\epsilon_0 \mu_0}$ para eliminar μ_0 em favor de ϵ_0.)

O momento de dipolo magnético do elétron. O momento de dipolo magnético de uma carga em rotação está relacionado ao seu momento angular (spin); o fator de proporcionalidade é a razão giromagnética (que já vimos na Seção 4.4.2). Vamos derivá-lo, dessa vez, utilizando a eletrodinâmica clássica. Primeiramente, considere uma carga q espalhada ao redor de um anel de raio r, que gira em torno do eixo com um período T (Figura 6.8). O momento de dipolo magnético do anel é definido como a corrente (q/T) vezes a área (πr^2):

$$\mu = \frac{q\pi r^2}{T}.$$

Se a massa do anel é m, seu momento angular é o momento de inércia (mr^2) vezes a velocidade angular ($2\pi/T$):

$$S = \frac{2\pi m r^2}{T}.$$

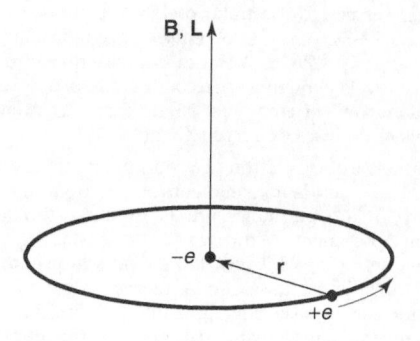

FIGURA 6.7 O átomo de hidrogênio na perspectiva do elétron.

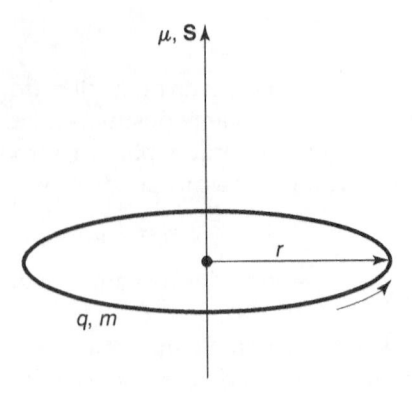

FIGURA 6.8 Um anel de carga rodando sobre seu próprio eixo.

A razão giromagnética para essa configuração é, evidentemente, $\mu/S = q/2m$. Observe que ela é independente de r (e de T). Se eu tivesse um objeto mais complexo, como, por exemplo, uma esfera (tudo de que precisaria seria uma figura de revolução que girasse sobre seu próprio eixo), eu poderia calcular μ e $\mathbf{S}$, cortando-a em pequenos anéis e somando suas contribuições. Contanto que a massa e a carga sejam distribuídas da mesma maneira (para que a relação carga/massa seja uniforme), a razão giromagnética será a mesma para cada anel, e, portanto, também para o objeto como um todo. Além disso, as direções de μ e $\mathbf{S}$ são as mesmas (ou opostas, se a carga for negativa), assim

$$\mu = \left(\frac{q}{2m}\right)\mathbf{S}.$$

Entretanto, aquele foi um cálculo puramente *clássico*; acontece que o momento magnético do elétron é o *dobro* do valor clássico:

$$\mu_e = -\frac{e}{m}\mathbf{S}. \qquad [6.60]$$

O fator 'extra' de 2 foi explicado por Dirac em sua teoria relativística do elétron.[11] Juntando tudo isso, teremos

$$H = \left(\frac{e^2}{4\pi\epsilon_0}\right)\frac{1}{m^2c^2r^3}\mathbf{S}\cdot\mathbf{L}.$$

Mas há uma fraude grave nesse cálculo: fiz a análise no referencial de repouso do elétron, porém, ele *não é um sistema inercial*; ele *acelera* conforme o elétron orbita em torno do núcleo. Você conseguirá fugir disso se fizer uma correção cinemática adequada conhecida como **precessão de Thomas**.[12] Nesse contexto, acrescenta-se um fator $1/2$:[13]

$$H'_{so} = \left(\frac{e^2}{8\pi\epsilon_0}\right)\frac{1}{m^2c^2r^3}\mathbf{S}\cdot\mathbf{L}. \qquad [6.61]$$

---

11 Já observamos que pode ser perigoso retratar o elétron como uma esfera que gira (veja o Problema 4.25), e não surpreende que o modelo clássico simples obtenha a razão giromagnética errada. O *desvio* da expectativa clássica é conhecido como **fator g**: $\mu = g(q/2m)\mathbf{S}$. Portanto, o fator g do elétron, na teoria de Dirac, é exatamente 2. Porém, a **eletrodinâmica quântica** revela pequenas correções para isso: g_e é, na verdade, $2 + (\alpha/\pi) + ... = 2,002...$ O cálculo e a medição (que concordam com extrema precisão) do chamado **momento magnético anômalo** do elétron estavam entre as grandes conquistas da física do século XX.

12 Uma maneira de pensar nela é que o elétron seja continuamente alterado a partir de um sistema inercial para outro; a precessão de Thomas corresponde ao efeito cumulativo de todas essas transformações de Lorentz. Poderíamos evitar o problema inteiro, é claro, permanecendo no quadro *experimental*, no qual o núcleo está em repouso. Nesse caso, o campo do próton é puramente *elétrico*, e você deve estar se perguntando por que ele exerce um torque sobre o elétron. Bem, o fato é que um dipolo *magnético* móvel adquire um momento de dipolo *elétrico*, e no quadro experimental, o acoplamento spin-órbita se deve à interação do campo *elétrico* do núcleo com o momento de dipolo *elétrico* do elétron. E como essa análise exige uma eletrodinâmica mais sofisticada, parece que o melhor é adotar a perspectiva do elétron, no qual o mecanismo físico é mais transparente.

13 Mais precisamente, a precessão de Thomas subtrai 1 do fator g. Veja R. R. Haar e L. J. Curtis, *Am J. Phys.*, **55**, 1044 (1987).

Essa é a **interação spin-órbita**; além das duas correções (a razão giromagnética modificada para o elétron e para o fator de precessão de Thomas — que, coincidentemente, cancelam uma à outra), ela é apenas o que você esperaria de um modelo clássico simples. Fisicamente, ela ocorre por causa do torque exercido sobre o momento de dipolo magnético do elétron giratório, pelo campo magnético do próton, no quadro de repouso instantâneo do elétron.

Agora, a mecânica quântica. Na presença do acoplamento spin-órbita, o Hamiltoniano não comuta nem com **L** nem com **S**, assim os momentos angulares spin e orbital não são conservados separadamente (veja o Problema 6.16). Entretanto, H'_{so} comuta com L^2, S^2 e com o momento angular *total*

$$\mathbf{J} \equiv \mathbf{L} + \mathbf{S}, \qquad [6.62]$$

e, portanto, essas quantidades *são* conservadas (Equação 3.71). Para explicar de outra maneira, os autoestados de L_z e S_z não são estados 'bons' para serem utilizados na teoria da perturbação, mas os autoestados de L^2, S^2, J^2 e J_z o são. Agora,

$$J^2 = (\mathbf{L}+\mathbf{S})\cdot(\mathbf{L}+\mathbf{S}) = L^2 + S^2 + 2\mathbf{L}\cdot\mathbf{S},$$

então,

$$\mathbf{L}\cdot\mathbf{S} = \frac{1}{2}\left(J^2 - L^2 - S^2\right), \qquad [6.63]$$

e, portanto, os autovalores de $\mathbf{L}\cdot\mathbf{S}$ são

$$\frac{\hbar^2}{2}\left[j(j+1) - l(l+1) - s(s+1)\right].$$

Nesse caso, é claro, $s = 1/2$. Enquanto isso, o valor esperado de $1/r^3$ (veja o Problema 6.35(c)) é

$$\left\langle \frac{1}{r^3} \right\rangle = \frac{1}{l(l+1/2)(l+1)n^3 a^3}, \qquad [6.64]$$

e concluímos que

$$E^1_{so} = \left\langle H'_{so} \right\rangle = \frac{e^2}{8\pi\epsilon_0} \frac{1}{m^2 c^2} \frac{(\hbar^2/2)\left[j(j+1) - l(l+1) - 3/4\right]}{l(l+1/2)(l+1)n^3 a^3},$$

ou, expressando isso em termos de E_n:[14]

$$E^1_{so} = \frac{(E_n)^2}{mc^2}\left\{\frac{n\left[j(j+1) - l(l+1) - 3/4\right]}{l(l+1/2)(l+1)}\right\}. \qquad [6.65]$$

É notável, considerando que os mecanismos físicos envolvidos sejam totalmente diferentes, que a correção relativística e o acoplamento spin-órbita sejam da mesma ordem (E_n^2/mc^2). Juntando-as, teremos a fórmula de estrutura fina completa (veja o Problema 6.17):

$$E^1_{fs} = \frac{(E_n)^2}{2mc^2}\left(3 - \frac{4n}{j+1/2}\right). \qquad [6.66]$$

---

14 Mais uma vez, o caso $l = 0$ é problemático, uma vez que o dividimos ostensivamente por zero. Por sua vez, o numerador *também* é zero, pois nesse caso $j = s$ e, portanto, a Equação 6.65 é indeterminada. Por motivos físicos, não deve haver qualquer acoplamento spin-órbita quando $l = 0$. Uma forma de resolver a ambiguidade é introduzir o chamado **termo de Darwin** (veja, por exemplo, G. K. Woodgate, *Elementary Atomic Structure*, 2ª ed., Oxford (1983), p. 63). Por acaso, apesar de a correção relativística (Equação 6.57) e o acoplamento spin-órbita (Equação 6.65) serem ambos questionáveis no caso $l = 0$, a *soma* de ambos (Problema 6.66) é correta para *todos* os l (veja o Problema 6.19).

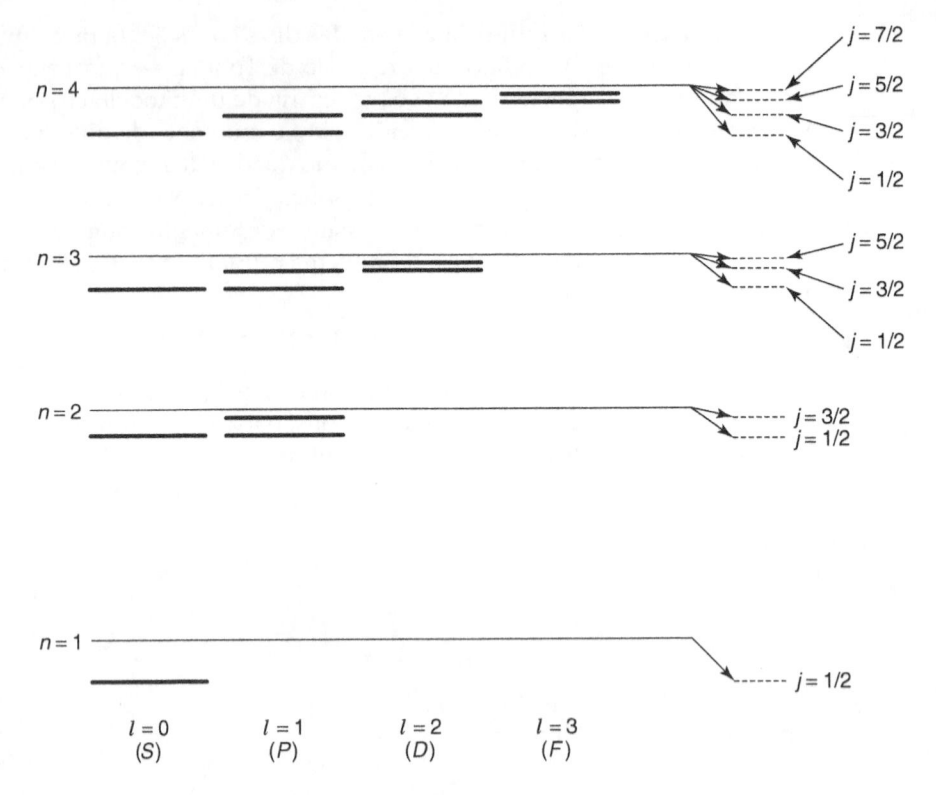

FIGURA 6.9 Níveis de energia do hidrogênio, incluindo a estrutura fina (sem escala).

Combinando essa equação com a fórmula de Bohr, obtemos o resultado geral para os níveis de energia do hidrogênio com a estrutura fina incluída:

$$E_{nj} = -\frac{13{,}6eV}{n^2}\left[1 + \frac{\alpha^2}{n^2}\left(\frac{n}{j+1/2} - \frac{3}{4}\right)\right]. \quad [6.67]$$

A estrutura fina quebra a degenerescência em l (isto é, para um n dado, nem todos os diferentes valores permitidos de l carregarão a mesma energia), mas ainda preserva a degenerescência em j (veja a Figura 6.9). Os autovalores da componente z para o momento angular orbital e de spin (m_l e m_s) não são 'bons' números quânticos; os estados estacionários são combinações lineares de estados com valores diferentes dessas quantidades; os 'bons' números quânticos são n, l, s, j e m_j.[15]

Problema 6.16 Avalie os seguintes comutadores: (a) [**L** · **S**, **L**], (b) [**L** · **S**, **S**], (c) [**L** · **S**, **J**], (d) [**L** · **S**, L^2], (e) [**L** · **S**, S^2], (f) [**L** · **S**, J^2]. *Dica:* **L** e **S** satisfazem as relações de comutação fundamentais para o momento angular (equações 4.99 e 4.134), porém, elas comutam uma com a outra.

*Problema 6.17 Obtenha a fórmula da estrutura fina (Equação 6.66) a partir da correção relativística (Equação 6.57) e do acoplamento spin-órbita (Equação 6.65). *Dica:* observe que $j = l \pm 1/2$; trate o sinal positivo e o sinal negativo separadamente, e você obterá a mesma resposta final, tanto de um jeito quanto de outro.

---

[15] Para escrever $|j\, m_j\rangle$ (para l e s dados) como combinação linear de $|l\, m_l\rangle |s\, m_s\rangle$, deveríamos usar os coeficientes Clebsch-Gordan apropriados (Equação 4.185).

Problema 6.18 A característica mais proeminente do espectro do hidrogênio na região visível é a linha vermelha de Balmer, vinda da transição $n = 3$ para $n = 2$. Primeiramente, determine o comprimento de onda e a frequência dessa linha de acordo com a teoria de Bohr. A estrutura fina divide essa linha em várias linhas espaçadas; a questão é: *quantas linhas são* e *qual é o espaçamento entre cada uma delas?* Dica: em primeiro lugar, determine em quantos subníveis o nível $n = 2$ se divide e encontre E^1_{fs} para cada um deles em eV. Faça o mesmo para $n = 3$. Esboce um diagrama de nível de energia que demonstre todas as transições possíveis a partir de $n = 3$ para $n = 2$. A energia liberada (na forma de um fóton) é de $(E_3 - E_2) + \Delta E$, sendo a primeira parte comum a todas elas, e a ΔE (por causa da estrutura fina) variando de uma transição para a próxima. Calcule ΔE (em eV) para cada transição. Por fim, converta o resultado para a frequência de fóton e determine o espaçamento entre as linhas espectrais adjacentes (em Hz) — não o intervalo de frequência entre cada linha e a linha *não perturbada* (a qual, naturalmente, não é observável), mas o intervalo de frequência entre cada linha e a *próxima*. Sua resposta final deve ser dada da seguinte forma: 'a linha vermelha de Balmer se divide em (???) linhas. Em ordem de frequência crescente, elas vêm das transições (1) $j = $ (???) para $j = $ (???), (2) $j = $ (???) para $j = $ (???), ... A frequência de espaçamento entre a linha (1) e a linha (2) é de (???) Hz, o espaçamento entre a linha (2) e a linha (3) é de (???) Hz...'

Problema 6.19 A fórmula *exata* da estrutura fina para o hidrogênio (obtida a partir da equação de Dirac, sem recorrer à teoria de perturbação) é[16]

$$E_{nj} = mc^2 \left\{ \left[1 + \left(\frac{\alpha}{n - (j+1/2) + \sqrt{(j+1/2)^2 - \alpha^2}} \right)^2 \right]^{-1/2} - 1 \right\}.$$

Expanda para a ordem α^4 (observe que $\alpha \ll 1$) e demonstre que você recupera a Equação 6.67.

6.4 O efeito Zeeman

Quando um átomo é posicionado em um campo magnético externo uniforme $\mathbf{B}_{ext}$, os níveis de energia são deslocados. Esse fenômeno é conhecido como **efeito Zeeman**. Para um único elétron, a perturbação é de

$$H'_Z = -\left(\mu_l + \mu_S\right) \cdot \mathbf{B}_{ext}, \qquad [6.68]$$

em que

$$\mu_S = -\frac{e}{m}\mathbf{S} \qquad [6.69]$$

é o momento de dipolo magnético associado ao spin do elétron, e

$$\mu_l = -\frac{e}{2m}\mathbf{L} \qquad [6.70]$$

é o momento de dipolo associado ao movimento orbital.[17] Assim

$$H'_Z = \frac{e}{2m}(\mathbf{L} + 2\mathbf{S}) \cdot \mathbf{B}_{ext}. \qquad [6.71]$$

---

16 Bethe e Salpeter (nota de rodapé nº 10), página 238.
17 A razão giromagnética para o movimento *orbital* é o valor clássico ($q/2m$); somente para o *spin* há um fator 'extra' de 2.

A natureza da separação Zeeman depende essencialmente da força do campo externo em comparação à do campo *interno* (Equação 6.59), que dá origem ao acoplamento spin-órbita. Se $B_{ext} \ll B_{int}$, então a estrutura fina dominará, e H'_z poderá ser tratada como uma pequena perturbação, enquanto, se $B_{ext} \gg B_{int}$, então o efeito Zeeman dominará, e a estrutura fina será a perturbação. Na zona intermediária, onde os dois campos são comparáveis, precisamos de todo o mecanismo da teoria de perturbação degenerada, e é necessário diagonalizar 'manualmente' a parte relevante do Hamiltoniano. Nas próximas seções, exploraremos brevemente cada uma dessas formas para o caso do hidrogênio.

Problema 6.20 Use a Equação 6.59 para calcular o campo interno do hidrogênio e para caracterizar quantitativamente um campo de Zeeman 'forte' e um 'fraco'.

6.4.1 Efeito Zeeman para campo fraco

Se $B_{ext} \ll B_{int}$, a estrutura fina dominará (Equação 6.67); os números quânticos 'bons' são n, l, j e m_j (porém, não m_l e m_s, pois, na presença do acoplamento spin-órbita, **L** e **S** não são conservados separadamente).[18] Na teoria de perturbação de primeira ordem, a correção Zeeman para a energia é

$$E^1_Z = \left\langle nljm_j \left| H'_Z \right| nljm_j \right\rangle = \frac{e}{2m} \mathbf{B}_{ext} \cdot \langle \mathbf{L} + 2\mathbf{S} \rangle. \qquad [6.72]$$

Agora, **L** + 2**S** = **J** + **S**. Infelizmente, não sabemos imediatamente o valor esperado de **S**. Mas podemos adivinhá-lo da seguinte forma: o momento angular total **J** = **L** + **S** é constante (Figura 6.10); **L** e **S** precessionam rapidamente em torno desse vetor fixo. Em especial, a *média* (temporal) de **S** é apenas a sua projeção ao longo de **J**:

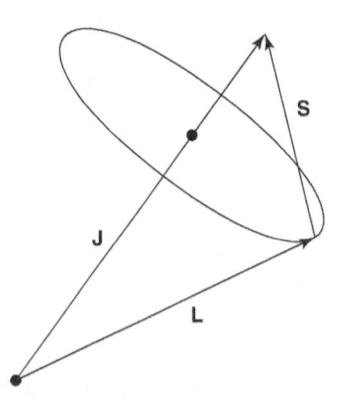

$$\mathbf{S}_{med} = \frac{(\mathbf{S} \cdot \mathbf{J})}{J^2} \mathbf{J}. \qquad [6.73]$$

FIGURA 6.10 Na presença do acoplamento spin-órbita, L e S não são conservadas separadamente; elas precessionam ao redor do momento angular total fixado, J.

---

[18] Nesse problema, temos uma perturbação (separação Zeeman) acumulada sobre uma outra perturbação (estrutura fina). Os números quânticos 'bons' são aqueles apropriados para a perturbação dominante —, nesse caso, a estrutura fina. A perturbação secundária (separação Zeeman) eleva a degenerescência restante em $J_{z'}$ a qual desempenha aqui o papel de operador A no teorema da Seção 6.2.1. Tecnicamente, J_z não comuta com $H'_{z'}$ mas comuta no sentido da média de tempo da Equação 6.73.

Mas $\mathbf{L} = \mathbf{J} - \mathbf{S}$, assim $L^2 = J^2 + S^2 - 2\mathbf{J}\cdot\mathbf{S}$ e, portanto,

$$\mathbf{S}\cdot\mathbf{J} = \frac{1}{2}\left(J^2 + S^2 - L^2\right) = \frac{\hbar^2}{2}\left[j(j+1) + s(s+1) - l(l+1)\right], \qquad [6.74]$$

da qual se segue

$$\langle \mathbf{L} + 2\mathbf{S}\rangle = \left\langle \left(1 + \frac{\mathbf{S}\cdot\mathbf{J}}{J^2}\right)\mathbf{J}\right\rangle = \left[1 + \frac{j(j+1) - l(l+1) + 3/4}{2j(j+1)}\right]\langle \mathbf{J}\rangle. \qquad [6.75]$$

O termo entre colchetes é conhecido como **fator g de Landé**, g_J.
Podemos também escolher o eixo z para ficar paralelo a $\mathbf{B}_{ext}$; então,

$$E_Z^1 = \mu_B g_j B_{ext} m_j, \qquad [6.76]$$

em que $\qquad \mu_B \equiv \dfrac{e\hbar}{2m} = 5,788 \times 10^{-5} eV/T \qquad [6.77]$

é o chamado **magneto de Bohr**. A energia *total* é a soma da parte da estrutura fina (Equação 6.67) e da contribuição Zeeman (Equação 6.76). Por exemplo, o estado fundamental ($n = 1$, $l = 0$, $j = 1/2$ e, portanto, $g_J = 2$) divide-se em dois níveis:

$$-13{,}6 \text{ eV}\left(1 + \alpha^2/4\right) \pm \mu_B B_{ext}, \qquad [6.78]$$

sendo o sinal positivo para $m_j = 1/2$ e o negativo para $m_j = -1/2$. Essas energias estão representadas (como funções de B_{ext}) na Figura 6.11.

*Problema 6.21 Considere os (oito) $n = 2$ estados, $|2ljm_j\rangle$. Calcule a energia de cada estado de acordo com a separação Zeeman no campo fraco e monte o diagrama como a Figura 6.11 para mostrar como as energias evoluem conforme B_{ext} aumenta. Seja claro ao rotular cada linha e indique sua inclinação.

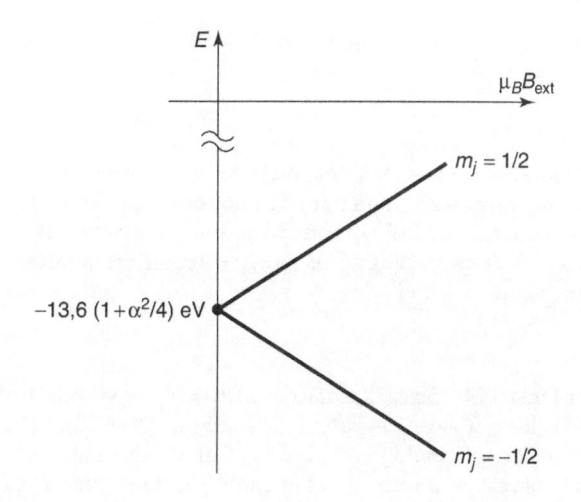

FIGURA 6.11 Separação Zeeman para campo fraco do estado fundamental do hidrogênio; a linha superior ($m_j = 1/2$) tem inclinação 1, e a linha inferior ($m_j = -1/2$) tem inclinação -1.

6.4.2 Efeito Zeeman para campo forte

Se $B_{ext} \gg B_{int}$, o efeito Zeeman domina;[19] com B_{ext} na direção z, os 'bons' números quânticos são agora n, l, m_l e m_s (exceto j e m_j, pois, na presença do torque externo, o momento angular total não é conservado, enquanto L_z e S_z o são). O Hamiltoniano Zeeman é

$$H'_Z = \frac{e}{2m} B_{ext}(L_z + 2S_z),$$

e as energias 'não perturbadas' são

$$E_{nm_l m_s} = -\frac{13{,}6 \text{ eV}}{n^2} + \mu_B B_{ext}(m_l + 2m_s). \qquad [6.79]$$

Essa é a *resposta*, se ignorarmos completamente a estrutura fina. Mas podemos fazer melhor do que isso.

Na teoria de perturbação de primeira ordem, a correção da estrutura fina para esses níveis é

$$E^1_{fs} = \langle nl\; m_l\; m_s | (H'_r + H'_{so}) | nl\; m_l\; m_s \rangle. \qquad [6.80]$$

A contribuição relativística é a mesma de antes (Equação 6.57); para o termo spin-órbita (Equação 6.61), precisaremos de

$$\langle \mathbf{S} \cdot \mathbf{L} \rangle = \langle S_x \rangle \langle L_x \rangle + \langle S_y \rangle \langle L_y \rangle + \langle S_z \rangle \langle L_y \rangle = \hbar^2 m_l m_s \qquad [6.81]$$

(note que $\langle S_x \rangle = \langle S_y \rangle = \langle L_x \rangle = \langle L_y \rangle = 0$ para os autoestados de S_z e L_z).

Juntando tudo isso (Problema 6.22), concluímos que

$$E^1_{fs} = \frac{13{,}6 \text{ eV}}{n^3} \alpha^2 \left\{ \frac{3}{4n} - \left[\frac{l(l+1) - m_l m_s}{l(l+1/2)(l+1)} \right] \right\}. \qquad [6.82]$$

(O termo em colchetes é indeterminado para $l = 0$; nesse caso, seu valor correto é 1 — veja o Problema 6.24.) A energia *total* é a somatória da parte Zeeman (Equação 6.79) e da contribuição da estrutura fina (Equação 6.82).

Problema 6.22 Começando com a Equação 6.80 e usando as equações 6.57, 6.61, 6.64 e 6.81, derive a Equação 6.82.

**Problema 6.23 Considere os (oito) $n = 2$ estados, $|2\; l\; m_l\; m_s\rangle$. Calcule a energia de cada estado sob a separação Zeeman para campo forte. Expresse cada resposta como a somatória de três termos: a energia de Bohr, a estrutura fina (proporcional a α^2) e a contribuição Zeeman (proporcional a $\mu_B B_{ext}$). Se você ignorar toda a estrutura fina, quantos níveis distintos haverá e quais serão suas degenerescências?

Problema 6.24 Se $l = 0$, então $j = s$, $m_j = m_s$, e os 'bons' estados serão os mesmos ($|n\; m_s\rangle$) para campos fortes e fracos. Determine E^1_Z (da Equação 6.72), as energias de estrutura fina (Equação 6.67) e escreva o resultado geral para $l = 0$ efeito Zeeman, *independentemente* da intensidade do campo. Demonstre que a fórmula para campo forte (Equação 6.82) produz esse resultado contanto que interpretemos o termo indeterminado entre colchetes como sendo 1.

---

[19] Nesse regime, o efeito Zeeman é também conhecido como **efeito Paschen-Back**.

6.4.3 Efeito Zeeman para campo intermediário

No regime intermediário, nem H'_Z nem H'_{fs} dominam, e por isso devemos tratar os dois igualmente, como perturbações do Hamiltoniano de Bohr (Equação 6.42):

$$H' = H'_Z + H'_{fs}. \qquad [6.83]$$

Limitarei minha atenção ao caso $n = 2$, e utilizarei os estados caracterizados por l, j e m_j como base para a teoria de perturbação degenerada.[20] Utilizando os coeficientes Clebsch-Gordan (Problema 4.51 ou Tabela 4.8) para expressar $|j\ m_j\rangle$ como combinação linear de $|l\ m_l\rangle |s\ m_s\rangle$, teremos

$$l=0 \begin{cases} \psi_1 \equiv \left|\tfrac{1}{2}\ \tfrac{1}{2}\right\rangle = |0\ 0\rangle\left|\tfrac{1}{2}\ \tfrac{1}{2}\right\rangle, \\ \psi_2 \equiv \left|\tfrac{1}{2}\ \tfrac{-1}{2}\right\rangle = |0\ 0\rangle\left|\tfrac{1}{2}\ \tfrac{-1}{2}\right\rangle, \end{cases}$$

$$l=1 \begin{cases} \psi_3 \equiv \left|\tfrac{3}{2}\ \tfrac{3}{2}\right\rangle = |1\ 1\rangle\left|\tfrac{1}{2}\ \tfrac{1}{2}\right\rangle, \\ \psi_4 \equiv \left|\tfrac{3}{2}\ \tfrac{-3}{2}\right\rangle = |1\ -1\rangle\left|\tfrac{1}{2}\ \tfrac{-1}{2}\right\rangle, \\ \psi_5 \equiv \left|\tfrac{3}{2}\ \tfrac{1}{2}\right\rangle = \sqrt{2/3}\,|1\ 0\rangle\left|\tfrac{1}{2}\ \tfrac{1}{2}\right\rangle + \sqrt{1/3}\,|1\ 1\rangle\left|\tfrac{1}{2}\ \tfrac{-1}{2}\right\rangle, \\ \psi_6 \equiv \left|\tfrac{1}{2}\ \tfrac{1}{2}\right\rangle = -\sqrt{1/3}\,|1\ 0\rangle\left|\tfrac{1}{2}\ \tfrac{1}{2}\right\rangle + \sqrt{2/3}\,|1\ 1\rangle\left|\tfrac{1}{2}\ \tfrac{-1}{2}\right\rangle, \\ \psi_7 \equiv \left|\tfrac{3}{2}\ \tfrac{-1}{2}\right\rangle = \sqrt{1/3}\,|1\ -1\rangle\left|\tfrac{1}{2}\ \tfrac{1}{2}\right\rangle + \sqrt{2/3}\,|1\ 0\rangle\left|\tfrac{1}{2}\ \tfrac{-1}{2}\right\rangle, \\ \psi_8 \equiv \left|\tfrac{1}{2}\ \tfrac{-1}{2}\right\rangle = -\sqrt{2/3}\,|1\ -1\rangle\left|\tfrac{1}{2}\ \tfrac{1}{2}\right\rangle + \sqrt{1/3}\,|1\ 0\rangle\left|\tfrac{1}{2}\ \tfrac{-1}{2}\right\rangle. \end{cases}$$

Nessa base, os elementos da matriz não nulos de H'_{fs} estão todos na diagonal, e são dados pela Equação 6.66; H'_Z tem quatro elementos fora da diagonal, e a matriz completa – **W** é (veja o Problema 6.25):

$$\begin{pmatrix} 5\gamma-\beta & 0 & 0 & 0 & 0 & 0 & 0 & 0 \\ 0 & 5\gamma+\beta & 0 & 0 & 0 & 0 & 0 & 0 \\ 0 & 0 & \gamma-2\beta & 0 & 0 & 0 & 0 & 0 \\ 0 & 0 & 0 & \gamma+2\beta & 0 & 0 & 0 & 0 \\ 0 & 0 & 0 & 0 & \gamma-\tfrac{2}{3}\beta & \tfrac{\sqrt{2}}{3}\beta & 0 & 0 \\ 0 & 0 & 0 & 0 & \tfrac{\sqrt{2}}{3}\beta & 5\gamma-\tfrac{1}{3}\beta & 0 & 0 \\ 0 & 0 & 0 & 0 & 0 & 0 & \gamma+\tfrac{2}{3}\beta & \tfrac{\sqrt{2}}{3}\beta \\ 0 & 0 & 0 & 0 & 0 & 0 & \tfrac{\sqrt{2}}{3}\beta & 5\gamma+\tfrac{1}{3}\beta \end{pmatrix}$$

em que

$$\gamma \equiv (\alpha/8)^2\, 13{,}6\ \text{eV} \quad \text{e} \quad \beta \equiv \mu_B B_{ext}.$$

Os primeiros quatro autovalores são mostrados ao longo da diagonal; resta apenas encontrar os autovalores dos dois blocos de 2×2. A equação característica para o primeiro deles é

---

[20] Você pode usar os estados l, m_l, m_s se preferir; isso torna os elementos da matriz de H'_Z mais fáceis, porém, faz os de H'_{fs} mais difíceis; a matriz W será mais complicada, mas seus autovalores (os quais são independentes da base) serão os mesmos de qualquer forma.

$$\lambda^2 - \lambda(6\gamma - \beta) + \left(5\gamma^2 - \frac{11}{3}\gamma\beta\right) = 0,$$

e a fórmula quadrática produz os autovalores:

$$\lambda_{\pm} = -3\gamma + (\beta/2) \pm \sqrt{4\gamma^2 + (2/3)\gamma\beta + (\beta^2/4)}. \qquad [6.84]$$

Os autovalores do segundo bloco são os mesmos, porém, com o sinal de β invertido. As oito energias estão listadas na Tabela 6.2 e organizadas diante de B_{ext} na Figura 6.12. No limite de campo-zero ($\beta = 0$) elas se reduzem aos valores de estrutura fina; para campos fracos ($\beta \ll \gamma$), elas reproduzem o que você obteve no Problema 6.21; para campos fortes ($\beta \gg \gamma$), recuperamos os resultados do Problema 6.23 (note a convergência para cinco níveis distintos de energia, em campos muito altos, conforme o previsto no Problema 6.23).

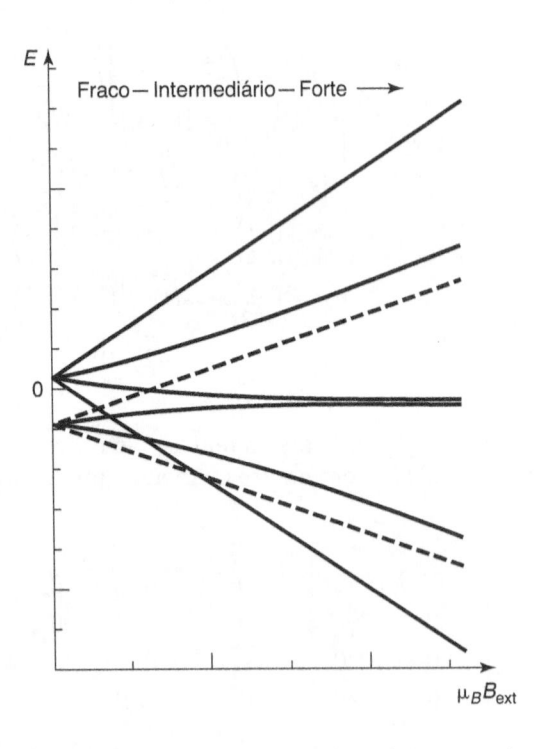

FIGURA 6.12 A separação Zeeman de estados $n = 2$ do hidrogênio nos regimes de campos fracos, intermediários e fortes.

TABELA 6.2 Níveis de energia para os estados $n = 2$ do hidrogênio com estrutura fina e separação Zeeman.

$$\epsilon_1 = E_2 - 5\gamma + \beta$$
$$\epsilon_2 = E_2 - 5\gamma - \beta$$
$$\epsilon_3 = E_2 - \gamma + 2\beta$$
$$\epsilon_4 = E_2 - \gamma - 2\beta$$
$$\epsilon_5 = E_2 - 3\gamma - \beta/2 + \sqrt{4\gamma^2 + (2/3)\gamma\beta + \beta^2/4}$$
$$\epsilon_6 = E_2 - 3\gamma + \beta/2 - \sqrt{4\gamma^2 + (2/3)\gamma\beta + \beta^2/4}$$
$$\epsilon_7 = E_2 - 3\gamma - \beta/2 + \sqrt{4\gamma^2 - (2/3)\gamma\beta + \beta^2/4}$$
$$\epsilon_8 = E_2 - 3\gamma - \beta/2 - \sqrt{4\gamma^2 - (2/3)\gamma\beta + \beta^2/4}$$

Problema 6.25 Resolva os elementos da matriz de H'_Z e H'_{fs} e monte a matriz W dada no texto para $n = 2$.

***Problema 6.26** Analise o efeito Zeeman para os estados $n = 3$ de hidrogênio nos regimes de campos fracos, fortes e intermediários. Monte uma tabela de energias (parecida com a Tabela 6.2), organize-as como funções do campo externo (como na Figura 6.12) e certifique-se de que os resultados do campo intermediário sejam reduzidos apropriadamente nos dois casos limites.

6.5 Separação hiperfina

O próprio próton constitui um dipolo magnético, embora seu momento de dipolo seja muito menor do que o do elétron por causa da massa no denominador (Equação 6.60):

$$\mu_p = \frac{g_p e}{2m_p} \mathbf{S}_p, \quad \mu_e = -\frac{e}{m_e} \mathbf{S}_e. \qquad [6.85]$$

(O próton é uma estrutura composta formada por três quarks, e sua razão giromagnética não é tão simples quanto a do elétron — portanto, o fator g explícito (g_p), cujo valor medido é 5,59, ao contrário de 2,00 para o elétron.) De acordo com a eletrodinâmica clássica, um dipolo μ estabelece um campo magnético[21]

$$\mathbf{B} = \frac{\mu_0}{4\pi r^3}\left[3(\mu \cdot \hat{r})\hat{r} - \mu\right] + \frac{2\mu_0}{3}\mu \delta^3(\mathbf{r}). \qquad [6.86]$$

Assim, o Hamiltoniano do elétron, no campo magnético por causa do momento de dipolo magnético do próton, é (Equação 6.58)

$$H'_{hf} = \frac{\mu_0 g_p e^2}{8\pi m_p m_e}\frac{\left[3(\mathbf{S}_p \cdot \hat{r})(\mathbf{S}_e \cdot \hat{r}) - \mathbf{S}_p \cdot \mathbf{S}_e\right]}{r^3} + \frac{\mu_0 g_p e^2}{3 m_p m_e}\mathbf{S}_p \cdot \mathbf{S}_e \delta^3(\mathbf{r}). \qquad [6.87]$$

De acordo com a teoria de perturbação, a correção de primeira ordem para a energia (Equação 6.9) tem o mesmo valor esperado do Hamiltoniano perturbado:

$$E^1_{hf} = \frac{\mu_0 g_p e^2}{8\pi m_p m_e}\left\langle\frac{3(\mathbf{S}_p \cdot \hat{r})(\mathbf{S}_e \cdot \hat{r}) - \mathbf{S}_p \cdot \mathbf{S}_e}{r^3}\right\rangle$$

$$+ \frac{\mu_0 g_p e^2}{3 m_p m_e}\langle\mathbf{S}_p \cdot \mathbf{S}_e\rangle|\psi(0)|^2. \qquad [6.88]$$

No estado fundamental (ou em qualquer outro estado para o qual $l = 0$), a função de onda é esfericamente simétrica, e o primeiro valor esperado vai a zero (veja o Problema 6.27). Entretanto, a partir da Equação 4.80, vemos que $|\psi_{100}(0)|^2 = 1/(\pi a^3)$, assim

$$E^1_{hf} = \frac{\mu_0 g_p e^2}{3\pi m_p m_e a^3}\langle\mathbf{S}_p \cdot \mathbf{S}_e\rangle, \qquad [6.89]$$

no estado fundamental. Isso é chamado de **acoplamento spin-spin**, pois envolve o produto escalar de dois spins (compare-o ao acoplamento spin-órbita, que envolve $\mathbf{S} \cdot \mathbf{L}$).

---

21 Se você não estiver familiarizado com o termo função delta na Equação 6.86, você pode obtê-lo, tratando o dipolo como uma camada esférica carregada que está girando, no limite em que o raio vai a zero e a carga vai para o infinito (com μ mantido constante). Veja D. J. Griffiths, *Am. J. Phys.*, **50**, 698 (1982).

Na presença do acoplamento spin-spin, os momentos angulares de spin individuais não são mais conservados; os 'bons' estados são autovetores do spin *total*,

$$\mathbf{S} \equiv \mathbf{S}_e + \mathbf{S}_p. \qquad [6.90]$$

Como já fizemos anteriormente, ajustamos tudo isso para obter

$$\mathbf{S}_p \cdot \mathbf{S}_e = \frac{1}{2}\left(S^2 - S_e^2 - S_p^2\right). \qquad [6.91]$$

Mas o elétron e o próton têm spin 1/2, assim $S_e^2 = S_p^2 = (3/4)\hbar^2$. No estado tripleto ('spins' paralelos), o spin total é 1 e, portanto, $S^2 = 2\hbar^2$; no estado singleto, o spin total é 0 e $S^2 = 0$. Assim

$$E_{\text{hf}}^1 = \frac{4 g_p \hbar^4}{3 m_p m_e^2 c^2 a^4} \begin{cases} +1/4 & \text{(tripleto);} \\ -3/4 & \text{(singleto).} \end{cases} \qquad [6.92]$$

O acoplamento spin-spin quebra a degenerescência do spin do estado fundamental, elevando a configuração tripleto e diminuindo o singleto (veja a Figura 6.13). A lacuna de energia é, evidentemente,

$$\Delta E = \frac{4 g_p \hbar^4}{3 m_p m_e^2 c^2 a^4} = 5{,}88 \times 10^{-6} \text{ eV}. \qquad [6.93]$$

A frequência do fóton emitida em uma transição do estado tripleto para o singleto é

$$v = \frac{\Delta E}{h} = 1420 \text{ MHz}, \qquad [6.94]$$

e o comprimento de onda correspondente é $c/v = 21$ cm, o qual cai na região de micro-onda. A famosa **linha de 21 centímetros** está entre as formas mais generalizadas e onipresentes de radiação no universo.

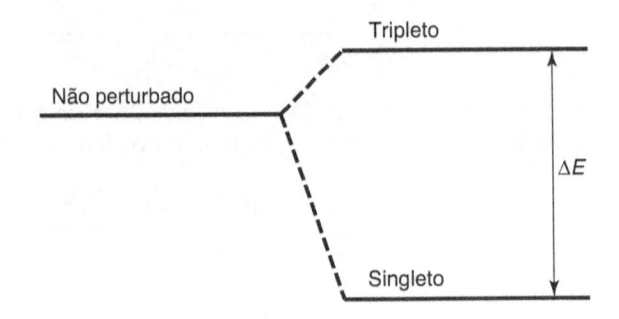

FIGURA 6.13 Separação hiperfina no estado fundamental do hidrogênio.

Problema 6.27 Sejam **a** e **b** dois vetores constantes. Demonstre que

$$\int (\mathbf{a} \cdot \hat{r})(\mathbf{b} \cdot \hat{r}) \operatorname{sen} \theta \, d\theta \, d\phi = \frac{4\pi}{3}(\mathbf{a} \cdot \mathbf{b}) \qquad [6.95]$$

(a integração deve ser feita na faixa normal: $0 < \theta < \pi$, $0 < \phi < 2\pi$). Utilize esse resultado para demonstrar que

$$\left\langle \frac{3(\mathbf{S}_p \cdot \hat{r})(\mathbf{S}_e \cdot \hat{r}) - \mathbf{S}_p \cdot \mathbf{S}_e}{r^3} \right\rangle = 0$$

para os estados com $l = 0$. *Dica*: $\hat{r} = \operatorname{sen}\theta \cos\phi \hat{i} + \operatorname{sen}\theta \operatorname{sen}\phi \hat{j} + \cos\theta \hat{k}$.

Problema 6.28 Por meio da modificação adequada da fórmula do hidrogênio, determine a separação hiperfina no estado fundamental do (a) **hidrogênio muônico** (no qual um múon — mesma carga e mesmo fator g do elétron, mas com 207 vezes a sua massa — substitui o elétron), (b) **positrônio** (no qual um positrônio — mesma massa e mesmo fator g que o elétron, mas com carga oposta — substitui o próton) e (c) **muônio** (no qual um antimuônio — mesma massa e mesmo fator g do muônio, mas com carga oposta — substitui o próton). *Dica:* não se esqueça de usar a massa reduzida (Problema 5.1) no cálculo do 'raio de Bohr' desses 'átomos' exóticos. Aliás, a resposta que você obterá para o positrônio ($4{,}82 \times 10^{-4}$ eV) está muito longe do valor experimental ($8{,}41 \times 10^{-4}$ eV); a grande discrepância se deve à aniquilação de pares ($e^+ + e^- \to \gamma + \gamma$), que contribui para um acréscimo de $(3/4)\Delta E$, e que não ocorre (é claro) no hidrogênio ordinário, no hidrogênio muônico ou no muônio.

Mais problemas para o Capítulo 6

Problema 6.29 Calcule a correção para a energia do estado fundamental do hidrogênio em relação ao tamanho finito do núcleo. Considere o próton como uma camada esférica uniformemente carregada de raio b, assim, a energia potencial de um elétron dentro da camada será *constante:* $-e^2/(4\pi\epsilon_0 b)$; isso não é muito realista, mas é o modelo mais simples e nos dará a ordem correta de magnitude. Expanda seu resultado em potências do parâmetro pequeno (b/a), em que a é o raio de Bohr, e mantenha apenas o termo principal, assim, sua resposta final assumirá a forma

$$\frac{\Delta E}{E} = A(b/a)^n.$$

Sua função é determinar a constante A e a potência n. Por fim, encaixe $b \approx 10^{-15}$ m (praticamente o raio do próton) e resolva o número resultante. Como ele se compara à estrutura fina e à estrutura hiperfina?

Problema 6.30 Considere o oscilador harmônico tridimensional isotrópico (Problema 4.38). Discuta o efeito (em primeira ordem) da perturbação

$$H' = \lambda x^2 yz$$

(para uma constante λ) no

(a) estado fundamental;
(b) primeiro estado excitado (triplamente degenerado).
 Dica: utilize as respostas dos problemas 2.12 e 3.33.

*****Problema 6.31** Interação de Van der Waals. Consideremos dois átomos e uma distância R que os separa. Como são eletricamente neutros, poderia-se supor que não haveria força entre eles, mas se eles são polarizáveis, existe, de fato, uma atração fraca. Para modelar esse sistema, retrate cada átomo como um elétron (massa m, carga $-e$) ligado a uma mola (constante de mola k) para o núcleo (carga $+e$), como na Figura 6.14. Consideraremos núcleos pesados e essencialmente sem movimento. O Hamiltoniano para o sistema não perturbado é

$$H^0 = \frac{1}{2m}p_1^2 + \frac{1}{2}kx_1^2 + \frac{1}{2m}p_2^2 + \frac{1}{2}kx_2^2. \quad [6.96]$$

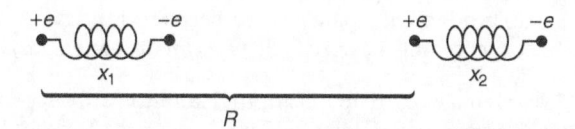

FIGURA 6.14 Dois átomos polarizáveis próximos (Problema 6.31).

A interação Coulombiana entre os átomos é

$$H' = \frac{1}{4\pi\epsilon_0}\left(\frac{e^2}{R} - \frac{e^2}{R-x_1} - \frac{e^2}{R+x_2} + \frac{e^2}{R-x_1+x_2}\right). \quad [6.97]$$

(a) Explique a Equação 6.97. Supondo que $|x_1|$ e $|x_2|$ sejam ambos menores do que R, demonstre que

$$H' \cong -\frac{e^2 x_1 x_2}{2\pi\epsilon_0 R^3}. \quad [6.98]$$

(b) Demonstre que o Hamiltoniano total (Equação 6.96 mais Equação 6.98) divide-se em dois Hamiltonianos de osciladores harmônicos:

$$H = \left[\frac{1}{2m}p_+^2 + \frac{1}{2}\left(k - \frac{e^2}{2\pi\epsilon_0 R^3}\right)x_+^2\right] + \left[\frac{1}{2m}p_-^2 + \frac{1}{2}\left(k + \frac{e^2}{2\pi\epsilon_0 R^3}\right)x_-^2\right], \quad [6.99]$$

sob a mudança de variáveis

$$x_\pm \equiv \frac{1}{\sqrt{2}}(x_1 \pm x_2),$$

que leva a $p_\pm = \frac{1}{\sqrt{2}}(p_1 \pm p_2).$ [6.100]

(c) A energia no estado fundamental para esse Hamiltoniano é, evidentemente,

$$E = \frac{1}{2}\hbar(w_+ + w_-), \text{ em que}$$

$$w_\pm = \sqrt{\frac{k \mp (e^2/2\pi\epsilon_0 R^3)}{m}}. \quad [6.101]$$

Sem a interação Coulombiana, teríamos $E_0 = \hbar\omega_0$, em que $\omega_0 = \sqrt{k/m}$. Supondo que $k \gg (e^2/2\pi\epsilon_0 R^3)$, demonstre que

$$\Delta V \equiv E - E_0 \cong -\frac{\hbar}{8m^2\omega_0^3}\left(\frac{e^2}{2\pi\epsilon_0}\right)^2 \frac{1}{R^6}. \quad [6.102]$$

Conclusão: há um potencial de atração entre os átomos que é proporcional à sexta potência inversa de sua divisão. Isso é chamado de **interação de van der Waals** entre dois átomos neutros.

(d) Faça o mesmo cálculo utilizando a teoria de perturbação de segunda ordem. *Dica:* os estados imperturbáveis estão na forma $\psi_{n_1}(x_1)\psi_{n_2}(x_2)$, em que $\psi_n(x)$ é uma função de onda do oscilador de uma partícula com massa m e constante de mola k; ΔV é a correção de segunda ordem para a energia no estado fundamental para a perturbação na Equação 6.98 (observe que a correção de *primeira* ordem é zero).

Problema 6.32 Suponha que o Hamiltoniano H, para um determinado sistema quântico, seja uma função de parâmetro λ; sejam $E_n(\lambda)$ e $\psi_n(\lambda)$ os autovalores e autofunções de $H(\lambda)$. O **teorema de Feynman-Hellmann[22] afirma que

$$\frac{\partial E_n}{\partial \lambda} = \left\langle \psi_n \left| \frac{\partial H}{\partial \lambda} \right| \psi_n \right\rangle \quad [6.103]$$

(supondo que E_n seja não degenerado, ou, se degenerado, que os ψ_n sejam as 'boas' combinações lineares das autofunções degeneradas).

(a) Prove o teorema de Feynman-Hellmann. *Dica:* use a Equação 6.9.

(b) Aplique-o ao oscilador harmônico unidimensional, (i) utilizando $\lambda = \omega$ (isso produz uma fórmula para o valor esperado de V), (ii) utilizando $\lambda = \hbar$ (isso produz $\langle T \rangle$) e (iii) utilizando $\lambda = m$ (isso produz uma relação entre $\langle T \rangle$ e $\langle V \rangle$). Compare suas respostas ao Problema 2.12 e às previsões do teorema do virial (Problema 3.31).

**Problema 6.33 O teorema de Feynman-Hellman (Problema 6.32) pode ser usado para determinar os valores esperados de $1/r$ e $1/r^2$ para o hidrogênio.[23] O Hamiltoniano efetivo para as funções de onda radiais é (Equação 4.53)

$$H = -\frac{\hbar^2}{2m}\frac{d^2}{dr^2} + \frac{\hbar^2}{2m}\frac{l(l+1)}{r^2} - \frac{e^2}{4\pi\epsilon_0}\frac{1}{r},$$

e as autofunções (expressas em termos de l)[24] são (Equação 4.70)

$$E_n = -\frac{me^4}{32\pi^2\epsilon_0^2\hbar^2\left(j_{máx}+l+1\right)^2}.$$

(a) Utilize $\lambda = e$ no teorema de Feynman-Hellman para obter $\langle 1/r \rangle$. Verifique sua resposta comparando-a à Equação 6.55.

(b) Utilize $\lambda = l$ para obter $\langle 1/r^2 \rangle$. Verifique sua resposta comparando-a à Equação 6.56.

***Problema 6.34 Prove a **relação de Kramers**:[25]

$$\frac{s+1}{n^2}\langle r^s \rangle - (2s+1)a\langle r^{s-1}\rangle + \frac{s}{4}\left[(2l+1)^2 - s^2\right]a^2\langle r^{s-2}\rangle = 0, \quad [6.104]$$

a qual relaciona os valores esperados de r a três potências diferentes (s, $s-1$ e $s-2$) para um elétron no estado ψ_{nlm} do hidrogênio. *Dica:* reescreva a equação radial (Equação 4.53) na forma

$$u'' = \left[\frac{l(l+1)}{r^2} - \frac{2}{ar} + \frac{1}{n^2 a^2}\right]u,$$

e use-a para expressar $\int (u^s u'')dr$ em termos de $\langle r^s \rangle$, $\langle r^{s-1}\rangle$ e $\langle r^{s-2}\rangle$. Então, utilize a integração por partes para reduzir a segunda derivada. Demonstre que $\int (ur^s u')dr = -(s/2)\langle r^{s-1}\rangle$ e $\int (u'r^s u')dr = -[2/(s+1)]\int (u''r^{s+1}u')dr$. Comece a partir daí.

Problema 6.35

(a) Encaixe $s=0$, $s=1$, $s=2$ e $s=3$ na relação de Kramers (Equação 6.104) para obter as fórmulas para $\langle r^{-1}\rangle$, $\langle r \rangle$, $\langle r^2 \rangle$ e $\langle r^3 \rangle$. Observe que você pode continuar indefinidamente até encontrar *qualquer* potência positiva.

(b) No sentido oposto, no entanto, você chegará a um impasse. Utilize $s = -1$ e demonstre que o que você tem é uma relação entre $\langle r^{-2}\rangle$ e $\langle r^{-3}\rangle$.

(c) Mas se você puder obter $\langle r^{-2}\rangle$ por *outros* meios, poderá aplicar a relação de Kramers para obter o restante das potências negativas. Utilize a Equação 6.56 (que foi derivada no Problema 6.33) para determinar $\langle r^{-3}\rangle$ e verifique sua resposta comparando-a à Equação 6.64.

---

[22] Feynman obteve a Equação 6.103 enquanto trabalhava em sua tese de graduação no MIT (R. P. Feynman, *Phys. Ver.* **56**, 340, 1939); o trabalho de Hellmann foi publicado quatro anos antes em um obscuro jornal russo.

[23] C. Sánchez del Rio, *Am J. Phys.* **50**, 556 (1982); H. S. Valk, *Am J. Phys.*, **54**, 921 (1986).

[24] Na parte (b), tratamos l como uma variável contínua; n se torna uma função de l de acordo com a Equação 4.67, pois $j_{máx}$, o qual deve ser um número inteiro, é fixo. Para evitar confusão, eliminei n para revelar explicitamente a dependência em l.

[25] Isso também é conhecido como (segunda) **relação de Pasternack**. Veja H. Beker, *Am. J. Phys.* **65**, 1118 (1997). Para uma verificação baseada no teorema de Feynman-Hellmann (Problema 6.32), veja S. Balasubramanian, *Am. J. Phys.* **68**, 959 (2000).

Problema 6.36 Quando um átomo é colocado em um campo elétrico externo uniforme $\mathbf{E}_{ext}$, os níveis de energia são deslocados — um fenômeno conhecido como **efeito Stark** (é o equivalente elétrico do efeito Zeeman). Nesse problema, analisaremos o efeito Stark para os estados $n = 1$ e $n = 2$ de hidrogênio. Permita que o campo aponte na direção z, assim, a energia potencial do elétron será

$$H'_S = eE_{ext}z = eE_{ext}r\cos\theta.$$

Trate isso como uma perturbação no Hamiltoniano de Bohr (Equação 6.42). (O spin é irrelevante nesse problema, portanto, ignore-o e despreze a estrutura fina.)

(a) Demonstre que a energia do estado fundamental não é afetada por essa perturbação em primeira ordem.

(b) O primeiro estado excitado é 4 vezes degenerado: $\psi_{200}, \psi_{211}, \psi_{210}, \psi_{21-1}$. Utilizando a teoria da perturbação degenerada, determine as correções de primeira ordem para a energia. Em quantos níveis E_2 se divide?

(c) Quais são as 'boas' funções de onda para a parte (b)? Calcule o valor esperado do momento de dipolo elétrico ($\mathbf{p}_e = -e\mathbf{r}$) em cada um desses 'bons' estados.

Observe que os resultados são independentes do campo aplicado — evidentemente, o hidrogênio, em seu primeiro estado excitado, pode carregar um momento de dipolo elétrico *permanente*.

Dica: há muitas integrais nesse problema, mas quase todas elas são zero. Então, estude cuidadosamente cada uma delas, antes de fazer os cálculos: se a integral em ϕ desaparecer, não haverá muito sentido em terminar a integral em r e θ! *Resposta parcial*: $W_{13} = W_{31} = -3eaE_{ext}$; todos os outros elementos serão zero.

Problema 6.37 Considere o efeito Stark (Problema 6.36) para os estados $n = 3$ de hidrogênio. Há, inicialmente, nove estados degenerados, ψ_{3lm} (desprezando o spin, como antes), e ligamos um campo elétrico na direção z.

(a) Monte a matriz 9×9 representando o Hamiltoniano perturbado. *Resposta parcial*: $\langle 300|z|310\rangle = -3\sqrt{6}a$, $\langle 310|z|320\rangle = -3\sqrt{3}a$, $\langle 31\pm1|z|32\pm1\rangle = -(9/2)a$.

(b) Calcule os autovalores e suas degenerescências.

Problema 6.38 Calcule o comprimento de onda, em centímetros, do fóton emitido sob a transição hiperfina no estado fundamental ($n = 1$) do **deutério**. O deutério é um hidrogênio 'pesado', com um nêutron extra no núcleo; o próton e o nêutron se ligam para formar um **deutério** com spin 1 e momento magnético

$$\mu_d = \frac{g_d e}{2m_d}\mathbf{S}_d;$$

o fator g do deutério é 1,71.

Problema 6.39 Em um cristal, o campo elétrico de íons vizinhos perturba os níveis de energia de um átomo.

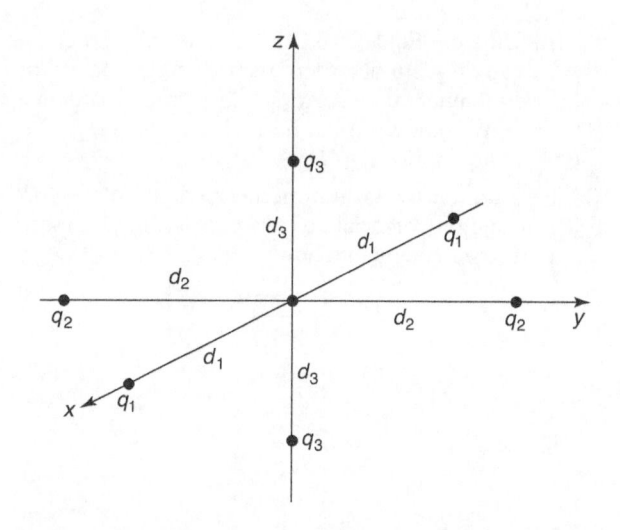

FIGURA 6.15 Átomo de hidrogênio rodeado por seis cargas pontuais (modelo bruto para uma estrutura de cristal); Problema 6.39.

Como um modelo bruto, imagine que um átomo de hidrogênio esteja cercado por três pares de cargas pontuais, como mostra a Figura 6.15. (Como o spin é irrelevante para esse problema ignore-o.)

(a) Supondo que $r \ll d_1$, $r \ll d_2$ e $r \ll d_3$, demonstre que

$$H' = V_0 + 3\left(\beta_1 x^2 + \beta_2 y^2 + \beta_3 z^2\right) - \left(\beta_1 + \beta_2 + \beta_3\right)r^2,$$

em que

$$\beta_i \equiv -\frac{e}{4\pi\epsilon_0}\frac{q_1}{d_i^3} \quad \text{e} \quad V_0 = 2\left(\beta_1 d_1^2 + \beta_2 d_2^2 + \beta_3 d_3^2\right).$$

(b) Calcule a correção de ordem mais baixa para a energia do estado fundamental.

(c) Calcule as correções de primeira ordem para a energia dos primeiros estados excitados ($n = 2$). Em quantos níveis esse sistema, degenerado quatro vezes, divide-se, (i) no caso da **simetria cúbica**, $\beta_1 = \beta_2 = \beta_3$; (ii) no caso da **simetria tetragonal**, $\beta_1 = \beta_2 \neq \beta_3$; (iii) no caso geral da **simetria ortorrômbica** (os três são diferentes)?

Problema 6.40 Às vezes, é possível resolver a Equação 6.10 diretamente, sem ter que expandir ψ_n^1 em termos de funções de onda não perturbadas (Equação 6.11). Aqui temos dois bons exemplos disso.

(a) **O efeito Stark no estado fundamental do hidrogênio**.

(i) Calcule a correção de primeira ordem para o estado fundamental do hidrogênio na presença de um campo elétrico externo uniforme E_{ext} (o efeito Stark; veja o Problema 6.36). *Dica*: tente a solução na seguinte forma

$$\left(A + Br + Cr^2\right)e^{-r/a}\cos\theta;$$

seu problema é encontrar as constantes A, B e C que resolvam a Equação 6.10.

(ii) Utilize a Equação 6.14 para determinar a correção de segunda ordem para a energia de estado fundamental (a correção de primeira ordem é zero, como você viu no Problema 6.36 (a)). *Resposta:* $-m(3a^2 eE_{ext}/2\hbar)^2$.

(b) Se o próton tivesse um momento de dipolo *elétrico* p, a energia potencial do elétron no hidrogênio seria perturbada na quantidade

$$H' = -\frac{ep\cos\theta}{4\pi\epsilon_0 r^2}.$$

(i) Resolva a Equação 6.10 para a correção de primeira ordem da função de onda no estado fundamental.

(ii) Demonstre que o momento de dipolo elétrico *total* do átomo é (surpreendentemente) *zero* para essa ordem.

(iii) Utilize a Equação 6.14 para determinar a correção de segunda ordem da energia no estado fundamental. Qual é a correção de *primeira* ordem?

Capítulo 7
Princípio variacional

7.1 Teoria

Suponha que você queira calcular a energia do estado fundamental, E_{gs}, para um sistema descrito pelo Hamiltoniano H, mas seja incapaz de resolver a equação de Schrödinger (independente do tempo). Com o **princípio variacional**, você obterá um *limite superior* para E_{gs}, o que, às vezes, é tudo o que você precisa, e, frequentemente, se você for esperto o bastante, será muito próximo do valor exato. Funciona assim: escolha *qualquer função normalizada* ψ; afirmo que

$$E_{gs} \leq \langle \psi | H | \psi \rangle \equiv \langle H \rangle. \qquad [7.1]$$

Isto é, o valor esperado de H no estado (provavelmente incorreto) ψ certamente *superestima* a energia do estado fundamental. É claro que, se ψ vem a ser um dos estados *excitados*, então, *evidentemente*, $\langle H \rangle$ excede E_{gs}; a questão é que o mesmo serve para qualquer ψ.

Prova: já que as autofunções (desconhecidas) de H formam um conjunto completo, podemos expressar ψ como uma combinação linear delas:[1]

$$\psi = \sum_n c_n \psi_n, \quad \text{com } H\psi_n = E_n \psi_n.$$

Sendo ψ normalizada,

$$1 = \langle \psi | \psi \rangle = \left\langle \sum_m c_m \psi_m \middle| \sum_n c_n \psi_n \right\rangle = \sum_m \sum_n c_m^* c_n \langle \psi_m | \psi_n \rangle = \sum_n |c_n|^2$$

(pressupondo-se que as autofunções tenham sido ortonormalizadas: $\langle \psi_m | \psi_n \rangle = \delta_{mn}$). Enquanto isso,

$$\langle H \rangle = \left\langle \sum_m c_m \psi_m \middle| H \sum_n c_n \psi_n \right\rangle = \sum_m \sum_n c_m^* E_n c_n \langle \psi_m | \psi_n \rangle = \sum_n E_n |c_n|^2.$$

---

[1] Se o Hamiltoniano admite estados de espalhamento, assim como estados ligados, então precisaremos tanto de uma integral como de uma soma, porém, o argumento permanecerá inalterado.

No entanto, a energia do estado fundamental é, por definição, o *menor* autovalor, de modo que $E_{gs} \leq E_n$ e, portanto,

$$\langle H \rangle \geq E_{gs} \sum_n |c_n|^2 = E_{gs},$$

que é o que tentamos provar.

Exemplo 7.1 Suponha que queiramos encontrar a energia do estado fundamental para o oscilador harmônico unidimensional:

$$H = -\frac{\hbar^2}{2m}\frac{d^2}{dx^2} + \frac{1}{2}mw^2 x^2.$$

É claro que já sabemos a resposta *exata* nesse caso (Equação 2.61): $E_{gs} = (1/2)\hbar w$; porém, esse é um ótimo teste para o método. Devemos escolher como nossa função de onda 'teste' a gaussiana,

$$\psi(x) = A e^{-bx^2}, \qquad [7.2]$$

em que b é uma constante e A é determinada pela normalização:

$$1 = |A|^2 \int_{-\infty}^{\infty} e^{-2bx^2}\, dx = |A|^2 \sqrt{\frac{\pi}{2b}} \Rightarrow A = \left(\frac{2b}{\pi}\right)^{1/4}. \qquad [7.3]$$

Agora,

$$\langle H \rangle = \langle T \rangle + \langle V \rangle, \qquad [7.4]$$

em que, nesse caso,

$$\langle T \rangle = -\frac{\hbar^2}{2m}|A|^2 \int_{-\infty}^{\infty} e^{-bx^2}\frac{d^2}{dx^2}\left(e^{-bx^2}\right) dx = \frac{\hbar^2 b}{2m}, \qquad [7.5]$$

e

$$\langle V \rangle = \frac{1}{2}mw^2 |A|^2 \int_{-\infty}^{\infty} e^{-2bx^2} x^2\, dx = \frac{mw^2}{8b},$$

assim

$$\langle H \rangle = \frac{\hbar^2 b}{2m} + \frac{mw^2}{8b}. \qquad [7.6]$$

De acordo com a Equação 7.1, esse resultado excede E_{gs} *para qualquer b*; para obter o *valor mais próximo possível, minimizamos* $\langle H \rangle$:

$$\frac{d}{db}\langle H \rangle = \frac{\hbar^2}{2m} - \frac{mw^2}{8b^2} = 0 \Rightarrow b = \frac{mw}{2\hbar}.$$

Colocando isso de volta em $\langle H \rangle$, encontramos

$$\langle H \rangle_{\min} = \frac{1}{2}\hbar w. \qquad [7.7]$$

Nesse caso, acertamos a energia do estado fundamental na mosca, pois, obviamente, 'acabo' de escolher uma função teste com a forma precisa do estado fundamental *real* (Equação 2.59). Porém, é muito fácil trabalhar com a gaussiana, e, por isso, essa é uma função teste bem popular, mesmo quando tem pouca semelhança com o estado fundamental real.

Exemplo 7.2 Suponha que estejamos observando a energia do estado fundamental do potencial função delta:

$$H = -\frac{\hbar^2}{2m}\frac{d^2}{dx^2} - \alpha\delta(x).$$

Novamente, já sabemos a resposta exata (Equação 2.129): $E_{gs} = -m\alpha^2/2\hbar^2$. Como já fizemos anteriormente, utilizaremos uma função teste gaussiana (Equação 7.2). Já determinamos a normalização e calculamos $\langle T \rangle$; precisamos de

$$\langle V \rangle = -\alpha|A|^2 \int_{-\infty}^{\infty} e^{-2bx^2}\delta(x)dx = -\alpha\sqrt{\frac{2b}{\pi}}.$$

Evidentemente,

$$\langle H \rangle = \frac{\hbar^2 b}{2m} - \alpha\sqrt{\frac{2b}{\pi}}, \qquad [7.8]$$

e sabemos que isso excede E_{gs} para todo b. Minimizando-o,

$$\frac{d}{db}\langle H \rangle = \frac{\hbar^2}{2m} - \frac{\alpha}{\sqrt{2\pi b}} = 0 \Rightarrow b = \frac{2m^2\alpha^2}{\pi\hbar^4}.$$

Então,

$$\langle H \rangle_{min} = -\frac{m\alpha^2}{\pi\hbar^2}, \qquad [7.9]$$

o que, de certa maneira, é maior do que E_{gs}, pois $\pi > 2$.

Eu disse que você pode usar qualquer função teste ψ (normalizada), e isso, por um lado, é verdade. Entretanto, para funções *descontínuas*, são necessários alguns dribles para atribuir um significado razoável à segunda derivada (da qual você precisa, a fim de calcular $\langle T \rangle$). No entanto, funções contínuas com dobras são alvos fáceis, desde que você seja cuidadoso; o próximo exemplo mostra como lidar com elas.[2]

Exemplo 7.3 Encontre um limite superior para a energia do estado fundamental do poço quadrado infinito unidimensional (Equação 2.19) utilizando a função de onda teste 'triangular' (Figura 7.1):[3]

$$\psi(x) = \begin{cases} Ax, & \text{se } 0 \leq x \leq a/2, \\ A(a-x), & \text{se } a/2 \leq x \leq a, \\ 0, & \text{caso contrário,} \end{cases} \qquad [7.10]$$

em que A é determinado pela normalização:

$$1 = |A|^2 \left[\int_0^{a/2} x^2\, dx + \int_{a/2}^a (a-x)^2\, dx \right] = |A|^2 \frac{a^3}{12} \Rightarrow A = \frac{2}{a}\sqrt{\frac{3}{a}}. \qquad [7.11]$$

---

[2] Para um conjunto de exemplos interessantes, veja W. N. Mei, *Int. J. Educ. Sci. Tech.* **30**, 513 (1999).

[3] Não há nenhuma finalidade em tentar uma função (tal como a gaussiana) que 'vaza' do poço, porque você obterá $\langle V \rangle = \infty$, e a Equação 7.1 não lhe diz nada.

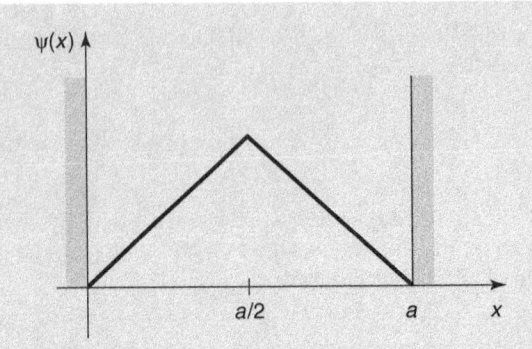

FIGURA 7.1 Função de onda teste triangular para o poço quadrado infinito (Equação 7.10).

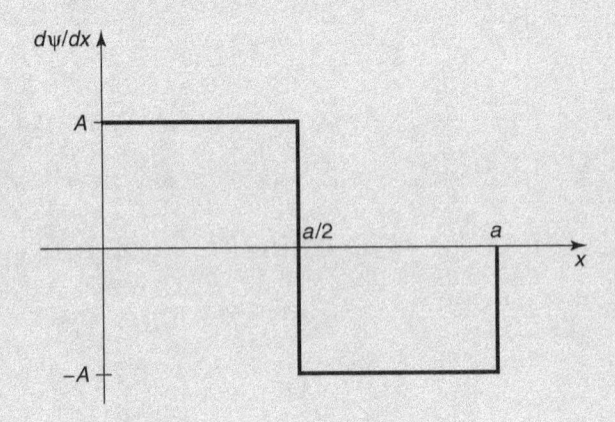

FIGURA 7.2 Derivada da função de onda da Figura 7.1.

Nesse caso,

$$\frac{d\psi}{dx} = \begin{cases} A, & \text{se } 0 < x < a/2, \\ -A, & \text{se } a/2 < x < a, \\ 0, & \text{caso contrário,} \end{cases}$$

como indicado na Figura 7.2. Bem, a derivada de uma função degrau é uma função delta (veja o Problema 2.24(b)):

$$\frac{d^2\psi}{dx^2} = A\delta(x) - 2A\delta(x - a/2) + A\delta(x - a), \qquad [7.12]$$

e, portanto,

$$\langle H \rangle = -\frac{\hbar^2 A}{2m} \int [\delta(x) - 2\delta(x - a/2) + \delta(x - a)]\psi(x)dx$$

$$= -\frac{\hbar^2 A}{2m}[\psi(0) - 2\psi(a/2) + \psi(a)] = \frac{\hbar^2 A^2 a}{2m} = \frac{12\hbar^2}{2ma^2}. \qquad [7.13]$$

A energia exata do estado fundamental é $E_{gs} = \pi^2\hbar^2/2ma^2$ (Equação 2.27), de modo que o teorema funciona ($12 > \pi^2$).

O princípio variacional é extraordinariamente poderoso e vergonhosamente fácil de ser usado. Para encontrar a energia do estado fundamental de uma molécula complexa, um físico-químico escreve uma função de onda teste com um grande número de parâmetros ajustáveis, calcula $\langle H \rangle$ e ajusta os parâmetros para obter o menor valor possível. Mesmo que ψ tenha pouca semelhança com a verdadeira função de onda, muitas vezes você obterá, milagrosamente, valores exatos para E_{gs}. Naturalmente, se você tiver como adivinhar uma ψ *realística*, melhor ainda. O único *problema* com esse método é que você nunca sabe com certeza o quão próximo do alvo está; a única *garantia* é a de ter um *limite superior*.[4] Além disso, tal como está, a técnica se aplica apenas ao estado fundamental (veja, entretanto, o Problema 7.4).[5]

Problema 7.1 Utilize uma função teste gaussiana (Equação 7.2) para obter o limite superior mais baixo que puder na energia do estado fundamental (a) do potencial linear: $V(x) = \alpha|x|$; (b) do potencial quártico: $V(x) = \alpha x^4$.

Problema 7.2 Calcule o melhor limite de E_{gs} para o oscilador harmônico unidimensional utilizando uma função de onda teste na forma

$$\psi(x) = \frac{A}{x^2 + b^2},$$

em que A é determinado pela normalização e b é um parâmetro ajustável.

Problema 7.3 Calcule o melhor limite de E_{gs} para o potencial função delta $V(x) = -\alpha\delta(x)$ usando uma função teste triangular (Equação 7.10, centrada somente na origem). Dessa vez, a é um parâmetro ajustável.

Problema 7.4

(a) Prove o seguinte teorema para o princípio variacional: se $\langle\psi|\psi_{gs}\rangle = 0$, então $\langle H \rangle \geq E_{fe}$, em que E_{fe} é a energia do primeiro estado excitado.

Assim, se pudermos encontrar uma função teste que seja ortogonal para o estado fundamental exato, poderemos obter um limite superior no *primeiro estado excitado*. Em geral, é difícil garantir que ψ seja ortogonal a ψ_{gs}, pois (provavelmente) não *conhecemos* a última. Entretanto, se o potencial $V(x)$ é uma função *par* de x, então o estado fundamental também é par, e, portanto, qualquer função teste *ímpar* automaticamente satisfará as condições do teorema.

(b) Calcule o melhor limite do primeiro estado excitado do oscilador harmônico unidimensional utilizando a função teste

$$\psi(x) = Axe^{-bx^2}.$$

Problema 7.5

(a) Use o princípio variacional para provar que a teoria perturbacional não degenerada de primeira ordem sempre *superestima* (ou, pelo menos, nunca *subestima*) a energia do estado fundamental.

(b) Tendo em vista (a), você esperaria que a correção de *segunda* ordem para o estado fundamental fosse sempre negativa. Confirme que esse é realmente o caso, analisando a Equação 6.15.

---

[4] Na prática, isso não é realmente uma limitação, e, às vezes, há maneiras de calcular a precisão. O estado fundamental do hélio tem sido calculado com vários algarismos significativos dessa maneira. Veja, por exemplo, G. W. Drake et al., *Phys. Rev. A* **65**, 054501 (2002) ou Vladimir I. Korobov, *Phys. Rev. A* **66**, 024501 (2002).

[5] Para uma extensão sistemática do princípio variacional para o cálculo das energias do estado excitado, veja, por exemplo, Linus Pauling e E. Bright Wilson, *Introduction to Quantum Mechanics, With Applications to Chemistry*, McGraw-Hill, Nova York (1935, edição brochura 1985), Seção 26.

7.2 O estado fundamental do hélio

O átomo do hélio (Figura 7.3) consiste de dois elétrons orbitando ao redor de um núcleo com dois prótons (e também alguns nêutrons, os quais são irrelevantes para o nosso propósito). O Hamiltoniano desse sistema (ignorando a estrutura fina e correções menores) é:

$$H = -\frac{\hbar^2}{2m}\left(\nabla_1^2 + \nabla_2^2\right) - \frac{e^2}{4\pi\epsilon_0}\left(\frac{2}{r_1} + \frac{2}{r_2} - \frac{1}{|\mathbf{r}_1 - \mathbf{r}_2|}\right). \qquad [7.14]$$

Nosso problema é calcular a energia do estado fundamental, E_{gs}. Fisicamente, isso representa a quantidade de energia necessária para arrancar ambos os elétrons. (Com um E_{gs} dado é fácil descobrir a 'energia de ionização' necessária para remover um *único* elétron; veja o Problema 7.6.) A energia do estado fundamental do hélio tem sido medida com grande precisão em laboratório:

$$E_{gs} = -78{,}975 \text{ eV} \quad \text{(experimental)}. \qquad [7.15]$$

Esse é o número que gostaríamos de reproduzir na teoria.

É curioso que um problema tão simples e importante não tenha uma solução exata conhecida.[6] A encrenca vem da repulsão elétron-elétron,

$$V_{ee} = \frac{e^2}{4\pi\epsilon_0}\frac{1}{|\mathbf{r}_1 - \mathbf{r}_2|}. \qquad [7.16]$$

Se ignorarmos completamente esse termo, H irá se dividir em dois Hamiltonianos de hidrogênio independentes (com uma carga nuclear de $2e$ em vez de e); a solução exata será o produto das funções de onda do hidrogênio:

$$\psi_0(\mathbf{r}_1, \mathbf{r}_2) \equiv \psi_{100}(\mathbf{r}_1)\psi_{100}(\mathbf{r}_2) = \frac{8}{\pi a^3}e^{-2(r_1+r_2)/a}, \qquad [7.17]$$

e a energia é $8E_1 = -109$ eV (Equação 5.31).[7] Há uma diferença grande entre esse resultado e -79 eV, mas já é um começo.

Para obter a melhor aproximação para E_{gs} aplicaremos o princípio variacional, utilizando ψ_0 como função de onda teste. Essa é uma escolha particularmente conveniente porque ela é uma autofunção da *maioria* dos Hamiltonianos:

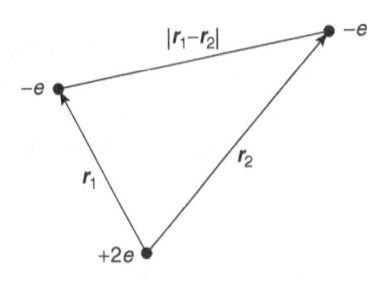

$$H\psi_0 = (8E_1 + V_{ee})\psi_0. \qquad [7.18]$$

FIGURA 7.3 Átomo do hélio.

---

6 Existem soluções precisas para problemas de três corpos com muitas das características qualitativas do hélio, mas que utilizam potenciais não coulômbicos (veja o Problema 7.17).

7 Nesse caso, a é o raio de Bohr, e $E_n = -13{,}6/n^2$ eV é a n-ésima energia de Bohr; lembre-se de que, para um núcleo com número atômico Z, $E_n \to Z^2 E_n$ e $a \to a/Z$ (Problema 4.16). A configuração de spin associada à Equação 7.17 será antissimétrica (o singleto).

Assim,

$$\langle H \rangle = 8E_1 + \langle V_{ee} \rangle,$$ [7.19]

em que[8]

$$\langle V_{ee} \rangle = \left(\frac{e^2}{4\pi\epsilon_0}\right)\left(\frac{8}{\pi a^3}\right)^2 \int \frac{e^{-4(r_1+r_2)/a}}{|\mathbf{r}_1 - \mathbf{r}_2|} d^3\mathbf{r}_1 d^3\mathbf{r}_2.$$ [7.20]

Resolverei a integral em $\mathbf{r}_2$ primeiro; para essa finalidade, $\mathbf{r}_1$ é fixo e poderemos também orientar o sistema de coordenadas $\mathbf{r}_2$ de modo que o eixo polar se situe ao longo de $\mathbf{r}_1$ (veja a Figura 7.4). Pela lei dos cossenos,

$$|\mathbf{r}_1 - \mathbf{r}_2| = \sqrt{r_1^2 + r_2^2 - 2r_1 r_2 \cos\theta_2},$$ [7.21]

e, portanto,

$$I_2 \equiv \int \frac{e^{-4r_2/a}}{|\mathbf{r}_1 - \mathbf{r}_2|} d^3\mathbf{r}_2 = \int \frac{e^{-4r_2/a}}{\sqrt{r_1^2 + r_2^2 - 2r_1 r_2 \cos\theta_2}} r_2^2 \mathrm{sen}\,\theta_2 \, dr_2 \, d\theta_2 \, d\phi_2.$$ [7.22]

A integral em ϕ_2 é trivial (2π); a integral em θ_2 é

$$\int_0^\pi \frac{\mathrm{sen}\,\theta_2}{\sqrt{r_1^2 + r_2^2 - 2r_1 r_2 \cos\theta_2}} d\theta_2 = \left. \frac{\sqrt{r_1^2 + r_2^2 - 2r_1 r_2 \cos\theta_2}}{r_1 r_2} \right|_0^\pi$$

$$= \frac{1}{r_1 r_2}\left(\sqrt{r_1^2 + r_2^2 + 2r_1 r_2} - \sqrt{r_1^2 + r_2^2 - 2r_1 r_2}\right)$$

$$= \frac{1}{r_1 r_2}\left[(r_1 + r_2) - |r_1 - r_2|\right] = \begin{cases} 2/r_1, & \text{se } r_2 < r_1, \\ 2/r_2, & \text{se } r_2 > r_1. \end{cases}$$ [7.23]

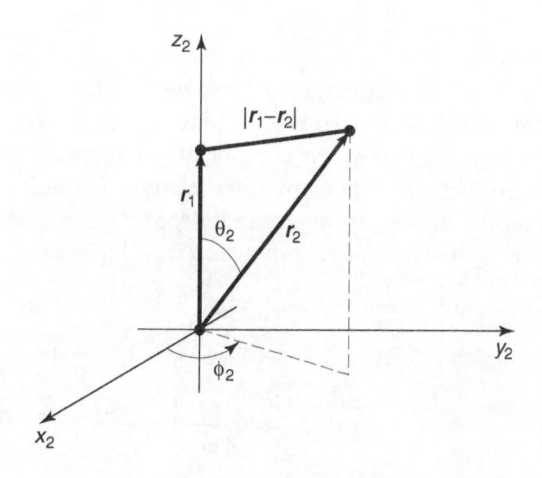

FIGURA 7.4 Escolha de coordenadas para a integral em r_2 (Equação 7.20).

---

[8] Você pode, se quiser, interpretar a Equação 7.20 como uma teoria perturbacional de primeira ordem, com $H' = V_{ee}$. Entretanto, vejo isso como mau uso do método, pois a perturbação é comparável em tamanho ao potencial imperturbável. Prefiro, então, considerá-la um cálculo variacional no qual buscamos um limite superior em E_{gs}.

Assim,

$$I_2 = 4\pi \left[\frac{1}{r_1} \int_0^{r_1} e^{-4r_2/a} r_2^2 \, dr_2 + \int_{r_1}^{\infty} e^{-4r_2/a} r_2 \, dr_2 \right]$$

$$= \frac{\pi a^3}{8r_1} \left[1 - \left(1 + \frac{2r_1}{a}\right) e^{-4r_1/a} \right]. \qquad [7.24]$$

Segue-se que $\langle V_{ee} \rangle$ é igual a

$$\left(\frac{e^2}{4\pi\epsilon_0}\right)\left(\frac{8}{\pi a^3}\right) \int \left[1 - \left(1 + \frac{2r_1}{a}\right) e^{-4r_1/a} \right] e^{-4r_1/a} r_1 \operatorname{sen}\theta_1 \, dr_1 \, d\theta_1 \, d\phi_1.$$

As integrais angulares são fáceis (4π), e a integral em r_1 se torna

$$\int_0^{\infty} \left[re^{-4r/a} - \left(r + \frac{2r^2}{a}\right) e^{-8r/a} \right] dr = \frac{5a^2}{128}.$$

Por fim,

$$\langle V_{ee} \rangle = \frac{5}{4a}\left(\frac{e^2}{4\pi\epsilon_0}\right) = -\frac{5}{2} E_1 = 34 \text{ eV}, \qquad [7.25]$$

e, portanto,

$$\langle H \rangle = -109 \text{ eV} + 34 \text{ eV} = -75 \text{ eV}. \qquad [7.26]$$

Nada mal (lembre-se, o valor experimental é –79 eV). Mas podemos fazer melhor do que isso.

Precisamos pensar em uma função teste mais realista do que ψ_0 (a qual trata os dois elétrons como se eles não interagissem de maneira alguma). Em vez de *ignorar* completamente a influência do outro elétron, digamos que, geralmente, cada elétron representa uma nuvem de carga negativa que *protege* parcialmente o núcleo, assim, o outro elétron, na verdade, vê uma carga nuclear *efetiva* (Z), que é, de certa forma, menor do que 2. Isso sugere que devemos utilizar uma função teste da forma

$$\psi_1(\mathbf{r}_1, \mathbf{r}_2) \equiv \frac{Z^3}{\pi a^3} e^{-z(r_1+r_2)/a}. \qquad [7.27]$$

Trataremos Z como um parâmetro variacional, escolhendo o valor que minimize H. (Note que no método variacional *nunca tocamos no Hamiltoniano*; a Equação 7.14 é, e continuará sendo, o Hamiltoniano para o hélio.) Mas não há problema em *considerar* uma aproximação do Hamiltoniano *como uma forma de motivar a escolha da função de onda teste*.

Essa função de onda é um autoestado do Hamiltoniano 'não perturbado' (quando se despreza a repulsão do elétron) somente com Z em vez de 2 nos termos de Coulomb. Tendo isso em mente, reescrevemos H (Equação 7.14) dessa maneira:

$$H = -\frac{\hbar^2}{2m}\left(\nabla_1^2 + \nabla_2^2\right) - \frac{e^2}{4\pi\epsilon_0}\left(\frac{Z}{r_1} + \frac{Z}{r_2}\right)$$

$$+ \frac{e^2}{4\pi\epsilon_0}\left(\frac{(Z-2)}{r_1} + \frac{(Z-2)}{r_2} + \frac{1}{|\mathbf{r}_1 - \mathbf{r}_2|}\right). \qquad [7.28]$$

O valor esperado de H é, evidentemente,

$$\langle H \rangle = 2Z^2 E_1 + 2(Z-2)\left(\frac{e^2}{4\pi\epsilon_0}\right)\left\langle\frac{1}{r}\right\rangle + \langle V_{ee} \rangle. \qquad [7.29]$$

Aqui, $\langle 1/r \rangle$ é o valor esperado de $1/r$ no estado fundamental do hidrogênio (de uma partícula) ψ_{100} (mas com carga nuclear Z); de acordo com a Equação 6.55,

$$\left\langle \frac{1}{r} \right\rangle = \frac{Z}{a}. \qquad [7.30]$$

O valor esperado de V_{ee} é o mesmo de antes (Equação 7.25), exceto que em vez de $Z = 2$, agora queremos o Z *arbitrário* — assim multiplicaremos a por $2/Z$:

$$\langle V_{ee} \rangle = \frac{5Z}{8a} \left(\frac{e^2}{4\pi\epsilon_0} \right) = -\frac{5Z}{4} E_1. \qquad [7.31]$$

Reunindo tudo isso, teremos

$$\langle H \rangle = \left[2Z^2 - 4Z(Z-2) - (5/4)Z \right] E_1 = \left[-2Z^2 + (27/4)Z \right] E_1. \qquad [7.32]$$

De acordo com o princípio variacional, essa quantidade excede E_{gs} para *qualquer* valor de Z. O limite superior *mais baixo* ocorre quando $\langle H \rangle$ é minimizado:

$$\frac{d}{dZ} \langle H \rangle = \left[-4Z + (27/4) \right] E_1 = 0,$$

a partir do qual, segue-se que

$$Z = \frac{27}{16} = 1{,}69. \qquad [7.33]$$

Parece razoável; a resposta nos diz que o elétron protege parcialmente o núcleo, reduzindo a sua carga efetiva de 2 até cerca de 1,69. Considerando esse valor para Z, teremos

$$\langle H \rangle = \frac{1}{2} \left(\frac{3}{2} \right)^6 E_1 = -77{,}5 \text{ eV}. \qquad [7.34]$$

O estado fundamental do hélio tem sido calculado dessa maneira com muita precisão, utilizando funções de onda teste cada vez mais complicadas, com mais e mais parâmetros ajustáveis.[9] Mas estamos 2 por cento dentro da resposta correta e, francamente, a essa altura do campeonato, meu interesse no problema começa a diminuir.[10]

Problema 7.6 Utilizando $E_{gs} = -79{,}0$ eV para a energia do estado fundamental do hélio, calcule a energia de ionização (a energia necessária para remover somente *um* elétron). *Dica:* em primeiro lugar, calcule a energia do estado fundamental do íon no hélio, He^+, com um único elétron orbitando o núcleo; então, subtraia uma da outra.

*Problema 7.7 Aplique as técnicas dessa seção nos íons H^- e Li^+ (cada um tem dois elétrons, como o hélio, porém, cargas nucleares $Z = 1$ e $Z = 3$, respectivamente). Encontre a carga nuclear efetiva (parcialmente protegida) e determine o melhor limite superior em E_{gs} para cada caso. *Comentário:* no caso de H^-, você deveria encontrar $\langle H \rangle > -13{,}6$ eV, que pareceria indicar que não há

---

[9] Os estudos clássicos são E. A. Hylleraas, *Z. Phys.* **65**, 209 (1930); C. L. Pekeris, *Phys. Rev.* **115**, 1216 (1959). Para trabalhos mais recentes, veja a nota de rodapé nº 4.

[10] O primeiro estado excitado do hélio pode ser calculado da mesma maneira, utilizando-se a função de onda teste ortogonal para o estado fundamental. Veja P. J. E. Peebles, *Quantum Mechanics*, Princeton U.P., Princeton, NJ (1992), Seção 40.

estado ligado nenhum, pois seria energicamente favorável para um elétron se desprender e deixar para trás um átomo neutro de hidrogênio. Isso não é tão surpreendente, já que os elétrons não estão tão fortemente atrelados ao núcleo como no hélio, e a repulsão do elétron tende a partir o átomo. Mas isso é incorreto. Com uma função de onda teste mais sofisticada (veja o Problema 7.18) poderíamos demonstrar que $E_{gs} < -13,6$ eV e que, portanto, o estado ligado *existe*. No entanto, ele é fracamente ligado, e não há estados ligados excitados,[11] e assim H⁻ não tem espectro discreto (todas as transições acontecem para o contínuo e vindas dele). O resultado disso é que se torna difícil estudá-lo em laboratório, embora ele exista em abundância na superfície do Sol.[12]

7.3 Íon de molécula de hidrogênio

Outra aplicação clássica do princípio variacional seria à molécula de íon de hidrogênio, H_2^+, que consiste de um único elétron em um campo Coulombiano de dois prótons (Figura 7.5). Por enquanto, considerarei que os prótons ocupem uma posição fixa, com uma distância R específica, embora um dos subprodutos mais interessantes do cálculo seja o *valor* real de R. O Hamiltoniano é

$$H = -\frac{\hbar^2}{2m}\nabla^2 - \frac{e^2}{4\pi\epsilon_0}\left(\frac{1}{r_1} + \frac{1}{r_2}\right),\qquad [7.35]$$

em que r_1 e r_2 são as distâncias até o elétron a partir dos respectivos prótons. Como sempre, nossa estratégia será sugerir uma função de onda teste razoável e utilizar o princípio variacional para obter um limite para a energia do estado fundamental. (De fato, nosso principal interesse é descobrir se esse sistema *pode ser* ligado, isto é, se sua energia é menor do que a do átomo neutro do hidrogênio mais um próton livre. Se nossa função de onda teste indicar que *há* um estado ligado, uma função teste *melhor* pode tornar a ligação ainda mais forte.)

Para construir a função de onda teste, imagine que o íon seja formado por um átomo de hidrogênio em seu estado fundamental (Equação 4.80),

$$\psi_0(\mathbf{r}) = \frac{1}{\sqrt{\pi a^3}}e^{-r/a},\qquad [7.36]$$

trazendo o segundo próton do 'infinito' e fixando-o a uma distância R. Se R for muito maior do que o raio de Bohr, a função de onda do elétron provavelmente não mudará muito. Mas gostaríamos de tratar os dois prótons igualmente, assim, o elétron terá a mesma probabilidade de ser associado tanto a um quanto a outro. Isso sugere que devemos considerar uma função teste da forma

$$\psi = A\left[\psi_0(r_1) + \psi_0(r_2)\right].\qquad [7.37]$$

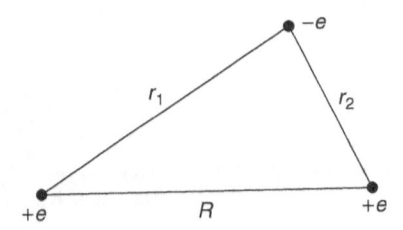

FIGURA 7.5 Íon da molécula de hidrogênio, H_2^+.

---
11 Robert N. Hill, *J. Math. Phys.* **18**, 2316 (1977).

12 Se você quiser se aprofundar um pouco mais no assunto, veja Hans A. Bethe e Edwin E. Salpeter, *Quantum Mechanics of One- and Two-Electron Atoms*, Plenum, Nova York (1977), Seção 34.

(Os químicos quânticos chamam isso de método **LCAO, em inglês, ou CLOA em português**, pois expressamos a função de onda *molecular* como uma combinação linear de **o**rbitais **a**tômicos.)

Nossa primeira missão é *normalizar* a função teste:

$$1 = \int |\psi|^2 \, d^3\mathbf{r} = |A|^2 \left[\int |\psi_0(r_1)|^2 \, d^3\mathbf{r} \right.$$
$$\left. + \int |\psi_0(r_2)|^2 \, d^3\mathbf{r} + 2\int \psi_0(r_1)\psi_0(r_2) \, d^3\mathbf{r} \right]. \qquad [7.38]$$

As primeiras duas integrais são 1 (sendo que a própria ψ_0 é uma função normalizada); a terceira é mais complicada. Seja

$$I \equiv \langle \psi_0(r_1) | \psi_0(r_2) \rangle = \frac{1}{\pi a^3} \int e^{-(r_1+r_2)/a} d^3\mathbf{r}. \qquad [7.39]$$

Escolhendo as coordenadas para que o próton 1 esteja na origem e o próton 2 esteja no eixo z no ponto R (Figura 7.6), teremos

$$r_1 = r \quad \text{e} \quad r_2 = \sqrt{r^2 + R^2 - 2rR\cos\theta}, \qquad [7.40]$$

e, portanto,

$$I = \frac{1}{\pi a^3} \int e^{-r/a} e^{-\sqrt{r^2+R^2-2rR\cos\theta}/a} r^2 \operatorname{sen}\theta \, dr \, d\theta \, d\phi. \qquad [7.41]$$

A integral em ϕ é trivial (2π). Para resolver a integral em θ, seja

$$y \equiv \sqrt{r^2 + R^2 - 2rR\cos\theta}, \text{ de modo que } d(y^2) = 2y \, dy = 2rR\operatorname{sen}\theta \, d\theta.$$

Então,

$$\int_0^\pi e^{-\sqrt{r^2+R^2-2rR\cos\theta}/a} \operatorname{sen}\theta \, d\theta = \frac{1}{rR} \int_{|r-R|}^{r+R} e^{-y/a} y \, dy$$
$$= -\frac{a}{rR}\left[e^{-(r+R)/a}(r+R+a) - e^{-|r-R|/a}(|r-R|+a)\right].$$

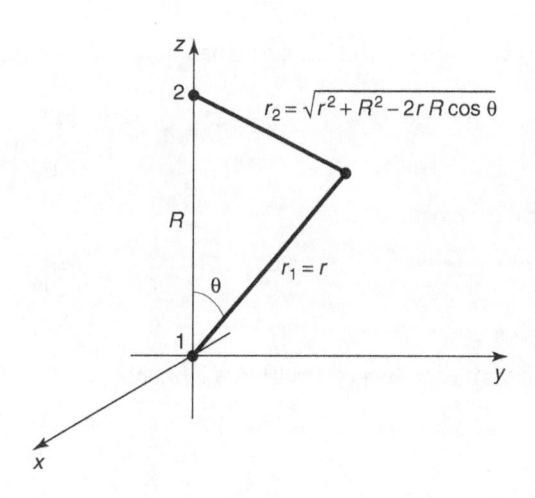

FIGURA 7.6 Coordenadas para o cálculo de *I* (Equação 7.39).

Agora, a integral em r fica simples:

$$I = \frac{2}{a^2 R}\left[-e^{-R/a}\int_0^\infty (r+R+a)e^{-2r/a}r\,dr + e^{-R/a}\int_0^R (R-r+a)r\,dr\right.$$
$$\left. + e^{R/a}\int_R^\infty (r-R+a)e^{-2r/a}r\,dr\right].$$

Avaliando as integrais, encontramos (após algumas simplificações algébricas)

$$I = e^{-R/a}\left[1 + \left(\frac{R}{a}\right) + \frac{1}{3}\left(\frac{R}{a}\right)^2\right]. \qquad [7.42]$$

I é chamada de integral de **sobreposição**; mede a quantidade com a qual $\psi_0(r_1)$ sobrepõe-se a $\psi_0(r_2)$ (observe que ela vai a 1 quando $R \to 0$ e a 0 quando $R \to \infty$). Em termos de I, o fator de normalização (Equação 7.38) é

$$|A|^2 = \frac{1}{2(1+I)}. \qquad [7.43]$$

A seguir, devemos calcular o valor esperado de H no estado teste ψ. Observando que

$$\left(-\frac{\hbar^2}{2m}\nabla^2 - \frac{e^2}{4\pi\epsilon_0}\frac{1}{r_1}\right)\psi_0(r_1) = E_1\psi_0(r_1)$$

(em que $E_1 = -13{,}6$ eV é a energia do estado fundamental do hidrogênio atômico), e o mesmo com r_2 no lugar de r_1, temos

$$H\psi = A\left[-\frac{\hbar^2}{2m}\nabla^2 - \frac{e^2}{4\pi\epsilon_0}\left(\frac{1}{r_1}+\frac{1}{r_2}\right)\right][\psi_0(r_1)+\psi_0(r_2)]$$
$$= E_1\psi - A\left(\frac{e^2}{4\pi\epsilon_0}\right)\left[\frac{1}{r_2}\psi_0(r_1) + \frac{1}{r_1}\psi_0(r_2)\right].$$

Segue-se que

$$\langle H \rangle = E_1 - 2|A|^2\left(\frac{e^2}{4\pi\epsilon_0}\right)\left[\left\langle\psi_0(r_1)\left|\frac{1}{r_2}\right|\psi_0(r_1)\right\rangle + \left\langle\psi_0(r_1)\left|\frac{1}{r_1}\right|\psi_0(r_2)\right\rangle\right]. \qquad [7.44]$$

Deixarei que você calcule as duas quantidades restantes, chamadas **integral direta**,

$$D \equiv a\left\langle\psi_0(r_1)\left|\frac{1}{r_2}\right|\psi_0(r_1)\right\rangle, \qquad [7.45]$$

e **integral de troca**,

$$X \equiv a\left\langle\psi_0(r_1)\left|\frac{1}{r_1}\right|\psi_0(r_2)\right\rangle. \qquad [7.46]$$

Os resultados (veja o Problema 7.8) são

$$D = \frac{a}{R} - \left(1 + \frac{a}{R}\right)e^{-2R/a}, \qquad [7.47]$$

e

$$X = \left(1 + \frac{a}{R}\right)e^{-R/a}.$$ [7.48]

Reunindo tudo isso e recordando (equações 4.70 e 4.72) que $E_1 = -(e^2/4\pi\epsilon_0)(1/2a)$, concluímos que:

$$\langle H \rangle = \left[1 + 2\frac{(D+X)}{(1+I)}\right]E_1.$$ [7.49]

De acordo com o princípio variacional, a energia do estado fundamental é *menor* do que $\langle H \rangle$. É claro que essa é somente a energia do *elétron*; há também uma energia potencial associada à repulsão próton-próton:

$$V_{pp} = \frac{e^2}{4\pi\epsilon_0}\frac{1}{R} = -\frac{2a}{R}E_1.$$ [7.50]

Assim, a energia *total* do sistema, em unidades de $-E_1$ e expressa como uma função de $x \equiv R/a$, é menor do que

$$F(x) = -1 + \frac{2}{x}\left\{\frac{\left(1-(2/3)x^2\right)e^{-x} + (1+x)e^{-2x}}{1+\left(1+x+(1/3)x^2\right)e^{-x}}\right\}.$$ [7.51]

Essa função está apresentada graficamente na Figura 7.7. Evidentemente, a ligação *ocorre*, pois o gráfico desce a −1 em uma região, indicando que a energia é menor que a do átomo neutro mais um próton livre (−13,6 eV). A ligação é covalente, com o elétron igualmente compartilhado pelos dois prótons. A separação de equilíbrio dos prótons é de cerca de 2,4 raios de Bohr, ou 1,3 Å (o valor experimental é 1,06 Å). A energia de ligação calculada é de 1,8 eV, enquanto o valor experimental é de 2,8 eV. O princípio variacional, como sempre, *superestima* a energia do estado fundamental, e, portanto, *subestima* a força da ligação; mas deixe isso para lá: o ponto principal era verificar se a ligação ocorre. Uma função variacional melhor pode tornar o poço potencial ainda mais profundo.

*Problema 7.8 Avalie D e X (equações 7.45 e 7.46). Verifique suas respostas comparando-as às equações 7.47 e 748.

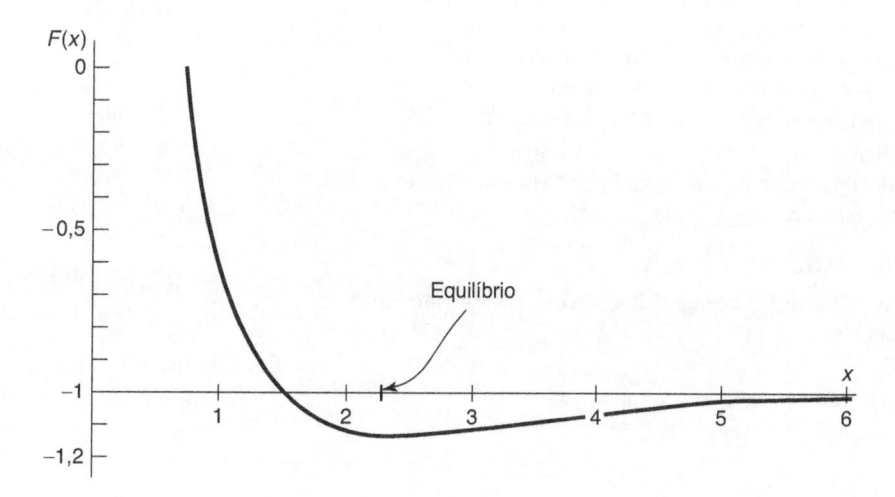

FIGURA 7.7 Representação da função $F(x)$, Equação 7.51, mostrando a existência de um estado ligado (x é a distância entre os prótons, em unidades de raio de Bohr).

**Problema 7.9 Suponha que utilizemos um sinal *negativo* em nossa função de onda teste (Equação 7.37):

$$\psi = A\left[\psi_0(r_1) - \psi_0(r_2)\right]. \quad [7.52]$$

Sem criar novas integrais, encontre $F(x)$ (o equivalente ao da Equação 7.51) para esse caso e monte o gráfico. Demonstre que não há evidência de ligação.[13] (Já que o princípio variacional produz somente o *limite superior*, não há prova de que a ligação não possa ocorrer para tal estado, mas isso certamente não parece promissor.) *Comentário:* de fato, qualquer função na forma

$$\psi = A\left[\psi_0(r_1) + e^{i\phi}\psi_0(r_2)\right] \quad [7.53]$$

tem a propriedade desejada de o elétron poder se associar igualmente a qualquer próton. Entretanto, já que o Hamiltoniano (Equação 7.35) é invariante sob a troca $P: r_1 \leftrightarrow r_2$, suas autofunções podem ser escolhidas para ser simultaneamente autofunções de P. O sinal positivo (Equação 7.37) segue com o autovalor $+1$, e o sinal negativo (Equação 7.52) segue com o autovalor -1; não há nenhuma vantagem em considerar o caso aparentemente mais geral (Equação 7.53), embora você possa tentar, se estiver interessado.

***Problema 7.10 A segunda derivada de $F(x)$ no ponto de equilíbrio pode ser usada para estimar a frequência natural de vibração (ω) dos dois prótons no íon da molécula de hidrogênio (veja a Seção 2.3). Se a energia do estado fundamental ($\hbar\omega/2$) desse oscilador exceder a energia de ligação do sistema, ele se desintegrará. Demonstre que, realmente, a energia do oscilador é pequena o suficiente para que isso *não* aconteça e calcule quantos níveis vibracionais ligados existem. *Nota:* você não será capaz de obter a posição do mínimo analiticamente, e, menos ainda, a segunda derivada nesse ponto. Faça-o com a ajuda de uma calculadora.

Mais problemas para o Capítulo 7

Problema 7.11

(a) Utilize a função de onda teste na forma

$$\psi(x) = \begin{cases} A\cos(\pi x/a), & \text{se } (-a/2 < x < a/2), \\ 0 & \text{caso contrário} \end{cases}$$

para obter um limite para a energia do estado fundamental do oscilador harmônico unidimensional. Qual é o 'melhor' valor de a? Compare $\langle H \rangle_{\min}$ com a energia exata. *Nota:* essa função teste tem uma 'dobra' (uma derivada descontínua) em $\pm a/2$; você precisa levar isso em conta, como fiz no Exemplo 7.3?

(b) Utilize $\psi(x) = \beta\mathrm{sen}(\pi x/a)$ no intervalo $(-a, a)$ para obter um valor limite do primeiro estado excitado. Compare a resposta exata.

**Problema 7.12

(a) Generalize o Problema 7.2 usando uma função de onda teste[14]

$$\psi(x) = \frac{A}{(x^2+b^2)^n},$$

para n arbitrário. *Resposta parcial:* o melhor valor de b é dado por

$$b^2 = \frac{\hbar}{m\omega}\left[\frac{n(4n-1)(4n-3)}{2(2n+1)}\right]^{1/2}.$$

(b) Calcule o menor limite superior para o primeiro estado excitado do oscilador harmônico utilizando uma função teste de forma

$$\psi(x) = \frac{Bx}{(x^2+b^2)^n}.$$

Resposta parcial: o melhor valor de b é dado por

$$b^2 = \frac{\hbar}{m\omega}\left[\frac{n(4n-5)(4n-3)}{2(2n+1)}\right]^{1/2}.$$

(c) Perceba que os limites se aproximam das energias exatas quando $n \to \infty$. Por que isso acontece? *Dica:* organize as funções de onda teste para $n = 2$, $n = 3$ e

---

[13] A ligação ocorre quando o elétron 'prefere' ficar entre os prótons, atraindo-os para dentro. Porém, a combinação linear ímpar (Equação 7.52) tem um *nó* no centro e, portanto, não é surpresa que essa configuração separe os prótons.

[14] W. N. Mei, *Int. J. Educ. Sci. Tech.* **27**, 285 (1996).

$n = 4$, e compare-as com as funções de onda verdadeiras (equações 2.59 e 2.62). Para resolver esse problema analiticamente, comece com a identidade

$$e^z = \lim_{n \to \infty}\left(1 + \frac{z}{n}\right)^n.$$

Problema 7.13 Calcule o menor limite para o estado fundamental de hidrogênio que você puder obter utilizando uma gaussiana como função de onda teste

$$\psi(\mathbf{r}) = Ae^{-br^2},$$

em que A é determinado pela normalização e b é um parâmetro ajustável. *Resposta:* –11,5 eV.

Problema 7.14 Se o fóton tivesse massa não zero ($m_\gamma \neq 0$), o potencial de Coulomb seria substituído pelo **potencial de Yukawa,

$$V(\mathbf{r}) = -\frac{e^2}{4\pi\epsilon_0}\frac{e^{-\mu r}}{r}, \qquad [7.54]$$

em que $\mu = m_\gamma c / \hbar$. Com uma função de onda teste criada por você, calcule a energia de ligação de um átomo de 'hidrogênio' com esse potencial. Suponha que $\mu a \ll 1$ e dê a resposta correta para determinar $(\mu a)^2$.

Problema 7.15 Suponha que você tenha um sistema quântico cujo Hamiltoniano H_0 admita apenas dois autoestados, ψ_a (com energia E_a) e ψ_b (com energia E_b). Eles são ortogonais, normalizados e não degenerados (suponha que E_a seja a menor das duas energias). Agora, ativamos uma perturbação H' com os seguintes elementos de matriz:

$$\langle\psi_a|H'|\psi_a\rangle = \langle\psi_b|H'|\psi_b\rangle = 0;$$
$$\langle\psi_a|H'|\psi_b\rangle = \langle\psi_b|H'|\psi_a\rangle = h, \qquad [7.55]$$

em que h é uma constante específica.
(a) Calcule os autovalores exatos do Hamiltoniano perturbado.
(b) Calcule as energias do sistema perturbado utilizando a teoria perturbacional de segunda ordem.
(c) Calcule a energia do estado fundamental do sistema perturbado utilizando o princípio variacional com uma função teste de forma

$$\psi = (\cos\phi)\psi_a + (\operatorname{sen}\phi)\psi_b, \qquad [7.56]$$

em que ϕ é um parâmetro ajustável. *Nota:* escrever a combinação linear dessa maneira é apenas uma forma simples de garantir que ψ seja normalizada.
(d) Compare suas respostas a (a), (b) e (c). Por que o princípio variacional é tão preciso nesse caso?

Problema 7.16 Como exemplo explícito do método desenvolvido no Problema 7.15, considere um elétron em repouso em um campo magnético uniforme $\mathbf{B} = B_z\hat{k}$, para o qual o Hamiltoniano seja (Equação 4.158):

$$H_0 = \frac{eB_z}{m}S_z. \qquad [7.57]$$

Os autospinores χ_a e χ_b e suas energias correspondentes E_a e E_b foram dados na Equação 4.161. Agora, ativamos uma perturbação sob a forma de um campo uniforme na direção x:

$$H' = \frac{eB_x}{m}S_x. \qquad [7.58]$$

(a) Calcule os elementos da matriz de H' e confirme que eles têm a estrutura da Equação 7.55. Qual é o valor de h?
(b) Utilizando o resultado que você obteve no Problema 7.15(b), calcule a nova energia do estado fundamental na teoria de perturbação de segunda ordem.
(c) Utilizando o resultado que você obteve no Problema 7.15(c), calcule o limite da energia do estado fundamental pelo princípio variacional.

***Problema 7.17 Embora a equação de Schrödinger para o hélio não possa ser resolvida com precisão, há sistemas 'parecidos com o hélio' que admitem soluções exatas. Um exemplo simples[15] disso é o 'hélio elástico', no qual as forças de Coulomb são substituídas pelas forças da lei de Hooke:

$$H = -\frac{\hbar^2}{2m}\left(\nabla_1^2 + \nabla_2^2\right) + \frac{1}{2}m\omega^2\left(r_1^2 + r_2^2\right) - \frac{\lambda}{4}m\omega^2|\mathbf{r}_1 - \mathbf{r}_2|^2. \qquad [7.59]$$

(a) Demonstre que a mudança das variáveis de $\mathbf{r}_1$, $\mathbf{r}_2$ para

$$\mathbf{u} \equiv \frac{1}{\sqrt{2}}(\mathbf{r}_1 + \mathbf{r}_2), \quad \mathbf{v} \equiv \frac{1}{\sqrt{2}}(\mathbf{r}_1 - \mathbf{r}_2), \qquad [7.60]$$

transforma o Hamiltoniano em dois osciladores harmônicos tridimensionais independentes:

$$H = \left[-\frac{\hbar^2}{2m}\nabla_u^2 + \frac{1}{2}m\omega^2 u^2\right] + \left[-\frac{\hbar^2}{2m}\nabla_v^2 + \frac{1}{2}(1-\lambda)m\omega^2 v^2\right]. [7.61]$$

(b) Qual é a energia *exata* do estado fundamental para esse sistema?
(c) Se não sabemos a solução exata, podemos estar inclinados a aplicar o método da Seção 7.2 no Hamiltoniano em sua forma original (Equação 7.59). Faça isso (mas não se incomode com a blindagem). O resultado que você obtém é igual à resposta exata? *Resposta:* $\langle H \rangle = 3\hbar\omega(1 - \lambda/4)$.

***Problema 7.18 No Problema 7.7 descobrimos que a função de onda teste com blindagem (Equação 7.27), que funcionou bem para o hélio, é inadequada para confirmar a existência de um estado ligado para o íon de hidro-

---
15 Para um modelo mais sofisticado, veja R. Crandall, R. Whitnell e R. Bettega, *Am. J. Phys.* **52**, 438 (1984).

gênio negativo. Chandrasekhar[16] utilizou uma função de onda teste na forma

$$\psi = (\mathbf{r}_1, \mathbf{r}_2) \equiv A[\psi_1(r_1)\psi_2(r_2) + \psi_2(r_1)\psi_1(r_2)], \quad [7.62]$$

em que

$$\psi_1(r) \equiv \sqrt{\frac{Z_1^3}{\pi a^3}} e^{-Z_1 r/a} \quad \text{e} \quad \psi_2(r) \equiv \sqrt{\frac{Z_2^3}{\pi a^3}} e^{-Z_2 r/a}. \quad [7.63]$$

De fato, ele permitiu dois fatores *diferentes* de blindagem, sugerindo que um dos elétrons estivesse relativamente perto do núcleo, e o outro, mais distante. (E como os elétrons são partículas idênticas, as funções de onda espaciais devem ser simetrizadas no que diz respeito à troca. O estado de *spin* — que é irrelevante para o cálculo — é, evidentemente, antissimétrico.) Demonstre que, por meio de uma escolha inteligente de parâmetros ajustáveis, Z_1 e Z_2, você pode obter $\langle H \rangle$ menor do que –13,6 eV. *Resposta:*

$$\langle H \rangle = \frac{E_1}{x^6 + y^6}\left(-x^8 + 2x^7 + \frac{1}{2}x^6 y^2 - \frac{1}{2}x^5 y^2 - \frac{1}{8}x^3 y^4 + \frac{11}{8}xy^6 - \frac{1}{2}y^8\right),$$

em que $x \equiv Z_1 + Z_2$ e $y \equiv 2\sqrt{Z_1 Z_2}$. Chandrasekhar utilizou $Z_1 = 1{,}039$ (sendo esse maior do que 1, a interpretação motivadora como carga nuclear efetiva não pode ser sustentada, mas tudo bem; ela ainda é uma função de onda teste aceitável) e $Z_2 = 0{,}283$.

Problema 7.19 O problema fundamental na exploração da fusão nuclear está em trazer as duas partículas (dois deutérios, por exemplo) perto o suficiente para a força de atração nuclear (de curto alcance) superar a repulsão de Coulomb. O método 'escavadeira' serve para aquecer as partículas até que elas cheguem a temperaturas fantásticas, o que permite que elas sejam reunidas por colisões aleatórias. Uma proposta mais exótica é a **catálise muônica**, na qual se constrói uma 'molécula de íons de hidrogênio' apenas com deutérios em lugar de prótons, e um *múon* em lugar do elétron. Preveja a distância da separação de equilíbrio entre os deutérios em tal estrutura e explique por que os múons são superiores aos elétrons para essa finalidade.[17]

***Problema 7.20 **Pontos quânticos.** Considere uma partícula limitada que se move em duas dimensões na região em forma de cruz mostrada na Figura 7.8. Os 'braços' da cruz vão até o infinito. O potencial é zero dentro da cruz e infinito nas áreas sombreadas do lado de fora. Surpreendentemente, essa configuração admite um estado ligado com energia positiva.[18]

(a) Mostre que a menor energia que pode se propagar ao infinito é

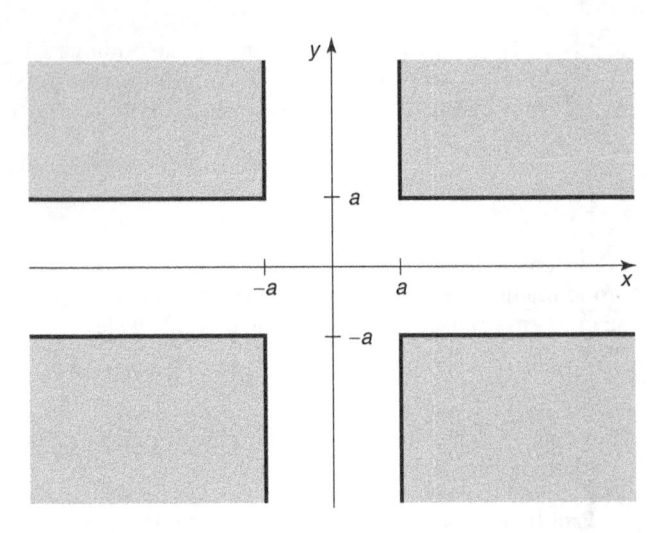

FIGURA 7.8 Região em forma de cruz para o Problema 7.20.

$$E_{\text{limite}} = \frac{\pi^2 \hbar^2}{8ma^2};$$

qualquer solução com energia *menor* do que aquela tem de ser um estado ligado. *Dica:* afaste-se de um dos braços (digamos, $x \gg a$) e resolva a equação de Schrödinger por separação de variáveis; se a função de onda se propaga ao infinito, a dependência de x deve tomar a forma $\exp(ik_x x)$ com $k_x > 0$.

(b) Agora, utilize o princípio variacional para demonstrar que o estado fundamental tem energia menor do que E_{limite}. Utilize a seguinte função de onda teste (sugerida por Krishna Rajagopal):

$$\psi(x,y) = A \begin{cases} (1 - |xy|/a^2)e^{-\alpha}, & |x| \leq a \text{ e } |y| \leq a \\ (1 - |x|/a)e^{-\alpha|y|/a}, & |x| \leq a \text{ e } |y| > a \\ (1 - |y|/a)e^{-\alpha|x|/a}, & |x| > a \text{ e } |y| \leq a \\ 0, & \text{em outro lugar.} \end{cases}$$

Normalize-a para determinar A e calcule o valor esperado de H. *Resposta:*

$$\langle H \rangle = \frac{3\hbar^2}{ma^2}\left(\frac{\alpha^2 + 2\alpha + 3}{6 + 11\alpha}\right).$$

Agora, minimize em relação a α, e mostre que o resultado é menor do que E_{limite}. *Dica:* aproveite a simetria do problema; você só precisa integrar 1/8 da região aberta, uma vez que as outras 7 integrais serão as mesmas. No entanto, note que, enquanto a função de onda teste é contínua, suas *derivadas* não o são; há 'linhas-limite' em $x = 0$, $y = 0$, $x = \pm a$ e $y = \pm a$, nas quais você precisará explorar a técnica do Exemplo 7.3.

---

[16] S. Chandrasekhar, *Astrophys. J.* **100**, 176 (1944).

[17] O trabalho clássico sobre a fusão catalisada por múon é de J. D. Jackson, *Phys. Rev.* **106**, 330 (1957); para trabalhos mais recentes, veja J. Rafelski e S. Jones, *Scientific American*, novembro de 1987, página 84.

[18] O modelo foi tirado de R. L. Schult et al., *Phys. Rev. B* **39**, 5476 (1989). Na presença de tunelamento quântico, um estado classicamente ligado se torna desvinculado; aqui, ocorre o inverso: um estado classicamente desvinculado é mecânica quanticamente *ligado*.

Capítulo 8
Aproximação WKB

O método **WKB** (Wentzel, Kramers, Brillouin)[1] é uma técnica para se obter soluções aproximadas para a equação de Schrödinger independente do tempo em uma dimensão (a mesma ideia básica pode ser aplicada a muitas outras equações diferenciais e para a parte radial da equação de Schrödinger em três dimensões). É especialmente útil no cálculo de energias de estados ligados e nas taxas de tunelamento por meio de barreiras potenciais.

A ideia principal é a seguinte: imagine uma partícula de energia E movendo-se por uma região em que o potencial $V(x)$ é *constante*. Se $E > V$, a função de onda tem a forma

$$\psi(x) = Ae^{\pm ikx}, \quad \text{com } k \equiv \sqrt{2m(E-V)}/\hbar.*$$

O sinal positivo indica que a partícula está se movendo para a direita, e o sinal negativo significa que ela está indo para a esquerda (a solução geral, é claro, é uma combinação linear dos dois). A função de onda é oscilatória, com um comprimento de onda ($\lambda = 2\pi/k$) fixo e amplitude imutável (A). Agora, suponha que $V(x)$ *não* seja constante, mas que varie lentamente em comparação a λ, fazendo com que o potencial seja *essencialmente* constante sobre uma região contendo muitos comprimentos de onda. Então, é razoável supor que ψ permaneça *praticamente* sinusoidal, exceto que o comprimento de onda e a amplitude mudam lentamente com x. Essa é a inspiração por trás da aproximação WKB. De fato, ela identifica dois níveis diferentes de dependência x: oscilações rápidas, *moduladas* por variação gradual na amplitude e no comprimento de onda.

Pelo mesmo motivo, se $E < V$ (e V é constante), então ψ é exponencial:

$$\psi(x) = Ae^{\pm \kappa x}, \quad \text{com } \kappa \equiv \sqrt{2m(V-E)}/\hbar.$$

E se $V(x)$ *não* é constante, mas varia lentamente em comparação a $1/\kappa$, a solução permanece *praticamente* exponencial, exceto que A e κ são agora funções que variam lentamente com x.

Há um lugar em que todo esse programa está fadado ao fracasso, e esse lugar fica nas imediações de um **ponto de retorno** clássico, em que $E \approx V$. Por aqui, λ (ou $1/\kappa$) tende ao infinito, e $V(x)$ quase não varia 'lentamente' em comparação a ele. Como veremos, uma manipulação adequada dos pontos de retorno é o aspecto mais difícil da aproximação WKB, embora os resultados finais sejam simples de afirmar e fáceis de serem implementados.

---
[1] Na Holanda é chamada de KWB, na França, de BWK, e na Inglaterra, de JWKB (para Jeffreys).

* Nota do R.T.: De fato, essa é apenas uma componente do pacote de onda da partícula real, mas serve para entender o que ocorre com todas as componentes de modo geral.

8.1 A região 'clássica'

A equação de Schrödinger,

$$-\frac{\hbar^2}{2m}\frac{d^2\psi}{dx^2}+V(x)\psi=E\psi,$$

pode ser reescrita da seguinte maneira:

$$\frac{d^2\psi}{dx^2}=-\frac{p^2}{\hbar^2}\psi, \qquad [8.1]$$

em que

$$p(x)\equiv\sqrt{2m[E-V(x)]} \qquad [8.2]$$

é a fórmula clássica para o momento de uma partícula com energia total E e energia potencial $V(x)$. Por enquanto, presumirei que $E > V(x)$, de modo que $p(x)$ é *real*; chamaremos isso de região 'clássica', por razões óbvias — classicamente, a partícula está *confinada* a esse intervalo de x (veja a Figura 8.1). Em geral, ψ é uma função complexa; podemos expressá-la em termos de sua *amplitude*, $A(x)$, e de sua *fase*, $\phi(x)$; ambas são *reais*:

$$\psi(x)=A(x)e^{i\phi(x)}. \qquad [8.3]$$

Usando uma apóstrofe para indicar a derivada em relação a x, encontramos:

$$\frac{d\psi}{dx}=(A'+iA\phi')e^{i\phi},$$

e

$$\frac{d^2\psi}{dx^2}=[A''+2iA'\phi'+iA\phi''-A(\phi')^2]e^{i\phi}. \qquad [8.4]$$

Transferindo isso para a Equação 8.1:

$$A''+2iA'\phi'+iA\phi''-A(\phi')^2=-\frac{p^2}{\hbar^2}A. \qquad [8.5]$$

Isso equivale a duas equações *reais*, uma para a parte real e uma para a parte imaginária:

$$A''-A(\phi')^2=-\frac{p^2}{\hbar^2}A, \quad \text{ou} \quad A''=A\left[(\phi')^2-\frac{p^2}{\hbar^2}\right], \qquad [8.6]$$

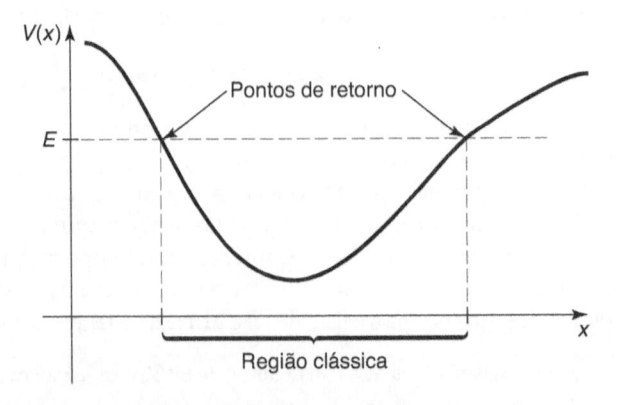

FIGURA 8.1 Classicamente, a partícula está limitada à região em que $E \geq V(x)$.

e

$$2A'\phi' + A\phi'' = 0, \quad \text{ou} \quad (A^2\phi')' = 0. \quad [8.7]$$

As equações 8.6 e 8.7 são inteiramente equivalentes à equação de Schrödinger original. A segunda é fácil de resolver:

$$A^2\phi' = C^2, \quad \text{ou} \quad A = \frac{C}{\sqrt{\phi'}}, \quad [8.8]$$

em que C é uma constante (real). Como a primeira (Equação 8.6) não pode ser resolvida, então, aqui vai a aproximação: *pressupomos que a amplitude A varie lentamente*, de modo que o termo A'' é desprezível. (Mais precisamente, supomos que A''/A é bem menor do que $(\phi')^2$ e $p^2/\hbar^2$.) Nesse caso, podemos descartar o lado esquerdo da Equação 8.6, e o que nos resta é

$$(\phi')^2 = \frac{p^2}{\hbar^2}, \quad \text{ou} \quad \frac{d\phi}{dx} = \pm\frac{p}{\hbar},$$

e, portanto,

$$\phi(x) = \pm\frac{1}{\hbar}\int p(x)\,dx. \quad [8.9]$$

(Por enquanto, escreverei como uma integral *indeterminada*; quaisquer constantes podem ser absorvidas em C, que pode se tornar complexa.) Segue-se que

$$\psi(x) \cong \frac{C}{\sqrt{p(x)}} e^{\pm\frac{i}{\hbar}\int p(x)\,dx}, \quad [8.10]$$

e a solução geral (aproximada) será uma combinação linear de dois termos, um com cada sinal.

Observe que

$$|\psi(x)|^2 \cong \frac{|C|^2}{p(x)}, \quad [8.11]$$

que diz que a probabilidade de encontrar uma partícula no ponto x é inversamente proporcional ao seu momento (clássico e, portanto, à sua velocidade) naquele ponto. É exatamente isso o que esperaríamos: a partícula não fica muito tempo em lugares em que se move rapidamente, e, assim, a probabilidade de ser pega é pequena. De fato, às vezes, a aproximação WKB é *derivada*, iniciando com essa observação 'semiclássica' em vez de descartar o termo A'' na equação diferencial. A última abordagem é matematicamente mais clara, porém, a anterior oferece uma justificativa física mais plausível.

Exemplo 8.1 Poço potencial com duas paredes verticais. Suponha que tenhamos um poço quadrado infinito com uma ondulação no fundo (Figura 8.2):

$$V(x) = \begin{cases} \text{uma função específica} & \text{se } 0 < x < a, \\ \infty, & \text{caso contrário.} \end{cases} \quad [8.12]$$

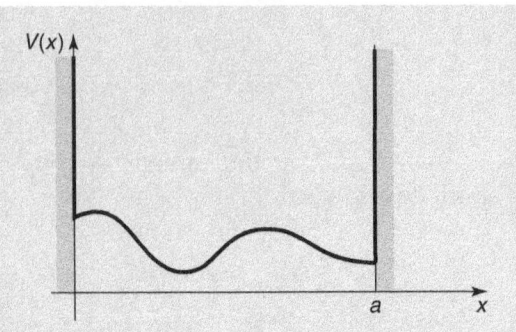

FIGURA 8.2 Poço quadrado infinito com uma ondulação no fundo.

Dentro do poço (supondo que $E > V(x)$ em toda parte) temos

$$\psi(x) \cong \frac{1}{\sqrt{p(x)}}\left[C_+ e^{i\phi(x)} + C_- e^{-i\phi(x)}\right],$$

ou, mais convenientemente,

$$\psi(x) \cong \frac{1}{\sqrt{p(x)}}[C_1 \operatorname{sen} \phi(x) + C_2 \cos\phi(x)], \qquad [8.13]$$

em que (explorando a liberdade observada anteriormente para impor um limite inferior conveniente à integral)

$$\phi(x) = \frac{1}{\hbar}\int_0^x p(x')dx'. \qquad [8.14]$$

Agora $\psi(x)$ deve ir a zero em $x = 0$ e, portanto (sendo $\phi(0) = 0$), $C_2 = 0$. Da mesma forma, $\psi(x)$ vai a zero em $x = a$, assim

$$\phi(a) = n\pi \quad (n = 1, 2, 3, \ldots). \qquad [8.15]$$

Conclusão:

$$\boxed{\int_0^a p(x)dx = n\pi\hbar.} \qquad [8.16]$$

Essa condição de quantização determina as energias permitidas (aproximadas).

Por exemplo, se o poço tem um fundo *plano* ($V(x) = 0$), então $p(x) = \sqrt{2mE}$ (uma constante), e a Equação 8.16 diz que $pa = n\pi\hbar$, ou

$$E_n = \frac{n^2\pi^2\hbar^2}{2ma^2},$$

que é a velha fórmula para os níveis de energia do poço quadrado infinito (Equação 2.27). Nesse caso, a aproximação WKB produz a resposta *exata* (a amplitude da função de onda verdadeira é *constante*, logo, o descarte de A'' não faz diferença).

*Problema 8.1 Utilize a aproximação WKB para encontrar as energias permitidas (E_n) de um poço quadrado infinito com uma 'prateleira' de altura V_0 que se estende a meio caminho (Figura 6.3):

$$V(x) = \begin{cases} V_0, & \text{se } 0 < x < a/2, \\ 0, & \text{se } a/2 < x < a, \\ \infty, & \text{caso contrário.} \end{cases}$$

Expresse sua resposta em termos de V_0 e $E_n^0 \equiv (n\pi\hbar)^2/2ma^2$ (a n-ésima energia permitida para o poço quadrado infinito *sem* prateleira). Suponha que $E_1^0 > V_0$, mas *não* imagine que $E_n \gg V_0$. Compare seu resultado com o que obtivemos no Exemplo 6.1 utilizando a teoria de perturbação de primeira ordem. Observe que eles estão de acordo, tanto com V_0 muito pequeno (regime da teoria de perturbação) quanto com n muito grande (regime WKB semiclássico).

Problema 8.2 Uma derivação alternativa esclarecedora da fórmula WKB (Equação 8.10) se baseia na expansão em potências de $\hbar$. Motivados pela função de onda da partícula livre, $\psi = A \exp(\pm ipx/\hbar)$, escrevemos

$$\psi(x) = e^{i f(x)/\hbar},$$

em que $f(x)$ é uma função *complexa*. (Observe que aqui não há perda de generalidade; *qualquer* função não zero pode ser escrita dessa maneira.)

(a) Coloque isso na equação de Schrödinger (na forma da Equação 8.1) e mostre que

$$i\hbar f'' - (f')^2 + p^2 = 0.$$

(b) Escreva $f(x)$ como uma série de potências em $\hbar$:

$$f(x) = f_0(x) + \hbar f_1(x) + \hbar^2 f_2(x) + \ldots,$$

e, organizando potências idênticas de $\hbar$, mostre que

$$(f_0')^2 = p^2, \quad i f_0'' = 2 f_0' f_1', \quad i f_1'' = 2 f_0' f_2' + (f_1')^2 \quad \text{etc.}$$

(c) Resolva o problema para $f_0(x)$ e $f_1(x)$, e demonstre que, para a primeira ordem em $\hbar$, você reestabelece a Equação 8.10.

Nota: o logaritmo de um número negativo é definido por $\ln(-z) = \ln(z) + in\pi$, em que n é um número inteiro ímpar. Se essa fórmula é nova para você, tente exponenciar ambos os lados, e logo descobrirá de onde ela vem.

8.2 Tunelamento

Até aqui, supus que $E > V$, de modo que $p(x)$ é real. Mas podemos facilmente escrever o resultado correspondente na região *não* clássica ($E < V$); é o mesmo que antes (Equação 8.10), só que agora $p(x)$ é *imaginário*:[2]

$$\psi(x) \cong \frac{C}{\sqrt{|p(x)|}} e^{\pm \frac{1}{\hbar} \int |p(x)| dx}. \qquad [8.17]$$

Considere, por exemplo, o problema do espalhamento de uma barreira retangular com uma ondulação em cima (Figura 8.3). À esquerda da barreira ($x < 0$),

$$\psi(x) = A e^{ikx} + B e^{-ikx}, \qquad [8.18]$$

em que A é a amplitude incidente, B é a amplitude refletida e $k \equiv \sqrt{2mE}/\hbar$ (veja a Seção 2.5). À direita da barreira ($x > a$),

$$\psi(x) = F e^{ikx}; \qquad [8.19]$$

---

[2] Nesse caso, a função de onda é *real*, e as funções de onda equivalentes às equações 8.6 e 8.7 não decorrem *necessariamente* da Equação 8.5, embora ainda sejam *suficientes*. Se isso o incomoda, estude a derivação alternativa do Problema 8.2.

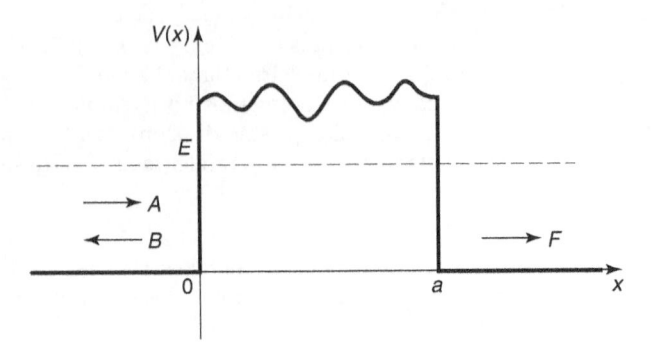

FIGURA 8.3 Espalhamento de uma barreira retangular com uma ondulação em cima.

F é a amplitude transmitida, e a probabilidade de transmissão é

$$T = \frac{|F|^2}{|A|^2}. \qquad [8.20]$$

Na região de tunelamento ($0 \leq x \leq a$), a aproximação WKB produz

$$\psi(x) \cong \frac{C}{\sqrt{|p(x)|}} e^{\frac{1}{\hbar}\int_0^x |p(x')|dx'} + \frac{D}{\sqrt{|p(x)|}} e^{-\frac{1}{\hbar}\int_0^x |p(x')|dx'}. \qquad [8.21]$$

Se a barreira é muito alta e/ou muito ampla (o que significa que a probabilidade de tunelamento é pequena), então o coeficiente do termo que *aumenta* exponencialmente (C) deve ser pequeno (na verdade, seria *zero* se a barreira fosse *infinitamente* ampla), e a função de onda se parecerá a algo como[3] a Figura 8.4. As amplitudes relativas das ondas incidente e transmitida são essencialmente determinadas pela redução total da exponencial sobre a região não clássica:

$$\frac{|F|}{|A|} \sim e^{-\frac{1}{\hbar}\int_0^a |p(x')|dx'},$$

assim

$$T \cong e^{-2\gamma}, \quad \text{com } \gamma \equiv \frac{1}{\hbar}\int_0^a |p(x)|dx. \qquad [8.22]$$

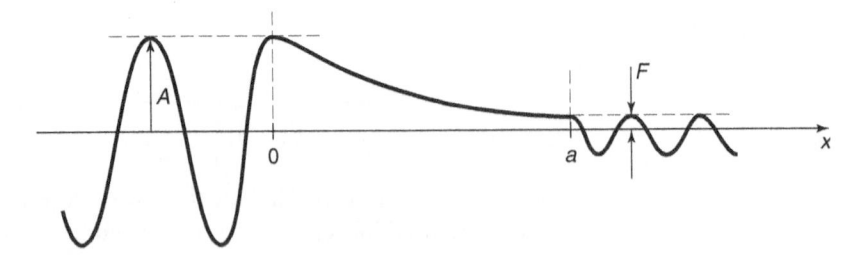

FIGURA 8.4 Estrutura qualitativa da função de onda para o espalhamento de uma barreira alta e ampla.

Exemplo 8.2 Teoria de Gamow do decaimento alfa.[4] Em 1928, George Gamow (e Condon e Gurney, independentemente) usaram a Equação 8.22 para formular a primeira explicação bem--sucedida do decaimento alfa (emissão espontânea de uma partícula alfa — dois prótons e dois

---

3 Esse argumento heurístico pode ser mais rigoroso. Veja o Problema 8.10.

4 Para uma discussão mais completa, e formulações alternativas, veja Barry R. Holstein, *Am. J. Phys.* **64**, 1061 (1996).

nêutrons — por certos núcleos radioativos).[5] A partícula alfa carrega uma carga positiva ($2e$) e por isso será eletricamente repelida pelo núcleo residual (carga Ze) tão logo consiga ficar longe o bastante para escapar da força de ligação nuclear. Mas, primeiramente, deve negociar uma barreira de potencial já conhecida (no caso do urânio) para ser mais do que o dobro da energia da partícula alfa emitida. Gamow igualou a energia potencial por meio de um poço quadrado finito (uma representação da força nuclear atrativa) estendendo-o para r_1 (o raio do núcleo), juntou uma cauda repulsiva coulombiana (Figura 8.5) e identificou o mecanismo de escape como tunelamento quântico (essa foi, a propósito, a primeira vez em que a mecânica quântica foi aplicada à física nuclear).

Se E é a energia da partícula alfa emitida, o ponto de retorno mais externo (r_2) será determinado por

$$\frac{1}{4\pi\epsilon_0}\frac{2Ze^2}{r_2}=E. \qquad [8.23]$$

O expoente γ (Equação 8.22) é, evidentemente,[6]

$$\gamma=\frac{1}{\hbar}\int_{r_1}^{r_2}\sqrt{2m\left(\frac{1}{4\pi\epsilon_0}\frac{2Ze^2}{r}-E\right)}\,dr=\frac{\sqrt{2mE}}{\hbar}\int_{r_1}^{r_2}\sqrt{\frac{r_2}{r}-1}\,dr.$$

A integral pode ser resolvida por substituição (seja $r \equiv r_2\,\mathrm{sen}^2 u$), e o resultado é

$$\gamma=\frac{\sqrt{2mE}}{\hbar}\left[r_2\left(\frac{\pi}{2}-\mathrm{sen}^{-1}\sqrt{\frac{r_1}{r_2}}\right)-\sqrt{r_1(r_2-r_1)}\right]. \qquad [8.24]$$

Tipicamente, $r_1 \ll r_2$, e podemos simplificar esse resultado utilizando a aproximação de pequenos ângulos ($\mathrm{sen}\,\epsilon \cong \epsilon$):

$$\gamma \cong \frac{\sqrt{2mE}}{\hbar}\left[\frac{\pi}{2}r_2-2\sqrt{r_1 r_2}\right]=K_1\frac{Z}{\sqrt{E}}-K_2\sqrt{Zr_1}, \qquad [8.25]$$

em que

$$K_1 \equiv \left(\frac{e^2}{4\pi\epsilon_0}\right)\frac{\pi\sqrt{2m}}{\hbar}=1{,}980\ \mathrm{MeV}^{1/2}, \qquad [8.26]$$

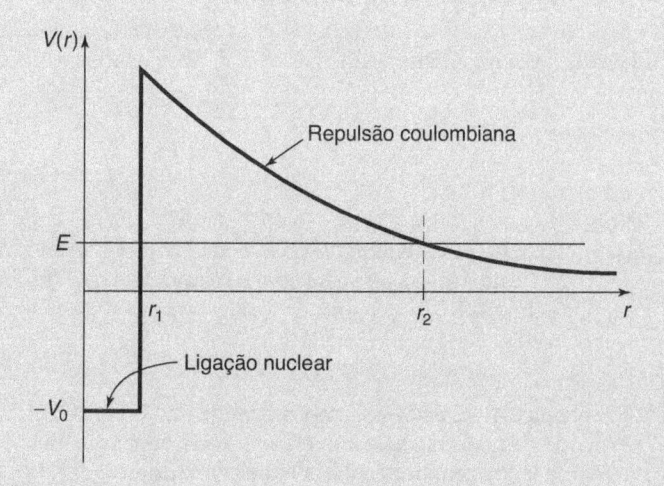

FIGURA 8.5 Modelo de Gamow para a energia potencial de uma partícula alfa em um núcleo radioativo.

---

5 Para uma história breve e interessante, veja Eugen Merzbacher, 'The Early History of Quantum Tunneling', *Physics Today*, agosto 2002, p. 44.

6 Nesse caso, o potencial não cai para zero no lado esquerdo da barreira (além disso, esse é, de fato, um problema tridimensional), mas a ideia essencial, contida na Equação 8.22, é tudo o que realmente precisamos.

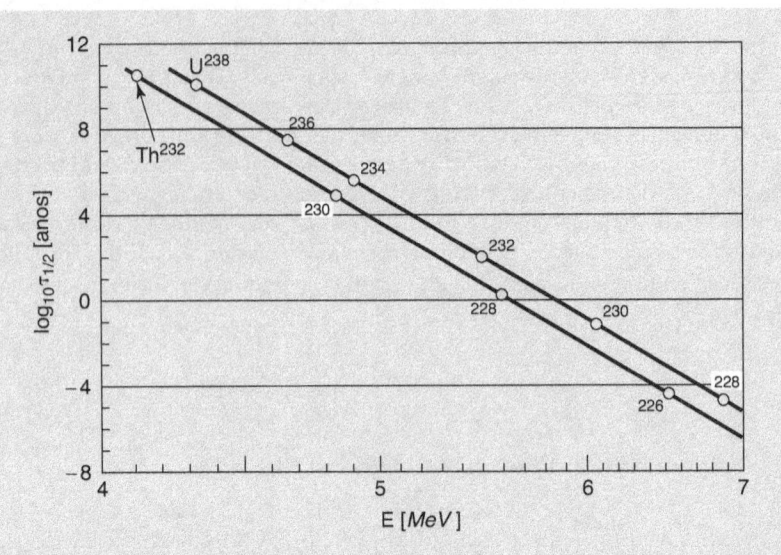

FIGURA 8.6 Gráfico do logaritmo do tempo de vida *versus* $1/\sqrt{E}$ (em que E é a energia da partícula alfa emitida) para o urânio e para o tório.

e

$$K_2 \equiv \left(\frac{e^2}{4\pi\epsilon_0}\right)^{1/2} \frac{4\sqrt{m}}{\hbar} = 1,485 \text{ fm}^{-1/2}. \qquad [8.27]$$

[Um fermi (fm) tem 10^{-15} m, que é aproximadamente o tamanho de um núcleo típico.]

Se imaginarmos a partícula alfa se chacoalhando dentro do núcleo, a uma velocidade média v, o tempo médio entre 'colisões' com a 'parede' será de cerca de $2r_1/v$ e, portanto, a *frequência* de colisões será de $v/2r_1$. A probabilidade de escape a cada colisão é de $e^{-2\gamma}$, assim a probabilidade de emissão, por unidade de tempo, é de $(v/2r_1)e^{-2\gamma}$, e portanto, o **tempo de vida** do núcleo pai é de

$$\tau = \frac{2r_1}{v} e^{2\gamma}. \qquad [8.28]$$

Infelizmente, não conhecemos v; mas isso pouco importa, já que o fator exponencial varia dentro de um intervalo *fantástico* (vinte e cinco ordens de magnitude) enquanto vamos de um núcleo radioativo para outro; em comparação a isso, a variação em v é muito insignificante. Em especial, se você graficar o *logaritmo* do tempo de vida obtido experimentalmente contra $1/\sqrt{E}$, o resultado será uma bela linha reta (Figura 8.6),[7] assim como você poderia esperar das equações 8.25 e 8.28.

---

*Problema 8.3 Utilize a Equação 8.22 para calcular a probabilidade de transmissão aproximada para uma partícula de energia E que encontra uma barreira quadrada finita de altura $V_0 > E$ e de largura $2a$. Compare sua resposta com o resultado exato (Problema 2.33), ao qual deveria ser reduzido no regime WKB $T \ll 1$.

**Problema 8.4 Calcule os tempos de vida de U^{238} e Po^{212} utilizando as equações 8.25 e 8.28. *Dica*: a densidade da matéria nuclear é relativamente constante (isto é, a mesma para todos os núcleos), de modo que $(r_1)^3$ é proporcional à A (somatória do número de nêutrons e prótons). Empiricamente,

$$r_1 \cong (1{,}07 \text{ fm}) A^{1/3}. \qquad [8.29]$$

---

[7] De David Park, *Introduction to the Quantum Theory*, 3ª ed., McGraw-Hill (1992); adaptado de I. Perlman e J. O. Rasmussen, 'Alpha Radioactivity', *Encyclopedia of Physics*, Vol. **42**, Springer (1957). Esse material foi reproduzido com permissão de The McGraw-Hill Companies.

A energia da partícula alfa emitida pode ser deduzida a partir da fórmula de Einstein ($E = mc^2$):

$$E = m_p c^2 - m_d c^2 - m_\alpha c^2, \qquad [8.30]$$

em que m_p é a massa do núcleo pai, m_d é a massa do núcleo filha e m_α é a massa da partícula alfa (quer dizer, o núcleo He⁴). Observe que, para saber qual é o núcleo filha, a partícula alfa carrega dois prótons e dois nêutrons, e, assim, Z diminui por 2 e A por 4. Procure por massas nucleares relevantes. Para calcular v, utilize $E = (1/2)m_\alpha v^2$; isso ignora a energia potencial (negativa) dentro do núcleo e certamente *subestima* v, mas é o melhor que podemos fazer nessa fase. Aliás, os tempos de vida experimentais são 6 x 10⁹ anos e 0,5 μs, respectivamente.

8.3 As fórmulas de conexão

Até agora, supus que as 'paredes' do poço potencial (ou a barreira) são *verticais*, e, assim, a solução 'exterior' é simples e as condições de contorno são triviais. Como podemos constatar, nossos principais resultados (equações 8.16 e 8.22) são razoavelmente precisos, mesmo quando os limites não são tão abruptos (de fato, na teoria de Gamow eles são aplicados apenas em certos casos). No entanto, é interessante estudar mais de perto o que acontece com a função de onda em um ponto de retorno ($E = V$), em que a região 'clássica' se junta à região 'não clássica', e a aproximação WKB falha. Nessa seção, tratarei do problema do estado ligado (Figura 8.1); você resolverá o problema de espalhamento sozinho (Problema 8.10).[8]

Para simplificar, mudaremos os eixos de forma que o ponto de retorno da direita ocorra em $x = 0$ (Figura 8.7). Na aproximação WKB, temos

$$\psi(x) \cong \begin{cases} \dfrac{1}{\sqrt{p(x)}} \left[B e^{\frac{i}{\hbar}\int_x^0 p(x')dx'} + C e^{-\frac{i}{\hbar}\int_x^0 p(x')dx'} \right], & \text{se } x < 0, \\ \dfrac{1}{\sqrt{|p(x)|}} D e^{-\frac{1}{\hbar}\int_0^x |p(x')|dx'}, & \text{se } x > 0. \end{cases} \qquad [8.31]$$

(Supondo que $V(x)$ permanece maior do que E para *todos* $x > 0$, podemos excluir o expoente positivo nessa região, pois ele diverge quando $x \to \infty$.) Nossa tarefa é juntar as duas soluções no contorno. Porém, há um grande empecilho: na aproximação WKB, ψ vai ao *infinito* no ponto de retorno (em que $p(x) \to 0$). A função de onda *verdadeira*, é claro, não tem esse tipo de comportamento tempestuoso; como já disse anteriormente, o método WKB simplesmente falha nas redondezas do ponto de retorno. E, no entanto, são precisamente as condições de contorno nos pontos de retorno

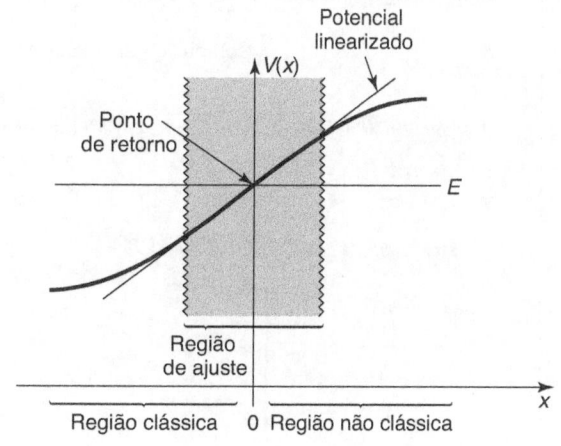

FIGURA 8.7 Vista ampliada do ponto de retorno da direita.

---
[8] *Atenção*: o seguinte argumento é bem técnico e você deve ignorá-lo na primeira leitura.

que determinam as energias permitidas. O que precisamos fazer, então, é *emendar* as duas soluções WKB em conjunto, utilizando uma função de onda 'ajustada' que atravesse o ponto de retorno.

Uma vez que só precisamos da função de onda ajustada (ψ_p) nas redondezas da origem, *aproximaremos o potencial por uma linha reta*:

$$V(x) \cong E + V'(0)x, \qquad [8.32]$$

e resolveremos a equação de Schrödinger para esse V linearizado:

$$-\frac{\hbar^2}{2m}\frac{d^2\psi_p}{dx^2} + [E + V'(0)x]\psi_p = E\psi_p,$$

ou

$$\frac{d^2\psi_p}{dx^2} = \alpha^3 x \psi_p, \qquad [8.33]$$

em que

$$\alpha \equiv \left[\frac{2m}{\hbar^2}V'(0)\right]^{1/3}. \qquad [8.34]$$

As α podem ser absorvidas pela variável independente ao definir

$$z \equiv \alpha x, \qquad [8.35]$$

assim

$$\frac{d^2\psi_p}{dz^2} = z\psi_p. \qquad [8.36]$$

Essa é a **equação de Airy**, e as soluções são chamadas de **funções de Airy**.[9] Sendo a equação de Airy uma equação diferencial de segunda ordem, há duas funções de Airy linearmente independentes, $Ai(z)$ e $Bi(z)$.

Elas estão relacionadas a funções de Bessel de ordem $1/3$; algumas de suas propriedades estão listadas na Tabela 8.1 e graficadas na Figura 8.8. Evidentemente, a função de onda ajustada é uma combinação linear de $Ai(z)$ e $Bi(z)$:

$$\psi_p(x) = aAi(\alpha x) + bBi(\alpha x), \qquad [8.37]$$

para constantes apropriadas a e b.

TABELA 8.1 Algumas propriedades das funções de Airy.

Equação diferencial:	$\dfrac{d^2 y}{dz^2} = zy.$
Soluções:	Combinações lineares das funções de Airy, $Ai(z)$ e $Bi(z)$.
Representação integral:	$Ai(z) = \dfrac{1}{\pi}\displaystyle\int_0^\infty \cos\left(\dfrac{s^3}{3} + sz\right)ds,$
	$Bi(z) = \dfrac{1}{\pi}\displaystyle\int_0^\infty \left[e^{-\frac{s^3}{3}+sz} + \operatorname{sen}\left(\dfrac{s^3}{3} + sz\right)\right]ds.$
Formas assintóticas:	

$$\left.\begin{array}{l} Ai(z) \sim \dfrac{1}{2\sqrt{\pi}z^{1/4}}e^{-\frac{2}{3}z^{3/2}} \\[6pt] Bi(z) \sim \dfrac{1}{\sqrt{\pi}z^{1/4}}e^{\frac{2}{3}z^{3/2}} \end{array}\right\} z \gg 0; \qquad \left.\begin{array}{l} Ai(z) \sim \dfrac{1}{\sqrt{\pi}(-z)^{1/4}}\operatorname{sen}\left[\dfrac{2}{3}(-z)^{3/2} + \dfrac{\pi}{4}\right] \\[6pt] Bi(z) \sim \dfrac{1}{\sqrt{\pi}(-z)^{1/4}}\cos\left[\dfrac{2}{3}(-z)^{3/2} + \dfrac{\pi}{4}\right] \end{array}\right\} z \ll 0.$$

---

9 *Classicamente*, um potencial linear significa uma força constante, e, portanto, uma aceleração constante; é o movimento não trivial possível mais simples, e o ponto de *partida* para a mecânica elementar. É curioso que o mesmo potencial na mecânica *quântica* dê origem a funções transcendentais desconhecidas e desempenhe um papel periférico na teoria.

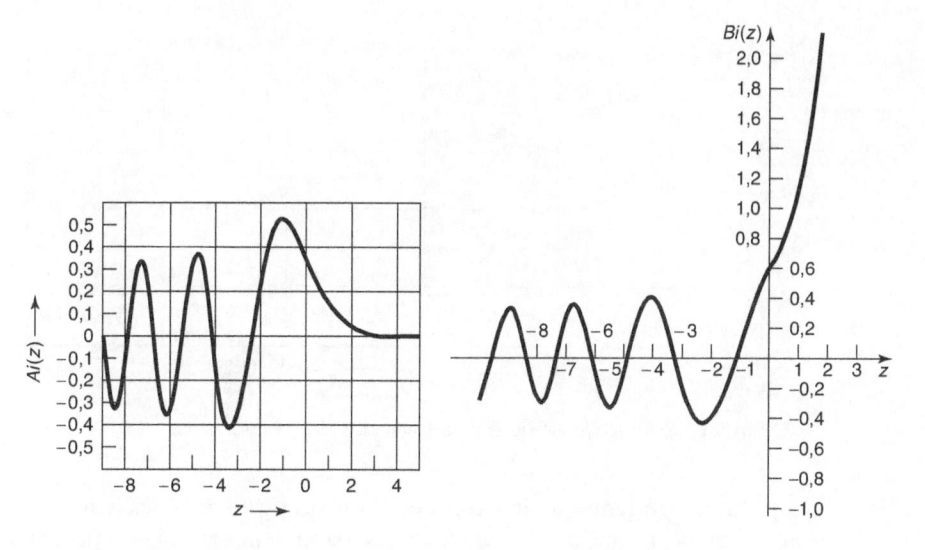

FIGURA 8.8 Gráfico das funções de Airy.

Agora, ψ_p é a função de onda (aproximada) nas redondezas da origem; nossa função é combinar as soluções WKB na sobreposição das regiões de ambos os lados (veja a Figura 8.9). As zonas de sobreposição estão próximas o suficiente do ponto de retorno, tanto que o potencial linearizado é razoavelmente preciso (de modo que, ψ_p é uma boa aproximação da função de onda verdadeira), mas, mesmo assim, longe o suficiente do ponto de retorno em que a aproximação WKB é confiável.[10] Nas regiões de sobreposição, a Equação 8.32 se mantém, e, portanto (na notação da Equação 8.34),

$$p(x) \cong \sqrt{2m(E-E-V'(0)x)} = \hbar\alpha^{3/2}\sqrt{-x}. \qquad [8.38]$$

Em especial, na região de sobreposição 2,

$$\int_0^x |p(x')|\,dx \cong \hbar\alpha^{3/2}\int_0^x \sqrt{x'}\,dx' = \frac{2}{3}\hbar(\alpha x)^{3/2},$$

logo, a função de onda WKB (Equação 8.31) pode ser escrita como

$$\psi(x) \cong \frac{D}{\sqrt{\hbar}\alpha^{3/4}x^{1/4}}e^{-\frac{2}{3}(\alpha x)^{3/2}}. \qquad [8.39]$$

Entretanto, utilizando as formas assintóticas[11] para z grande das funções de Airy (da Tabela 8.1), as funções de onda ajustadas (Equação 8.37) na região de sobreposição 2 vêm a ser

$$\psi_p(x) \cong \frac{a}{2\sqrt{\pi}(\alpha x)^{1/4}}e^{-\frac{2}{3}(\alpha x)^{3/2}} + \frac{b}{\sqrt{\pi}(\alpha x)^{1/4}}e^{\frac{2}{3}(\alpha x)^{3/2}}. \qquad [8.40]$$

Comparando as duas soluções, vemos que

$$a = \sqrt{\frac{4\pi}{\alpha\hbar}}D \quad \text{e} \quad b = 0. \qquad [8.41]$$

---

10 Essa é uma restrição dupla delicada, e é possível inventar potenciais tão patológicos que tal região de sobreposição não exista. Entretanto, em aplicações práticas, isso raramente ocorre. Veja o Problema 8.8.

11 À primeira vista, parece absurdo utilizar uma aproximação z grande nessa região que, afinal, deveria estar razoavelmente próxima do ponto de retorno em $z = 0$ (assim, a aproximação linear para o potencial é válida). Porém, note que o argumento é αx, e se você estudar a questão com cuidado (veja o Problema 8.8), descobrirá que *existe* (tipicamente) uma região na qual αx é grande, mas, ao mesmo tempo, é razoável aproximar $V(x)$ por uma linha reta.

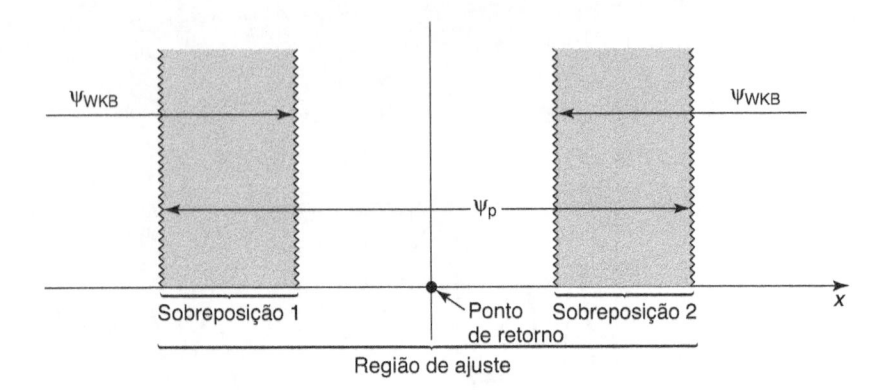

FIGURA 8.9 Região de ajuste e as duas zonas de sobreposição.

Agora podemos voltar e repetir o procedimento para a região de sobreposição 1. Mais uma vez, $p(x)$ é dado pela Equação 8.38, só que agora x é *negativo*, então,

$$\int_x^0 p(x')dx' \cong \frac{2}{3}\hbar(-\alpha x)^{3/2} \qquad [8.42]$$

e a função de onda WKB (Equação 8.31) é

$$\psi(x) \cong \frac{1}{\sqrt{\hbar}\alpha^{3/4}(-x)^{1/4}}\left[Be^{i\frac{2}{3}(-\alpha x)^{3/2}} + Ce^{-i\frac{2}{3}(-\alpha x)^{3/2}}\right]. \qquad [8.43]$$

Enquanto isso, utilizando a forma assintótica da função de Airy para z grande *negativo* (Tabela 8.1), a função ajustada (Equação 8.37, com $b = 0$) diz que

$$\psi_p(x) \cong \frac{a}{\sqrt{\pi}(-\alpha x)^{1/4}}\,\text{sen}\left[\frac{2}{3}(-\alpha x)^{3/2} + \frac{\pi}{4}\right]$$

$$= \frac{a}{\sqrt{\pi}(-\alpha x)^{1/4}}\frac{1}{2i}\left[e^{i\pi/4}e^{i\frac{2}{3}(-\alpha x)^{3/2}} - e^{-i\pi/4}e^{-i\frac{2}{3}(-\alpha x)^{3/2}}\right]. \qquad [8.44]$$

Comparando as funções de onda WKB e ajustada na região de sobreposição 1, encontramos

$$\frac{a}{2i\sqrt{\pi}}e^{i\pi/4} = \frac{B}{\sqrt{\hbar\alpha}} \quad \text{e} \quad \frac{-a}{2i\sqrt{\pi}}e^{-i\pi/4} = \frac{C}{\sqrt{\hbar\alpha}},$$

ou, acrescentando a Equação 8.41 para a:

$$B = -ie^{i\pi/4}D \quad \text{e} \quad C = ie^{-i\pi/4}D. \qquad [8.45]$$

Essas são chamadas **fórmulas de conexão**, que unem as soluções WKB em ambos os lados do ponto de retorno. Não utilizaremos mais a função de onda ajustada. Seu único propósito era o de superar a lacuna. Expressando isso tudo em termos da constante de normalização D, e deslocando o ponto de retorno para trás da origem até um ponto arbitrário x_2, a função de onda WKB (Equação 8.31) vem a ser

$$\psi(x) \cong \begin{cases} \dfrac{2D}{\sqrt{p(x)}}\,\text{sen}\left[\dfrac{1}{\hbar}\int_x^{x_2}p(x')dx' + \dfrac{\pi}{4}\right], & \text{se } x < x_2; \\[2ex] \dfrac{D}{\sqrt{|p(x)|}}\exp\left[-\dfrac{1}{\hbar}\int_{x_2}^x|p(x')|dx'\right], & \text{se } x > x_2. \end{cases} \qquad [8.46]$$

Exemplo 8.3 Poço potencial com uma parede vertical. Imagine um poço potencial que tenha um lado vertical (em $x = 0$) e um lado inclinado (Figura 8.10). Nesse caso, $\psi(0) = 0$, de modo que a Equação 8.46 diz

$$\frac{1}{\hbar}\int_0^{x_2} p(x)dx + \frac{\pi}{4} = n\pi \quad (n = 1,2,3,...),$$

ou

$$\int_0^{x_2} p(x)dx = \left(n - \frac{1}{4}\right)\pi\hbar. \qquad [8.47]$$

Por exemplo, considere o 'meio oscilador harmônico',

$$V(x) = \begin{cases} \frac{1}{2}m\omega^2 x^2, & \text{se } x > 0, \\ 0, & \text{caso contrário.} \end{cases} \qquad [8.48]$$

Nesse caso,

$$p(x) = \sqrt{2m[E - (1/2)m\omega^2 x^2]} = m\omega\sqrt{x_2^2 - x^2},$$

em que

$$x_2 = \frac{1}{\omega}\sqrt{\frac{2E}{m}}$$

é o ponto de retorno. Assim

$$\int_0^{x_2} p(x)dx = m\omega \int_0^{x_2} \sqrt{x_2^2 - x^2}\,dx = \frac{\pi}{4}m\omega x_2^2 = \frac{\pi E}{2\omega},$$

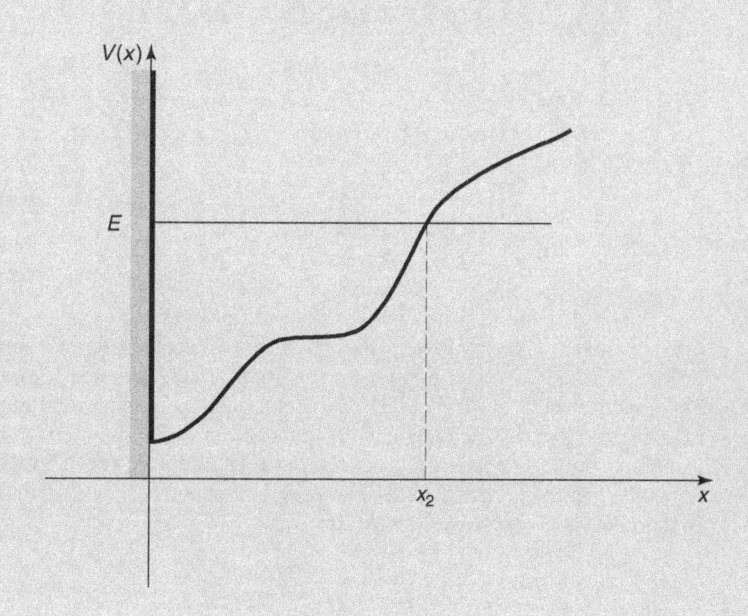

FIGURA 8.10 Poço potencial com uma parede vertical.

e a condição de quantização (Equação 8.47) produz

$$E_n = \left(2n - \frac{1}{2}\right)\hbar\omega = \left(\frac{3}{2}, \frac{7}{2}, \frac{11}{2}, \ldots\right)\hbar\omega. \quad [8.49]$$

Nesse caso em especial, a aproximação WKB realmente encontra as energias permitidas *exatas* (as quais são precisamente as energias *ímpares* do oscilador harmônico *completo*; veja o Problema 2.42).

Exemplo 8.4 Poço potencial sem paredes verticais. A Equação 8.46 conecta as funções de onda WKB no ponto de retorno no qual a inclinação potencial *ascende* (Figura 8.11(a)); o mesmo raciocínio, aplicado a um ponto de retorno com inclinação *descendente* (Figura 8.11(b)), produz (Problema 8.9)

$$\psi(x) \cong \begin{cases} \dfrac{D'}{\sqrt{|p(x)|}} \exp\left[-\dfrac{1}{\hbar}\int_{x}^{x_1}|p(x')|dx'\right], & \text{se } x < x_1; \\ \dfrac{2D'}{\sqrt{p(x)}} \operatorname{sen}\left[\dfrac{1}{\hbar}\int_{x_1}^{x}p(x')dx' + \dfrac{\pi}{4}\right], & \text{se } x > x_1. \end{cases} \quad [8.50]$$

Em especial, se estamos falando sobre um poço potencial (Figura 8.11(c)), a função de onda na região 'interior' ($x_1 < x < x_2$) pode ser escrita *tanto* como

$$\psi(x) \cong \frac{2D}{\sqrt{p(x)}} \operatorname{sen}\theta_2(x), \quad \text{em que } \theta_2(x) \equiv \frac{1}{\hbar}\int_{x}^{x_2}p(x')dx' + \frac{\pi}{4},$$

(Equação 8.46) *quanto* como

$$\psi(x) \cong \frac{-2D'}{\sqrt{p(x)}} \operatorname{sen}\theta_1(x), \quad \text{em que } \theta_1(x) \equiv -\frac{1}{\hbar}\int_{x_1}^{x}p(x')dx' - \frac{\pi}{4},$$

(Equação 8.50). Evidentemente, os argumentos das funções seno devem ser iguais, módulo π:[12] $\theta_2 = \theta_1 + n\pi$, a partir do qual segue-se que

$$\int_{x_1}^{x_2} p(x)dx = \left(n - \frac{1}{2}\right)\pi\hbar, \quad \text{com } n = 1, 2, 3, \ldots. \quad [8.51]$$

Essa condição de quantização determina as energias permitidas para o caso 'típico' de um poço potencial com os dois lados inclinados. Perceba que ela difere das fórmulas para duas paredes verticais (Equação 8.16) ou para uma parede vertical (Equação 8.47) somente no número que é subtraído de n (0, ¼ ou ½). A aproximação WKB funciona melhor no regime semiclássico (n grande), então a distinção é mais na aparência do que na essência. Em todo caso, o resultado é extraordinariamente poderoso, pois nos permite calcular (aproximadamente) as energias permitidas *sem nunca resolver a equação de Schrödinger*, simplesmente por meio da avaliação de uma integral. A função de onda sumiu de nossas vistas.

---

[12] *Não* 2π — um sinal geral de menos pode ser absorvido pelos fatores de normalização D e D'.

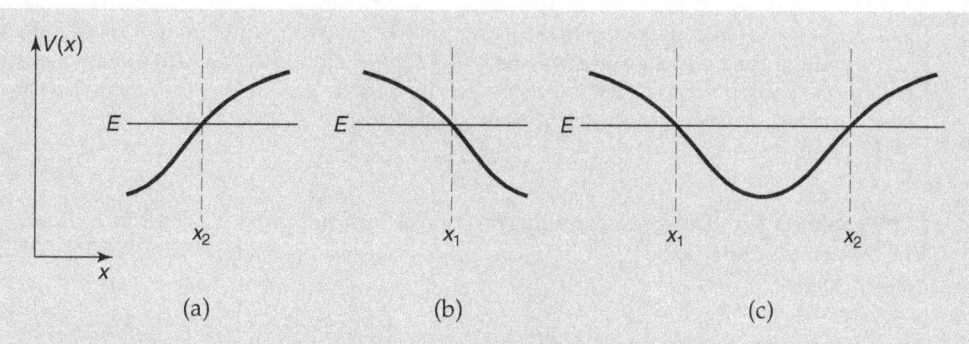

FIGURA 8.11 Pontos de retorno em inclinação ascendente e em inclinação descendente.

Problema 8.5 Considere o caso mecânico quântico equivalente ao problema clássico de uma bola (massa m) quicando elasticamente no chão.[13]

(a) Qual é a energia potencial em função da altura x acima do piso? (Para x negativo, o potencial é *infinito*; a bola não consegue chegar lá.)

(b) Resolva a equação de Schrödinger para esse potencial, expressando sua resposta em termos da função de Airy adequada (observe que $Bi(z)$ diverge para z grande, e deve, portanto, ser rejeitado). Não é preciso normalizar $\psi(x)$.

(c) Usando $g = 9{,}80$ m/s² e $m = 0{,}100$ kg, encontre as quatro primeiras energias permitidas, em joules, e arredonde para três algarismos significativos. *Dica:* veja Milton Abramowitz e Irene A. Stegun, *Handbook of Mathematical Functions*, Dover, Nova York (1970), p. 478; a notação está definida na p. 450.

(d) Qual é a energia do estado fundamental, em eV, de um *elétron* nesse campo gravitacional? Em média o quão longe do chão está esse elétron? *Dica:* use o teorema do virial para determinar $\langle x \rangle$.

Problema 8.6 Analise a bola oscilante (Problema 8.5) utilizando a aproximação WKB.

(a) Encontre as energias permitidas, E_n, em termos de m, g e $\hbar$.

(b) Agora utilize os valores específicos do Problema 8.5(c) e compare a aproximação WKB para as quatro primeiras energias com os resultados 'exatos'.

(c) O quão grande o número quântico n tem de ser para dar à bola uma altura média de, digamos, 1 metro acima do chão?

Problema 8.7 Use a aproximação WKB para encontrar as energias permitidas do oscilador harmônico.

Problema 8.8 Considere uma partícula de massa m no n-ésimo estado estacionário do oscilador harmônico (frequência angular ω).

(a) Calcule o ponto de retorno, x_2.

(b) Que distância (d) você poderia percorrer *acima* do ponto de retorno antes que o erro no potencial linearizado (Equação 8.32, mas com o ponto de retorno em x_2) chegasse a 1 por cento? Isto é, se

$$\frac{V(x_2 + d) - V_{\text{lin}}(x_2 + d)}{V(x_2)} = 0{,}01,$$

qual é o valor de d?

---

[13] Para saber mais sobre a bola oscilante quântica, veja J. Gea-Banacloche, *Am. J. Phys.* **67**, 776 (1999) e N. Wheeler, 'Classical/quantum dynamics in a uniform gravitational field', relatório não publicado, Reed College (2002). Pode parecer um problema extremamente artificial, porém, o experimento foi realmente feito com o uso de nêutrons (V. V. Nesvizhevsky et al., Nature **415**, 297 (2002)).

(c) A forma assintótica de $Ai(z)$ é precisa em 1 por cento, contanto que $z \geq 5$. Para d na parte (b), determine o menor n tal que $\alpha d \geq 5$. (Para qualquer n maior do que isso existe uma região de sobreposição na qual o potencial linearizado é bom em 1 por cento *e* a forma da função de Airy para z grande é boa para 1 por cento).

Problema 8.9 Derive as fórmulas de conexão em um ponto de retorno inclinado descendente e confirme a Equação 8.50.

***Problema 8.10** Utilize as fórmulas de conexão apropriadas para analisar o problema de espalhamento de uma barreira com paredes inclinadas (Figura 8.12). *Dica:* comece escrevendo a função de onda WKB na forma

$$\psi(x) \cong \begin{cases} \dfrac{1}{\sqrt{p(x)}}\left[Ae^{\frac{i}{\hbar}\int_x^{x_1}p(x')dx'} + Be^{-\frac{i}{\hbar}\int_x^{x_1}p(x')dx'}\right], & (x < x_1); \\ \dfrac{1}{\sqrt{|p(x)|}}\left[Ce^{\frac{1}{\hbar}\int_{x_1}^x|p(x')|dx'} + De^{-\frac{1}{\hbar}\int_{x_1}^x|p(x')|dx'}\right], & (x_1 < x < x_2); \\ \dfrac{1}{\sqrt{p(x)}}\left[Fe^{\frac{i}{\hbar}\int_{x_2}^x p(x')dx'}\right], & (x > x_2). \end{cases} \quad [8.52]$$

Não suponha que $C = 0$. Calcule a probabilidade de tunelamento, $T = |F|^2 / |A|^2$, e demonstre que seu resultado se reduz à Equação 8.22 no caso de uma barreira ampla e alta.

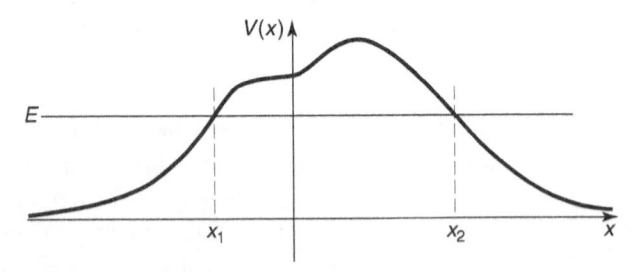

FIGURA 8.12 Barreira com paredes inclinadas.

Mais problemas para o Capítulo 8

Problema 8.11 Utilize a aproximação WKB para encontrar as energias permitidas do potencial geral de lei de potência:

$$V(x) = \alpha |x|^v,$$

em que v é um número positivo. Verifique seu resultado para o caso $v = 2$. *Resposta:*[14]

$$E_n = \alpha\left[(n - 1/2)\hbar\sqrt{\dfrac{\pi}{2m\alpha}}\dfrac{\Gamma\left(\dfrac{1}{v} + \dfrac{3}{2}\right)}{\Gamma\left(\dfrac{1}{v} + 1\right)}\right]^{\left(\dfrac{2v}{v+2}\right)} \quad [8.53]$$

Problema 8.12 Use a aproximação WKB para encontrar a energia do estado ligado para o potencial no Problema 2.51. Compare com a resposta exata. *Resposta:* $-[(9/8) - (1/\sqrt{2})]\hbar^2 a^2/m$.

---

[14] Como sempre, o resultado WKB é mais preciso no regime semiclássico (n grande). Em especial, a Equação 8.53 não é muito adequada para o estado fundamental ($n = 1$). Veja W. N. Mei, *Am. J. Phys.* **66**, 541 (1998).

Problema 8.13 Para potenciais esfericamente simétricos, podemos aplicar a aproximação WKB à parte radial (Equação 4.37). No caso $l = 0$, o mais sensato[15] é utilizar a Equação 8.47 na forma

$$\int_0^{r_0} p(r)dr = (n - 1/4)\pi\hbar, \quad [8.54]$$

em que r_0 é o ponto de retorno (de fato, tratamos $r = 0$ como uma parede infinita). Explore essa fórmula para calcular as energias permitidas de uma partícula no potencial logarítmico

$$V(r) = V_0 \ln(r/a)$$

(para V_0 e a constantes). Considere somente o caso $l = 0$. Demonstre que o espaçamento entre os níveis é independente da massa. *Resposta parcial:*

$$E_{n+1} - E_n = V_0 \ln\left(\frac{n+3/4}{n-1/4}\right).$$

**Problema 8.14 Utilize a aproximação WKB na forma

$$\int_{r_1}^{r_2} p(r)dr = (n - 1/2)\pi\hbar \quad [8.55]$$

para estimar as energias do estado ligado para o hidrogênio. Não se esqueça do termo centrífugo no potencial efetivo (Equação 4.38). A integral a seguir pode ajudar:

$$\int_a^b \frac{1}{x}\sqrt{(x-a)(b-x)}\,dx = \frac{\pi}{2}(\sqrt{b} - \sqrt{a})^2. \quad [8.56]$$

Observe que você recupera os níveis de Bohr quando $n \gg l$ e $n \gg \frac{1}{2}$. *Resposta:*

$$E_{nl} \cong \frac{-13{,}6\text{ eV}}{\{n - (1/2) + \sqrt{l(l+1)}\}^2}. \quad [8.57]$$

***Problema 8.15 Considere o caso de um poço duplo simétrico tal qual o retratado na Figura 8.13. Estamos interessados nos estados ligados com $E < V(0)$.

(a) Escreva as funções de onda WKB nas regiões (i) $x > x_2$, (ii) $x_1 < x < x_2$ e (iii) $0 < x < x_1$. Aplique as fórmulas de conexão apropriadas em x_1 e x_2 (isso já foi feito para x_2 na Equação 8.46; você terá de trabalhar x_1) para mostrar que

$$\psi(x) \cong \begin{cases} \dfrac{D}{\sqrt{|p(x)|}} \exp\left[-\dfrac{1}{\hbar}\int_{x_2}^x |p(x')|dx'\right], & \text{(i)} \\[2mm] \dfrac{2D}{\sqrt{p(x)}} \operatorname{sen}\left[\dfrac{1}{\hbar}\int_x^{x_2} p(x')dx' + \dfrac{\pi}{4}\right], & \text{(ii)} \\[2mm] \dfrac{D}{\sqrt{|p(x)|}}\left[2\cos\theta\, e^{\frac{1}{\hbar}\int_x^{x_1}|p(x')|dx'} + \operatorname{sen}\theta\, e^{-\frac{1}{\hbar}\int_x^{x_1}|p(x')|dx'}\right], & \text{(iii)} \end{cases}$$

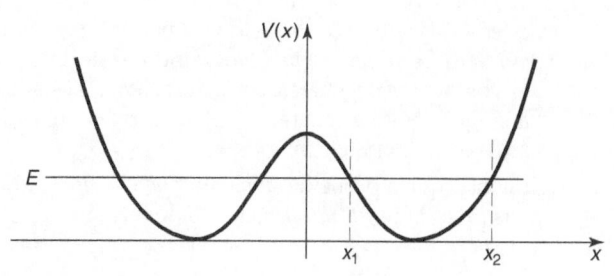

FIGURA 8.13 Poço duplo simétrico; Problema 8.15.

em que

$$\theta \equiv \frac{1}{\hbar}\int_{x_1}^{x_2} p(x)dx. \quad [8.58]$$

(b) Como $V(x)$ é simétrico, precisamos considerar apenas as funções de onda pares (+) e ímpares (−). No primeiro caso, $\psi'(0) = 0$, e no segundo caso, $\psi(0) = 0$. Mostre que isso leva à seguinte condição de quantização:

$$\operatorname{tg}\theta = \pm 2e^\phi, \quad [8.59]$$

em que

$$\phi \equiv \frac{1}{\hbar}\int_{-x_1}^{x_1} |p(x')|\,dx'. \quad [8.60]$$

A Equação 8.59 determina as energias permitidas (aproximadas) (Observe que E está em x_1 e x_2, de modo que θ e ϕ são ambas funções de E.)

(c) Estamos particularmente interessados em uma barreira central alta e/ou ampla, caso para o qual ϕ é grande e e^ϕ é *enorme*. Então, a Equação 8.59 nos diz que θ deve ser um valor muito próximo ao de um múltiplo semi-inteiro de π. Com isso em mente, escreva $\theta = (n + 1/2)\pi + \epsilon$, em que $|\epsilon| \ll 1$ e demonstre que a condição de quantização vem a ser

$$\theta \cong \left(n + \frac{1}{2}\right)\pi \mp \frac{1}{2}e^{-\phi}. \quad [8.61]$$

(d) Suponha que cada poço seja uma parábola:[16]

$$V(x) = \begin{cases} \dfrac{1}{2}m\omega^2(x+a)^2, & \text{se } x < 0, \\[2mm] \dfrac{1}{2}m\omega^2(x-a)^2, & \text{se } x > 0. \end{cases} \quad [8.62]$$

Esboce esse potencial, calcule θ (Equação 8.58) e demonstre que

$$E_n^\pm \cong \left(n + \frac{1}{2}\right)\hbar\omega \mp \frac{\hbar\omega}{2\pi}e^{-\phi}. \quad [8.63]$$

Comentário: se a barreira central fosse impenetrável ($\phi \to \infty$) teríamos simplesmente dois osciladores harmônicos independentes, e as energias, $E_n = (n + 1/2)\hbar\omega$, seriam duplamente degeneradas, já que a partícula

---

[15] A aplicação da aproximação WKB à equação radial levanta alguns problemas delicados e sutis que não abordarei aqui. O trabalho clássico sobre o assunto é de R. Langer, *Phys. Rev.* **51**, 669 (1937).

[16] Mesmo que $V(x)$ não seja estritamente parabólico em cada poço, esse cálculo de θ, e, portanto, o resultado (Equação 8.63), será *aproximadamente* correto no sentido discutido no início da Seção 2.3 com $\omega \equiv \sqrt{V''(x_0)/m}$, em que x_0 é a posição do mínimo.

poderia estar no poço esquerdo ou no direito. Quando a barreira se torna *finita* (colocando os dois poços em 'contato'), a degenerescência aumenta. Os estados pares (ψ_n^+) têm uma energia um pouco *menor*, e os ímpares (ψ_n^-), um pouco maior.

(e) Suponha que a partícula inicie no poço *direito* — ou, mais precisamente, em um estado de forma

$$\Psi(x,0) = \frac{1}{\sqrt{2}}(\psi_n^+ + \psi_n^-),$$

o qual, supondo que as fases sejam escolhidas da maneira 'natural', ficará concentrado no poço direito. Mostre que ela oscila para a frente e para trás entre os poços com um período

$$\tau = \frac{2\pi^2}{\omega} e^\phi. \qquad [8.64]$$

(f) Calcule ϕ para um potencial específico na parte (d) e demonstre que para $V(0) \gg E$, $\phi \sim m\omega a^2/\hbar$.

Problema 8.16 Tunelamento no efeito Stark. Quando você ativa um campo elétrico externo, os elétrons em um átomo podem, em princípio, tunelar, ionizando o átomo. *Pergunta*: é provável que isso aconteça em um típico experimento de efeito Stark? Podemos calcular a probabilidade dessa ocorrência utilizando um modelo bruto unidimensional, como se segue. Imagine uma partícula em um poço quadrado finito muito profundo (Seção 2.6).

(a) Qual é a energia do estado fundamental medida a partir do fundo do poço? Suponha que $V_0 \gg \hbar^2/ma^2$.

Dica: essa é apenas a energia do estado fundamental do poço quadrado *infinito* (de largura 2*a*).

(b) Agora, introduza a perturbação $H' = -\alpha x$ (para um elétron em um campo elétrico $\mathbf{E} = -E_{ext}\hat{\imath}$ teríamos $\alpha = eE_{ext}$). Suponha que ela seja relativamente fraca ($\alpha a \ll \hbar^2/ma^2$). Esboce o potencial total, e note que a partícula já pode tunelar no sentido de *x* positivo.

(c) Calcule o fator de tunelamento γ (Equação 8.22) e calcule o tempo que levaria para uma partícula escapar (Equação 8.28). *Resposta*: $\gamma = \sqrt{8mV_0^3/3\alpha\hbar}$, $\tau = (8ma^2/\pi\hbar)e^{2\gamma}$.

(d) Faça uso de números razoáveis: $V_0 = 20$ eV (energia de ligação típica para um elétron externo), $a = 10^{-10}$ m (raio atômico típico), $E_{ext} = 7 \times 10^6$ V/m (campo forte), *e* e *m* para carga e massa do elétron. Calcule τ e compare-o com a idade do universo.

Problema 8.17 Quanto tempo levaria para uma lata de cerveja em temperatura ambiente tombar espontaneamente como resultado do tunelamento quântico? *Dica*: considere a lata como um cilindro uniforme de massa *m*, raio *R* e comprimento *h*. Conforme a lata se inclina, seja *x* a altura do centro acima de sua posição de equilíbrio (*h*/2). A energia potencial é *mgx*, e ela cai quando *x* atinge o valor crítico $x_0 = \sqrt{R^2 + (h/2)^2} - h/2$. Calcule a probabilidade de tunelamento (Equação 8.22) para $E = 0$. Utilize a Equação 8.28 com energia termal $((1/2)mv^2 = (1/2)k_BT)$ para calcular a velocidade. Utilize números razoáveis e dê sua resposta final em anos.[17]

---

17 R. E. Crandall, *Scientific American*, fevereiro 1997, p. 74.

Capítulo 9
Teoria de perturbação dependente do tempo

Até agora, praticamente tudo o que fizemos pertence ao assunto que pode ser adequadamente chamado de **estatística quântica**, na qual a função de energia potencial é *independente do tempo*: $V(\mathbf{r}, t) = V(\mathbf{r})$. Nesse caso, a equação de Schrödinger (dependente do tempo),

$$H\Psi = i\hbar \frac{\partial \Psi}{\partial t},$$

pode ser resolvida por separação de variáveis:

$$\Psi(\mathbf{r}, t) = \psi(\mathbf{r}) e^{-iEt/\hbar},$$

em que $\psi(\mathbf{r})$ satisfaz a equação de Schrödinger independente do tempo,

$$H\psi = E\psi.$$

Como a dependência do tempo das soluções separáveis é carregada pelo fator exponencial ($e^{-iEt/\hbar}$), o qual se cancela quando construímos a quantidade fisicamente relevante $|\Psi|^2$, todas as probabilidades e valores esperados são constantes no tempo. Ao formar *combinações lineares* desses estados estacionários, obtemos funções de onda com uma dependência do tempo mais interessante, mas, mesmo assim, até os valores possíveis de energia e suas respectivas probabilidades serão constantes.

Se quisermos permitir **transições** (**saltos quânticos**, como às vezes são chamados) entre um nível de energia e outro, teremos de introduzir um potencial *dependente do tempo* (**dinâmica quântica**). Existem poucos e valiosos problemas que podem ser resolvidos com precisão na dinâmica quântica. Entretanto, se a parte dependente do tempo do Hamiltoniano for pequena quando comparada à parte independente do tempo ela pode ser tratada como uma perturbação. Meu objetivo neste capítulo é desenvolver a teoria de perturbação dependente do tempo e estudar sua aplicação mais importante: a emissão ou a absorção de radiação por um átomo.

9.1 Sistemas de dois níveis

Para começar, vamos supor que existam apenas *dois* estados do sistema (não perturbado), ψ_a e ψ_b. Eles são autoestados do Hamiltoniano não perturbado, H^0:

$$H^0\psi_a = E_a\psi_a \quad \text{e} \quad H^0\psi_b = E_b\psi_b, \qquad [9.1]$$

os quais são ortonormais:

$$\langle \psi_a | \psi_b \rangle = \delta_{ab}. \qquad [9.2]$$

Qualquer estado pode ser expresso como uma combinação linear deles; em especial,

$$\Psi(0) = c_a\psi_a + c_b\psi_b. \qquad [9.3]$$

Os estados ψ_a e ψ_b podem ser funções de onda no espaço de posições, spinores, ou algo mais exótico, não importa; é a dependência do *tempo* que nos preocupa, então, quando escrevo $\Psi(t)$, estou simplesmente estabelecendo o estado do sistema no tempo t. Na falta de qualquer perturbação, cada componente evolui com seu fator exponencial característico:

$$\Psi(t) = c_a\psi_a e^{-iE_a t/\hbar} + c_b\psi_b e^{-iE_b t/\hbar}. \qquad [9.4]$$

Dizemos que $|c_a|^2$ é a 'probabilidade de que a partícula esteja no estado ψ_a' — por meio do qual *realmente* estabelecemos a probabilidade de que a medição de energia produza o valor E_a. A normalização de Ψ requer, é claro, que

$$|c_a|^2 + |c_b|^2 = 1. \qquad [9.5]$$

9.1.1 O sistema perturbado

Agora, suponha que ativemos uma perturbação dependente do tempo, $H'(t)$. Sendo que ψ_a e ψ_b constituem um conjunto completo, a função de onda $\Psi(t)$ pode ainda ser expressa como uma combinação linear delas. A única diferença é que c_a e c_b são agora *funções de* t:

$$\Psi(t) = c_a(t)\psi_a e^{-iE_a t/\hbar} + c_b(t)\psi_b e^{-iE_b t/\hbar}. \qquad [9.6]$$

(Eu poderia assimilar os fatores exponenciais em $c_a(t)$ e $c_b(t)$, e algumas pessoas preferem fazer isso, mas acho que é melhor manter visível a parte da dependência do tempo que estaria presente mesmo *sem* a perturbação.) O maior problema é determinar c_a e c_b como funções do tempo. Se a partícula estivesse, por exemplo, no estado ψ_a ($c_a(0) = 1, c_b(0) = 0$), e em algum tempo posterior t_1 descobríssemos que $c_a(t_1) = 0, c_b(t_1) = 1$, saberíamos que o sistema sofreu uma transição de ψ_a para ψ_b.

Capítulo 9 Teoria de perturbação dependente do tempo

Resolvemos $c_a(t)$ e $c_b(t)$ exigindo que $\Psi(t)$ satisfaça a equação de Schrödinger dependente do tempo,

$$H\Psi = i\hbar \frac{\partial \Psi}{\partial t}, \quad \text{em que} \quad H = H^0 + H'(t). \quad [9.7]$$

Por causa das equações 9.6 e 9.7, sabemos que

$$c_a\left[H^0\psi_a\right]e^{-iE_a t/\hbar} + c_b\left[H^0\psi_b\right]e^{-iE_b t/\hbar} + c_a\left[H'\psi_a\right]e^{-iE_a t/\hbar} + c_b\left[H'\psi_b\right]e^{-iE_b t/\hbar}$$
$$= i\hbar\left[\dot{c}_a\psi_a e^{-iE_a t/\hbar} + \dot{c}_b\psi_b e^{-iE_b t/\hbar}\right.$$
$$\left. + c_a\psi_a\left(-\frac{iE_a}{\hbar}\right)e^{-iE_a t/\hbar} + c_b\psi_b\left(-\frac{iE_b}{\hbar}\right)e^{-iE_b t/\hbar}\right].$$

Em vista da Equação 9.1, os dois primeiros termos do lado esquerdo cancelam os dois últimos termos do lado direito e, portanto,

$$c_a\left[H'\psi_a\right]e^{-iE_a t/\hbar} + c_b\left[H'\psi_b\right]e^{-iE_b t/\hbar} = i\hbar\left[\dot{c}_a\psi_a e^{-iE_a t/\hbar} + \dot{c}_b\psi_b e^{-iE_b t/\hbar}\right]. \quad [9.8]$$

Para isolar $\dot{c}_a$, usamos o truque padrão: tome o produto interno com ψ_a e explore a ortogonalidade de ψ_a e ψ_b (Equação 9.2):

$$c_a\left\langle\psi_a|H'|\psi_a\right\rangle e^{-iE_a t/\hbar} + c_b\left\langle\psi_a|H'|\psi_b\right\rangle e^{-iE_b t/\hbar} = i\hbar\dot{c}_a e^{-iE_a t/\hbar}.$$

Resumindo, definimos

$$H'_{ij} \equiv \left\langle\psi_i|H'|\psi_j\right\rangle; \quad [9.9]$$

observe que a hermeticidade de H' implica em $H'_{ji} = (H'_{ij})^*$. Multiplicando por $-(i/\hbar)e^{iE_a t/\hbar}$, concluímos que:

$$\dot{c}_a = -\frac{i}{\hbar}\left[c_a H'_{aa} + c_b H'_{ab} e^{-i(E_b - E_a)t/\hbar}\right]. \quad [9.10]$$

Similarmente, o produto interno com ψ_b separa $\dot{c}_b$:

$$c_a\left\langle\psi_b|H'|\psi_a\right\rangle e^{-iE_a t/\hbar} + c_b\left\langle\psi_b|H'|\psi_b\right\rangle e^{-iE_b t/\hbar} = i\hbar\dot{c}_b e^{-iE_b t/\hbar},$$

logo

$$\dot{c}_b = -\frac{i}{\hbar}\left[c_b H'_{bb} + c_a H'_{ba} e^{i(E_b - E_a)t/\hbar}\right]. \quad [9.11]$$

As equações 9.10 e 9.11 determinam $c_a(t)$ e $c_b(t)$; juntas, elas são completamente equivalentes à equação de Schrödinger (dependente do tempo) para um sistema de dois níveis. Tipicamente, os elementos diagonais da matriz de H' desaparecem (veja o Problema 9.4 para o caso geral):

$$H'_{aa} = H'_{bb} = 0. \qquad [9.12]$$

Em caso afirmativo, as equações se simplificam:

$$\dot{c}_a = -\frac{i}{\hbar} H'_{ab} e^{-i\omega_0 t} c_b, \quad \dot{c}_b = -\frac{i}{\hbar} H'_{ba} e^{-i\omega_0 t} c_a, \qquad [9.13]$$

em que

$$\omega_0 \equiv \frac{E_b - E_a}{\hbar}. \qquad [9.14]$$

(Suponho que $E_b \geq E_a$ e assim $\omega_0 \geq 0$.)

---

*Problema 9.1 Um átomo de hidrogênio é colocado em um campo elétrico (dependente do tempo) $\mathbf{E} = E(t)\hat{k}$. Calcule os quatro elementos da matriz H'_{ij} da perturbação $H' = eEz$ entre o estado fundamental ($n = 1$) e os primeiros estados excitados (quadruplamente degenerado) ($n = 2$). Demonstre também que $H'_{ii} = 0$ para os cinco estados. *Nota*: nesse caso, há apenas uma integral para ser resolvida se você explorar a singularidade em relação a z; apenas um dos estados $n = 2$ é 'acessível' a partir do estado fundamental de uma perturbação desse tipo, e, portanto, o sistema funciona como uma configuração de dois estados — supondo que as transições para os estados mais excitados possam ser ignoradas.

---

*Problema 9.2 Resolva a Equação 9.13 para o caso da perturbação *independente do tempo*, supondo que $c_a(0) = 1$ e $c_b(0) = 0$. Verifique que $|c_a(t)|^2 + |c_b(t)|^2 = 1$. *Comentário*: aparentemente, esse sistema oscila entre o 'puro ψ_a' e 'um ψ_b'. Isso não contradiz minha afirmação geral de que nenhuma transição ocorre para perturbações independentes do tempo? Não, mas a razão para isso é bastante sutil: nesse caso, ψ_a e ψ_b não são, e nunca foram, autoestados do Hamiltoniano — uma medição de energia *nunca* produz E_a ou E_b. Normalmente, na teoria perturbacional dependente do tempo, contemplamos a *ativação* da perturbação por um tempo, e depois, novamente a *desativação*, a fim de analisar o sistema. No início e no final, ψ_a e ψ_b são autoestados do Hamiltoniano exato, e, somente nesse contexto, faz sentido dizer que o sistema fez uma transição de um para o outro. Para o problema atual, então, suponha que a perturbação foi ativada no tempo $t = 0$ e desativada novamente no tempo t; isso não afeta os *cálculos*, mas permite uma interpretação mais sensata do resultado.

**Problema 9.3 Suponha que a perturbação tome a forma da função delta (no tempo):

$$H' = U\delta(t);$$

suponha que $U_{aa} = U_{bb} = 0$, e seja $U_{ab} = U_{ba}^* \equiv \alpha$. Se $c_a(-\infty) = 1$ e $c_b(-\infty) = 0$, calcule $c_a(t)$ e $c_b(t)$, e verifique que $|c_a(t)|^2 + |c_b(t)|^2 = 1$. Qual é a probabilidade líquida ($P_{a \to b}$ para $t \to \infty$) para que a transição ocorra? *Dica*: se você quiser, pode tratar a função delta como o limite de uma sequência de retângulos. *Resposta*: $P_{a \to b} = \mathrm{sen}^2(|\alpha|/\hbar)$.

9.1.2 Teoria perturbacional dependente do tempo

Até agora, tudo esteve *exato*: não fizemos nenhuma suposição sobre o *tamanho* da perturbação. Mas se H' for 'pequeno', poderemos resolver a Equação 9.13 utilizando um processo de sucessivas aproximações. Suponha que uma partícula se encontre no estado mais baixo:

$$c_a(0) = 1, \quad c_b(0) = 0. \qquad [9.15]$$

Se não houvesse *perturbação alguma*, eles permaneceriam dessa maneira para sempre:

Ordem Zero:

$$c_a^{(0)}(t) = 1, \quad c_b^{(0)}(t) = 0. \qquad [9.16]$$

(Farei uso de um sobrescrito entre parênteses para indicar a ordem da aproximação.)

Para calcular a aproximação de primeira ordem, inserimos os valores de ordem zero no lado direito da Equação 9.13:

Primeira ordem:

$$\frac{dc_a^{(1)}}{dt} = 0 \Rightarrow c_a^{(1)}(t) = 1;$$

$$\frac{dc_b^{(1)}}{dt} = -\frac{i}{\hbar} H'_{ba} e^{i\omega_0 t} \Rightarrow c_b^{(1)} = -\frac{i}{\hbar} \int_0^t H'_{ba}(t') e^{i\omega_0 t'} dt'. \qquad [9.17]$$

Agora, inserimos *essas* expressões na direita para obtermos a aproximação de *segunda* ordem:

Segunda ordem:

$$\frac{dc_a^{(2)}}{dt} = -\frac{i}{\hbar} H'_{ab} e^{-i\omega_0 t} \left(-\frac{i}{\hbar}\right) \int_0^t H'_{ba}(t') e^{i\omega_0 t'} dt' \Rightarrow$$

$$c_a^{(2)}(t) = 1 - \frac{1}{\hbar^2} \int_0^t H'_{ab}(t') e^{-i\omega_0 t'} \left[\int_0^{t'} H'_{ba}(t'') e^{i\omega_0 t''} dt''\right] dt', \qquad [9.18]$$

enquanto c_b é imutável $\left(c_b^{(2)}(t) = c_b^{(1)}(t)\right)$. (Observe que $c_a^{(2)}(t)$ *inclui* o termo de ordem zero; a *correção* de segunda ordem seria somente a parte integral.)

Em princípio, poderíamos continuar com esse ritual indefinidamente, sempre inserindo a aproximação de n-ésima ordem no lado direito da Equação 9.13 e resolvendo para a ordem $(n + 1)$. A ordem zero não contém fatores de H', a correção de primeira ordem contém *um* fator de H', a correção de segunda ordem tem *dois* fatores de H', e assim por diante.[1] O erro na aproximação de primeira ordem é evidente pelo fato de que $\left|c_a^{(1)}(t)\right|^2 + \left|c_b^{(1)}(t)\right|^2 \neq 1$ (os coeficientes *exatos* devem, é claro, obedecer à Equação 9.5). Entretanto, $\left|c_a^{(1)}(t)\right|^2 + \left|c_b^{(1)}(t)\right|^2$ é igual a 1 *para a primeira ordem de H'*, que é o que devemos esperar da aproximação de primeira ordem. E o mesmo vale para as ordens maiores.

---

[1] Observe que c_a é modificado em toda ordem *par*, e c_b, em toda ordem *ímpar*; isso não seria verdade se a perturbação incluísse termos diagonais ou se o sistema iniciasse em uma combinação linear de dois estados.

Problema 9.4 Suponha que você *não* considere que $H'_{aa} = H'_{bb} = 0$.

(a) Calcule $c_a(t)$ e $c_b(t)$ na teoria perturbacional de primeira ordem para o caso $c_a(0) = 1$, $c_b(0) = 0$. Demonstre que $\left|c_a^{(1)}(t)\right|^2 + \left|c_b^{(1)}(t)\right|^2 = 1$, para a primeira ordem em H'.

(b) Existe uma maneira melhor de trabalhar esse problema. Seja

$$d_a \equiv e^{\frac{i}{\hbar}\int_0^t H'_{aa}(t')dt'} c_a, \quad d_b \equiv e^{\frac{i}{\hbar}\int_0^t H'_{bb}(t')dt'} c_b. \qquad [9.19]$$

Demonstre que

$$\dot{d}_a = -\frac{i}{\hbar} e^{i\phi} H'_{ab} e^{-i\omega_0 t} d_b; \quad \dot{d}_b = -\frac{i}{\hbar} e^{-i\phi} H'_{ba} e^{i\omega_0 t} d_a, \qquad [9.20]$$

em que

$$\phi(t) \equiv \frac{1}{\hbar}\int_0^t \left[H'_{aa}(t') - H'_{bb}(t')\right]dt'. \qquad [9.21]$$

Assim, as equações d_a e d_b são idênticas em estrutura à Equação 9.13 (com um fator extra $e^{i\phi}$ atrelado em H').

(c) Utilize o método na parte (b) para obter $c_a(t)$ e $c_b(t)$ na teoria perturbacional de primeira ordem e compare sua resposta com (a). Comente qualquer discrepância.

Problema 9.5 Resolva a Equação 9.13 na teoria perturbacional de segunda ordem para o caso geral $c_a(0) = a$ e $c_b(0) = b$.

Problema 9.6 Calcule $c_a(t)$ e $c_b(t)$, na segunda ordem, para uma perturbação independente do tempo (Problema 9.2). Compare sua resposta com o resultado exato.

9.1.3 Perturbações sinusoidais

Suponha que a perturbação tenha uma dependência do tempo sinusoidal:

$$H'(\mathbf{r}, t) = V(\mathbf{r})\cos(\omega t), \qquad [9.22]$$

de modo que

$$H'_{ab} = V_{ab}\cos(\omega t), \qquad [9.23]$$

em que

$$V_{ab} \equiv \langle \psi_a | V | \psi_b \rangle. \qquad [9.24]$$

(Como já fiz antes, pressuporei que os elementos diagonais da matriz desaparecem, pois esse é quase sempre o caso em questão.) Para a primeira ordem (a partir de agora, trabalharemos *exclusivamente* com a primeira ordem e, portanto, dispensarei os sobrescritos) temos (Equação 9.17):

$$c_b(t) \cong -\frac{i}{\hbar}V_{ba}\int_0^t \cos(\omega t')e^{i\omega_0 t'}\,dt' = -\frac{iV_{ba}}{2\hbar}\int_0^t \left[e^{i(\omega_0+\omega)t'} + e^{i(\omega_0-\omega)t'}\right]dt'$$
$$= -\frac{V_{ba}}{2\hbar}\left[\frac{e^{i(\omega_0+\omega)t}-1}{\omega_0+\omega} + \frac{e^{i(\omega_0-\omega)t}-1}{\omega_0-\omega}\right]. \qquad [9.25]$$

Essa é a *resposta*, mas é um pouco complicada de ser trabalhada. As coisas se tornam significantemente simples se restringimos nossa atenção às frequências de perturbação (ω) que estejam bem próximas à frequência de transição (ω_0), de modo que o segundo termo entre colchetes domina; especificamente, supomos:

$$\omega_0 + \omega \gg |\omega_0 - \omega|. \qquad [9.26]$$

Isso não é bem uma limitação, pois as perturbações em *outras* frequências têm uma probabilidade desprezível de causar uma transição.[2] Descartando o primeiro termo, temos

$$c_b(t) \cong -\frac{V_{ba}}{2\hbar}\frac{e^{i(\omega_0-\omega)t/2}}{\omega_0-\omega}\left[e^{i(\omega_0-\omega)t/2} - e^{-i(\omega_0-\omega)t/2}\right]$$
$$= -i\frac{V_{ba}}{\hbar}\frac{\text{sen}\left[(\omega_0-\omega)t/2\right]}{\omega_0-\omega}e^{i(\omega_0-\omega)t/2}. \qquad [9.27]$$

A **probabilidade de transição** — probabilidade de uma partícula que se inicia no estado ψ_a ser encontrada, em tempo t, no estado ψ_b — é

$$P_{a\to b}(t) = |c_b(t)|^2 \cong \frac{|V_{ba}|^2}{\hbar^2}\frac{\text{sen}^2\left[(\omega_0-\omega)t/2\right]}{(\omega_0-\omega)^2}. \qquad [9.28]$$

A característica mais marcante desse resultado é que, como função de tempo, a probabilidade de transição *oscila* de modo sinusoidal (Figura 9.1). Depois de alcançar um máximo de $|V_{ab}|^2/\hbar^2(\omega_0-\omega)^2$ — necessariamente muito menor do que 1, do contrário, a hipótese de que a perturbação é 'pequena' seria inválida — ela cai novamente para zero! Em tempos $t_n = 2n\pi/|\omega_0-\omega|$, em que $n = 1, 2, 3, \ldots$, a partícula *certamente* volta ao estado mais baixo. Se você quiser maximizar suas chances de provocar uma transição, *não* deve manter a perturbação ativa por um longo período; é melhor *desativá-la* após um tempo $\pi/|\omega_0-\omega|$, e ter esperanças

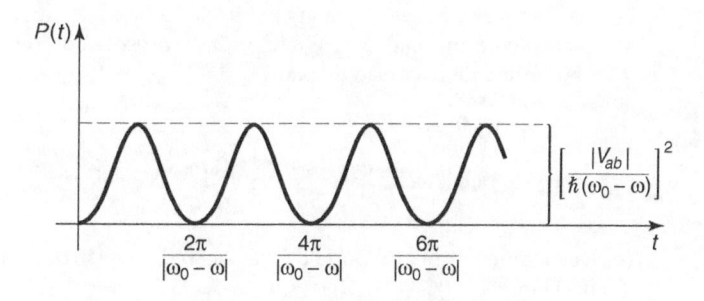

Figura 9.1 Probabilidade de transição como função de tempo para uma perturbação sinusoidal (Equação 9.28).

---
[2] Nas próximas seções, aplicaremos essa teoria ao caso da *luz*, para o qual $\omega \sim 10^{15}$ s^{-1}, assim, o denominador em *ambos* os termos será enorme, exceto (para o segundo) nas redondezas de ω_0.

de 'capturar' o sistema no estado superior. O Problema 9.7 mostra que essa 'inversão' não é um artifício da teoria perturbacional; ela ocorre também na solução exata, embora a *frequência de inversão* seja, de alguma forma, modificada.

Como observei anteriormente, a probabilidade de uma transição é maior quando a frequência da perturbação está próxima à frequência 'natural' ω_0. Isso é ilustrado na Figura 9.2, em que $P_{a \to b}$ é representado como uma função de ω. O ponto tem uma altura de $(|V_{ab}|t/2\hbar)^2$ e uma largura $4\pi/t$; evidentemente, ele fica mais alto e mais estreito com o passar do tempo. (Aparentemente, não há limite para o aumento do máximo. Entretanto, a hipótese de perturbação se desfaz antes que ele chegue a 1, e assim podemos crer em um resultado somente para um t relativamente pequeno. No Problema 9.7, você verá que o resultado *exato* nunca excede 1.)

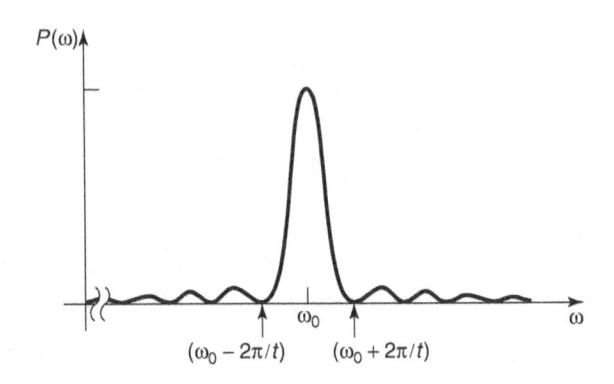

Figura 9.2 Probabilidade de transição como uma função da frequência de perturbação (Equação 9.28).

Problema 9.7 O primeiro termo na Equação 9.25 vem de $e^{i\omega t}/2$, parte de $\cos(\omega t)$ e o segundo, de $e^{-i\omega t}/2$. Assim, descartar o primeiro termo é essencialmente equivalente a escrever $H' = (V/2)e^{-i\omega t}$, o que significa

$$H'_{ba} = \frac{V_{ba}}{2}e^{-i\omega t}, \quad H'_{ab} = \frac{V_{ab}}{2}e^{i\omega t}.$$ [9.29]

(O último é necessário para transformar a matriz Hamiltoniana em hermitiana — ou, se preferir, para escolher o termo dominante da fórmula equivalente à Equação 9.25 para $c_a(t)$.) Rabi observou que, se você fizer a chamada **aproximação de onda rotativa** no *início* do cálculo, a Equação 9.13 pode ser precisamente resolvida, sem que seja necessário utilizar a teoria perturbacional, ou fazer suposições sobre a intensidade do campo.

(a) Resolva a Equação 9.13 na aproximação de onda rotativa (Equação 9.29) para as condições iniciais comuns: $c_a(0) = 1$ e $c_b(0) = 0$. Expresse seus resultados ($c_a(t)$ e $c_b(t)$) em termos da **frequência de inversão de Rabi**,

$$\omega_r \equiv \frac{1}{2}\sqrt{(\omega - \omega_0)^2 + (|V_{ab}|/\hbar)^2}.$$ [9.30]

(b) Determine a probabilidade de transição, $P_{a \to b}(t)$, e demonstre que ela nunca excede 1. Confirme que $|c_a(t)|^2 + |c_b(t)|^2 = 1$.

(c) Verifique que $P_{a \to b}(t)$ é reduzido ao resultado da teoria de perturbação (Equação 9.28) quando a perturbação é 'pequena' e explique exatamente o que pequena *significa* nesse contexto, como restrição em V.

(d) Em que tempo o sistema retorna ao seu estado inicial?

9.2 Emissão e absorção de radiação

9.2.1 Ondas eletromagnéticas

Uma onda eletromagnética (vou me referir a ela como 'luz', embora pudesse dizer infravermelho, ultravioleta, micro-onda, raios-X etc.; eles diferem apenas em suas frequências) consiste de campos elétricos e magnéticos transversais oscilantes (e mutuamente perpendiculares) (Figura 9.3). Um átomo, na presença de uma onda de luz, responde principalmente ao componente elétrico. Se o comprimento de onda é longo (comparado ao tamanho do átomo), podemos ignorar a variação *espacial* no campo;[3] o átomo, então, estará exposto a um campo elétrico oscilante sinusoidal

$$\mathbf{E} = E_0 \cos(\omega t)\hat{k} \qquad [9.31]$$

(por enquanto, suporei que a luz é monocromática e polarizada na direção z). O Hamiltoniano perturbador é[4]

$$H' = -qE_0 z \cos(\omega t), \qquad [9.32]$$

em que q é a carga do elétron.[5] Evidentemente,[6]

$$H'_{ba} = -\wp E_0 \cos(\omega t), \quad \text{em que} \quad \wp \equiv q\langle \psi_b | z | \psi_a \rangle. \qquad [9.33]$$

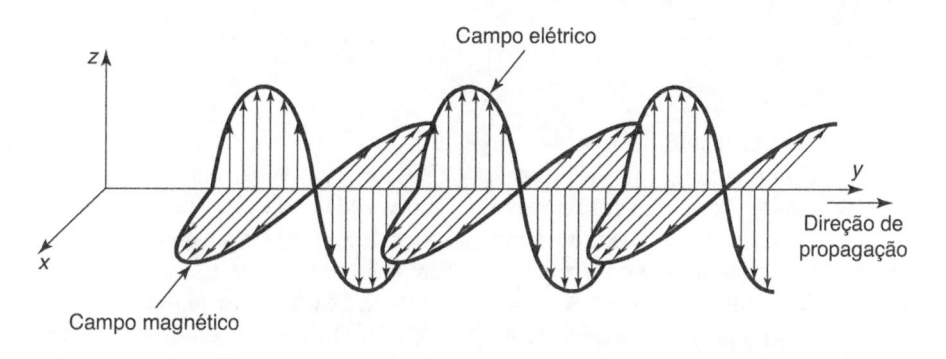

Figura 9.3 Uma onda eletromagnética.

---

[3] Para luz visível, $\lambda \sim 5000$Å, enquanto o diâmetro de um átomo tem cerca de 1 Å, de modo que essa aproximação é razoável; mas isso *não* seria razoável para os raios-X. O Problema 9.21 explora o efeito de variação espacial do campo.

[4] A energia de uma carga q em um campo estático $\mathbf{E}$ é $-q \int \mathbf{E} \cdot d\mathbf{r}$. Você pode muito bem se opor à utilização de uma fórmula para um campo eletrostático que seja claramente dependente do tempo. Admito implicitamente que o período de oscilação é longo quando comparado ao tempo que a carga leva para se movimentar (dentro do átomo).

[5] Como de hábito, supomos que o núcleo seja mais pesado e estacionário; é a função de onda do *elétron* que nos preocupa.

[6] A letra $\wp$, supostamente, deve fazer com que você se lembre do **momento de dipolo elétrico** (para o qual, na eletrodinâmica, a letra p é geralmente usada — nesse contexto, é processada como um $\wp$ rabiscado para evitar que seja confundido com o momento). Na verdade, $\wp$ é o elemento da matriz fora da diagonal do componente z do operador do momento de dipolo, $q\mathbf{r}$. Por causa dessa associação com os momentos de dipolo elétrico, a radiação regida pela Equação 9.33 é chamada de **radiação de dipolo elétrico**; é, indiscutivelmente, do tipo dominante, pelo menos na região visível. Veja o Problema 9.21 para generalização e terminologia.

Normalmente, ψ é uma função par ou ímpar de z; em ambos os casos, $z|\psi|^2$ é ímpar e sua integral é nula (veja o Problema 9.1 para alguns exemplos). Isso certifica nossa suposição habitual de que os **elementos diagonais da matriz** H' desaparecem. Assim, a interação da luz com a matéria é regida precisamente pelo tipo de perturbação oscilatória que estudamos na Seção 9.1.3 com

$$V_{ba} = -\wp E_0. \qquad [9.34]$$

9.2.2 Absorção, emissão estimulada e emissão espontânea

Se um átomo inicia no estado 'mais baixo' ψ_a, e você irradia um feixe de luz polarizada monocromática sobre ele, a probabilidade de uma transição para o estado 'superior' ψ_b, é dada pela Equação 9.28, que (tendo em conta a Equação 9.34) toma a forma de

$$P_{a \to b}(t) = \left(\frac{|\wp| E_0}{\hbar}\right)^2 \frac{\operatorname{sen}^2\left[(\omega_0 - \omega)t/2\right]}{(\omega_0 - \omega)^2}. \qquad [9.35]$$

Nesse processo, o átomo absorve energia $E_b - E_a = \hbar\omega_0$ do campo eletromagnético. Dizemos que ele 'absorveu um fóton' (Figura 9.4(a)). (Como mencionei anteriormente, a palavra 'fóton' realmente pertence à **eletrodinâmica quântica** [teoria quântica do campo eletromagnético], enquanto tratamos o próprio campo *classicamente*. Porém, essa linguagem é conveniente, contanto que você não veja nela mais do que realmente há.)

Eu poderia, é claro, voltar e executar toda a derivação para um sistema que começa no estado *superior* ($c_a(0) = 0$, $c_b(0) = 1$). Faça isso você mesmo, se quiser; o produto será *exatamente o mesmo* — exceto que, como dessa vez estaremos calculando $P_{b \to a} = |c_a(t)|^2$, a probabilidade de uma transição *descendente* para o nível mais *baixo*:

$$P_{b \to a}(t) = \left(\frac{|\wp| E_0}{\hbar}\right)^2 \frac{\operatorname{sen}^2\left[(\omega_0 - \omega)t/2\right]}{(\omega_0 - \omega)^2}. \qquad [9.36]$$

(O resultado tem de ser esse; estamos apenas trocando $a \leftrightarrow b$, que substitui $-\omega_0$ por ω_0. Quando chegarmos à Equação 9.25, manteremos o *primeiro* termo, com $-\omega_0 + \omega$ no denominador, e o restante será o mesmo de antes.) Mas quando você para e pensa sobre ele, entende que é um resultado absolutamente *espantoso*: se a partícula está no estado *superior* e você irradia uma luz sobre ela, ela pode fazer uma transição para o estado *mais baixo*, e, na verdade, a probabilidade de tal transição é exatamente a mesma de uma transição *ascendente* do estado *mais baixo*. Esse processo, que foi inicialmente previsto por Einstein, é chamado de **emissão estimulada**.

No caso da emissão estimulada, o campo eletromagnético *ganha* uma energia $\hbar\omega_0$ do átomo; dizemos que um fóton entrou e *dois* fótons saíram — o original que causou a transição e um outro da própria transição (Figura 9.4(b)). Isso aumenta a possibilidade de *amplificação*, já que se eu tivesse uma garrafa de átomos, todos no estado superior, e os ativasse com um único fóton incidente, uma reação em cadeia poderia ocorrer, com o primeiro fóton produzindo 2, esses dois produzindo 4, e assim por diante. Teríamos um enorme número de fótons saindo,

(a) Absorção (b) Emissão estimulada (c) Emissão espontânea

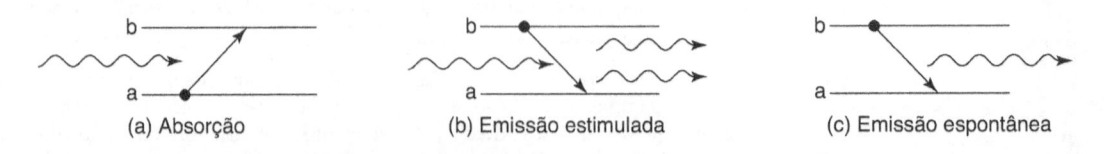

Figura 9.4 Três maneiras pelas quais a luz interage com os átomos: (a) absorção, (b) emissão estimulada e (c) emissão espontânea.

todos com a mesma frequência e virtualmente no mesmo instante. Esse é o princípio por trás do **laser** (*light amplification by stimulated emission of radiation*, em português, amplificação de luz por emissão de radiação estimulada). Note que é essencial (para a ação do laser) obter a maioria dos átomos no estado superior (**inversão de população**), pois a *absorção* (que *custa* um fóton) compete com a emissão estimulada (a qual *produz* um); se você começou com uma mistura igual dos dois estados, não obterá amplificação alguma.

Há um terceiro mecanismo (além da absorção e da emissão estimulada) pelo qual a radiação interage com a matéria; é chamado de **emissão espontânea**. Nesse caso, um átomo em um estado excitado faz uma transição descendente com a liberação de um fóton, mas sem qualquer campo eletromagnético aplicado para iniciar o processo (Figura 9.4(c)). Esse é o mecanismo que explica o decaimento típico de um estado atômico excitado. À primeira vista, o motivo pelo qual a emissão espontânea *deveria ocorrer* não fica claro. Se o átomo está em um estado estacionário (ainda que excitado) e não há perturbação externa, ele deveria ficar lá para sempre. E assim *seria*, caso ele fosse *realmente* livre de todas as perturbações externas. Entretanto, na eletrodinâmica quântica, os campos são não zero *mesmo no estado fundamental*, assim como o oscilador harmônico (por exemplo) tem energia não zero (a saber: $\hbar\omega/2$) em seu estado fundamental. Você pode desligar todas as luzes e resfriar o ambiente a zero absoluto, mas ainda haverá alguma radiação eletromagnética presente e é essa radiação de 'ponto zero' que servirá para catalisar a emissão espontânea. Quando se chega a isso, realmente não há algo como uma emissão *verdadeiramente* espontânea; *tudo* é emissão estimulada. A única distinção a ser feita é se o campo que produz o estímulo é aquele que *você* colocou ali, ou aquele que *Deus* colocou. Nesse sentido, esse processo é exatamente o inverso do processo clássico radiativo, no qual tudo é espontâneo e a emissão estimulada não existe.

A eletrodinâmica quântica está além do escopo deste livro,[7] mas há um argumento ótimo, devido a Einstein,[8] que relaciona os três processos (absorção, emissão estimulada e emissão espontânea). Einstein não identificou o *mecanismo* responsável pela emissão espontânea (perturbação do campo eletromagnético no estado fundamental), mas seus resultados, no entanto, permitem que calculemos a taxa de emissão espontânea e, a partir daí, o tempo de vida natural de um estado atômico excitado.[9] Antes de voltarmos a isso, no entanto, consideraremos a resposta de um átomo a ondas eletromagnéticas não monocromáticas, não polarizadas, incoerentes provenientes de todas as direções — como ele responderia, por exemplo, se estivesse imerso em radiação térmica.

9.2.3 Perturbações incoerentes

A densidade de energia em uma onda eletromagnética é[10]

$$u = \frac{\epsilon_0}{2} E_0^2, \qquad [9.37]$$

em que E_0 é (como anteriormente) a amplitude de um campo elétrico. Assim, a probabilidade de transição (Equação 9.36) é (e isso não é surpresa) proporcional à densidade de energia dos campos:

---

7 Para uma abordagem acessível, veja Rodney Loudon, *The Quantum Theory of Light*, 2ª ed. (Clarendon Press, Oxford, 1983).

8 O estudo de Einstein foi publicado em 1917, bem antes da equação de Schrödinger. A eletrodinâmica quântica aparece na discussão por meio da fórmula do corpo negro de Planck (Equação 5.113), que data de 1900.

9 Para uma derivação alternativa interessante em que se utiliza a eletrodinâmica quântica 'instintiva', veja o Problema 9.9.

10 D. Griffiths, *Eletrodinâmica*, 3ª ed. (Pearson Prentice Hall, São paulo, SP, 2011), Seção 9.2.3. Em geral, a energia por unidade de volume em campos eletromagnéticos é

$$u = (\epsilon_0/2)E^2 + (1/2\mu_0)B^2.$$

Para ondas eletromagnéticas, as contribuições elétricas e magnéticas são iguais, assim que

$$u = \epsilon_0 E^2 = \epsilon_0 E_0^2 \cos^2(\omega t),$$

e a média de um ciclo completo é $(\epsilon_0/2)E_0^2$, pois a média de $\cos^2$ (ou sen^2) é $1/2$.

$$P_{b \to a}(t) = \frac{2u}{\epsilon_0 \hbar^2}|\wp|^2 \frac{\operatorname{sen}^2\left[(\omega_0 - \omega)t/2\right]}{(\omega_0 - \omega)^2}. \qquad [9.38]$$

Mas isso ocorre no caso de uma onda **monocromática**, em uma única frequência ω. Em muitas aplicações, o sistema é exposto às ondas eletromagnéticas em uma ampla *gama* de frequências; nesse caso, $u \to \rho(\omega)d\omega$, em que $\rho(\omega)d\omega$ é a densidade de energia no intervalo de frequência $d\omega$ e a probabilidade de transição líquida assume a forma de uma integral:[11]

$$P_{b \to a}(t) = \frac{2}{\epsilon_0 \hbar^2}|\wp|^2 \int_0^\infty \rho(\omega) \left\{ \frac{\operatorname{sen}^2\left[(\omega_0 - \omega)t/2\right]}{(\omega_0 - \omega)^2} \right\} d\omega. \qquad [9.39]$$

O termo entre chaves é precisamente posicionado em ω_0 (Figura 9.2), enquanto $\rho(\omega)$ é normalmente bastante amplo, de modo que podemos muito bem substituir $\rho(\omega)$ por $\rho(\omega_0)$ e levá-lo para fora da integral:

$$P_{b \to a}(t) \cong \frac{2|\wp|^2}{\epsilon_0 \hbar^2} \rho(\omega_0) \int_0^\infty \frac{\operatorname{sen}^2\left[(\omega_0 - \omega)t/2\right]}{(\omega_0 - \omega)^2} d\omega. \qquad [9.40]$$

Mudando as variáveis para $x \equiv (\omega_0 - \omega)t/2$, estendendo os limites de integração para $x = \pm \infty$ (uma vez que o integrando é essencialmente zero lá fora) e utilizando a integral definida

$$\int_{-\infty}^{\infty} \frac{\operatorname{sen}^2 x}{x^2} dx = \pi, \qquad [9.41]$$

encontramos

$$P_{b \to a}(t) \cong \frac{\pi |\wp|^2}{\epsilon_0 \hbar^2} \rho(\omega_0) t. \qquad [9.42]$$

Dessa vez, a probabilidade de transição é proporcional a t. O fenômeno bizarro de 'inversão', característico de uma perturbação monocromática, é 'removido' quando atingimos o sistema com uma difusão incoerente de frequências. Em especial, a **taxa de transição** ($R \equiv dP/dt$) é agora uma *constante*:

$$R_{b \to a} = \frac{\pi}{\epsilon_0 \hbar^2}|\wp|^2 \rho(\omega_0). \qquad [9.43]$$

Até aqui, presumimos que a onda de perturbação entra na direção y (Figura 9.3) e é polarizada na direção z. Mas estamos interessados no caso de um átomo banhado em radiação vinda de *todas* as direções e com todas as possíveis polarizações; a energia nos campos ($\rho(\omega)$) é compartilhada igualmente entre os diferentes modos. O que precisamos, no lugar de $|\wp|^2$, é a *média* de $|\wp \cdot \hat{n}|^2$, em que

$$\wp \equiv q \langle \psi_b | \mathbf{r} | \psi_a \rangle \qquad [9.44]$$

(generalizando a Equação 9.33) e a média está sobre todas as polarizações e todas as direções incidentes.

---

[11] Na Equação 9.39, supõe-se que as perturbações em frequências diferentes sejam *independentes*, de modo que a probabilidade de transição total será uma soma das probabilidades individuais. Se os diferentes componentes são **coerentes** (fase correlacionada), então deveríamos somar *amplitudes* ($c_b(t)$), e não *probabilidades* ($|c_b(t)|^2$), e haverá termos cruzados. Para as aplicações, consideraremos que as perturbações são sempre incoerentes.

Capítulo 9 Teoria de perturbação dependente do tempo   261

A média pode ser feita da seguinte maneira: escolha as coordenadas esféricas de tal forma que a direção de propagação ($\hat{k}$) esteja ao longo x, a polarização ($\hat{n}$) esteja ao longo z e o vetor $\wp$ defina os ângulos esféricos θ e ϕ (Figura 9.5).[12] (Nesse caso, $\wp$ é *fixo* e estamos calculando a média sobre todos os $\hat{k}$ e $\hat{n}$ de acordo com $\hat{k} \perp \hat{n}$ — isto é, acima de θ e ϕ. Mas é realmente o sistema de coordenadas, e não o vetor $\wp$, que está mudando.) Então,

$$\wp \cdot \hat{n} = \wp \cos\theta, \qquad [9.45]$$

e

$$\left|\wp \cdot \hat{n}\right|^2_{\text{ave}} = \frac{1}{4\pi} \int |\wp|^2 \cos^2\theta \, \text{sen}\theta \, d\theta \, d\phi$$

$$= \frac{|\wp|^2}{4\pi}\left(-\frac{\cos^3\theta}{3}\right)\Bigg|_0^\pi (2\pi) = \frac{1}{3}|\wp|^2. \qquad [9.46]$$

Conclusão: a taxa de transição para a emissão estimulada do estado b para o estado a, sob a influência da luz incidente incoerente e não polarizada de todas as direções, é

$$R_{b \to a} = \frac{\pi}{3\epsilon_0 \hbar^2} |\wp|^2 \rho(\omega_0), \qquad [9.47]$$

em que $\wp$ é o elemento de matriz do momento de dipolo elétrico entre os dois estados (Equação 9.44) e $\rho(\omega_0)$ é a densidade de energia nos campos, por unidade de frequência, avaliada em $\omega_0 = (E_b - E_a)$.[13]

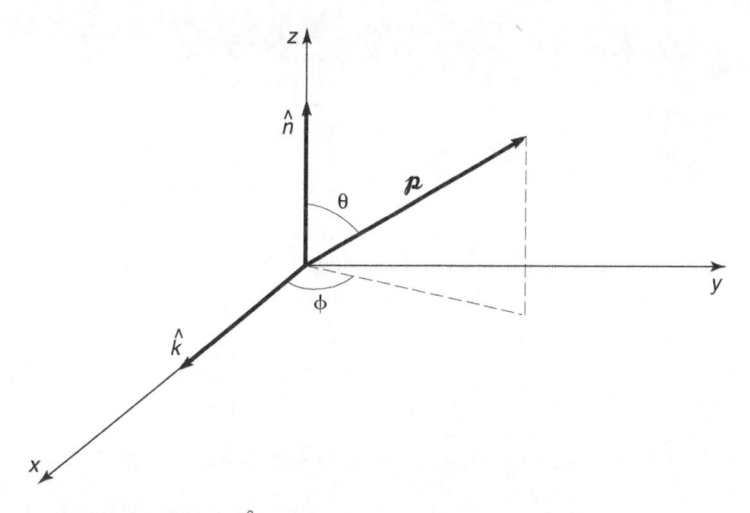

Figura 9.5 Eixos para a média de $|\wp \cdot \hat{n}|^2$.

---

[12] Tratarei $\wp$ como se fosse real, mesmo que, em geral, seja complexo. Sendo

$$|\wp \cdot \hat{n}|^2 = |\text{Re}(\wp) \cdot \hat{n} + i\,\text{Im}(\wp) \cdot \hat{n}|^2 = |\text{Re}(\wp) \cdot \hat{n}|^2 + |\text{Im}(\wp) \cdot \hat{n}|^2$$

podemos fazer todo o cálculo para as partes real e imaginária separadamente e simplesmente somar os resultados. Na Equação 9.47, o sinal de valor absoluto exerce uma dupla função, significando tanto a magnitude do vetor *quanto* a amplitude complexa:

$$|\wp|^2 = |\wp_x|^2 + |\wp_y|^2 + |\wp_z|^2.$$

[13] Esse é um caso especial da **regra de ouro** de Fermi para a teoria de perturbação dependente do tempo, que diz que a taxa de transição é proporcional ao quadrado do elemento da matriz do potencial perturbado e à força da perturbação na frequência de transição.

9.3 Emissão espontânea

9.3.1 Coeficientes A e B de Einstein

Imagine um recipiente de átomos, com N_a átomos no estado mais baixo (ψ_a) e N_b átomos no estado superior (ψ_b). Seja A a taxa de emissão espontânea,[14] e o número de partículas deixando o estado superior por esse processo, por unidade de tempo, $N_b A$.[15] A taxa de transição para emissão estimulada, como vimos (Equação 9.47), é proporcional à densidade de energia do campo eletromagnético: $B_{ba}\,\rho(\omega_0)$; o número de partículas que saem do estado superior por esse mecanismo, por unidade de tempo, é $N_b B_{ba}\,\rho(\omega_0)$. A taxa de absorção é igualmente proporcional a $\rho(\omega_0)$ — chame-a de $B_{ab}\,\rho(\omega_0)$; o número de partículas que se juntam ao nível superior por unidade de tempo é, portanto, $N_a B_{ab}\,\rho(\omega_0)$. Dito isso, então,

$$\frac{dN_b}{dt} = -N_b A - N_b B_{ba}\rho(\omega_0) + N_a B_{ab}\rho(\omega_0). \qquad [9.48]$$

Suponha que esses átomos estejam em equilíbrio térmico com o campo ambiente, de modo que o número de partículas em cada nível seja *constante*. Nesse caso, $dN_b/dt = 0$, e segue-se que

$$\rho(\omega_0) = \frac{A}{(N_a/N_b)B_{ab} - B_{ba}}. \qquad [9.49]$$

Por outro lado, por causa da mecânica estatística elementar,[16] sabemos que o número de partículas com energia E em equilíbrio térmico à temperatura T é proporcional ao **fator de Boltzmann**, $\exp(-E/k_B T)$, assim

$$\frac{N_a}{N_b} = \frac{e^{-E_a/k_B T}}{e^{-E_b/k_B T}} = e^{\hbar\omega_0/k_B T}, \qquad [9.50]$$

e, portanto,

$$\rho(\omega_0) = \frac{A}{e^{\hbar\omega_0/k_B T} B_{ab} - B_{ba}}. \qquad [9.51]$$

Porém, a fórmula do corpo negro de Planck (Equação 5.113) nos diz que a densidade de energia da radiação térmica é:

$$\rho(\omega) = \frac{\hbar}{\pi^2 c^3}\frac{\omega^3}{e^{\hbar\omega/k_B T}-1}. \qquad [9.52]$$

Comparando as duas expressões, concluímos que

$$B_{ab} = B_{ba} \qquad [9.53]$$

e

$$A = \frac{\omega_0^3 \hbar}{\pi^2 c^3} B_{ba}. \qquad [9.54]$$

---

[14] Normalmente, eu usaria R para a taxa de transição, mas em deferência ao *der Alte*, todos seguem a notação de Einstein nesse contexto.

[15] Pressuponha que N_a e N_b tenham valores bem altos, para que possamos tratá-los como funções contínuas do tempo e ignorar flutuações estatísticas.

[16] Veja, por exemplo, Charles Kittel e Herbert Kroemer, *Thermal Physics*, 2ª ed. (Freeman, Nova York, 1980), Capítulo 3.

A Equação 9.53 confirma o que já sabíamos: a taxa de transição para emissão estimulada é a mesma da absorção. Porém, esse foi um resultado surpreendente em 1917; de fato, Einstein foi forçado a 'inventar' a emissão estimulada de forma a reproduzir a fórmula de Planck. No momento, porém, nossa atenção está toda voltada para a Equação 9.54, já que ela nos diz qual é a taxa de emissão espontânea (A) — que é o que procurávamos — em termos de taxa de emissão estimulada ($B_{ba}\rho(\omega_0)$) — a qual já conhecemos. Com base na Equação 9.47, entendemos que

$$B_{ba} = \frac{\pi}{3\epsilon_0 \hbar^2}|\wp|^2, \qquad [9.55]$$

e que, então, a taxa de emissão espontânea é

$$A = \frac{\omega_0^3 |\wp|^2}{3\pi\epsilon_0 \hbar c^3}. \qquad [9.56]$$

Problema 9.8 Como mecanismo de transição descendente, a emissão espontânea concorre com a emissão termicamente estimulada (emissão estimulada que tem como fonte a radiação do corpo negro). Demonstre que, em temperatura ambiente ($T = 300$ K), a estimulação térmica domina no caso de frequências muito abaixo de 5×10^{12} Hz, enquanto a emissão espontânea domina no caso de frequências muito acima de 5×10^{12} Hz. Qual mecanismo domina no caso de luz visível?

Problema 9.9 Você poderia derivar a taxa de emissão espontânea (Equação 9.56) sem o desvio por meio dos coeficientes A e B de Einstein se soubesse a densidade de energia do estado fundamental do campo eletromagnético, $\rho_0(\omega)$, já que, então, esse seria simplesmente um caso de emissão estimulada (Equação 9.47). Fazer isso corretamente exigiria eletrodinâmica quântica, mas se você está preparado para acreditar que o estado fundamental é constituído por *um fóton em cada modalidade*, então, a derivação é muito simples:

(a) Substitua a Equação 5.111 por $N_\omega = d_k$ e deduza $\rho_0(\omega)$. (Provavelmente, essa fórmula falha em alta frequência, porque, de outro modo, a 'energia do vácuo' total seria *infinita*... Mas essa história fica para outro dia.)

(b) Utilize seu resultado, juntamente com a Equação 9.47, para obter a taxa de emissão espontânea. Compare com a Equação 9.56.

9.3.2 O tempo de vida de um estado excitado

A Equação 9.56 é o nosso resultado fundamental; ela nos dá a taxa de transição para a emissão espontânea. Suponha, agora, que você tenha bombeado um grande número de átomos para o estado excitado. Como resultado da emissão espontânea, esse número diminuirá com o passar do tempo; em um intervalo de tempo dt, especificamente, você perderá uma fração $A\,dt$ desses átomos:

$$dN_b = -AN_b dt \qquad [9.57]$$

(supondo que não haja mecanismo para repor o fornecimento).[17] Resolvendo para $N_b(t)$, encontramos:

$$N_b(t) = N_b(0)e^{-At}; \qquad [9.58]$$

---

[17] Essa situação não deve ser confundida com o caso do equilíbrio térmico, que foi considerado na seção anterior. Imaginamos aqui que os átomos foram *içados para fora* do equilíbrio e estão em processo cascata de volta aos seus níveis de equilíbrio.

evidentemente, o número restante no estado excitado diminui exponencialmente com uma constante de tempo

$$\tau = \frac{1}{A}. \quad [9.59]$$

Chamamos isso de **tempo de vida** do estado — tecnicamente, é o tempo que $N_b(t)$ leva para atingir $1/e \approx 0{,}368$ de seu valor inicial.

Supus, o tempo todo, que só existem *dois* estados para o sistema, mas isso aconteceu apenas para simplificar a notação — a fórmula de emissão espontânea (Equação 9.56) dá a taxa de transição para $\psi_b \to \psi_a$, independentemente de que outros estados possam ser acessíveis (veja o Problema 9.15). Normalmente, um átomo excitado tem diferentes **modos de decaimento** (isto é: ψ_b pode decair para um grande número de diferentes estados de mais baixa energia, $\psi_{a_1}, \psi_{a_2}, \psi_{a_3}, ...$). Nesse caso, as taxas de transição *são somadas*, e o tempo de vida é

$$\tau = \frac{1}{A_1 + A_2 + A_3 + ...}. \quad [9.60]$$

Exemplo 9.1 Suponha que uma carga q esteja atrelada a uma mola e restrita a oscilar ao longo do eixo x. Digamos que ela inicie no estado $|n\rangle$ (Equação 2.61) e decaia, por emissão espontânea, para o estado $|n'\rangle$. Com base na Equação 9.44, teremos

$$\wp = q\langle n|x|n'\rangle \hat{i}.$$

Você calculou os elementos da matriz de x no Problema 3.33:

$$\langle n|x|n'\rangle = \sqrt{\frac{\hbar}{2m\omega}}\left(\sqrt{n'}\delta_{n,n'-1} + \sqrt{n}\delta_{n',n-1}\right),$$

em que ω é a frequência natural do oscilador. (Não preciso mais dessa letra para a frequência da radiação de estimulação.) Mas estamos falando de *emissão*, de modo que n' deve ser *menor* do que n; para alcançar nosso objetivo, então,

$$\wp = q\sqrt{\frac{n\hbar}{2m\omega}}\delta_{n',n-1}\hat{i}. \quad [9.61]$$

Evidentemente, as transições ocorrem somente para estados um degrau abaixo na 'escada', e a frequência do fóton emitido é

$$\omega_0 = \frac{E_n - E_{n'}}{\hbar} = \frac{(n+1/2)\hbar\omega - (n'+1/2)\hbar\omega}{\hbar} = (n-n')\omega = \omega. \quad [9.62]$$

Não surpreende que o sistema irradie na frequência de oscilação clássica. A taxa de transição (Equação 9.56) é

$$A = \frac{nq^2\omega^2}{6\pi\epsilon_0 mc^3}, \quad [9.63]$$

e o tempo de vida do n-ésimo estado estacionário é

$$\tau_n = \frac{6\pi\epsilon_0 mc^3}{nq^2\omega^2}. \quad [9.64]$$

Entretanto, cada fóton irradiado carrega uma energia $\hbar\omega$, então a *potência* irradiada é $A\hbar\omega$:

$$P = \frac{q^2\omega^2}{6\pi\epsilon_0 mc^3}(n\hbar\omega),$$

ou, sendo que a energia de um oscilador no n-ésimo estado é $E = (n + 1/2)\hbar\omega$,

$$P = \frac{q^2\omega^2}{6\pi\epsilon_0 mc^3}\left(E - \frac{1}{2}\hbar\omega\right). \qquad [9.65]$$

Essa é a potência média irradiada por um oscilador quântico com energia (inicial) E.

Para que possamos fazer uma comparação, vamos determinar a potência média irradiada por um oscilador *clássico* com a mesma energia. De acordo com a eletrodinâmica clássica, a potência irradiada por uma carga acelerada q é dada pela **fórmula de Larmor**:[18]

$$P = \frac{q^2 a^2}{6\pi\epsilon_0 c^3}. \qquad [9.66]$$

Para um oscilador harmônico com amplitude x_0, $x(t) = x_0\cos(\omega t)$, e a aceleração é $a = -x_0\omega^2\cos(\omega t)$. A média, ao longo de um ciclo completo, será então,

$$P = \frac{q^2 x_0^2 \omega^4}{12\pi\epsilon_0 c^3}.$$

Porém, a *energia* do oscilador é $E = (1/2)m\omega^2 x_0^2$, de modo que $x_0^2 = 2E/m\omega^2$, e, portanto,

$$P = \frac{q^2\omega^2}{6\pi\epsilon_0 mc^3} E. \qquad [9.67]$$

Essa é a potência média irradiada por um oscilador *clássico* com energia E. No limite clássico ($\hbar \to 0$), as fórmulas clássica e quântica concordam;[19] entretanto, a fórmula quântica (Equação 9.65) protege o estado fundamental: se $E = (1/2)\hbar\omega$, o oscilador não irradia.

Problema 9.10 A **meia-vida** ($t_{1/2}$) de um estado excitado é o tempo que metade dos átomos em uma amostra grande levaria para fazer uma transição. Encontre a relação entre $t_{1/2}$ e τ (o 'tempo de vida' do estado).

***Problema 9.11** Calcule o tempo de vida (em *segundos*) para cada um dos quatro estados do hidrogênio $n = 2$. *Dica:* você precisará avaliar os elementos de matriz da forma $\langle\psi_{100}|x|\psi_{200}\rangle$, $\langle\psi_{100}|y|\psi_{211}\rangle$ e assim por diante. Lembre-se de que $x = r\,\text{sen}\,\theta\cos\phi$, $y = r\,\text{sen}\,\theta\,\text{sen}\,\phi$ e $z = r\cos\theta$. A maior parte dessas integrais é zero, portanto, verifique todas elas antes de iniciar os cálculos. *Resposta:* $1{,}60 \times 10^{-9}$ segundos para todas, exceto para ψ_{200}, o qual é infinito.

9.3.3 Regras de seleção

O cálculo da taxa de emissão espontânea tem sido reduzido a uma questão de avaliação dos elementos de matriz de forma

$$\langle\psi_b|\mathbf{r}|\psi_a\rangle.$$

---

18 Veja, por exemplo, Griffiths (nota de rodapé nº 10), Seção 11.2.1.
19 Na verdade, se expressarmos P em termos da energia *acima do estado fundamental*, as duas fórmulas serão idênticas.

Como você já descobriu, caso tenha resolvido o Problema 9.11 (e se *não* o fez, volte lá agora mesmo e *resolva*!), essas quantidades são, muitas vezes, iguais a *zero*, e seria útil saber com antecedência quando isso vai acontecer, porque assim não perderíamos muito tempo avaliando integrais desnecessárias. Suponha que estejamos interessados em sistemas como o hidrogênio, para o qual o Hamiltoniano é esfericamente simétrico. Nesse caso, devemos especificar os estados com os números quânticos usuais n, l e m, e os elementos da matriz são

$$\langle n'l'm' | \mathbf{r} | nlm \rangle.$$

A exploração inteligente das relações de comutação do momento angular e da hermeticidade dos operadores de momento angular produz um conjunto de fortes restrições para essa quantidade.

Regras de seleção que envolvem m e m': primeiramente, considere os comutadores de L_z com x, y e z, os quais já trabalhamos no Capítulo 4 (veja a Equação 4.122):

$$[L_z, x] = i\hbar y, \quad [L_z, y] = -i\hbar x, \quad [L_z, z] = 0. \quad [9.68]$$

Com base no terceiro deles, segue-se que

$$0 = \langle n'l'm' | [L_z, z] | nlm \rangle = \langle n'l'm' | (L_z z - z L_z) | nlm \rangle$$
$$= \langle n'l'm' | [(m'\hbar) z - z(m\hbar)] | nlm \rangle = (m' - m)\hbar \langle n'l'm' | z | nlm \rangle.$$

Conclusão:

$$\text{Ou } m' = m \text{ ou então } \langle n'l'm' | z | nlm \rangle = 0. \quad [9.69]$$

Portanto, a menos que $m' = m$, os elementos da matriz de z serão sempre zero. Entretanto, a partir do comutador de L_z com x obteremos

$$\langle n'l'm' | [L_z, x] | nlm \rangle = \langle n'l'm' | (L_z x - x L_z) | nlm \rangle$$
$$= (m' - m) \hbar \langle n'l'm' | x | nlm \rangle = i\hbar \langle n'l'm' | y | nlm \rangle.$$

Conclusão:

$$(m' - m) \langle n'l'm' | x | nlm \rangle = i \langle n'l'm' | y | nlm \rangle. \quad [9.70]$$

Portanto, você nunca tem de calcular os elementos da matriz de y; você sempre pode obtê-los a partir dos elementos correspondentes da matriz de x.

Por fim, o comutador de L_z com y produz

$$\langle n'l'm' | [L_z, y] | nlm \rangle = \langle n'l'm' | (L_z y - y L_z) | nlm \rangle$$
$$= (m' - m) \hbar \langle n'l'm' | y | nlm \rangle = -i\hbar \langle n'l'm' | x | nlm \rangle.$$

Conclusão:

$$(m' - m) \langle n'l'm' | y | nlm \rangle = -i \langle n'l'm' | x | nlm \rangle. \quad [9.71]$$

Em especial, combinando as equações 9.70 e 9.71,

$$(m' - m)^2 \langle n'l'm' | x | nlm \rangle = i(m' - m) \langle n'l'm' | y | nlm \rangle = \langle n'l'm' | x | nlm \rangle,$$

e, portanto:

$$\text{ou } (m' = m)^2 = 1, \text{ ou então } \langle n'l'm' | x | nlm \rangle = \langle n'l'm' | y | nlm \rangle = 0. \quad [9.72]$$

A partir das equações 9.69 e 9.72, obtemos a **regra de seleção** para m:

$$\text{Nenhuma transição ocorre a menos que } \Delta m = \pm 1 \text{ ou } 0. \quad [9.73]$$

Esse é um resultado fácil de entender, se você se lembrar de que o fóton carrega um spin 1 e, portanto, *seu* valor de m é 1, 0, ou -1;[20] a conservação do (componente z de) momento angular exige que o átomo doe o que quer que seja que o fóton retire.

Regras de seleção que envolvem l e l': no Problema 9.12 você tem de derivar as seguintes relações de comutação:

$$[L^2,[L^2,\mathbf{r}]] = 2\hbar^2(\mathbf{r}L^2 + L^2\mathbf{r}). \qquad [9.74]$$

Como já fizemos anteriormente, encaixamos esse comutador entre $\langle n'l'm'|$ e $|nlm\rangle$ para derivar a regra de seleção:

$$\langle n'l'm'|[L^2,\mathbf{r}]]|nlm\rangle = 2\hbar^2\langle n'l'm'|(\mathbf{r}L^2 + L^2\mathbf{r})|nlm\rangle$$
$$= 2\hbar^4[l(l+1)+l'(l'+1)]\langle n'l'm'|\mathbf{r}|nlm\rangle = \langle n'l'm'|(L^2[L^2,\mathbf{r}]-[L^2,\mathbf{r}]L^2|nlm\rangle$$
$$= \hbar^2[l'(l'+1)-l(l+1)]\langle n'l'm'|[L^2,\mathbf{r}]|nlm\rangle$$
$$= \hbar^2[l'(l'+1)-l(l+1)]\langle n'l'm'|(L^2\mathbf{r}-\mathbf{r}L^2)|nlm\rangle$$
$$= \hbar^4[l'(l'+1)-l(l+1)]^2\langle n'l'm'|\mathbf{r}|nlm\rangle. \qquad [9.75]$$

Conclusão:

$$\text{Ou } 2[l(l+1)+l'(l'+1)] = [l'(l'+1)-l(l+1)]^2$$

$$\text{ou então } \langle n'l'm'|\mathbf{r}|nlm\rangle = 0. \qquad [9.76]$$

Mas

$$[l'(l'+1)-l(l+1)] = (l'+l+1)(l'-l)$$

e

$$2[l(l+1)+l'(l'+1)] = (l'+l+1)^2 + (l'-l)^2 - 1,$$

assim, a primeira condição na Equação 9.76 pode ser escrita na forma

$$[(l'+l+1)^2 - 1][(l'-l)^2 - l] = 0. \qquad [9.77]$$

O primeiro fator *não pode* ser zero (a menos que $l' = l = 0$; essa lacuna foi fechada no Problema 9.13), de modo que as condições se simplificam para $l' = l \pm 1$. Então, obtemos a regra de seleção para l:

$$\text{Nenhuma transição ocorre a menos que } \Delta l = \pm 1. \qquad [9.78]$$

Novamente, esse resultado (embora esteja longe de ser trivial para *se obter*) é fácil de ser *interpretado*: o fóton carrega spin 1, e por isso as regras para adição do momento angular permitiriam $l' = l + 1$, $l' = l$ ou $l' = l - 1$ (para a radiação de dipolo elétrico, a possibilidade intermediária, embora permitida pela conservação do momento angular, não ocorre).

Evidentemente, nem todas as transições para os estados de menor energia podem ocorrer por emissão espontânea; algumas são proibidas pelas regras de seleção. O esquema de transições permitidas para os quatro primeiros níveis de Bohr no hidrogênio é mostrado na Figura 9.6. Observe que o estado 2S (ψ_{200}) está 'preso': não pode decair, pois não há estado de menor energia com $l = 1$. É chamado de estado **metaestável**, e seu tempo de vida é, de fato, muito mais longo que o dos estados 2P (ψ_{211}, ψ_{210} e ψ_{21-1}), por exemplo. Estados metaestáveis eventualmente decaem por colisões, pelo que (erroneamente) são chamadas de transições **proibidas** (Problema 9.21) ou por emissões multifóton.

---

[20] Quando o eixo polar está na direção de propagação, o valor intermediário não é encontrado, e, se você estiver interessado somente no *número* de estados de fótons linearmente independentes, a resposta será 2, e não 3. Entretanto, nesse caso, o fóton não precisa ir na direção z para que os três valores sejam possíveis.

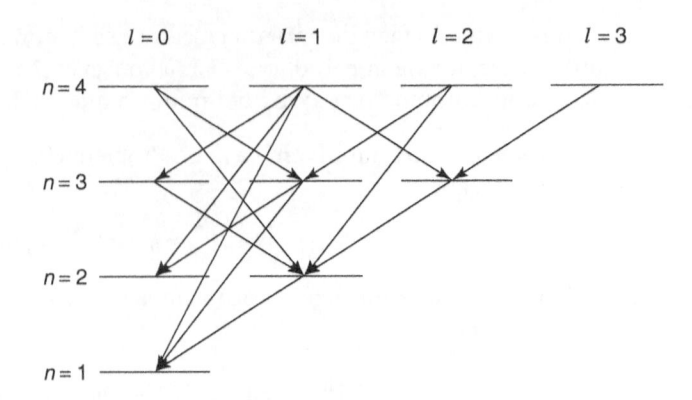

Figura 9.6 Decaimentos permitidos para os primeiros quatro níveis de Bohr no hidrogênio.

---

*Problema 9.12 Prove a relação de comutação na Equação 9.74. *Dica:* primeiro demonstre que

$$[L^2, z] = 2i\hbar(xL_y - yL_x - i\hbar z).$$

Utilize isso e o fato de que $\mathbf{r} \cdot \mathbf{L} = \mathbf{r} \cdot (\mathbf{r} \times \mathbf{p}) = 0$, para demonstrar que

$$[L^2, [L^2, z]] = 2\hbar^2(zL^2 + L^2 z).$$

A generalização de z para $\mathbf{r}$ é trivial.

Problema 9.13 Feche a 'lacuna' na Equação 9.78 mostrando que se $l' = l = 0$, então $\langle n'l'm' | \mathbf{r} | nlm \rangle = 0$.

Problema 9.14 Um elétron no estado $n = 3$, $l = 0$, $m = 0$ do hidrogênio decai ao estado fundamental por uma sequência (dipolo elétrico) de transições.

(a) Quais rotas de decaimento estão abertas para ele? Especificá-las da seguinte forma:

$$|300\rangle \rightarrow |nlm\rangle \rightarrow |n'l'm'\rangle \rightarrow \ldots \rightarrow |100\rangle.$$

(b) Se você tivesse uma garrafa cheia de átomos nesse estado, que fração delas decairia por cada rota?

(c) Qual é o tempo de vida desse estado? *Dica:* assim que for feita a primeira transição, ele não estará mais no estado $|300\rangle$, e, portanto, somente o primeiro passo de cada sequência será relevante no cálculo do tempo de vida. Quando há mais do que uma rota de decaimento aberta, as taxas de transição são somadas.

Mais problemas para o Capítulo 9

Problema 9.15 Desenvolva a teoria de perturbação dependente do tempo para um sistema multinível, começando pela generalização das equações 9.1 e 9.2:

$$H_0 \psi_n = E_n \psi_n, \quad \langle \psi_n | \psi_m \rangle = \delta_{nm}. \quad [9.79]$$

Em tempo $t = 0$, ativamos uma perturbação $H'(t)$, de modo que o Hamiltoniano total será

$$H = H_0 + H'(t). \quad [9.80]$$

(a) Generalize a Equação 9.6 para que ela seja

$$\Psi(t) = \sum c_n(t) \psi_n e^{-iE_n t/\hbar}, \quad [9.81]$$

e demonstre que

$$\dot{c}_m = -\frac{i}{\hbar} \sum_n c_n H'_{mn} e^{i(E_m - E_n)t/\hbar}, \quad [9.82]$$

em que

$$H'_{mn} \equiv \langle \psi_m | H' | \psi_n \rangle. \quad [9.83]$$

(b) Se o sistema se encontra no estado ψ_N, demonstre que (na teoria de perturbação de primeira ordem)

$$c_N(t) \cong 1 - \frac{i}{\hbar} \int_0^t H'_{NN}(t') dt', \quad [9.84]$$

e

$$c_m(t) \cong -\frac{i}{\hbar} \int_0^t H'_{mN}(t') e^{i(E_m - E_N)t'/\hbar} dt', \quad (m \neq N). \quad [9.85]$$

(c) Por exemplo, suponha que H' seja *constante* (com exceção que tenha sido ativado em $t = 0$ e novamente desativado algum tempo t mais tarde). Calcule a probabilidade de transição do estado N para o estado M ($M \neq N$) como função de t. *Resposta:*

$$4|H'_{MN}|^2 \frac{\text{sen}^2[(E_N - E_M)t/2\hbar]}{(E_N - E_M)^2}. \quad [9.86]$$

(d) Agora, suponha que H' seja uma função sinusoidal do tempo: $H' = V \cos(\omega t)$. Formulando as hipóteses usuais, demonstre que as transições ocorrem apenas para os estados com energia $E_M = E_N \pm \hbar\omega$, e que a probabilidade de transição seja

$$P_{N \to M} = |V_{MN}|^2 \frac{\text{sen}^2[(E_N - E_M \pm \hbar\omega)t/2\hbar]}{(E_N - E_M \pm \hbar\omega)^2}. \quad [9.87]$$

(e) Suponha que um sistema multinível esteja imerso em radiações eletromagnéticas incoerentes. Utilizando a Seção 9.2.3 como guia, demonstre que a taxa de transição para uma emissão estimulada é dada pela mesma fórmula (Equação 9.47) de um sistema de dois níveis.

Problema 9.16 Para os exemplos no Problema 9.15(c) e (d), calcule $c_m(t)$ para primeira ordem. Verifique a condição de normalização:

$$\sum_m |c_m(t)|^2 = 1, \quad [9.88]$$

e comente qualquer discrepância que apareça. Suponha que você queira calcular a probabilidade de *permanecer* no estado original ψ_N; seria melhor usar $|c_N(t)|^2$ ou

$$1 - \sum_{m \neq N} |c_m(t)|^2 \ ?$$

Problema 9.17 Uma partícula se encontra (em tempo $t = 0$) no N-ésimo estado do poço quadrado infinito. Agora, o 'piso' do poço aumenta temporariamente (talvez porque entre ali um pouco de água que, mais tarde, vai desaparecer), de modo que o potencial dentro dele é uniforme e dependente do tempo: $V_0(t)$, com $V_0(0) = V_0(T) = 0$.

(a) Resolva o problema para $c_m(t)$ *exato* utilizando a Equação 9.82, e demonstre que a função de onda muda de *fase*, mas não ocorrem transições. Calcule a mudança de fase, $\phi(t)$, em termos da função $V_0(t)$.

(b) Analise o mesmo problema nos termos da teoria de perturbação de primeira ordem e compare as respostas.

Comentário: o mesmo resultado é encontrado *sempre* que a perturbação simplesmente adicionar uma constante (constante em x, isto é, não em t) no potencial; não tem nada a ver com o poço quadrado infinito. Compare com o Problema 1.8.

*Problema 9.18** Uma partícula de massa m está, inicialmente, no estado fundamental do poço quadrado infinito (unidimensional). Em tempo $t = 0$, um 'tijolo' é jogado dentro do poço, de modo que o potencial se torna

$$V(x) = \begin{cases} V_0 & \text{se } 0 \leq x \leq a/2, \\ 0, & \text{se } a/2 < x \leq a, \\ \infty & \text{caso contrário}, \end{cases}$$

em que $V_0 \ll E_1$. Após um tempo T, o tijolo é removido e a energia da partícula é medida. Encontre a probabilidade (nos termos da teoria de perturbação de primeira ordem) em que o resultado seja E_2.

Problema 9.19 Encontramos emissão estimulada, absorção (estimulada) e emissão espontânea. Por que não há uma *absorção* espontânea?

***Problema 9.20** **Ressonância magnética.** Uma partícula de spin 1/2 com razão giromagnética γ, em repouso em um campo magnético estático $B_0 \hat{k}$, precessiona na frequência de Larmor $\omega_0 = \gamma B_0$ (Exemplo 4.3). Agora, ativamos um pequeno campo transverso de radiofrequência (rf), $B_{\text{rf}}[\cos(\omega t)\hat{i} - \text{sen}(\omega t)\hat{j}]$, de modo que o campo total será

$$\mathbf{B} = B_{rf} \cos(\omega t)\hat{i} - B_{rf} \text{sen}(\omega t)\hat{j} + B_0 \hat{k}. \quad [9.89]$$

(a) Monte a matriz Hamiltoniana 2 × 2 (Equação 4.158) para esse sistema.

(b) Se $\chi(t) = \begin{pmatrix} a(t) \\ b(t) \end{pmatrix}$ é o estado de spin no tempo t, mostre que

$$\dot{a} = \frac{i}{2}\left(\Omega e^{i\omega t} b + \omega_0 a\right); \quad \dot{b} = \frac{i}{2}\left(\Omega e^{-i\omega t} a - \omega_0 b\right), \quad [9.90]$$

em que $\Omega \equiv \gamma B_{rf}$ esteja associado à força do campo rf.

(c) Verifique que a solução geral para $a(t)$ e $b(t)$, em termos de seus valores iniciais a_0 e b_0, é

$$a(t) = \left\{ a_0 \cos(\omega' t/2) + \frac{i}{\omega'}[a_0(\omega_0 - \omega) + b_0 \Omega]\mathrm{sen}(\omega' t/2) \right\} e^{i\omega t/2}$$

$$b(t) = \left\{ b_0 \cos(\omega' t/2) + \frac{i}{\omega'}[b_0(\omega - \omega_0) + a_0 \Omega]\mathrm{sen}(\omega' t/2) \right\} e^{-i\omega t/2}$$

em que

$$\omega' \equiv \sqrt{(\omega - \omega_0)^2 + \Omega^2}. \quad [9.91]$$

(d) Se a partícula inicia com spin para cima (isto é, $a_0 = 1$, $b_0 = 0$), encontre a probabilidade de uma transição para um spin para baixo, como uma função do tempo. *Resposta:* $P(t) = \left\{ \Omega^2 / [(\omega - \omega_0)^2 + \Omega^2] \right\} \mathrm{sen}^2(\omega' t/2)$.

(e) Esboce a **curva de ressonância**,

$$P(\omega) = \frac{\Omega^2}{(\omega - \omega_0)^2 + \Omega^2}, \quad [9.92]$$

como uma função da frequência de perturbação ω (para ω_0 e Ω fixos). Observe que o máximo ocorre em $\omega = \omega_0$. Calcule a 'largura a meia altura', $\Delta\omega$.

(f) Sendo $\omega_0 = \gamma B_0$, podemos usar a ressonância experimentalmente observada para determinar o momento de dipolo magnético da partícula. Em uma **ressonância magnética nuclear** (nmr), o fator g do próton deve ser medido utilizando-se um campo estático de 10.000 gauss e um campo de rf de amplitude 0,01 gauss. Qual seria a frequência ressonante? (Veja a Seção 6.5 sobre o momento magnético do próton.) Calcule a largura da curva de ressonância. (Dê as respostas em Hz.)

***Problema 9.21** Na Equação 9.31 supus que o átomo era tão pequeno (comparado ao comprimento de onda da luz) que as variações espaciais no campo poderiam ser ignoradas. O campo elétrico *verdadeiro* seria

$$\mathbf{E}(\mathbf{r},t) = \mathbf{E}_0 \cos(\mathbf{k}\cdot\mathbf{r} - \omega t). \quad [9.93]$$

Se o átomo estiver centrado na origem, então $\mathbf{k}\cdot\mathbf{r} \ll 1$ sobre o volume relevante ($|\mathbf{k}| = 2\pi/\lambda$, então $\mathbf{k}\cdot\mathbf{r} \sim r/\lambda \ll 1$), e é por isso que poderíamos nos dar ao luxo de descartá-lo. Suponha que mantivéssemos a correção de primeira ordem:

$$\mathbf{E}(\mathbf{r},t) = \mathbf{E}_0[\cos(\omega t) + (\mathbf{k}\cdot\mathbf{r})\,\mathrm{sen}(\omega t)]. \quad [9.94]$$

O primeiro termo dá origem às transições **permitidas** (**dipolo elétrico**) que foram consideradas no texto; o segundo leva às chamadas transições **proibidas** (**dipolo magnético** e **quádruplo elétrico**) (altas potências de $\mathbf{k}\cdot\mathbf{r}$ levam a transições ainda *mais* 'proibidas', associadas a momentos multipolares mais altos).[21]

(a) Obtenha a taxa de emissão espontânea para as transições proibidas (não se preocupe em calcular a média sobre as direções de polarização e propagação, embora isso realmente deva ser feito para concluir o cálculo). *Resposta:*

$$R_{b\to a} = \frac{q^2 \omega^5}{\pi \epsilon_0 \hbar c^5} |\langle a|(\hat{n}\cdot\mathbf{r})(\hat{k}\cdot\mathbf{r})|b\rangle|^2. \quad [9.95]$$

(b) Demonstre que, para um oscilador unidimensional, as transições proibidas vão do nível n ao nível $n-2$, e a taxa de transição (devidamente calculada sobre $\hat{n}$ e $\hat{k}$) é

$$R = \frac{\hbar q^2 \omega^3 n(n-1)}{15\pi\epsilon_0 m^2 c^5}. \quad [9.96]$$

(*Nota:* aqui, ω é a frequência do fóton, não do oscilador.) Encontre a razão da taxa 'proibida' para a taxa 'permitida' e comente a terminologia.

(c) Demonstre que a transição $2S \to 1S$ no hidrogênio não é possível nem mesmo por uma transição 'proibida'. (Como se vê, isso é verdade para todos os multipolos superiores, o decaimento dominante acontece, de fato, por emissão de dois fótons, e o tempo de vida é de cerca de um décimo de segundo.[22])

***Problema 9.22** Demonstre que a taxa de emissão espontânea (Equação 9.56) para uma transição de n, l para n', l' no hidrogênio é

$$\frac{e^2 \omega^3 I^2}{3\pi\epsilon_0 \hbar c^3} \times \begin{cases} \dfrac{l+1}{2l+1}, & \text{se } l' = l+1, \\[6pt] \dfrac{l}{2l-1}, & \text{se } l' = l-1, \end{cases} \quad [9.97]$$

em que

$$I \equiv \int_0^\infty r^3 R_{nl}(r) R_{n'l'}(r)\, dr. \quad [9.98]$$

(O átomo inicia com um valor específico de m e vai para *qualquer* um dos estados m' de acordo com as regras de seleção: $m' = m+1, m$, ou $m-1$. Observe que a resposta é independente de m.) *Dica:* em primeiro lugar, calcule todos os elementos da matriz não zero de x, y e z entre $|nlm\rangle$ e $|n'l'm'\rangle$ para o caso $l' = l+1$. A partir daí, determine a quantidade

$$|\langle n', l+1, m+1|\mathbf{r}|nlm\rangle|^2 + |\langle n', l+1, m|\mathbf{r}|nlm\rangle|^2$$
$$+ |\langle n', l+1, m-1|\mathbf{r}|nlm\rangle|^2.$$

Depois, faça o mesmo para $l' = l-1$.

---

21 Para uma abordagem sistemática (que inclui o papel do campo magnético), veja David Park, *Introduction to the Quantum Theory*, 3ª ed. (McGraw-Hill, Nova York, 1992), Capítulo 11.

22 Veja Masataka Mizushima, *Quantum Mechanics of Atomic Spectra and Atomic Structure*, Benjamin, Nova York (1970), Seção 5.6.

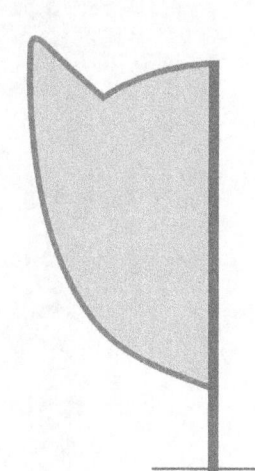

Capítulo 10
A aproximação adiabática

10.1 O teorema adiabático

10.1.1 Processos adiabáticos

Imagine um pêndulo perfeito, livre de atrito ou resistência do ar, oscilando para a frente e para trás em um plano vertical. Se você segurar o suporte dele e agitá-lo de forma irregular, o pêndulo oscilará caoticamente. Mas se você, *muito gentilmente e de forma constante*, mover o suporte (Figura 10.1), o pêndulo continuará a oscilar de forma suave, no mesmo plano (ou em um plano paralelo) com a mesma amplitude. Essa *mudança gradual de condições externas* define um processo **adiabático**. Observe que existem dois tempos característicos envolvidos: T_i, o tempo 'interno', representando o movimento do próprio sistema (nesse caso, o período das oscilações do pêndulo), e T_e, o tempo 'externo', sob o qual os parâmetros do sistema mudam sensivelmente (se o pêndulo fosse montado sobre uma plataforma vibratória, por exemplo, T_e seria o período do movimento da *plataforma*). Um processo adiabático é aquele em que $T_e \gg T_i$.[1]

A estratégia básica para analisar um processo adiabático é resolver, em primeiro lugar, o problema com os parâmetros externos mantidos *constantes*, e, somente ao *final* do cálculo, permitir que variem (lentamente) com o tempo. Por exemplo, o período clássico de um pêndulo de comprimento (fixo) L é $2\pi\sqrt{L/g}$; se o comprimento está agora *mudando* gradualmente, o período provavelmente será $2\pi\sqrt{L(t)/g}$. Um exemplo mais sutil apareceu em nossa discussão sobre a molécula de íon do hidrogênio (Seção 7.3). Primeiramente, supusemos que os núcleos estavam *sob repouso*, com uma distância fixa R, e solucionamos o movimento do elétron. Assim que encontramos a energia do estado fundamental do sistema como uma função de R, localizamos a separação de equilíbrio e, com base na curvatura do gráfico, obtivemos a frequência de vibração dos núcleos (Problema 7.10). Na física molecular, essa técnica (que começa com os núcleos em repouso, calcula funções de onda eletrônicas e as utiliza para obter informações sobre as posições e o movimento dos núcleos relativamente lento) é conhecida como **aproximação Born-Oppenheimer**.

---

[1] Para uma discussão interessante sobre os processos adiabáticos clássicos, veja Frank S. Crawford, *Am. J. Phys.* 58, 337 (1990).

FIGURA 10.1 Movimento adiabático: se a caixa é transportada muito gradualmente, o pêndulo dentro dela continua balançando com a mesma amplitude, em um plano paralelo ao original.

Na mecânica quântica, o conteúdo essencial da **aproximação adiabática** pode ser expresso em forma de teorema. Suponha que o Hamiltoniano mude *gradualmente* de certa forma inicial H^i para certa forma final H^f. O **teorema adiabático** afirma que se, inicialmente, a partícula está no n-ésimo autoestado de H^i, ela será levada (por meio da equação de Schrödinger) ao n-ésimo autoestado de H^f. (Suponho que o espectro seja discreto e não degenerado no decorrer da transição de H^i a H^f, e que, portanto, não exista ambiguidade sobre a ordenação dos estados; essas condições podem ser suavizadas em função de um procedimento apropriado para o 'acompanhamento' das autofunções, mas não abordarei isso aqui.)

Por exemplo, imagine uma partícula no estado fundamental de um poço quadrado infinito (Figura 10.2(a)):

$$\psi^i(x) = \sqrt{\frac{2}{a}}\operatorname{sen}\left(\frac{\pi}{a}x\right). \qquad [10.1]$$

Se movermos gradualmente a parede da direita para $2a$, o teorema adiabático dirá que a partícula acabará no estado fundamental do poço expandido (Figura 10.2(b)):

$$\psi^f(x) = \sqrt{\frac{1}{a}}\operatorname{sen}\left(\frac{\pi}{2a}x\right) \qquad [10.2]$$

(além de, talvez, um fator de fase). Observe que não estamos falando de uma *pequena* mudança no Hamiltoniano (como na teoria perturbacional); trata-se de uma mudança *enorme*. Tudo o que precisamos é que aconteça *lentamente*. Aqui, a energia não é conservada: quem quer que mova a parede extrai energia do sistema, assim como o pistão em um cilindro de gás em lenta expansão. Em con-

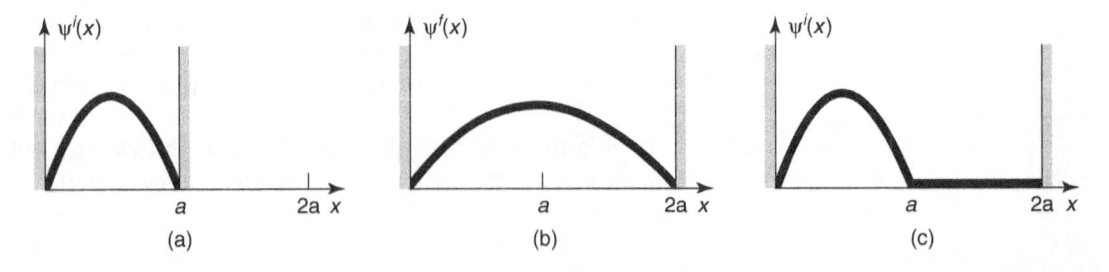

FIGURA 10.2 (a) A partícula se encontra no estado fundamental do poço quadrado infinito. (b) Quando a parede se move *lentamente*, a partícula permanece no estado fundamental. (c) Quando a parede se move *rapidamente*, a partícula permanece (momentaneamente) em seu estado inicial no lado esquerdo.

trapartida, se o poço expande *repentinamente*, o estado resultante ainda é $\psi^i(x)$ (Figura 10.2(c)), que é uma combinação linear complicada de autoestados do Hamiltoniano novo (Problema 2.38). Nesse caso, a energia *é* conservada (pelo menos, o seu *valor esperado* é); como acontece na expansão *livre* de um gás (no vácuo) quando a barreira é repentinamente removida, nenhum trabalho é realizado.

***Problema 10.1** O caso de um poço quadrado infinito cuja parede direita expande em velocidade *constante* (v) pode ser resolvido *de modo exato*.[2] Um conjunto completo de soluções é

$$\Phi_n(x,t) \equiv \sqrt{\frac{2}{w}} \operatorname{sen}\left(\frac{n\pi}{w}x\right) e^{i(mvx^2 - 2E_n^i at)/2\hbar w}, \qquad [10.3]$$

em que $w(t) \equiv a + vt$ é a largura (instantânea) do poço, e $E_n^i \equiv n^2\pi^2\hbar^2/2ma^2$ é a n-ésima energia permitida do poço *original* (largura a). A solução *geral* é uma combinação linear de Φ':

$$\Psi(x,t) = \sum_{n=1}^{\infty} c_n \Phi_n(x,t); \qquad [10.4]$$

os coeficientes c_n são *independentes de t*.

(a) Verifique que a Equação 10.3 satisfaz a equação de Schrödinger dependente do tempo com as condições de contorno adequadas.

(b) Suponha que uma partícula se encontre ($t = 0$) no estado fundamental do poço inicial:

$$\Psi(x,0) = \sqrt{\frac{2}{a}} \operatorname{sen}\left(\frac{\pi}{a}x\right).$$

Demonstre que os coeficientes da expansão podem ser escritos na forma

$$c_n = \frac{2}{\pi} \int_0^{\pi} e^{-i\alpha z^2} \operatorname{sen}(nz)\operatorname{sen}(z) dz, \qquad [10.5]$$

em que $\alpha \equiv mva/2\pi^2\hbar$ é uma medida sem dimensão da velocidade com a qual o poço é expandido. (Infelizmente, essa integral não pode ser avaliada em termos de funções elementares.)

(c) Suponha que permitamos a expansão do poço para o dobro de sua largura original, de modo que o tempo 'externo' seja dado por $w(T_e) = 2a$. O tempo 'interno' é o *período* do fator exponencial dependente do tempo no estado fundamental (inicial). Determine T_e e T_i e demonstre que o regime adiabático corresponde a $\alpha \ll 1$, de modo que $\exp(-i\alpha z^2) \cong 1$ sobre o domínio de integração. Sendo assim, determine os coeficientes da expansão, c_n. Monte $\Psi(x, t)$ e confirme sua compatibilidade com o teorema adiabático.

(d) Demonstre que o fator de fase em $\Psi(x, t)$ pode ser escrito na forma

$$\theta(t) = -\frac{1}{\hbar}\int_0^t E_1(t')dt', \qquad [10.6]$$

em que $E_n(t) \equiv n^2\pi^2\hbar^2/2mw^2$ é o autovalor *instantâneo* em tempo t. Comente o resultado.

10.1.2 Prova do teorema adiabático

O teorema adiabático é simples de expressar, e *soa* plausível, mas não é fácil de provar.[3] Se o Hamiltoniano é *independente* do tempo, então a partícula que inicia no n-ésimo autoestado,[4] ψ_n,

$$H\psi_n = E_n\psi_n, \qquad [10.7]$$

---

2 S. W. Doescher e M. H. Rice, *Am. J. Phys.* **37**, 1246 (1969).

3 O teorema é geralmente atribuído a Ehrenfest, que estudou os processos adiabáticos em versões iniciais da teoria quântica. A primeira prova na mecânica quântica moderna foi dada por Born e Fock, *Zeit. f. Physik* **51**, 165 (1928). Outras provas são encontradas em Messiah, *Quantum Mechanics*, Wiley, Nova York (1962). Vol. II, Capítulo XVII, Seção 12, J-T Hwang e Philip Pechukas, *J. Chem. Phys.* **67**, 4640, 1977 e Gasiorowicz, *Quantum Physics*, Wiley, Nova York (1974), Capítulo 22, Problema 6. O argumento dado aqui provém de B. H. Bransden e C. J. Joachain, *Introduction to Quantum Mechanics*, 2ª ed., Addison-Wesley, Boston, MA (2000), Seção 9.4.

4 Eliminarei a dependência da posição (ou spin etc.); nesse argumento, somente a dependência do tempo está em discussão.

permanece no n-ésimo autoestado, simplesmente escolhendo um fator de fase:

$$\Psi_n(t) = \psi_n e^{-E_n t/\hbar}. \qquad [10.8]$$

Se o Hamiltoniano *muda* com o tempo, então as autofunções e os autovalores são dependentes do tempo:

$$H(t)\psi_n(t) = E_n(t)\psi_n(t), \qquad [10.9]$$

mas elas ainda constituem (em qualquer instante determinado) um conjunto ortonormal

$$\langle \psi_n(t) | \psi_m(t) \rangle = \delta_{nm} \qquad [10.10]$$

e elas são completas, de modo que a solução geral para a equação de Schrödinger dependente do tempo

$$i\hbar \frac{\partial}{\partial t} \Psi(t) = H(t)\Psi(t) \qquad [10.11]$$

pode ser expressa como uma combinação linear delas:

$$\Psi(t) = \sum_n c_n(t) \psi_n(t) e^{i\theta_n(t)}, \qquad [10.12]$$

em que

$$\theta_n(t) \equiv -\frac{1}{\hbar} \int_0^t E_n(t')dt' \qquad [10.13]$$

generaliza o fator de fase 'padrão' para o caso em que E_n varia com o tempo. (Como sempre, eu poderia tê-lo incluído no coeficiente $c_n(t)$, mas é conveniente fatorar essa parte da dependência do tempo, já que ela estaria presente até em um Hamiltoniano independente do tempo.)

Substituindo a Equação 10.12 pela Equação 10.11, obtemos

$$i\hbar \sum_n \left[\dot{c}_n \psi_n + c_n \dot{\psi}_n + i c_n \psi_n \dot{\theta}_n \right] e^{i\theta_n} = \sum_n c_n (H\psi_n) e^{i\theta_n} \qquad [10.14]$$

(utilizo um ponto para denotar a derivativa do tempo). Na perspectiva das equações 10.9 e 10.13, os dois últimos termos se anulam, deixando

$$\sum_n \dot{c}_n \psi_n e^{i\theta_n} = -\sum_n c_n \dot{\psi}_n e^{i\theta_n}. \qquad [10.15]$$

Considerando o produto interno com ψ_m e invocando a ortonormalidade das autofunções instantâneas (Equação 10.10),

$$\sum_n \dot{c}_n \delta_{mn} e^{i\theta_n} = -\sum_n c_n \langle \psi_m | \dot{\psi}_n \rangle e^{i\theta_n},$$

ou

$$\dot{c}_m(t) = -\sum_n c_n \langle \psi_m | \dot{\psi}_n \rangle e^{i(\theta_n - \theta_m)}. \qquad [10.16]$$

Agora, a diferenciação da Equação 10.9 em relação ao tempo produz

$$\dot{H}\psi_n + H\dot{\psi}_n = \dot{E}_n \psi_n + E_n \dot{\psi}_n,$$

e, portanto (novamente tomando o produto interno com ψ_m),

$$\langle \psi_m | \dot{H} | \psi_n \rangle + \langle \psi_m | H | \dot{\psi}_n \rangle = \dot{E}_n \delta_{mn} + E_n \langle \psi_m | \dot{\psi}_n \rangle. \qquad [10.17]$$

Explorando a hermiticidade de H para escrever $\langle \psi_m | H | \dot{\psi}_n \rangle = E_m \langle \psi_m | \dot{\psi}_n \rangle$, segue-se que, para $n \neq m$

$$\langle \psi_m | \dot{H} | \psi_n \rangle = (E_n - E_m)\langle \psi_m | \dot{\psi}_n \rangle. \qquad [10.18]$$

Inserindo isso na Equação 10.16 (e supondo que as energias sejam não degeneradas), concluímos que

$$\dot{c}_m(t) = -c_m \langle \psi_m | \dot{\psi}_m \rangle - \sum_{n \neq m} c_n \frac{\langle \psi_m | \dot{H} | \psi_n \rangle}{E_n - E_m} e^{(-i/\hbar) \int_0^t [E_n(t') - E_m(t')] dt'}. \quad [10.19]$$

Esse resultado é *rigoroso*. A aproximação adiabática vem agora: suponha que $\dot{H}$ seja extremamente pequeno e descarte o segundo termo,[5] deixando

$$\dot{c}_m(t) = -c_m \langle \psi_m | \dot{\psi}_m \rangle, \quad [10.20]$$

com a solução

$$c_m(t) = c_m(0) e^{i\gamma_m(t)}, \quad [10.21]$$

em que[6]

$$\gamma_m(t) \equiv i \int_0^t \left\langle \psi_m(t') \middle| \frac{\partial}{\partial t'} \psi_m(t') \right\rangle dt'. \quad [10.22]$$

Em particular, se a partícula se encontra no *n*-ésimo autoestado (ou seja, se $c_n(0) = 1$ e $c_m(0) = 0$ para $m \neq n$), então (Equação 10.12)

$$\Psi_n(t) = e^{i\theta_n(t)} e^{i\gamma_n(t)} \psi_n(t), \quad [10.23]$$

por isso permanece no *n*-ésimo autoestado (do Hamiltoniano em evolução), tomando apenas alguns fatores de fase. QED

Exemplo 10.1 Imagine um elétron (carga $-e$, massa m) em repouso na origem, na presença de um campo magnético cuja *magnitude* (B_0) seja constante, porém, cuja *direção* percorra um cone de ângulo obtuso α com velocidade angular constante ω (Figura 10.3):

$$\mathbf{B}(t) = B_0 [\text{sen}\alpha \cos(\omega t)\hat{i} + \text{sen}\alpha \text{sen}(\omega t)\hat{j} + \cos\alpha \hat{k}]. \quad [10.24]$$

O Hamiltoniano (Equação 4.158) é

$$H(t) = \frac{e}{m} \mathbf{B} \cdot \mathbf{S} = \frac{e\hbar B_0}{2m} [\text{sen}\alpha \cos(\omega t)\sigma_x + \text{sen}\alpha \text{sen}(\omega t)\sigma_y + \cos\alpha \sigma_z]$$

$$= \frac{\hbar \omega_1}{2} \begin{pmatrix} \cos\alpha & e^{-i\omega t} \text{sen}\alpha \\ e^{i\omega t} \text{sen}\alpha & -\cos\alpha \end{pmatrix}, \quad [10.25]$$

em que

$$\omega_1 \equiv \frac{eB_0}{m}. \quad [10.26]$$

Os autospinores normalizados de $H(t)$ são

$$\chi_+(t) = \begin{pmatrix} \cos(\alpha/2) \\ e^{i\omega t} \text{sen}(\alpha/2) \end{pmatrix} \quad [10.27]$$

e

$$\chi_-(t) = \begin{pmatrix} e^{-i\omega t} \text{sen}(\alpha/2) \\ -\cos(\alpha/2) \end{pmatrix} i \quad [10.28]$$

---

[5] A justificativa rigorosa desse passo não é trivial. Veja A. C. Aguiar Pinto et al., *Am. J. Phys.* **68**, 955 (2000).

[6] Observe que γ é *real*, desde que a normalização de ψ_m implique em

$(d/dt)\langle \psi_m | \psi_m \rangle = \langle \dot{\psi}_m | \psi_m \rangle + \langle \psi_m | \dot{\psi}_m \rangle = 2\text{Re}(\langle \psi_m | \dot{\psi}_m \rangle) = 0.$

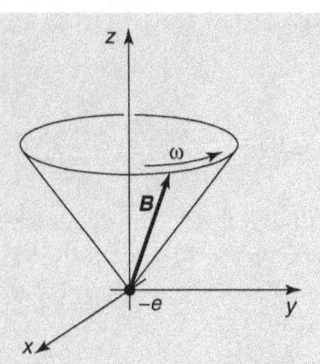

FIGURA 10.3 Campo magnético se movimentando em torno do cone, com velocidade angular ω (Equação 10.24).

eles representam o spin para cima e o spin para baixo, respectivamente, *ao longo da direção instantânea de* **B**(*t*) (veja o Problema 4.30). Os autovalores correspondentes são

$$E_\pm = \pm \frac{\hbar \omega_1}{2}. \quad [10.29]$$

Suponha que o elétron inicie com spin para cima, paralelamente a **B**(0):[7]

$$\chi(0) = \begin{pmatrix} \cos(\alpha/2) \\ \sin(\alpha/2) \end{pmatrix}. \quad [10.30]$$

A solução exata para a equação de Schrödinger dependente do tempo é (Problema 10.2):

$$\chi(t) = \begin{pmatrix} \left[\cos(\lambda t/2) - i\frac{(\omega_1 - \omega)}{\lambda}\sin(\lambda t/2)\right]\cos(\alpha/2)\, e^{-i\omega t/2} \\ \left[\cos(\lambda t/2) - i\frac{(\omega_1 + \omega)}{\lambda}\sin(\lambda t/2)\right]\sin(\alpha/2)\, e^{+i\omega t/2} \end{pmatrix}, \quad [10.31]$$

em que

$$\lambda \equiv \sqrt{\omega^2 + \omega_1^2 - 2\omega\omega_1 \cos\alpha}. \quad [10.32]$$

Ou, expressando-a como uma combinação linear de χ_+ e χ_-:

$$\chi(t) = \left[\cos\left(\frac{\lambda t}{2}\right) - i\frac{(\omega_1 - \omega\cos\alpha)}{\lambda}\sin\left(\frac{\lambda t}{2}\right)\right] e^{-i\omega t/2}\chi_+(t)$$
$$+ i\left[\frac{\omega}{\lambda}\sin\alpha \sin\left(\frac{\lambda t}{2}\right)\right] e^{+i\omega t/2}\chi_-(t). \quad [10.33]$$

Evidentemente, a probabilidade (exata) de uma transição para o spin para baixo (paralelamente à direção atual de **B**) é

$$|\langle \chi(t) | \chi_-(t) \rangle|^2 = \left[\frac{\omega}{\lambda}\sin\alpha \sin\left(\frac{\lambda t}{2}\right)\right]^2. \quad [10.34]$$

---

[7] Esse é, essencialmente, como o Problema 9.20, exceto que agora o elétron inicia com spin para cima junto a **B**, enquanto na Equação 9.20(d) ele iniciou com spin para cima ao longo de *z*.

O teorema adiabático diz que essa probabilidade de transição deveria desaparecer no limite $T_e \gg T_i$, em que T_e é o tempo característico para mudanças no Hamiltoniano (nesse caso, $1/\omega$) e T_i é o tempo característico para mudanças na função de onda (nesse caso, $\hbar/(E_+ - E_-) = 1/\omega_1$). Assim, a aproximação adiabática significa $\omega \ll \omega_1$: o campo rotaciona lentamente em comparação com a fase das funções de onda (não perturbadas). No regime adiabático, $\lambda \cong \omega_1$, e, portanto,

$$|\langle \chi(t) | \chi_-(t) \rangle|^2 \cong \left[\frac{\omega}{\omega_1} \operatorname{sen} \alpha \operatorname{sen}\left(\frac{\lambda t}{2}\right)\right]^2 \to 0, \qquad [10.35]$$

conforme anunciado. O campo magnético conduz o elétron pelo nariz, com o spin sempre apontando na direção de **B**. Por sua vez, se $\omega \gg \omega_1$, então $\lambda \cong \omega$, e o sistema oscila para a frente e para trás entre o spin para cima e o spin para baixo (Figura 10.4).

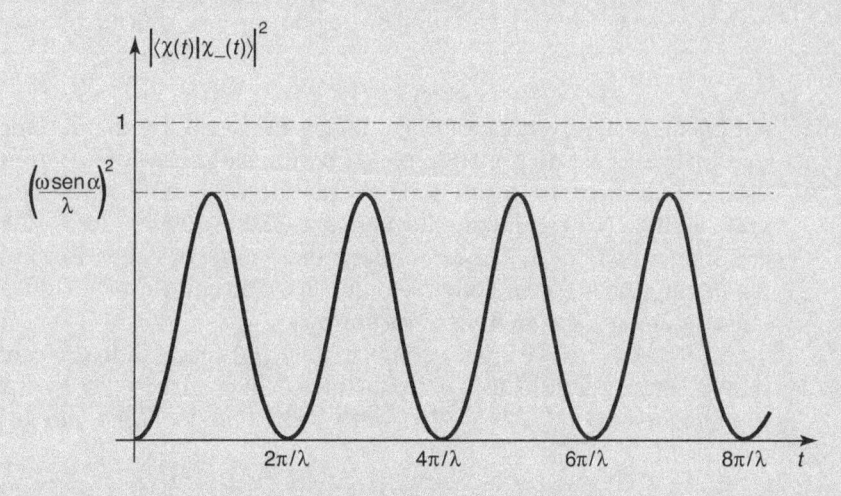

FIGURA 10.4 Representação da probabilidade de transição, Equação 10.34, no regime não adiabático ($\omega \gg \omega_1$).

> ****Problema 10.2** Verifique que a Equação 10.31 satisfaz a equação de Schrödinger dependente do tempo para o Hamiltoniano na Equação 10.25. Também confirme a Equação 10.33 e demonstre que a somatória dos quadrados dos coeficientes é 1, conforme o exigido para normalização.

10.2 Fase de Berry

10.2.1 Processos não holonômicos

Voltemos ao modelo clássico que utilizei (na Seção 10.1.1) para desenvolver o conceito de processo adiabático: um pêndulo totalmente livre de atrito, cujo suporte é carregado de um lugar para outro. Afirmei que, contanto que o movimento do apoio seja *muito lento* quando comparado ao período do pêndulo (para que o pêndulo execute muitas oscilações antes que o suporte se mova consideravelmente), ele continuará a balançar no mesmo plano (ou em um plano paralelo) com a mesma amplitude (e, é claro, com a mesma frequência).

E se eu levar esse pêndulo ideal ao Polo Norte e começar a balançá-lo na direção de Portland, por exemplo (Figura 10.5)? Por enquanto, finja que a Terra não está rodando. Muito

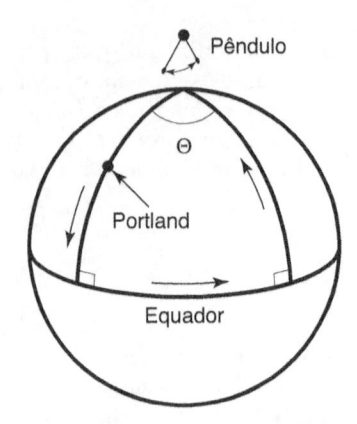

FIGURA 10.5 Itinerário para o transporte adiabático de um pêndulo na superfície da Terra.

sutilmente (isto é, *adiabaticamente*) levo para baixo a linha de longitude que passa por Portland, até a Linha do Equador. Nesse ponto, ele oscila entre norte e sul. Agora, levo-o (ainda oscilando entre norte e sul) a algum caminho pela Linha do Equador. E, por fim, levo-o de volta ao Polo Norte, juntamente com a nova linha de longitude. Fica claro que o pêndulo não continuará oscilando no mesmo plano em que estava quando comecei; de fato, o novo plano faz um ângulo Θ com o antigo, em que Θ é o ângulo entre as linhas de longitude que seguem em direção ao sul e em direção ao norte.

Acontece que Θ é igual ao *ângulo sólido* (Ω) subtendido (no centro da Terra) pelo caminho que fiz com o pêndulo. Esse caminho envolve uma fração $\Theta/2\pi$ do hemisfério norte, de modo que sua área é $A = (1/2)(\Theta/2\pi) 4\pi R^2 = \Theta R^2$ (em que R é o raio da Terra), e, portanto,

$$\Theta = A/R^2 \equiv \Omega. \qquad [10.36]$$

Essa é uma maneira particularmente boa de expressar a resposta, pois vem a ser independente do *formato* da trajetória (Figura 10.6).[8]

Aliás, o **pêndulo de Foucault** é exatamente um exemplo desse tipo de transporte adiabático em torno de um circuito fechado em uma esfera — só que, agora, em vez de *eu* carregar o pêndulo, deixo que a *rotação da Terra* faça esse trabalho. O ângulo sólido subtendido pela linha de latitude θ_0 (Figura 10.7) é

$$\Omega = \int \operatorname{sen} \theta \, d\theta \, d\phi = 2\pi(-\cos\theta)\Big|_0^{\theta_0} = 2\pi(1 - \cos\theta_0). \qquad [10.37]$$

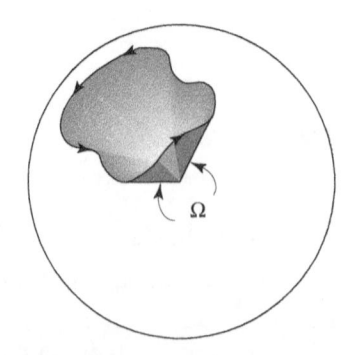

FIGURA 10.6 Caminho arbitrário sobre a superfície de uma esfera, subtendendo um ângulo sólido Ω.

---

[8] Você pode provar isso para si mesmo, caso esteja interessado. Pense no circuito como se ele fosse composto por pequenos segmentos de grandes círculos (geodésicas sobre a esfera); o pêndulo produz um ângulo fixo com cada segmento geodésico, assim a derivação angular está relacionada à somatória dos ângulos vértices do polígono esférico.

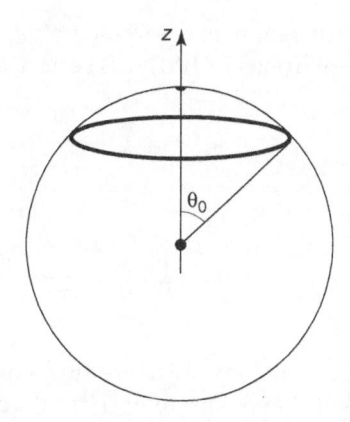

FIGURA 10.7 Trajeto de um pêndulo de Foucault no curso de um dia.

Em relação à Terra (que, entretanto, voltou a um ângulo de 2π), a precessão diária do pêndulo de Foucault é $2\pi \cos \theta_0$ — resultado que é normalmente obtido por meio do uso da força de Coriolis no referencial em rotação,[9] mas é visto, nesse contexto, admitindo uma interpretação puramente *geométrica*.

Um sistema como esse, que não retorna ao seu estado original quando transportado em um circuito fechado, é chamado de **não holonômico**. (O 'transporte' em questão não precisa envolver *movimento* físico: o que temos em mente é que os parâmetros do sistema são alterados de uma forma que, eventualmente, faz com que eles retornem aos seus valores iniciais.) Sistemas não holonômicos são onipresentes; de certa maneira, todos os mecanismos cíclicos são dispositivos não holonômicos: ao final de cada ciclo, o carro se move um pouco para a frente, um peso é levantado sutilmente, ou algo assim. A ideia já foi aplicada à locomoção de micróbios em fluidos para um baixo número de Reynolds.[10] Meu projeto para a próxima seção é estudar a *mecânica quântica dos processos adiabáticos não holonômicos*. A principal questão é: como o estado final pode diferir do estado inicial se os parâmetros no Hamiltoniano foram transportados adiabaticamente em um ciclo fechado?

10.2.2 Fase geométrica

Na Seção 10.1.2, mostrei que uma partícula que se encontre no n-ésimo autoestado de $H(0)$ permanecerá, sob condições adiabáticas, no n-ésimo autoestado de $H(t)$, assimilando apenas um fator de fase dependente do tempo. Sua função de onda é, especificamente (Equação 10.23),

$$\Psi_n(t) = e^{i[\theta_n(t) + \gamma_n(t)]} \psi_n(t), \qquad [10.38]$$

em que

$$\theta_n(t) \equiv -\frac{1}{\hbar} \int_0^t E_n(t')dt' \qquad [10.39]$$

é a **fase dinâmica** (generalizando o fator comum $\exp(-E_n t/\hbar)$ para o caso em que E_n é uma função de tempo), e

$$\gamma_n(t) \equiv i \int_0^t \left\langle \psi_n(t') \middle| \frac{\partial}{\partial t'} \psi_n(t') \right\rangle dt' \qquad [10.40]$$

é a chamada **fase geométrica**.

---

[9] Veja, por exemplo, Jerry B. Marion e Stephen T. Thornton, *Classical Dynamics of Particles and Systems*, 4ª ed., Saunders, Fort Worth, TX (1995), Exemplo 10.5. Geógrafos medem a latitude (λ) desde o Equador em vez de a partir do Polo, de modo que $\cos \theta_0 = \text{sen } \lambda$.

[10] O exemplo do pêndulo é uma aplicação do **ângulo de Hannay**, que é o equivalente clássico da fase de Berry. Para uma série de estudos sobre ambos os assuntos, veja Alfred Shapere e Frank Wilczek, eds., *Geometric Phases in Physics*, World Scientific, Singapura (1989).

Agora, $\psi_n(t)$ depende de t, pois há um parâmetro $R(t)$ no Hamiltoniano que está mudando com o tempo. (No Problema 10.1, $R(t)$ seria a largura do poço quadrado em expansão.) Assim,

$$\frac{\partial \psi_n}{\partial t} = \frac{\partial \psi_n}{\partial R}\frac{dR}{dt}, \qquad [10.41]$$

então,

$$\gamma_n(t) = i\int_0^t \left\langle \psi_n \left| \frac{\partial \psi_n}{\partial R} \right. \right\rangle \frac{dR}{dt'}dt' = i\int_{R_i}^{R_f} \left\langle \psi_n \left| \frac{\partial \psi_n}{\partial R} \right. \right\rangle dR, \qquad [10.42]$$

em que R_i e R_f são os valores iniciais e finais de $R(t)$. Especialmente se o Hamiltoniano retorna à sua forma original após um tempo T, tal que $R_f = R_i$, e então $\gamma_n(T) = 0$ — nada de muito interessante!

Entretanto, admiti (na Equação 10.41) que há apenas *um* parâmetro no Hamiltoniano que está mudando. Suponha que haja N deles: $R_1(t), R_2(t)\ldots R_N(t)$; nesse caso,

$$\frac{\partial \psi_n}{\partial t} = \frac{\partial \psi_n}{\partial R_1}\frac{dR_1}{dt} + \frac{\partial \psi_n}{\partial R_2}\frac{dR_2}{dt} + \ldots + \frac{\partial \psi_n}{\partial R_N}\frac{dR_N}{dt} = (\nabla_R \psi_n)\cdot\frac{d\mathbf{R}}{dt}, \qquad [10.43]$$

em que $\mathbf{R} \equiv (R_1, R_n, \ldots R_N)$ e ∇_R é o gradiente em relação a esses parâmetros. Dessa vez, temos

$$\gamma_n(t) = i\int_{\mathbf{R}_i}^{\mathbf{R}_f} \langle \psi_n | \nabla_R \psi_n \rangle \cdot d\mathbf{R}, \qquad [10.44]$$

e se o Hamiltoniano retorna à sua forma original após um tempo T, a mudança de fase geométrica será

$$\gamma_n(T) = i\oint \langle \psi_n | \nabla_R \psi_n \rangle \cdot d\mathbf{R}. \qquad [10.45]$$

Essa é uma integral de *linha* em torno de um circuito fechado no parâmetro de espaço, e, em geral, não é zero. A Equação 10.45 foi obtida primeiramente por Michael Berry, em 1984,[11] e $\gamma_n(T)$ é chamada de **fase de Berry**. Observe que $\gamma_n(T)$ depende *somente do trajeto escolhido*, e não do quão *rapidamente* esse trajeto é feito (contanto, é claro, que aconteça lentamente o bastante para validar a hipótese adiabática). Em contrapartida, a fase acumulada *dinâmica*,

$$\theta_n(T) = -\frac{1}{\hbar}\int_0^T E_n(t')dt',$$

depende de forma decisiva do tempo decorrido.

Estamos acostumados a pensar que a fase da função de onda é arbitrária — quantidades físicas envolvem $|\Psi|^2$, e o fator de fase se cancela. Por essa razão, a maioria das pessoas pensava até recentemente que a fase geométrica não tinha significado físico; afinal, a fase de $\psi_n(t)$ em si é arbitrária. Foi Berry quem teve a ideia de que se um Hamiltoniano fosse conduzido em um *circuito* fechado, levando-o à sua forma original, a fase relativa no início e no final do processo *não* seria arbitrária e poderia, de fato, ser medida.

Por exemplo, suponha que tenhamos um feixe de partículas (todas no estado Ψ) e o dividamos em dois, de modo que um feixe passe através de um potencial adiabaticamente alterado, enquanto o outro, não. Quando os dois feixes forem recombinados, a função de onda total terá a forma

$$\Psi = \frac{1}{2}\Psi_0 + \frac{1}{2}\Psi_0 e^{i\Gamma}, \qquad [10.46]$$

---

[11] M. V. Berry, *Proc. R. Soc. Lond.* A **392**, 45 (1984), reimpresso em Wilczek e Shapere (nota de rodapé nº 10). Em retrospecto, é surpreendente que esse resultado tenha passado desapercebido durante sessenta anos.

em que Ψ_0 será a função de onda do feixe 'direto' e Γ será a fase *extra* (em parte dinâmica, em parte geométrica) obtida pelo feixe submetido ao H alterado. Nesse caso,

$$|\Psi|^2 = \frac{1}{4}|\Psi_0|^2 (1+e^{i\Gamma})(1+e^{-i\Gamma})$$
$$= \frac{1}{2}|\Psi_0|^2 (1+\cos\Gamma) = |\Psi_0|^2 \cos^2(\Gamma/2). \qquad [10.47]$$

Assim, procurando por pontos de interferência construtiva e destrutiva (em que Γ é um múltiplo par ou ímpar de π, respectivamente), pode-se facilmente medir Γ. (Berry e outros autores anteriores preocupavam-se com o fato de que a fase geométrica poderia ser inundada por uma ampla fase dinâmica, mas foi provado que era possível organizar as coisas de modo a separar as duas contribuições.)

Quando o espaço de parâmetros é tridimensional, $\mathbf{R} = (R_1, R_2, R_3)$, a fórmula de Berry (Equação 10.45) faz lembrar a expressão para o **fluxo magnético** em termos do potencial vetor $\mathbf{A}$. O fluxo, Φ, através de uma superfície S limitada por uma curva C (Figura 10.8), é

$$\Phi \equiv \int_S \mathbf{B} \cdot d\mathbf{a}. \qquad [10.48]$$

Se escrevermos o campo magnético em termos do potencial vetor ($\mathbf{B} = \nabla \times \mathbf{A}$) e aplicarmos o teorema de Stokes:

$$\Phi = \int_S (\nabla \times \mathbf{A}) \cdot d\mathbf{a} = \oint_C \mathbf{A} \cdot d\mathbf{r}. \qquad [10.49]$$

Assim, a fase de Berry pode ser entendida como o 'fluxo' de um 'campo magnético'

$$"\mathbf{B}" = i\nabla_R \times \langle \psi_n | \nabla_R \psi_n \rangle, \qquad [10.50]$$

por meio da trajetória (de circuito fechado) no espaço de parâmetros. Para fazer o inverso, no caso tridimensional, a fase de Berry pode ser escrita como uma integral de superfície,

$$\gamma_n(T) = i \int [\nabla_R \times \langle \psi_n | \nabla_R \psi_n \rangle] \cdot d\mathbf{a}. \qquad [10.51]$$

A analogia magnética pode ir muito além, mas, para nossos propósitos, a Equação 10.51 será simplesmente uma expressão alternativa conveniente de $\gamma_n(T)$.

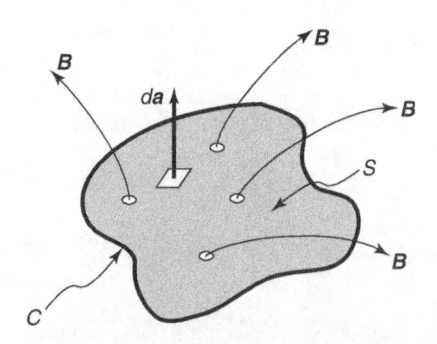

FIGURA 10.8 Fluxo magnético através da superfície S definida pela curva fechada C.

*Problema 10.3

(a) Utilize a Equação 10.42 para calcular a mudança de fase geométrica quando o poço quadrado infinito expande-se adiabaticamente da largura w_1 para w_2. Comente o resultado.

(b) Se a expansão ocorre com uma taxa constante ($dw/dt = v$), qual é a mudança de fase dinâmica para esse processo?

(c) Se o poço agora se retrai, voltando ao seu tamanho original, qual é a fase de Berry para o ciclo?

Problema 10.4 O poço função delta (Equação 2.114) suporta um único estado ligado (Equação 2.129). Calcule a mudança de fase geométrica quando α aumenta gradualmente de α_1 para α_2. Se o aumento ocorrer com uma taxa constante ($d\alpha/dt = c$), qual é a mudança de fase dinâmica para esse processo?

Problema 10.5 Demonstre que se $\psi_n(T)$ é *real*, a fase geométrica desaparece. (Os problemas 10.3 e 10.4 são exemplos disso.) Você pode tentar resolver o problema colocando um fator de fase desnecessário (mas perfeitamente legal) nas autofunções: $\psi'_n(t) \equiv e^{i\phi_n}\psi_n(t)$, em que $\phi_n(\mathbf{R})$ é uma função (real) arbitrária. Tente. É certo que você obterá uma fase geométrica não nula, mas observe o que acontece quando você a insere novamente na Equação 10.23. E para um circuito *fechado*, ela obtém *zero*. Conclusão: para a fase de Berry não zero, você precisa (i) mais do que um parâmetro dependente do tempo no Hamiltoniano e (ii) um Hamiltoniano que produza autofunções complexas não triviais.

Exemplo 10.2 O exemplo clássico da fase de Berry é um elétron na origem, sujeito a um campo magnético de magnitude constante, mas com direção inconstante. Considere, primeiramente, o caso especial (analisado no Exemplo 10.1) no qual $\mathbf{B}(t)$ avança com velocidade angular constante ω, formando um ângulo α fixo com o eixo z. A solução *exata* (para um elétron que inicia com 'spin para cima' junto a $\mathbf{B}$) é dada pela Equação 10.33. No regime adiabático, $\omega \ll \omega_1$,

$$\lambda = \omega_1 \sqrt{1 - 2\frac{\omega}{\omega_1}\cos\alpha + \left(\frac{\omega}{\omega_1}\right)^2} \cong \omega_1\left(1 - \frac{\omega}{\omega_1}\cos\alpha\right) = \omega_1 - \omega\cos\alpha, \quad [10.52]$$

e a Equação 10.33 vem a ser

$$\chi(t) \cong e^{-i\omega_1 t/2} e^{i(\omega\cos\alpha)t/2} e^{-i\omega t/2}\chi_+(t)$$
$$+ i\left[\frac{\omega}{\omega_1}\mathrm{sen}\,\alpha\,\mathrm{sen}\left(\frac{\omega_1 t}{2}\right)\right]e^{+i\omega t/2}\chi_-(t). \quad [10.53]$$

Como $\omega/\omega_1 \to 0$, o segundo termo é completamente descartado, e o resultado corresponde à forma adiabática esperada (Equação 10.23). A fase dinâmica é

$$\theta_+(t) = -\frac{1}{\hbar}\int_0^t E_+(t')dt' = -\frac{\omega_1 t}{2} \quad [10.54]$$

(em que $E_+ = \hbar\omega_1/2$, por causa da Equação 10.29), e, assim, a fase geométrica é

$$\gamma_+(t) = (\cos\alpha - 1)\frac{\omega t}{2}. \quad [10.55]$$

Para um ciclo completo, $T = 2\pi/\omega$, e, por isso, a fase de Berry é

$$\gamma_+(T) = \pi(\cos\alpha - 1). \quad [10.56]$$

Agora, considere um caso mais geral, no qual a ponta do vetor do campo magnético percorre uma curva fechada *arbitrária* sobre a superfície de uma esfera de raio $r = B_0$ (Figura 10.9). O autoestado que representa o spin para cima junto a $\mathbf{B}(t)$ tem a forma (veja o Problema 4.30):

$$\chi_+ = \begin{pmatrix} \cos(\theta/2) \\ e^{i\phi}\mathrm{sen}(\theta/2) \end{pmatrix}, \quad [10.57]$$

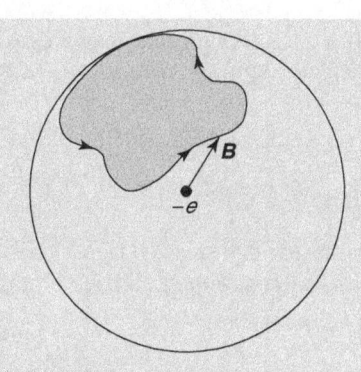

FIGURA 10.9 Campo magnético com magnitude constante, mas com direção inconstante realizando um circuito fechado.

em que θ e φ (coordenadas esféricas de **B**) *são* agora funções do tempo. Observando o gradiente em coordenadas esféricas, teremos

$$\nabla \chi_+ = \frac{\partial \chi_+}{\partial r}\hat{r} + \frac{1}{r}\frac{\partial \chi_+}{\partial \theta}\hat{\theta} + \frac{1}{r\,\text{sen}\,\theta}\frac{\partial \chi_+}{\partial \phi}\hat{\phi}$$

$$= \frac{1}{r}\begin{pmatrix} -(1/2)\,\text{sen}\,(\theta/2) \\ (1/2)e^{i\phi}\cos(\theta/2) \end{pmatrix}\hat{\theta} + \frac{1}{r\,\text{sen}\,\theta}\begin{pmatrix} 0 \\ ie^{i\phi}\,\text{sen}(\theta/2) \end{pmatrix}\hat{\phi}. \qquad [10.58]$$

Portanto,

$$\langle \chi_+ | \nabla \chi_+ \rangle = \frac{1}{2r}\left[-\text{sen}(\theta/2)\cos(\theta/2)\hat{\theta} + \text{sen}(\theta/2)\cos(\theta/2)\hat{\theta} + 2i\frac{\text{sen}^2(\theta/2)}{\text{sen}\,\theta}\hat{\phi} \right]$$

$$= i\frac{\text{sen}^2(\theta/2)}{r\,\text{sen}\,\theta}\hat{\phi}. \qquad [10.59]$$

Para a Equação 10.51 precisamos do *rotacional* dessa quantidade:

$$\nabla \times \langle \chi_+ | \nabla \chi_+ \rangle = \frac{1}{r\,\text{sen}\,\theta}\frac{\partial}{\partial \theta}\left[\text{sen}\,\theta \left(\frac{i\,\text{sen}^2(\theta/2)}{r\,\text{sen}\,\theta} \right) \right]\hat{r} = \frac{i}{2r^2}\hat{r}. \qquad [10.60]$$

De acordo com a Equação 10.51, então,

$$\gamma_+(T) = -\frac{1}{2}\int \frac{1}{r^2}\hat{r} \cdot d\mathbf{a}. \qquad [10.61]$$

A integral está sobre a área da esfera varrida por **B** no decorrer do ciclo, então $d\mathbf{a} = r^2 d\Omega\,\hat{r}$, e concluímos que

$$\gamma_+(T) = -\frac{1}{2}\int d\Omega = -\frac{1}{2}\Omega, \qquad [10.62]$$

em que Ω é o ângulo sólido subentendido na origem. Esse é um resultado deliciosamente simples e nos lembra, de forma tentadora, o problema clássico com o qual começamos a discussão (transporte de um pêndulo livre de atrito por um circuito fechado na superfície da Terra). Ele diz que se você pegar um ímã e conduzir o spin do elétron adiabaticamente por um caminho fechado arbitrário, a mudança de fase líquida (geométrica) será menos metade do ângulo sólido extrapolado pelo vetor do campo magnético. Na perspectiva da Equação 10.37, esse resultado geral coincide com o caso especial (Equação 10.56), como, é claro, *tinha* de ser.

Problema 10.6 Resolva a equação análoga à Equação 10.62 para uma partícula de spin 1. *Resposta:* $-\Omega$. (Aliás, para spin s, o resultado é $-s\Omega$.)

10.2.3 O efeito Aharonov-Bohm

Na eletrodinâmica clássica, os potenciais (φ e $\mathbf{A}$)[12] não são diretamente mensuráveis; as quantidades *físicas* são os *campos* elétrico e magnético:

$$\mathbf{E} = -\nabla\varphi - \frac{\partial \mathbf{A}}{\partial t}, \quad \mathbf{B} = \nabla \times \mathbf{A}. \qquad [10.63]$$

As leis fundamentais (equações de Maxwell e regra da força de Lorentz) não fazem referência aos potenciais, os quais (com base em um ponto de vista lógico) não são mais do que convenientes, e são construções teóricas dispensáveis. Na verdade, você pode, sem problemas, *alterar* os potenciais:

$$\varphi \rightarrow \varphi' = \varphi - \frac{\partial \wedge}{\partial t}, \quad \mathbf{A} \rightarrow \mathbf{A}' = \mathbf{A} + \nabla \wedge, \qquad [10.64]$$

em que $\wedge$ é qualquer função de posição e tempo; isso é chamado de **transformação de calibre**, e não tem efeito nos campos (como você pode facilmente verificar utilizando a Equação 10.63).

Na mecânica quântica, os potenciais desempenham um papel mais significativo, e, por isso, o Hamiltoniano é expresso em termos de φ e $\mathbf{A}$, não de $\mathbf{E}$ e $\mathbf{B}$:

$$H = \frac{1}{2m}\left(\frac{\hbar}{i}\nabla - q\mathbf{A}\right)^2 + q\varphi. \qquad [10.65]$$

No entanto, a teoria ainda é invariável sob as transformações de calibre (veja o Problema 4.61), e, por um longo tempo, considerou-se que não poderia haver influências eletromagnéticas nas regiões em que $\mathbf{E}$ e $\mathbf{B}$ fossem zero (mais do que poderia haver na teoria clássica). Mas, em 1959, Aharonov e Bohm[13] demonstraram que o potencial vetor *pode* afetar o comportamento quântico de uma partícula carregada até mesmo quando ela está passando por uma região em que o próprio campo é zero. Resolverei um exemplo simples primeiro, para então discutirmos o efeito Aharonov e Bohm, e, por fim, mostrarei como ele está relacionado à fase de Berry.

Imagine uma partícula restrita a se mover em um círculo de raio b (uma conta em um anel de arame). Ao longo do eixo, corre um solenoide de raio $a < b$, carregando uma corrente elétrica constante I (veja a Figura 10.10). Se o solenoide for extremamente longo, o campo magnético interno será uniforme e o campo externo será zero. Mas o potencial vetor fora do solenoide *não* é zero; de fato (adotando a condição de calibre conveniente $\nabla \cdot \mathbf{A} = 0$),[14]

$$\mathbf{A} = \frac{\Phi}{2\pi r}\hat{\phi}, \quad (r > a), \qquad [10.66]$$

em que $\Phi = \pi a^2 B$ é o **fluxo magnético** através do solenoide. Entretanto, o próprio solenoide está sem carga e, portanto, o potencial escalar φ é zero. Nesse caso, o Hamiltoniano (Equação 10.65) vem a ser

$$H = \frac{1}{2m}\left[-\hbar^2\nabla^2 + q^2 A^2 + 2i\hbar q \mathbf{A} \cdot \nabla\right]. \qquad [10.67]$$

---

[12] Na mecânica quântica, é comum utilizarmos a letra V para denominar a *energia potencial*, mas, na eletrodinâmica, a mesma letra é normalmente reservada para o potencial escalar. Para evitar confusões, utilizo φ para o potencial escalar. Veja os problemas 4.59, 4.60 e 4.61 como uma base para esta seção.

[13] Y. Aharonov e D. Bohm, *Phys. Rev.* **115**, 485 (1959). Para um importante precursor, veja W. Ehrenberg e R. E. Siday, *Proc. Phys. Soc. London* **B62**, 8 (1949).

[14] Veja, por exemplo, D. J. Griffiths, *Eletrodinâmica*, 3ª ed., Pearson Prentice Hall, São Paulo, SP (2011), Equação 5.71.

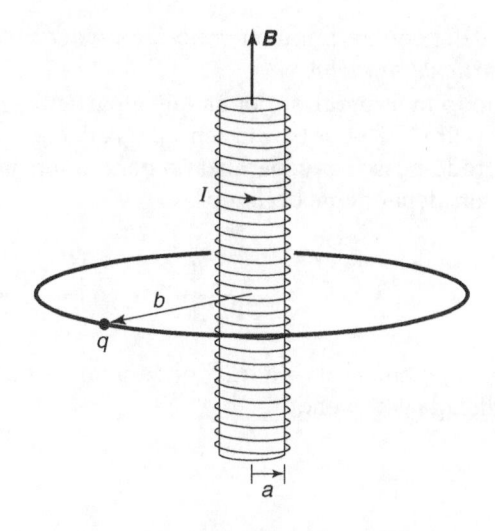

FIGURA 10.10 Uma conta carregada em um anel circular por meio do qual passa um longo solenoide.

Mas a função de onda depende somente do ângulo azimutal ϕ ($\theta = \pi/2$ e $r = b$), e assim, $\nabla \rightarrow (\hat{\phi}/b)(d/d\phi)$, e a equação de Schrödinger fica

$$\frac{1}{2m}\left[-\frac{\hbar^2}{b^2}\frac{d^2}{d\phi^2} + \left(\frac{q\Phi}{2\pi b}\right)^2 + i\frac{\hbar q\Phi}{\pi b^2}\frac{d}{d\phi}\right]\psi(\phi) = E\psi(\phi). \quad [10.68]$$

Essa é uma equação diferencial linear com coeficientes constantes:

$$\frac{d^2\psi}{d\phi^2} - 2i\beta\frac{d\psi}{d\phi} + \epsilon\psi = 0, \quad [10.69]$$

onde

$$\beta \equiv \frac{q\Phi}{2\pi\hbar} \quad \text{e} \quad \epsilon \equiv \frac{2mb^2E}{\hbar^2} - \beta^2. \quad [10.70]$$

As soluções têm a forma

$$\psi = Ae^{i\lambda\phi}, \quad [10.71]$$

com

$$\lambda = \beta \pm \sqrt{\beta^2 + \epsilon} = \beta \pm \frac{b}{\hbar}\sqrt{2mE}. \quad [10.72]$$

A continuidade de $\psi(\phi)$, em $\phi = 2\pi$, exige que λ seja um *número inteiro*:

$$\beta \pm \frac{b}{\hbar}\sqrt{2mE} = n, \quad [10.73]$$

e segue-se que

$$E_n = \frac{\hbar^2}{2mb^2}\left(n - \frac{q\Phi}{2\pi\hbar}\right)^2, \quad (n = 0, \pm 1, \pm 2, ...). \quad [10.74]$$

O solenoide levanta a dupla degenerescência da conta em um círculo (Problema 2.46): o n positivo, que representa uma partícula que se move na *mesma* direção da corrente no solenoide, tem, de certa forma, energia *menor* (supondo que q seja positivo) do que o n negativo que descreve uma partícula que se move na direção *oposta*. Mais importante que isso, as energias permitidas dependem claramente do campo dentro do solenoide, *mesmo que o campo na localização da partícula seja zero!*[15]

De modo mais geral, suponha que a partícula esteja se movendo em uma região em que **B** é zero (assim $\nabla \times \mathbf{A} = 0$), mas em que **A** não *é* zero. (Vamos dizer que **A** seja estático, embora o método possa ser generalizado para potenciais dependentes do tempo). A equação de Schrödinger (dependente do tempo),

$$\left[\frac{1}{2m}\left(\frac{\hbar}{i}\nabla - q\mathbf{A}\right)^2 + V\right]\Psi = i\hbar\frac{\partial \Psi}{\partial t}, \qquad [10.75]$$

com energia potencial V — a qual pode ou não incluir uma contribuição elétrica $q\varphi$ — pode ser simplificada escrevendo

$$\Psi = e^{ig}\Psi', \qquad [10.76]$$

em que

$$g(\mathbf{r}) \equiv \frac{q}{\hbar}\int_\mathcal{O}^r \mathbf{A}(\mathbf{r}')\cdot d\mathbf{r}', \qquad [10.77]$$

e $\mathcal{O}$ é um ponto de referência (arbitrariamente escolhido). Note que essa definição faz sentido *somente* quando $\nabla \times \mathbf{A} = 0$ por toda a região em questão; caso contrário, a integral de linha dependeria do *trajeto* escolhido de $\mathcal{O}$ a **r** e, portanto, não definiria uma função de **r**. Em termos de Ψ', o gradiente de Ψ é

$$\nabla\Psi = e^{ig}(i\nabla g)\Psi' + e^{ig}(\nabla\Psi');$$

mas $\nabla g = (q/\hbar)\mathbf{A}$, de modo que

$$\left(\frac{\hbar}{i}\nabla - q\mathbf{A}\right)\Psi = \frac{\hbar}{i}e^{ig}\nabla\Psi', \qquad [10.78]$$

e segue-se que

$$\left(\frac{\hbar}{i}\nabla - q\mathbf{A}\right)^2\Psi = -\hbar^2 e^{ig}\nabla^2\Psi'. \qquad [10.79]$$

Inserindo isso na Equação 10.75 e cancelando o fator comum e^{ig}, ficamos com

$$-\frac{\hbar^2}{2m}\nabla^2\Psi' + V\Psi' = i\hbar\frac{\partial \Psi'}{\partial t}. \qquad [10.80]$$

Evidentemente, Ψ' satisfaz a equação de Schrödinger *sem* **A**. Se pudermos resolver a Equação 10.80, fazer a correção para a presença de um potencial vetor (sem rotacional) será trivial: basta colocar o fator de fase e^{ig}.

Aharonov e Bohm propuseram um experimento no qual um feixe de elétrons divide-se em dois e, assim, as partes passam por ambos os lados de um solenoide longo antes de serem recombinadas (Figura 10.11). Os feixes são mantidos bem longe do próprio solenoide, de modo que eles encontram apenas as regiões em que **B** = 0. Mas **A**, que é dado pela Equação 10.66, é *não* zero, e (supondo que V seja o mesmo em ambos os lados), os dois feixes chegam com *fases diferentes:*

$$g = \frac{q}{\hbar}\int \mathbf{A}\cdot d\mathbf{r} = \frac{q\Phi}{2\pi\hbar}\int\left(\frac{1}{2}\hat{\phi}\right)\cdot(r\hat{\phi}\,d\phi) = \pm\frac{q\Phi}{2\hbar}. \qquad [10.81]$$

---
[15] É uma propriedade peculiar de anéis **supercondutores** em que o fluxo interior está *quantizado*: $\Phi = (2\pi\hbar/q)n'$, em que n' é um número inteiro. Nesse caso, o efeito é indetectável, desde que $E_n = (\hbar^2/2mb^2)(n+n')^2$ e desde que $(n+n')$ seja apenas outro número inteiro. (Aliás, essa carga q vem a ser *duas* vezes a carga de um elétron; os elétrons supercondutores são dispostos em pares.) Entretanto, a **quantização de fluxo** é imposta pelo *supercondutor* (o qual induz correntes circulantes para fazer diferença), e não pelo solenoide ou pelo campo eletromagnético, e isso não ocorre no exemplo (não supercondutor) aqui considerado.

Capítulo 10 A aproximação adiabática

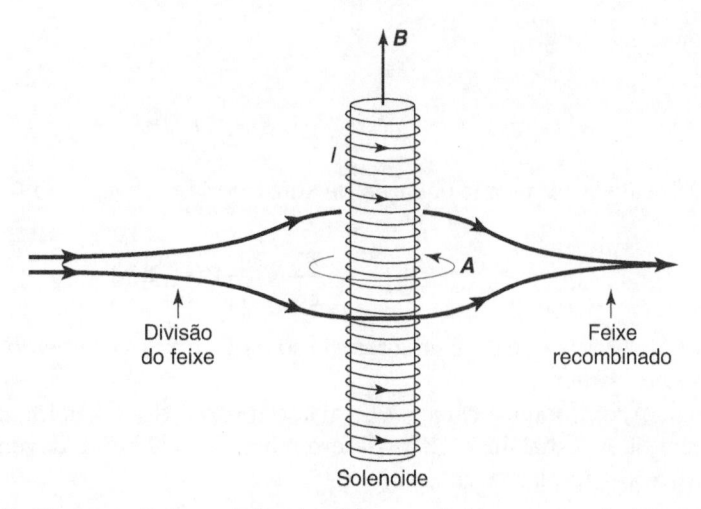

FIGURA 10.11 Efeito Aharonov-Bohm: o feixe de elétrons se divide e suas metades passam por ambos os lados de um solenoide longo.

O sinal positivo se aplica aos elétrons que se movem na mesma direção de **A** — ou seja, na mesma direção da corrente no solenoide. Os feixes chegam fora de fase por uma quantidade proporcional ao fluxo magnético que suas partículas envolvem:

$$\text{diferença de fase} = \frac{q\Phi}{\hbar}. \quad [10.82]$$

Essa mudança de fase leva à interferência mensurável (Equação 10.47), a qual foi confirmada experimentalmente por Chambers e outros.[16]

Como Berry salientou em seu primeiro artigo sobre o assunto, o efeito Aharonov-Bohm pode ser considerado um exemplo de fase geométrica. Suponha que a partícula carregada esteja confinada em uma caixa (que está centrada no ponto **R** fora do solenoide) por um potencial $V(\mathbf{r} - \mathbf{R})$ — veja a Figura 10.12. (Logo transportaremos a caixa em torno do solenoide, e, assim, **R** se tornará uma função do tempo, mas, por enquanto, ele é apenas um vetor fixo.) As autofunções do Hamiltoniano são determinadas por

$$\left\{ \frac{1}{2m}\left[\frac{\hbar}{i}\nabla - q\mathbf{A}(\mathbf{r})\right]^2 + V(\mathbf{r}-\mathbf{R}) \right\}\psi_n = E_n\psi_n. \quad [10.83]$$

Já aprendemos como resolver as equações com esse formato: seja

$$\psi_n = e^{ig}\psi'_n, \quad [10.84]$$

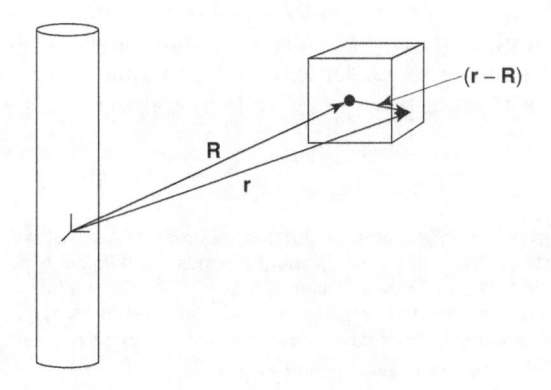

FIGURA 10.12 Partícula confinada em uma caixa por um potencial $V(\mathbf{r} - \mathbf{R})$.

---
16 R. G. Chambers, *Phys. Rev. Lett.* **5**, 3 (1960).

em que[17]

$$g \equiv \frac{q}{\hbar} \int_{\mathbf{R}}^{\mathbf{r}} \mathbf{A}(\mathbf{r}') \cdot d\mathbf{r}', \qquad [10.85]$$

e ψ' satisfaz a mesma equação de autovalor, mas com $\mathbf{A} \to 0$:

$$\left[-\frac{\hbar^2}{2m}\nabla^2 + V(\mathbf{r}-\mathbf{R})\right]\psi'_n = E_n \psi'_n. \qquad [10.86]$$

Observe que ψ'_n é uma função somente do deslocamento $(\mathbf{r} - \mathbf{R})$, e não (como ψ_n) de $\mathbf{r}$ e $\mathbf{R}$ separadamente.

Agora, vamos carregar a caixa em torno do solenoide (nessa aplicação, o processo não tem de ser adiabático). Para determinar a fase de Berry, devemos, em primeiro lugar, avaliar a quantidade $\langle \psi_n | \nabla_R \psi_n \rangle$. Observe que

$$\nabla_R \psi_n = \nabla_R \left[e^{ig}\psi'_n(\mathbf{r}-\mathbf{R})\right] = -i\frac{q}{\hbar}\mathbf{A}(\mathbf{R})e^{ig}\psi'_n(\mathbf{r}-\mathbf{R}) + e^{ig}\nabla_R \psi'_n(\mathbf{r}-\mathbf{R}),$$

e, assim, encontramos

$$\langle \psi_n | \nabla_R \psi_n \rangle$$
$$= \int e^{-ig}[\psi'_n(\mathbf{r}-\mathbf{R})]^* e^{ig}\left[-i\frac{q}{\hbar}\mathbf{A}(\mathbf{R})\psi'_n(\mathbf{r}-\mathbf{R}) + \nabla_R \psi'_n(\mathbf{r}-\mathbf{R})\right]d^3\mathbf{r}$$
$$= -i\frac{q}{\hbar}\mathbf{A}(\mathbf{R}) - \int [\psi'_n(\mathbf{r}-\mathbf{R})]^* \nabla \psi'_n(\mathbf{r}-\mathbf{R})d^3\mathbf{r}. \qquad [10.87]$$

O ∇ sem subscrito denota o gradiente em relação a $\mathbf{r}$, e aproveitei o fato de que $\nabla_R = -\nabla$, quando age na função de $(\mathbf{r} - \mathbf{R})$. Mas a última integral é $i/\hbar$ vezes o valor esperado do momento em um autoestado do Hamiltoniano $-(\hbar^2/2m)\nabla^2 + V$, e sabemos, por causa da Seção 2.1, que é *zero*. Assim,

$$\langle \psi_n | \nabla_R \psi_n \rangle = -i\frac{q}{\hbar}\mathbf{A}(\mathbf{R}). \qquad [10.88]$$

Jogando isso na fórmula de Berry (Equação 10.45), concluímos que

$$\gamma_n(T) = \frac{q}{\hbar}\oint \mathbf{A}(\mathbf{R})\cdot d\mathbf{R} = \frac{q}{\hbar}\int (\nabla \times \mathbf{A})\cdot d\mathbf{a} = \frac{q\Phi}{\hbar}, \qquad [10.89]$$

o que confirma claramente o resultado de Aharonov-Bohm e revela que o efeito Aharonov-Bohm é um caso particular da fase geométrica.[18]

O que fazer com o efeito Aharonov-Bohm? Evidentemente, nossos preconceitos clássicos estão simplesmente *equivocados*: *pode*, sim, haver efeitos eletromagnéticos em regiões onde os campos sejam zero. Observe, entretanto, que isso não torna $\mathbf{A}$ mensurável; somente o *fluxo* interior está na resposta final, e a teoria permanece invariante de calibre.

---

[17] É conveniente estabelecer um ponto de referência $\mathcal{O}$ no centro da caixa, pois isso garante que recuperemos a convenção de fase inicial quando completarmos o trajeto em torno do solenoide. Se você usar um ponto no *espaço* fixo, por exemplo, terá de reajustar a fase 'manualmente' na outra extremidade, pois o trajeto terá envolvido o solenoide, contornando regiões em que o rotacional de $\mathbf{A}$ não desaparece. Isso nos leva exatamente à mesma resposta, mas essa é uma maneira bruta de obtê-la. Em geral, ao escolher a convenção de fase para as autofunções na Equação 10.9, você deverá garantir que $\psi_n(x,T) = \psi_n(x,0)$, de modo que nenhuma mudança de fase espúria seja introduzida.

[18] Aliás, nesse caso, a equivalência entre a fase de Berry e o fluxo magnético (Equação 10.50) é *quase* uma identidade: '$\mathbf{B}$' $= (q/\hbar)\mathbf{B}$.

Problema 10.7

(a) Obtenha a Equação 10.67 por meio da Equação 10.65.

(b) Obtenha a Equação 10.79, começando pela Equação 10.78.

Mais problemas para o Capítulo 10

***Problema 10.8 Uma partícula se encontra no estado fundamental do poço quadrado infinito (no intervalo $0 \leq x \leq a$). Agora, uma parede é lentamente erguida, ligeiramente fora do centro:[19]

$$V(x) = f(t)\delta\left(x - \frac{a}{2} - \epsilon\right),$$

em que $f(t)$ aumenta gradualmente de 0 a ∞. De acordo com o teorema adiabático, a partícula permanecerá no estado fundamental do Hamiltoniano em evolução.

(a) Calcule (e esboce) o estado fundamental em $t \to \infty$. *Dica:* esse deveria ser o estado fundamental do poço quadrado infinito com uma barreira impenetrável em $a/2 + \epsilon$. Observe que a partícula está confinada à 'metade' esquerda (sutilmente mais larga) do poço.

(b) Encontre a equação 'transcendental' para o estado fundamental do Hamiltoniano no tempo t. *Resposta:*

$$z \operatorname{sen} z = T [\cos z - \cos(z\delta)],$$

em que $z \equiv ka, T \equiv maf(t)/\hbar^2, \delta \equiv 2\epsilon/a$ e $k \equiv \sqrt{2mE}/\hbar$.

(c) Estabelecendo que $\delta = 0$, resolva graficamente para z e demonstre que o menor z vai de π a 2π quando T vai de 0 a ∞. Explique o resultado.

(d) Agora estabeleça que $\delta = 0{,}01$, e resolva numericamente para z, considerando $T = 0, 1, 5, 20, 100$ e 1000.

(e) Calcule a probabilidade P_r de que a partícula esteja na 'metade' direita do poço como uma função de z e δ. *Resposta:* $P_r = 1/[1 + (I^+/I_-)]$, em que $I_\pm \equiv [1 \pm \delta - (1/z)\operatorname{sen}(z(1\pm\delta))] \operatorname{sen}^2[z(1\mp\delta)/2]$. Avalie essa expressão numericamente para os T na parte (d). Comente suas respostas.

(f) Represente a função de onda do estado fundamental para os mesmos valores de T e δ. Observe o quão comprimida ela fica na metade esquerda do poço conforme a barreira aumenta.[20]

***Problema 10.9 Suponha que o oscilador harmônico unidimensional (massa m, frequência ω) esteja sujeito a uma força de perturbação de forma $F(t) = m\omega^2 f(t)$, em que $f(t)$ é uma função específica (fatorei $m\omega^2$ por conveniência de notação; $f(t)$ tem as dimensões de *comprimento*). O Hamiltoniano é

$$H(t) = -\frac{\hbar^2}{2m}\frac{\partial^2}{\partial x^2} + \frac{1}{2}m\omega^2 x^2 - m\omega^2 x f(t). \quad [10.90]$$

Suponha que a força tenha sido ativada em um tempo $t = 0$: $f(t) = 0$ para $t \leq 0$. Esse sistema pode ser resolvido de modo preciso, tanto na mecânica clássica como na mecânica quântica.[21]

(a) Determine a posição *clássica* do oscilador, supondo que ele se encontre em repouso na origem ($x_c(0) = \dot{x}_c(0) = 0$). *Resposta:*

$$x_c(t) = \omega \int_0^t f(t') \operatorname{sen}[\omega(t-t')] dt'. \quad [10.91]$$

(b) Demonstre que a solução para a equação de Schrödinger (dependente do tempo) para esse oscilador, estabelecendo que ele estivesse no n-ésimo estado do oscilador *não forçado* ($\Psi(x,0) = \psi_n(x)$ em que $\psi_n(x)$ é dado pela Equação 2.61), pode ser escrita como

$$\Psi(x,t) = \psi_n(x-x_c)e^{\frac{i}{\hbar}\left[-\left(n+\frac{1}{2}\right)\hbar\omega t + m\dot{x}_c\left(x-\frac{x_c}{2}\right) + \frac{m\omega^2}{2}\int_0^t f(t')x_c(t')dt'\right]}.$$
[10.92]

(c) Demonstre que as autofunções e os autovalores de $H(t)$ são

$$\psi_n(x,t) = \psi_n(x-f);\quad E_n(t) = \left(n+\frac{1}{2}\right)\hbar\omega - \frac{1}{2}m\omega^2 f^2.$$
[10.93]

(d) Demonstre que, na aproximação adiabática, a posição clássica (Equação 10.91) é reduzida para $x_c(t) \cong f(t)$. Estabeleça os critérios da adiabaticidade, nesse contexto, como uma limitação da derivada do tempo de f. *Dica:* escreva $\operatorname{sen}[\omega(t-t')]$ como $(1/\omega)(d/dt')\cos[\omega(t-t')]$ e faça uso da integração por partes.

(e) Confirme o teorema adiabático para esse exemplo, utilizando os resultados obtidos em (c) e (d) para mostrar que

$$\Psi(x,t) \cong \psi_n(x,t)e^{i\theta_n(t)}e^{i\gamma_n(t)}. \quad [10.94]$$

Certifique-se de que a fase dinâmica tenha a forma correta (Equação 10.39). A fase geométrica é o que você esperaria?

Problema 10.10 A aproximação adiabática pode ser vista como o primeiro termo em uma **série adiabática** para os coeficientes $c_m(t)$ na Equação 10.12. Suponha que o sistema inicie no n-ésimo estado; na aproximação adiabática, ele *permanece* no n-ésimo estado, selecionando

---

19 Julio Gea-Banacloche, *Am. J. Phys.* **70**, 307 (2002) utiliza uma barreira retangular; a versão função delta foi sugerida por M. Lakner e J. Peternelj, *Am. J. Phys.* **71**, 519 (2003).

20 Gea-Banacloche (nota de rodapé nº 19) discute a evolução da função de onda *sem* aceitar o teorema adiabático e confirma esses resultados no limite adiabático.

21 Veja Y. Nogami, *Am. J. Phys.* **59**, 64 (1991) e referências citadas.

apenas um fator de fase geométrico dependente do tempo (Equação 10.21):

$$c_m(t) = \delta_{mn} e^{i\gamma_n(t)}.$$

(a) Substitua isso no lado direito da Equação 10.16 para obter a 'primeira correção' da adiabaticidade:

$$c_m(t) = c_m(0) - \int_0^t \left\langle \psi_m(t') \left| \frac{\partial}{\partial t'} \psi_n(t') \right\rangle e^{i\gamma n(t')} e^{i(\theta_n(t') - \theta_m(t'))} dt' \quad [10.95]$$

Isso permite que calculemos as probabilidades de transição no regime *quase* adiabático. Para desenvolver a 'segunda correção', teríamos de inserir a Equação 10.95 no lado direito da Equação 10.16, e assim por diante.

(b) Como exemplo, aplique a Equação 10.95 no oscilador forçado (Problema 10.9). Demonstre que (na aproximação quase adiabática) as transições são possíveis somente para os níveis imediatamente adjacentes, para os quais

$$c_{n+1}(t) = -\sqrt{\frac{m\omega}{2\hbar}} \sqrt{n+1} \int_0^t \dot{f}(t') e^{i\omega t'} dt',$$

$$c_{n-1}(t) = \sqrt{\frac{m\omega}{2\hbar}} \sqrt{n} \int_0^t \dot{f}(t') e^{-i\omega t'} dt'.$$

(As *probabilidades* de transição são os quadrados absolutos destas, é claro.)

Capítulo 11
Espalhamento

11.1 Introdução

11.1.1 Teoria do espalhamento clássico

Imagine uma partícula incidente em um centro de espalhamento (por exemplo, um próton disparado contra um núcleo pesado). Ela chega com uma energia E e um **parâmetro de impacto** b, e surge em um **ângulo de espalhamento** θ — veja a Figura 11.1. (Para simplificar, vamos dizer que o alvo seja azimutalmente simétrico para que a trajetória permaneça em um plano, e que ele também seja muito pesado, fazendo com que o recuo seja insignificante.) O principal problema da teoria do espalhamento clássico é o seguinte: *calcular o ângulo de espalhamento com base no parâmetro de impacto dado*. Normalmente, é claro, quanto menor o parâmetro de impacto, maior o ângulo de espalhamento.

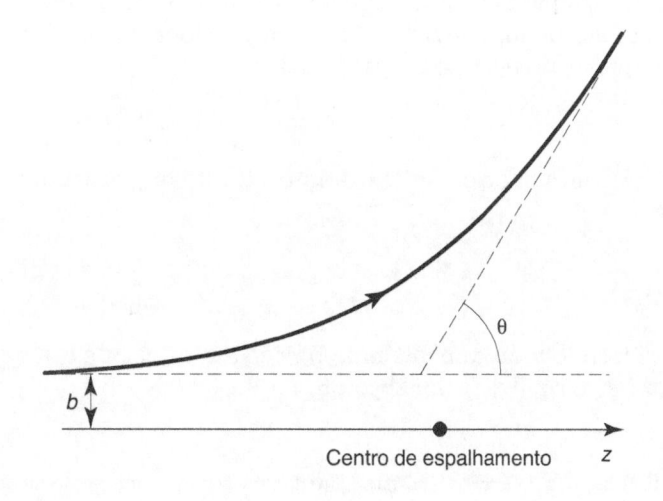

FIGURA 11.1 Problema clássico de espalhamento mostra o parâmetro de impacto b e o ângulo de espalhamento θ.

Exemplo 11.1 Espalhamento por esfera compacta. Suponha que o alvo seja uma bola de sinuca de raio R e que a partícula incidente colida elasticamente (Figura 11.2). Em termos do ângulo α, o parâmetro de impacto é $b = R\,\text{sen}\,\alpha$, e o ângulo de espalhamento é $\theta = \pi - 2\alpha$, assim

$$b = R\,\text{sen}\left(\frac{\pi}{2} - \frac{\theta}{2}\right) = R\cos\left(\frac{\theta}{2}\right). \qquad [11.1]$$

Evidentemente,

$$\theta = \begin{cases} 2\cos^{-1}(b/R), & \text{se } b \leq R, \\ 0, & \text{se } b \geq R. \end{cases} \qquad [11.2]$$

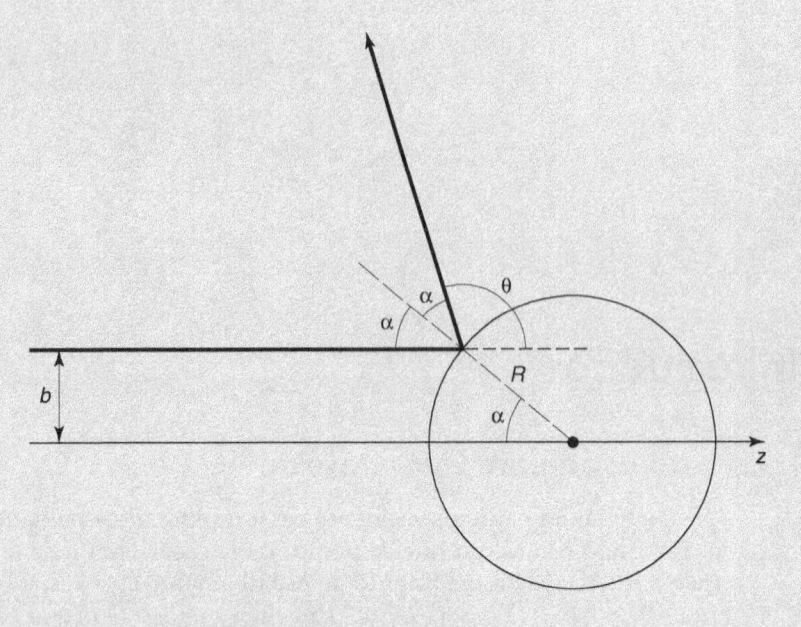

FIGURA 11.2 Espalhamento elástico por esfera compacta.

Em geral, as partículas incidentes dentro de um trajeto de área transversal infinitesimal $d\sigma$ se espalharão em um ângulo sólido infinitesimal correspondente $d\Omega$ (Figura 11.3). Quanto maior $d\sigma$, maior o $d\Omega$; o fator de proporcionalidade, $D(\theta) \equiv d\sigma/d\Omega$, é chamado de **seção de choque diferencial (de espalhamento)**:[1]

$$d\sigma = D(\theta)\,d\Omega. \qquad [11.3]$$

Em termos do parâmetro de impacto e do ângulo azimutal ϕ, $d\sigma = b\,db\,d\phi$ e $d\Omega = \text{sen}\,\theta\,d\theta\,d\phi$, assim

$$D(\theta) = \frac{b}{\text{sen}\,\theta}\left|\frac{db}{d\theta}\right|. \qquad [11.4]$$

(Sendo θ tipicamente uma função *decrescente* de b, a derivada é, na verdade, negativa — por isso o sinal de valor absoluto.)

---

[1] Essa linguagem é terrível: D não é um *diferencial* e nem uma seção de choque. Aos meus ouvidos, as palavras 'seção de choque diferencial' soariam mais naturais para $d\sigma$. Porém, receio que estejamos presos a essa terminologia. Devo avisá-los também de que a notação $D(\theta)$ não é padrão: é chamada pela maioria das pessoas apenas de $d\sigma/d\Omega$ — o que faz com que a Equação 11.3 pareça redundante. Creio que seria menos confuso se determinássemos um símbolo próprio para a seção de choque diferencial.

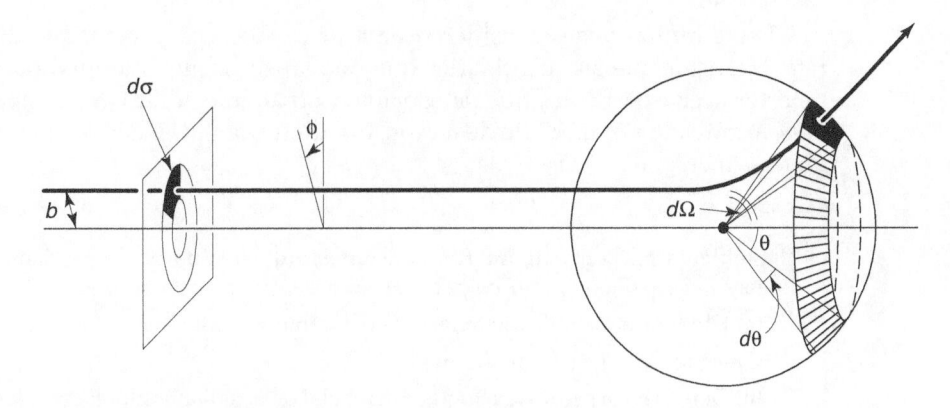

FIGURA 11.3 Partículas incidentes na área $d\sigma$ são espalhadas no ângulo sólido $d\Omega$.

Exemplo 11.2 Espalhamento por esfera compacta (continuação). No caso do espalhamento por esfera compacta (Exemplo 11.1),

$$\frac{db}{d\theta} = -\frac{1}{2}R\,\text{sen}\left(\frac{\theta}{2}\right), \qquad [11.5]$$

de modo que

$$D(\theta) = \frac{R\cos(\theta/2)}{\text{sen}\,\theta}\left(\frac{R\,\text{sen}(\theta/2)}{2}\right) = \frac{R^2}{4}. \qquad [11.6]$$

Esse exemplo é incomum, pois a seção de choque diferencial é independente de θ.

A **seção de choque total** é a *integral* de $D(\theta)$ sobre todos os ângulos sólidos:

$$\sigma \equiv \int D(\theta)\,d\Omega; \qquad [11.7]$$

a grosso modo, a área total do feixe incidente é espalhada pelo alvo. Por exemplo, no caso do espalhamento por esfera compacta,

$$\sigma = (R^2/4)\int d\Omega = \pi R^2, \qquad [11.8]$$

que é exatamente o que se poderia esperar: é a área da seção de choque da esfera; uma partícula incidente dentro dessa área acertará o alvo, e as mais distantes o perderão completamente. Mas a virtude do formalismo desenvolvido nesse caso é que ele também se aplica muito bem a alvos 'maleáveis' (como, por exemplo, o campo de Coulomb de um núcleo) que *não* sejam simplesmente do tipo 'acerte ou erre'.

Por fim, imagine que tenhamos um *feixe* de partículas incidentes com intensidade uniforme (ou, **luminosidade**, como é denominado pelos físicos de partículas)

$\mathcal{L} \equiv$ número de partículas incidentes por unidade de área, por unidade de tempo. [11.9]

O número de partículas que entram na área $d\sigma$ (e, portanto, espalham-se no ângulo sólido $d\Omega$), por unidade de tempo, é $dN = \mathcal{L}\,d\sigma = \mathcal{L}\,D(\theta)\,d\Omega$, de modo que

$$D(\theta) = \frac{1}{\mathcal{L}}\frac{dN}{d\Omega}. \qquad [11.10]$$

Isso é muitas vezes considerado a *definição* da seção de choque diferencial, porque faz referência somente às quantidades que podem ser facilmente medidas em laboratório: se o detector aceita partículas que se espalham no ângulo sólido $d\Omega$, simplesmente contamos o *número* gravado por unidade de tempo, dividimos por $d\Omega$ e normalizamos pela luminosidade do feixe incidente.

> ***Problema 11.1 Espalhamento de Rutherford.** Uma partícula incidente de carga q_1 e energia cinética E é espalhada por uma partícula estacionária pesada de carga q_2.
> (a) Obtenha a fórmula que relaciona o parâmetro de impacto ao ângulo de espalhamento.[2]
> *Resposta:* $b = (q_1 q_2 / 8\pi\epsilon_0 E)\cot(\theta/2)$
> (b) Determine a seção de choque diferencial de espalhamento. *Resposta:*
>
> $$D(\theta) = \left[\frac{q_1 q_2}{16\pi\epsilon_0 E \operatorname{sen}^2(\theta/2)}\right]^2. \qquad [11.11]$$
>
> (c) Demonstre que, para o espalhamento de Rutherford, a seção de choque total é *infinita*. Dizemos que o potencial $1/r$ tem 'intervalo infinito'; não há como escapar de uma força de Coulomb.

11.1.2 Teoria do espalhamento quântico

Na teoria quântica do espalhamento, imaginamos uma onda *plana* incidente, $\psi(z) = Ae^{ikz}$, que se move na direção z e encontra um potencial de espalhamento produzindo uma onda *esférica* de saída (Figura 11.4).[3] Isto é, buscamos soluções para a equação de Schrödinger na forma geral

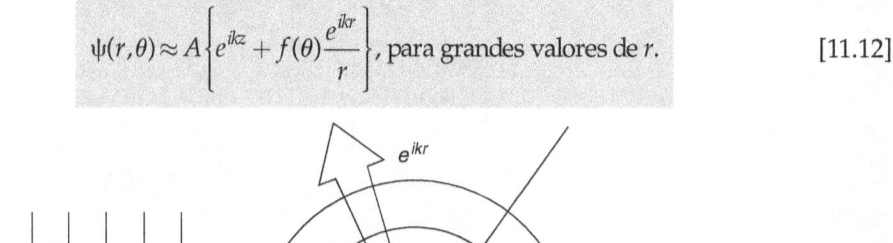

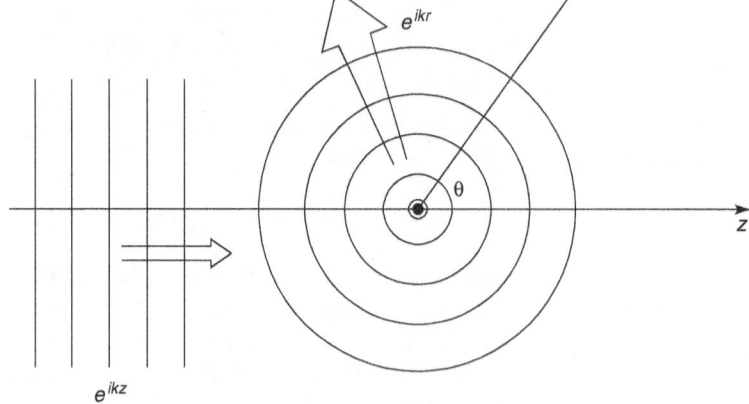

$$\psi(r,\theta) \approx A\left\{e^{ikz} + f(\theta)\frac{e^{ikr}}{r}\right\}, \text{ para grandes valores de } r. \qquad [11.12]$$

FIGURA 11.4 Espalhamento de ondas; a onda plana de entrada gera uma onda esférica de saída.

---

2 Não é fácil, e você pode consultar um livro sobre mecânica clássica se quiser, como, por exemplo, Jerry B. Marion e Stephen T. Thornton, *Classical Dynamics of Particles and Systems*, 4ª ed., Saunders, Fort Worth, TX (1995), Seção 9.10.

3 Por enquanto, não há muita mecânica *quântica* nisso; o que está sendo discutido aqui, de fato, é o espalhamento de *ondas* em comparação às *partículas* clássicas, e você poderia até pensar na Figura 11.4 como se ela representasse ondas de água indo ao encontro de uma rocha, ou (melhor, já que estamos interessados em espalhamento tridimensional) ondas sonoras refletindo a partir de uma bola de basquete. Nesse caso, escreveríamos a função de onda na forma *real*

$$A[\cos(kz) + f(\theta)\cos(kr+\delta)/r],$$

e $f(\theta)$ representaria a amplitude da onda sonora espalhada na direção θ.

(As ondas esféricas carregam um fator de $1/r$, pois essa porção de $|\psi|^2$ deve seguir $1/r^2$ para conservar a probabilidade.) O **número de onda** k está relacionado à energia das partículas incidentes de modo usual:

$$k \equiv \frac{\sqrt{2mE}}{\hbar}. \qquad [11.13]$$

Como fizemos anteriormente, devemos supor que o alvo seja azimutalmente simétrico; no caso mais geral, a amplitude f da onda esférica de saída poderia depender de ϕ, bem como de θ.

O problema todo está em determinar a **amplitude de espalhamento** $f(\theta)$; ela estabelece a *probabilidade de espalhamento em uma determinada direção* θ, e, portanto, está relacionada à seção de choque diferencial. Na verdade, a probabilidade de que a partícula incidente que se move em uma velocidade v passe através da área infinitesimal $d\sigma$ em tempo dt é (veja a Figura 11.5)

$$dP = |\psi_{incidente}|^2 dV = |A|^2 (v\,dt)d\sigma.$$

Porém, isso se iguala à probabilidade de que a partícula se espalhe no ângulo sólido correspondente $d\Omega$:

$$dP = |\psi_{espalhamento}|^2 dV = \frac{|A|^2 |f|^2}{r^2}(v\,dt)r^2 d\Omega,$$

a partir da qual, $d\sigma = |f|^2 d\Omega$, e, portanto,

$$D(\theta) = \frac{d\sigma}{d\Omega} = |f(\theta)|^2. \qquad [11.14]$$

Evidentemente, a seção de choque diferencial (que é a quantidade de interesse para o experimentalista) é igual ao quadrado absoluto da amplitude de espalhamento (que é obtida ao resolvermos a equação de Schrödinger). Nas próximas seções, estudaremos duas técnicas para cálculo da amplitude de espalhamento: **a análise de ondas parciais** e a **aproximação de Born**.

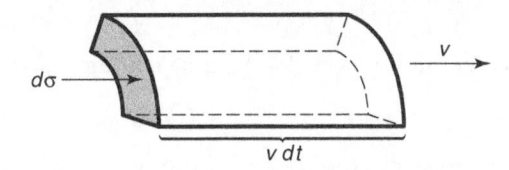

FIGURA 11.5 O volume dV do feixe incidente que passa por uma área $d\sigma$ em um tempo dt.

Problema 11.2 Monte os equivalentes da Equação 11.12 para os espalhamentos unidimensional e bidimensional.

11.2 Análise de ondas parciais

11.2.1 Formalismo

Como vimos no Capítulo 4, a equação de Schrödinger para um potencial esfericamente simétrico $V(r)$ admite as soluções separáveis

$$\psi(r,\theta,\phi) = R(r)Y_l^m(\theta,\phi),$$ [11.15]

em que Y_l^m é um harmônico esférico (Equação 4.32) e $u(r) = rR(r)$ satisfaz a equação radial (Equação 4.37):

$$-\frac{\hbar^2}{2m}\frac{d^2u}{dr^2} + \left[V(r) + \frac{\hbar^2}{2m}\frac{l(l+1)}{r^2}\right]u = Eu.$$ [11.16]

Em r *muito* amplo, o potencial vai a zero e a contribuição centrífuga é descartável, de modo que

$$\frac{d^2u}{dr^2} \approx -k^2 u.$$

A solução geral é

$$u(r) = Ce^{ikr} + De^{-ikr};$$

o primeiro termo representa uma onda esférica de *saída*, e o segundo, uma onda de *entrada*; para a onda espalhada, é claro, queremos $D = 0$. Em r *muito* amplo,

$$R(r) \sim \frac{e^{ikr}}{r},$$

como já deduzimos (com suposições físicas) na seção anterior (Equação 11.12).

Isso ocorre quando r é *muito* amplo (mais precisamente, para $kr \gg 1$; em óptica, chamaríamos isso de **zona de radiação**). Como na teoria de espalhamento unidimensional, estabelecemos que o potencial está 'localizado', de modo que externamente a uma região de espalhamento finita é essencialmente zero (Figura 11.6). Na região intermediária (em que V pode ser ignorado, mas o termo centrífugo, não),[4] a equação radial vem a ser

$$\frac{d^2u}{dr^2} - \frac{l(l+1)}{r^2}u = -k^2 u,$$ [11.17]

e a solução geral (Equação 4.45) é uma combinação linear de funções esféricas de Bessel:

$$u(r) = Arj_l(kr) + Brn_l(kr).$$ [11.18]

Entretanto, nem j_l (que se parece um pouco a uma função seno) nem n_l (que é um tipo de função cosseno generalizada) representam uma onda de saída (ou de entrada). Precisamos das combinações lineares equivalentes a e^{ikr} e e^{-ikr}; elas são conhecidas como **funções esféricas de Hankel**:

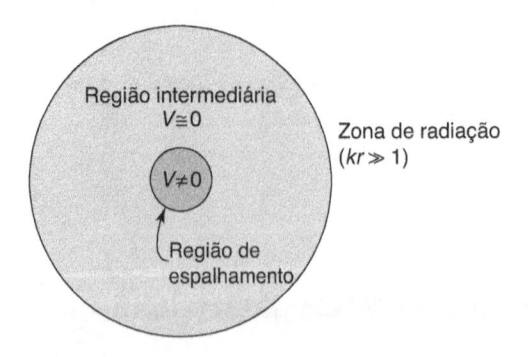

FIGURA 11.6 Espalhamento por um potencial localizado: região de espalhamento (sombreado mais escuro), região intermediária (sombreado mais claro) e zona de radiação (em que $kr \gg 1$).

---

4 O que se segue não se aplica ao potencial de Coulomb, pois $1/r$ vai a zero mais lentamente do que $1/r^2$, quando $r \to \infty$, e o termo centrífugo *não* é dominante nessa região. Desse modo, o potencial de Coulomb não está localizado, e a análise de ondas parciais não pode ser aplicada.

TABELA 11.1 Funções esféricas de Hankel, $h_l^{(1)}(x)$ e $h_l^{(2)}(x)$.

$$h_0^{(1)} = -i\frac{e^{ix}}{x} \qquad\qquad h_0^{(2)} = i\frac{e^{-ix}}{x}$$

$$h_1^{(1)} = \left(-\frac{i}{x^2} - \frac{1}{x}\right)e^{ix} \qquad\qquad h_1^{(2)} = \left(\frac{i}{x^2} - \frac{1}{x}\right)e^{-ix}$$

$$h_2^{(1)} = \left(-\frac{3i}{x^3} - \frac{3}{x^2} + \frac{i}{x}\right)e^{ix} \qquad\qquad h_2^{(2)} = \left(\frac{3i}{x^3} - \frac{3}{x^2} + \frac{i}{x}\right)e^{-ix}$$

$$\left.\begin{array}{l}h_l^{(1)} \to \frac{1}{x}(-i)^{l+1}e^{ix} \\ h_l^{(2)} \to \frac{1}{x}(i)^{l+1}e^{-ix}\end{array}\right\} \text{ para } x \gg 1$$

$$h_l^{(1)}(x) \equiv j_l(x) + in_l(x); \qquad h_l^{(2)}(x) \equiv j_l(x) - in_l(x); \qquad [11.19]$$

As primeiras funções esféricas de Hankel estão listadas na Tabela 11.1. Para grandes valores de r, $h_l^{(1)}(kr)$ ('função de Hankel de primeiro tipo') funciona como e^{ikr}/r, enquanto $h_l^{(2)}(kr)$ (a 'função de Hankel de segundo tipo') funciona como e^{-ikr}/r; para ondas de saída, então, precisamos de *funções esféricas de Hankel do primeiro tipo*:

$$R(r) \sim h_l^{(1)}(kr). \qquad [11.20]$$

Assim, a função de onda exata, fora da região de espalhamento (em que $V(r) = 0$), é

$$\psi(r,\theta,\phi) = A\left\{e^{ikz} + \sum_{l,m} C_{l,m} h_l^{(1)}(kr) Y_l^m(\theta,\phi)\right\}. \qquad [11.21]$$

O primeiro termo é uma onda plana incidente, e a somatória (com coeficientes de expansão $C_{l,m}$) representa a onda espalhada. Mas, por estarmos imaginando que o potencial seja esfericamente simétrico, a função de onda não pode depender de ϕ.[5] Assim, somente termos com $m = 0$ sobrevivem (lembre-se de que $Y_l^m \sim e^{im\phi}$). Agora (por causa das equações 4.27 e 4.32),

$$Y_l^0(\theta,\phi) = \sqrt{\frac{2l+1}{4\pi}} P_l(\cos\theta), \qquad [11.22]$$

em que P_l é o l-ésimo polinômio de Legendre. É normal redefinir os coeficientes de expansão, estabelecendo que $C_{l,0} \equiv i^{l+1} k\sqrt{4\pi(2l+1)}\, a_l$:

$$\psi(r,\theta) = A\left\{e^{ikz} + k\sum_{l=0}^{\infty} i^{l+1}(2l+1) a_l h_l^{(1)}(kr) P_l(\cos\theta)\right\}. \qquad [11.23]$$

Logo você verá por que essa notação peculiar é conveniente; a_l é chamada de l-ésima **amplitude de onda parcial**.

Para r muito amplo, a função de Hankel vem a ser $(-i)^{l+1} e^{ikr}/kr$ (Tabela 11.1), então,

$$\psi(r,\theta) \approx A\left\{e^{ikz} + f(\theta)\frac{e^{ikr}}{r}\right\}, \qquad [11.24]$$

em que

$$f(\theta) = \sum_{l=0}^{\infty} (2l+1) a_l P_l(\cos\theta). \qquad [11.25]$$

---

[5] Não há nada de errado com a dependência em θ, é claro, pois a onda plana de entrada define a direção z, quebrando a simetria esférica. Porém, a simetria *azimutal* permanece; a onda plana incidente não tem dependência ϕ, e não há nada no processo de espalhamento que poderia introduzir qualquer dependência em ϕ na onda de saída.

Isso confirma mais rigorosamente a estrutura geral postulada na Equação 11.12, e nos diz como calcular a amplitude de espalhamento, $f(\theta)$, em termos de amplitudes de ondas parciais (a_l). A seção de choque diferencial é

$$D(\theta) = |f(\theta)|^2 = \sum_{l}\sum_{l'}(2l+1)(2l'+1)a_l^* a_{l'} P_l(\cos\theta)P_{l'}(\cos\theta), \qquad [11.26]$$

e a seção de choque total é

$$\sigma = 4\pi \sum_{l=0}^{\infty}(2l+1)|a_l|^2. \qquad [11.27]$$

(Utilizei a ortogonalidade dos polinômios de Legendre, Equação 4.34, para fazer a integração angular.)

11.2.2 Estratégia

O que resta a ser feito é determinar as amplitudes de ondas parciais, a_l, para o potencial em questão. Isso é feito por meio da resolução da equação de Schrödinger na região *interior* (em que $V(r)$ é distintamente *não* zero) e da combinação desse resultado com a solução exterior (Equação 11.23), utilizando as condições de contorno apropriadas. O único problema é que, resolvida desse modo, minha notação será híbrida: utilizei coordenadas *esféricas* para a onda espalhada, mas empreguei coordenadas *cartesianas* para a onda incidente. É preciso reescrever a função de onda em uma notação mais consistente.

É claro que e^{ikz} satisfaz a equação de Schrödinger com $V = 0$. Por outro lado, afirmei que a solução *geral* para a equação de Schrödinger com $V = 0$ pode ser escrita na forma

$$\sum_{l,m}[A_{l,m}j_l(kr) + B_{l,m}n_l(kr)]Y_l^m(\theta,\phi).$$

Deve ser possível expressar e^{ikz} dessa maneira em especial. Mas e^{ikz} é finito na origem e, portanto, nenhuma função de Neumann é permitida ($n_l(kr)$ diverge quando $r = 0$), e dado que $z = r\cos\theta$ não tem dependência em ϕ, somente termos $m = 0$ ocorrem. A expansão explícita de uma onda plana em termos de ondas esféricas é conhecida como **fórmula de Rayleigh**:[6]

$$e^{ikz} = \sum_{l=0}^{\infty} i^l (2l+1) j_l(kr) P_l(\cos\theta). \qquad [11.28]$$

Utilizando essa equação, a função de onda na região exterior pode ser expressa inteiramente em termos de r e θ:

$$\psi(r,\theta) = A\sum_{l=0}^{\infty} i^l (2l+1)\left[j_l(kr) + ik\, a_l\, h_l^{(1)}(kr)\right] P_l(\cos\theta). \qquad [11.29]$$

Exemplo 11.3 Espalhamento quântico por esfera compacta. Suponha que

$$V(r) = \begin{cases} \infty, & \text{para } r \leq a, \\ 0, & \text{para } r > a. \end{cases} \qquad [11.30]$$

A condição de contorno será, então,

$$\psi(a,\theta) = 0, \qquad [11.31]$$

---

6 Para um caminho até a prova, veja George Arfken e Hans-Jurgen Weber, *Mathematical Methods for Physicists*, 5ª ed., Academic Press, Orlando (2000), exercícios 12.4.7 e 12.4.8.

assim

$$\sum_{l=0}^{\infty} i^l (2l+1) \left[j_l(ka) + ik\, a_l\, h_l^{(1)}(ka) \right] P_l(\cos\theta) = 0 \qquad [11.32]$$

para todo θ, a partir do qual segue-se que (Problema 11.3)

$$a_l = i \frac{j_l(ka)}{k h_l^{(1)}(ka)}. \qquad [11.33]$$

Em especial, a seção de choque total é

$$\sigma = \frac{4\pi}{k^2} \sum_{l=0}^{\infty} (2l+1) \left| \frac{j_l(ka)}{h_l^{(1)}(ka)} \right|^2. \qquad [11.34]$$

A resposta é *exata*, mas não muito esclarecedora, de modo que consideraremos o caso limite de *espalhamento de baixa energia*: $ka \ll 1$. (Sendo $k = 2\pi/\lambda$, isso equivale a dizer que o comprimento de onda é muito maior do que o raio da esfera.) Aplicando-se a Tabela 4.4, notamos que $n_l(z)$ é muito maior do que $j_l(z)$, para z pequeno, assim

$$\frac{j_l(z)}{h_l^{(1)}(z)} = \frac{j_l(z)}{j_l(z) + i n_l(z)} \approx -i \frac{j_l(z)}{n_l(z)}$$

$$\approx -i \frac{2^l l!\, z^l / (2l+1)!}{-(2l)!\, z^{-l-1} / 2^l l!} = \frac{i}{2l+1} \left[\frac{2^l l!}{(2l)!} \right]^2 z^{2l+1}, \qquad [11.35]$$

e, portanto,

$$\sigma \approx \frac{4\pi}{k^2} \sum_{l=0}^{\infty} \frac{1}{2l+1} \left[\frac{2^l l!}{(2l)!} \right]^4 (ka)^{4l+2}.$$

Mas estamos considerando que $ka \ll 1$, de modo que as potências maiores serão descartáveis — na aproximação de baixa energia, o espalhamento é dominado pelo termo $l = 0$. (Isso significa que a seção de choque diferencial é independente de θ, assim como era no caso clássico.) Evidentemente,

$$\sigma \approx 4\pi a^2, \qquad [11.36]$$

para espalhamento de baixa energia por esfera compacta. Surpreendentemente, a seção de choque de espalhamento é *quatro vezes* a seção de choque geométrica; na verdade, σ é a *área da superfície total da esfera*. Esse 'tamanho efetivo maior' é característico do espalhamento de grandes comprimentos de ondas (isso também seria verdadeiro em óptica); de certo modo, essas ondas 'sentem' seu trajeto em torno da esfera, enquanto as *partículas* clássicas veem somente a seção de choque frontal.

Problema 11.3 Prove a Equação 11.33, iniciando com a Equação 11.32. *Dica:* explore a ortogonalidade dos polinômios de Legendre para demonstrar que os coeficientes com valores diferentes de l devem desaparecer separadamente.

Problema 11.4 Considere o caso de espalhamento de baixa energia por uma casca esférica função delta:

$$V(r) = \alpha\delta(r-a),$$

em que α e a são constantes. Calcule a amplitude de espalhamento, $f(\theta)$, a seção de choque diferencial, $D(\theta)$, e a seção de choque total, σ. Imagine que $ka \ll 1$, de modo que somente o termo $l = 0$ contribua significativamente. (Para simplificar a questão, descarte todos os termos $l \neq 0$ logo no início.) O principal problema, é claro, é determinar a_0. Expresse sua resposta em termos de quantidade adimensional $\beta \equiv 2ma\alpha/\hbar^2$. *Resposta:* $\sigma = 4\pi a^2 \beta^2 / (1+\beta)^2$.

11.3 Mudança de fase

Considere, primeiramente, o problema de espalhamento unidimensional por um potencial localizado $V(x)$ na semirreta $x < 0$ (Figura 11.7). Levantarei uma 'parede de tijolos' em $x = 0$, assim, uma onda incidente da esquerda,

$$\psi_i(x) = Ae^{ikx} \quad (x < -a), \qquad [11.37]$$

é inteiramente refletida

$$\psi_r(x) = Be^{-ikx} \quad (x < -a). \qquad [11.38]$$

A amplitude da onda refletida *tem* de ser a mesma da onda incidente, por conservação de probabilidade, não importando o que aconteça na região de interação ($-a < x < 0$). Mas ela não precisa ter a mesma *fase*. Se não houver nenhum potencial (somente a parede em $x = 0$), então $B = -A$, pois a função de onda total (incidente somada à refletida) deve desaparecer na origem:

$$\psi_0(x) = A\left(e^{ikx} - e^{-ikx}\right) \quad (V(x) = 0). \qquad [11.39]$$

Se o potencial *não* é zero, a função de onda (para $x < -a$) toma a seguinte forma:

$$\psi(x) = A\left(e^{ikx} - e^{i(2\delta - kx)}\right) \quad (V(x) \neq 0). \qquad [11.40]$$

Toda a teoria do espalhamento se reduz ao problema do cálculo da **mudança de fase**[7] δ (como uma função de k, e, portanto, da energia $E = \hbar^2 k^2/2m$), para um potencial especificado. Chegamos a isso, é claro, resolvendo a equação de Schrödinger na região de espalhamento ($-a < x < 0$) e impondo condições de contorno adequadas (veja o Problema 11.5). A razão pela qual se trabalha com a mudança de fase (em vez de com a amplitude complexa B) é que ela esclarece a física (por causa da conservação da probabilidade, *tudo* o que o potencial pode

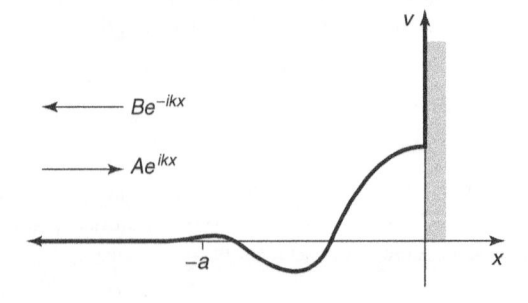

FIGURA 11.7 Espalhamento unidimensional a partir de um potencial localizado limitado à direita por uma parede infinita.

---

[7] O 2 na frente de δ é convencional. Consideramos que a onda incidente tenha mudado de fase uma vez ao entrar e, novamente, ao sair; com δ queremos dizer mudança de fase 'de um sentido', e, portanto, o *total* será 2δ.

fazer é mudar a fase da onda refletida) e simplifica a matemática (negociando uma quantidade complexa — dois números reais — para uma quantidade real única).

Voltemos ao caso tridimensional. A onda plana incidente (Ae^{ikz}) não traz momento angular na direção z (a fórmula de Rayleigh não contém termos com $m \neq 0$), mas inclui todos os valores do momento angular *total* ($l = 0, 1, 2, ...$). Como o momento angular é conservado (por um potencial esfericamente simétrico), as **ondas parciais** (rotuladas por um l particular) se espalham independentemente (também), sem mudança na amplitude,[8] somente na fase. Se não houver nenhum potencial, então $\psi_0 = Ae^{ikz}$, e a l-ésima onda parcial é (Equação 11.28)

$$\psi_0^{(l)} = Ai^l(2l+1)j_l(kr)P_l(\cos\theta) \quad (V(r)=0). \quad [11.41]$$

Mas (por causa da Equação 11.19 e da Tabela 11.1),

$$j_l(x) = \frac{1}{2}\left[h_l^{(1)}(x) + h_l^{(2)}(x)\right] \approx \frac{1}{2x}\left[(-i)^{l+1}e^{ix} + i^{l+1}e^{-ix}\right] \quad (x \gg 1). \quad [11.42]$$

Assim, para r grande,

$$\psi_0^{(l)} \approx A\frac{(2l+1)}{2ikr}\left[e^{ikr} - (-1)^l e^{-ikr}\right]P_l(\cos\theta) \quad (V(r)=0). \quad [11.43]$$

O segundo termo entre colchetes representa uma onda esférica de entrada; é imutável quando introduzimos o potencial de espalhamento. O primeiro termo é a onda de saída; ele escolhe uma mudança de fase δ_l:

$$\psi^{(l)} \approx A\frac{(2l+1)}{2ikr}\left[e^{i(kr+2\delta_l)} - (-1)^l e^{-ikr}\right]P_l(\cos\theta) \quad (V(r) \neq 0). \quad [11.44]$$

Pense nisso como uma onda esférica convergente (por causa exclusivamente do componente $h_l^{(2)}$ em e^{ikz}), que é deslocada em uma fase $2\delta_l$ (veja nota de rodapé nº 7) e surge como uma onda esférica de saída (a parte $h_l^{(1)}$ de e^{ikz}, bem como a própria onda espalhada).

Na Seção 11.2.1, a teoria inteira foi expressa em termos de amplitudes de ondas parciais a_l; agora, ela é formulada em termos de mudanças de fase δ_l. Deve haver uma ligação entre as duas. De fato, comparando a forma assintótica (r grande) da Equação 11.23

$$\psi^{(l)} \approx A\left\{\frac{(2l+1)}{2ikr}\left[e^{ikr} - (-1)^l e^{-ikr}\right] + \frac{(2l+1)}{r}a_l e^{ikr}\right\}P_l(\cos\theta) \quad [11.45]$$

com a expressão genérica em termos de δ_l (Equação 11.44), encontramos[9]

$$a_l = \frac{1}{2ik}\left(e^{2i\delta_l} - 1\right) = \frac{1}{k}e^{i\delta_l}\text{sen}(\delta_l). \quad [11.46]$$

Segue-se (Equação 11.25) que

$$f(\theta) = \frac{1}{k}\sum_{l=0}^{\infty}(2l+1)e^{i\delta_l}\text{sen}(\delta_l)P_l(\cos\theta) \quad [11.47]$$

e (Equação 11.27)

$$\sigma = \frac{4\pi}{k^2}\sum_{l=0}^{\infty}(2l+1)\text{sen}^2(\delta_l). \quad [11.48]$$

---

[8] Uma das razões pela qual esse assunto pode ser tão confuso é que praticamente tudo é chamado de 'amplitude': $f(\theta)$ é a 'amplitude de espalhamento', a_l é a 'amplitude de onda parcial', mas a primeira é uma função de θ, e ambas são números complexos. *Agora*, estou falando sobre 'amplitude' no seu sentido original; a altura (*real*, é claro) de uma onda sinusoidal.

[9] Embora eu tenha usado a forma assintótica da função de onda para esboçar a ligação entre a_l e δ_l, o resultado não chega a ser aproximado (Equação 11.46). Ambas são *constantes* (independentes de r), e δ_l significa uma mudança de fase na região assintótica (em que as funções de Hankel se estabeleceram em $e^{\pm ikr}/kr$).

Novamente, a vantagem de se trabalhar com mudanças de fase (em vez de com as amplitudes de ondas parciais) é que elas são mais fáceis de interpretar fisicamente e são mais simples matematicamente — o formalismo da mudança de fase explora a conservação do momento angular para reduzir uma quantidade complexa a_l (dois números reais) para um único número real δ_l.

Problema 11.5
Uma partícula de massa m e energia E é incidente a partir da esquerda no potencial

$$V(x) = \begin{cases} 0, & (x < -a), \\ -V_0, & (-a \leq x \leq 0), \\ \infty, & (x > 0). \end{cases}$$

(a) Se a onda de entrada é Ae^{ikx} (em que $k = \sqrt{2mE}/\hbar$), calcule a onda refletida. *Resposta*:

$$Ae^{-2ika}\left[\frac{k - ik'\cot(k'a)}{k + ik'\cot(k'a)}\right]e^{-ikx}, \text{ em que } k' = \sqrt{2m(E+V_0)}/\hbar.$$

(b) Confirme que a onda refletida tem a mesma amplitude da onda incidente.
(c) Calcule a mudança de fase δ (Equação 11.40) para um poço muito fundo ($E \ll V_0$). *Resposta*: $\delta = -ka$.

Problema 11.6 Quais as mudanças de fase das ondas parciais (δ_l) para o espalhamento por esfera compacta (Exemplo 11.3)?

Problema 11.7 Encontre a mudança de fase $\delta_0(k)$ da onda parcial S ($l = 0$) para o espalhamento por uma casca esférica função delta (Problema 11.4). Suponha que a função de onda radial $u(r)$ vá a 0 quando $r \to \infty$. *Resposta*:

$$-\cot^{-1}\left[\cot(ka) + \frac{ka}{\beta \operatorname{sen}^2(ka)}\right], \quad \text{em que } \beta \equiv \frac{2m\alpha a}{\hbar^2}.$$

11.4 Aproximação de Born

11.4.1 Forma integral da equação de Schrödinger

A equação de Schrödinger independente do tempo,

$$-\frac{\hbar^2}{2m}\nabla^2\psi + V\psi = E\psi, \qquad [11.49]$$

pode ser escrita mais sucintamente como

$$(\nabla^2 + k^2)\psi = Q, \qquad [11.50]$$

em que

$$k \equiv \frac{\sqrt{2mE}}{\hbar} \quad \text{e} \quad Q \equiv \frac{2m}{\hbar^2}V\psi. \qquad [11.51]$$

Essa notação tem a forma superficial da **equação de Helmholtz**; observe, entretanto, que o *próprio* termo 'não homogêneo' (Q) depende de ψ.

Suponha que possamos encontrar uma função $G(\mathbf{r})$ que resolva a equação de Helmholtz com uma 'fonte' *função delta*:

$$(\nabla^2 + k^2)G(\mathbf{r}) = \delta^3(\mathbf{r}). \qquad [11.52]$$

Então, poderemos expressar ψ como uma integral:

$$\psi(\mathbf{r}) = \int G(\mathbf{r} - \mathbf{r}_0) Q(\mathbf{r}_0) d^3\mathbf{r}_0. \qquad [11.53]$$

Por isso é fácil demonstrar que ela satisfaz a equação de Schrödinger na forma da Equação 11.50:

$$(\nabla^2 + k^2)\psi(\mathbf{r}) = \int \left[(\nabla^2 + k^2)G(\mathbf{r} - \mathbf{r}_0)\right] Q(\mathbf{r}_0) d^3\mathbf{r}_0$$
$$= \int \delta^3(\mathbf{r} - \mathbf{r}_0) Q(\mathbf{r}_0) d^3\mathbf{r}_0 = Q(\mathbf{r}).$$

$G(\mathbf{r})$ é chamada de **função de Green** para a equação de Helmholtz. (Em geral, a função de Green para a equação diferencial linear representa a 'resposta' para a fonte função delta.)

Nossa primeira tarefa[10] é resolver a Equação 11.52 para $G(\mathbf{r})$. Esse trabalho pode ser mais facilmente realizado se utilizarmos a transformada de Fourier, que converte a equação *diferencial* na equação *algébrica*. Seja

$$G(\mathbf{r}) = \frac{1}{(2\pi)^{3/2}} \int e^{i\mathbf{s}\cdot\mathbf{r}} g(\mathbf{s}) d^3\mathbf{s}. \qquad [11.54]$$

Então,

$$(\nabla^2 + k^2)G(\mathbf{r}) = \frac{1}{(2\pi)^{3/2}} \int \left[\nabla^2 + k^2\right] e^{i\mathbf{s}\cdot\mathbf{r}} g(\mathbf{s}) d^3\mathbf{s}.$$

Mas,

$$\nabla^2 e^{i\mathbf{s}\cdot\mathbf{r}} = -s^2 e^{i\mathbf{s}\cdot\mathbf{r}}, \qquad [11.55]$$

e (veja a Equação 2.144)

$$\delta^3(\mathbf{r}) = \frac{1}{(2\pi)^3} \int e^{i\mathbf{s}\cdot\mathbf{r}} d^3\mathbf{s}, \qquad [11.56]$$

assim, a Equação 11.52 diz que

$$\frac{1}{(2\pi)^{3/2}} \int (-s^2 + k^2) e^{i\mathbf{s}\cdot\mathbf{r}} g(\mathbf{s}) d^3\mathbf{s} = \frac{1}{(2\pi)^3} \int e^{i\mathbf{s}\cdot\mathbf{r}} d^3\mathbf{s}.$$

Segue-se[11] que

$$g(\mathbf{s}) = \frac{1}{(2\pi)^{3/2}(k^2 - s^2)}. \qquad [11.57]$$

Inserindo esse resultado na Equação 11.54, encontramos:

$$G(\mathbf{r}) = \frac{1}{(2\pi)^3} \int e^{i\mathbf{s}\cdot\mathbf{r}} \frac{1}{(k^2 - s^2)} d^3\mathbf{s}. \qquad [11.58]$$

---

10 *Atenção:* você está se aproximando de duas páginas de análise pesada, que incluem integração de contorno; se quiser, pule diretamente para a resposta, Equação 11.65.

11 Isso é claramente *suficiente*, e *necessário*, como você pode demonstrar ao combinar os dois termos em uma única integral, utilizando o teorema de Plancherel, Equação 2.102.

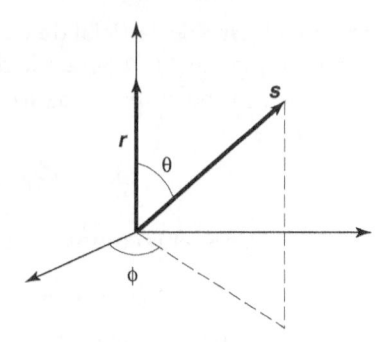

FIGURA 11.8 Coordenadas convenientes para a integral na Equação 11.58.

Agora, **r** é *fixo* no que diz respeito à integração em **s**, e por isso também podemos escolher coordenadas esféricas (s, θ, ϕ) com o eixo polar ao longo de **r** (Figura 11.8). Então, $\mathbf{s} \cdot \mathbf{r} = sr \cos \theta$, a integral em ϕ é trivial (2π) e a integral em θ é

$$\int_0^\pi e^{isr\cos\theta} \operatorname{sen} \theta\, d\theta = -\left.\frac{e^{isr\cos\theta}}{isr}\right|_0^\pi = \frac{2\operatorname{sen}(sr)}{sr}. \qquad [11.59]$$

Assim,

$$G(\mathbf{r}) = \frac{1}{(2\pi)^2}\frac{2}{r}\int_0^\infty \frac{s\operatorname{sen}(sr)}{k^2-s^2}ds = \frac{1}{4\pi^2 r}\int_{-\infty}^\infty \frac{s\operatorname{sen}(sr)}{k^2-s^2}ds. \qquad [11.60]$$

A integral restante não é tão simples. Vale a pena voltar à notação exponencial e fatorar o denominador:

$$G(\mathbf{r}) = \frac{i}{8\pi^2 r}\left\{\int_{-\infty}^\infty \frac{se^{isr}}{(s-k)(s+k)}ds - \int_{-\infty}^\infty \frac{se^{-isr}}{(s-k)(s+k)}ds\right\}$$

$$= \frac{i}{8\pi^2 r}(I_1 - I_2). \qquad [11.61]$$

Essas duas integrais podem ser avaliadas utilizando-se a **fórmula integral de Cauchy**:

$$\oint \frac{f(z)}{(z-z_0)}dz = 2\pi i\, f(z_0), \qquad [11.62]$$

se z_0 estiver dentro do contorno (caso contrário, a integral seria zero). Nesse caso, a integração está junto ao eixo real e passa *justamente sobre* as singularidades dos polos em $\pm k$. Temos de decidir como contornar os polos; eu passaria *por cima* do que está em $-k$ e *por baixo* do que está em $+k$ (Figura 11.9). (Você é livre para escolher uma *outra* convenção, se preferir — pode até mesmo contornar sete vezes cada polo; você obterá uma função de Green diferente, mas mostrarei, a seguir, que todas são igualmente aceitáveis.)

Para cada integral na Equação 11.61, devemos 'fechar o contorno' de maneira que o semicírculo no infinito não contribua com nada. No caso I_1, o fator e^{isr} vai a zero quando s tem uma parte imaginária *positiva* grande; para esse caso, fechamos *acima* (Figura 11.10(a)). O contorno engloba somente a singularidade em $s = +k$, assim,

$$I_1 = \oint \left[\frac{se^{isr}}{s+k}\right]\frac{1}{s-k}ds = 2\pi i\left[\frac{se^{isr}}{s+k}\right]_{s=k} = i\pi e^{ikr}. \qquad [11.63]$$

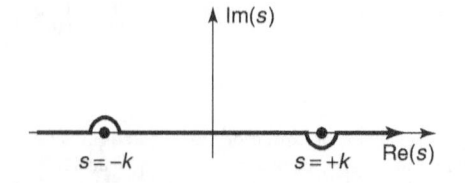

FIGURA 11.9 Contornando os polos na integral de contorno (Equação 11.61).

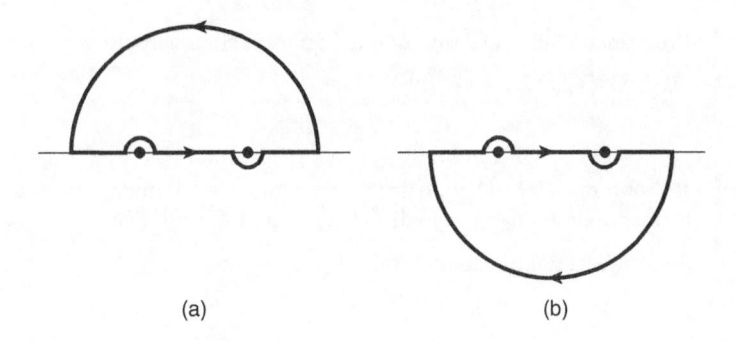

FIGURA 11.10 Fechando o contorno nas equações 11.63 e 11.64.

No caso de I_2, o fator e^{-isr} vai a zero quando s tem uma parte imaginária *negativa* grande, de modo que fechamos *abaixo* (Figura 11.10(b)); dessa vez, o contorno engloba a singularidade em $s = -k$ (e funciona no sentido *horário*, então, escolhemos um sinal negativo):

$$I_2 = -\oint \left[\frac{se^{-isr}}{s-k}\right] \frac{1}{s+k} ds = -2\pi i \left[\frac{se^{-isr}}{s-k}\right]\bigg|_{s=-k} = -i\pi e^{ikr}. \quad [11.64]$$

Conclusão:

$$G(\mathbf{r}) = \frac{i}{8\pi^2 r}\left[\left(i\pi e^{ikr}\right) - \left(-i\pi e^{ikr}\right)\right] = -\frac{e^{ikr}}{4\pi r}. \quad [11.65]$$

Essa é, finalmente, a função de Green para a equação de Helmholtz, a solução para a Equação 11.52. (Se você se perdeu em toda essa análise, é melhor *verificar* o resultado por diferenciação direta; veja o Problema 11.8.) Ou melhor, é *uma* função de Green para a equação de Helmholtz, já que podemos acrescentar ao $G(\mathbf{r})$ qualquer função $G_0(\mathbf{r})$ que satisfaça a equação de Helmholtz *homogênea*:

$$\left(\nabla^2 + k^2\right) G_0(\mathbf{r}) = 0; \quad [11.66]$$

claramente, o resultado $(G + G_0)$ ainda satisfaz a Equação 11.52. Essa ambiguidade corresponde precisamente à de como contornar os polos; uma escolha diferente equivale a escolher uma função diferente $G_0(\mathbf{r})$.

Retornando à Equação 11.53, a solução geral para a equação de Schrödinger tem a forma

$$\psi(\mathbf{r}) = \psi_0(\mathbf{r}) - \frac{m}{2\pi\hbar^2} \int \frac{e^{ik|\mathbf{r}-\mathbf{r}_0|}}{|\mathbf{r}-\mathbf{r}_0|} V(\mathbf{r}_0)\psi(\mathbf{r}_0) d^3\mathbf{r}_0, \quad [11.67]$$

em que ψ_0 satisfaz a equação de Schrödinger de partícula *livre*,

$$\left(\nabla^2 + k^2\right)\psi_0 = 0. \quad [11.68]$$

A Equação 11.67 é a **forma integral da equação de Schrödinger**; é inteiramente equivalente à forma diferencial mais familiar. À primeira vista, *parece* uma *solução* explícita para a equação de Schrödinger (para qualquer potencial) — o que é muito bom para ser verdade. Não se engane: há uma ψ sob o sinal da integral no lado direito, de modo que você não pode resolver a integral a menos que já saiba a solução! No entanto, a forma integral pode ser muito poderosa, visto que é particularmente adequada aos problemas de espalhamento, como veremos na próxima seção.

Problema 11.8 Verifique que a Equação 11.65 satisfaz a Equação 11.52 por substituição direta. Dica: $\nabla^2(1/r) = -4\pi\delta^3(\mathbf{r})$.[12]

**Problema 11.9 Demonstre que o estado fundamental do hidrogênio (Equação 4.80) satisfaz a forma integral da equação de Schrödinger para V e E apropriados (observe que E é *negativo*, assim que $k = i\kappa$, em que $\kappa \equiv \sqrt{-2mE}/\hbar$).

11.4.2 A primeira aproximação de Born

Suponha que $V(\mathbf{r}_0)$ esteja localizado em torno de $\mathbf{r}_0 = 0$ (isto é, o potencial cai para zero fora de uma região finita, como normalmente acontece em um problema de espalhamento) e queiramos calcular $\psi(\mathbf{r})$ em pontos *bem distantes* do centro de espalhamento. Então, $|\mathbf{r}| \gg |\mathbf{r}_0|$ para todos os pontos que contribuam para a integral na Equação 11.67, assim

$$\left|\mathbf{r} - \mathbf{r}_0\right|^2 = r^2 + r_0^2 - 2\mathbf{r}\cdot\mathbf{r}_0 \cong r^2\left(1 - 2\frac{\mathbf{r}\cdot\mathbf{r}_0}{r^2}\right), \quad [11.69]$$

e, portanto,

$$\left|\mathbf{r} - \mathbf{r}_0\right| \cong r - \hat{r}\cdot\mathbf{r}_0. \quad [11.70]$$

Seja

$$\mathbf{k} \equiv k\hat{r}; \quad [11.71]$$

então,

$$e^{ik|\mathbf{r}-\mathbf{r}_0|} \cong e^{ikr}e^{-i\mathbf{k}\cdot\mathbf{r}_0}, \quad [11.72]$$

logo

$$\frac{e^{ik|\mathbf{r}-\mathbf{r}_0|}}{|\mathbf{r}-\mathbf{r}_0|} \cong \frac{e^{ikr}}{r}e^{-i\mathbf{k}\cdot\mathbf{r}_0}. \quad [11.73]$$

(No *denominador* podemos nos permitir fazer a aproximação mais radical $|\mathbf{r}-\mathbf{r}_0| \cong r$; precisamos manter o próximo termo no *expoente*. Se isso o confunde, tente escrever por extenso o próximo termo na expansão do denominador. Estamos apenas expandindo em potências da pequena quantidade (r_0/r) e descartando todas as ordens, exceto a mais baixa.)

No caso do espalhamento, queremos

$$\psi_0(\mathbf{r}) = Ae^{ikz}, \quad [11.74]$$

representando uma onda plana incidente. Para r grande, então,

$$\psi(\mathbf{r}) \cong Ae^{ikz} - \frac{m}{2\pi\hbar^2}\frac{e^{ikr}}{r}\int e^{-i\mathbf{k}\cdot\mathbf{r}_0}V(\mathbf{r}_0)\psi(\mathbf{r}_0)d^3\mathbf{r}_0. \quad [11.75]$$

Isso está na forma padrão (Equação 11.12), e podemos observar a amplitude de espalhamento:

$$f(\theta,\phi) = -\frac{m}{2\pi\hbar^2 A}\int e^{-i\mathbf{k}\cdot\mathbf{r}_0}V(\mathbf{r}_0)\psi(\mathbf{r}_0)d^3\mathbf{r}_0. \quad [11.76]$$

---

[12] Veja, por exemplo, D. Griffiths, *Eletrodinâmica*, 3ª ed. (Pearson Prentice Hall, São Paulo, SP, 2011), Seção 1.5.3.

Até aqui, tudo está *exato*. Agora, invocaremos a **aproximação de Born**: suponha que a onda plana de entrada *não seja muito alterada pelo potencial*; então, faz sentido usar

$$\psi(\mathbf{r}_0) \approx \psi_0(\mathbf{r}_0) = Ae^{ikz_0} = Ae^{i\mathbf{k}'\cdot\mathbf{r}_0}, \qquad [11.77]$$

em que

$$\mathbf{k}' \equiv k\hat{z}, \qquad [11.78]$$

dentro da integral. (Essa seria a função de onda *exata*, se V fosse zero; essencialmente, ela é uma aproximação de *potencial fraco*.[13]) Na aproximação de Born, então,

$$f(\theta,\phi) \cong -\frac{m}{2\pi\hbar^2} \int e^{i(\mathbf{k}'-\mathbf{k})\cdot\mathbf{r}_0} V(\mathbf{r}_0) d^3\mathbf{r}_0. \qquad [11.79]$$

(Caso você tenha perdido a noção das definições de **k'** e **k**, ambos têm magnitude k, mas o primeiro aponta na direção do feixe incidente, enquanto o último aponta para o detector (veja a Figura 11.11); $\hbar(\mathbf{k}-\mathbf{k}')$ é a **transferência de momento** no processo.)

Em especial, no caso do **espalhamento de baixa energia** (de comprimento de onda longo), o fator exponencial é essencialmente constante sobre a região de espalhamento, e a aproximação de Born é simplificada para

$$f(\theta,\phi) \cong -\frac{m}{2\pi\hbar^2} \int V(\mathbf{r}) d^3\mathbf{r} \quad \text{(baixa energia)}. \qquad [11.80]$$

(Descartei o subscrito em **r**, pois não há possibilidade de confusão nesse ponto.)

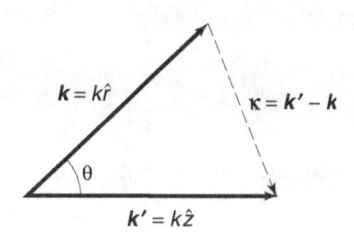

FIGURA 11.11 Dois vetores de onda na aproximação de Born: k' aponta na direção incidente, e k, na direção espalhada.

Exemplo 11.4 **Espalhamento de baixa energia por esfera maleável.**[14] Suponha que

$$V(\mathbf{r}) = \begin{cases} V_0, & \text{se } r \leq a, \\ 0, & \text{se } r > a. \end{cases} \qquad [11.81]$$

Nesse caso, a amplitude de espalhamento de baixa energia é

$$f(\theta,\phi) \cong -\frac{m}{2\pi\hbar^2} V_0 \left(\frac{4}{3}\pi a^3\right) \qquad [11.82]$$

---

[13] Em geral, a análise de ondas parciais é útil quando a partícula incidente tem baixa energia, pois, dessa forma, somente os primeiros termos na série contribuem significativamente; a aproximação de Born se aplica quando o potencial é fraco comparado à energia incidente, assim, o desvio é pequeno.

[14] Você não pode aplicar a aproximação de Born a um espalhamento por esfera *compacta* ($V_0 = \infty$); a integral diverge. A questão é que imaginamos que o potencial seja *fraco* e não que mude muito a função de onda na região de espalhamento. Mas a esfera *compacta* a muda *radicalmente*; de Ae^{ikz} para zero.

(independentemente de θ e φ), a seção de choque diferencial é

$$\frac{d\sigma}{d\Omega} = |f|^2 \cong \left(\frac{2mV_0 a^3}{3\hbar^2}\right)^2,$$ [11.83]

e a seção de choque total é

$$\sigma \cong 4\pi \left(\frac{2mV_0 a^3}{3\hbar^2}\right)^2.$$ [11.84]

Para um **potencial esfericamente simétrico**, $V(\mathbf{r}) = V(r)$ — mas *não* necessariamente em energia baixa —, a aproximação de Born é reduzida novamente a uma forma mais simples. Ela define

$$\boldsymbol{\kappa} \equiv \mathbf{k'} - \mathbf{k}$$ [11.85]

e permite que o eixo polar para a integral $\mathbf{r}_0$ fique junto a $\boldsymbol{\kappa}$, de modo que

$$(\mathbf{k'} - \mathbf{k}) \cdot \mathbf{r}_0 = \kappa r_0 \cos\theta_0.$$ [11.86]

Então,

$$f(\theta) \cong -\frac{m}{2\pi\hbar^2} \int e^{i\kappa r_0 \cos\theta_0} V(r_0) r_0^2 \,\text{sen}\,\theta_0 \, dr_0 d\theta_0 d\phi_0.$$ [11.87]

A integral em ϕ_0 é trivial (2π), e a integral em θ_0 é a que já encontramos antes (veja a Equação 11.59). Descartando o subscrito em r, resta-nos

$$f(\theta) \cong -\frac{2m}{\hbar^2 \kappa} \int_0^\infty r V(r) \,\text{sen}(\kappa r)\, dr \quad \text{(simetria esférica)}.$$ [11.88]

A dependência angular de f é trazida por κ; na Figura 11.11, vemos que

$$\kappa = 2k \,\text{sen}\,(\theta/2).$$ [11.89]

Exemplo 11.5 **Espalhamento de Yukawa.** O **potencial de Yukawa** (que é um modelo bruto para a força de ligação em um núcleo atômico) tem a seguinte forma:

$$V(r) = \beta \frac{e^{-\mu r}}{r},$$ [11.90]

em que β e μ são constantes. A aproximação de Born produz

$$f(\theta) \cong -\frac{2m\beta}{\hbar^2 \kappa} \int_0^\infty e^{-\mu r} \,\text{sen}\,(\kappa r)\, dr = -\frac{2m\beta}{\hbar^2(\mu^2 + \kappa^2)}.$$ [11.91]

(Você tem de trabalhar a integral no Problema 11.11.)

Exemplo 11.6 **Espalhamento de Rutherford.** Se colocarmos $\beta = q_1 q_2 / 4\pi\epsilon_0$, $\mu = 0$, o potencial de Yukawa se reduz ao potencial de Coulomb, descrevendo a interação elétrica de duas cargas pontuais. Evidentemente, a amplitude de espalhamento é

$$f(\theta) \cong -\frac{2m q_1 q_2}{4\pi\epsilon_0 \hbar^2 \kappa^2},$$ [11.92]

ou (utilizando-se as equações 11.89 e 11.51):

$$f(\theta) \cong \frac{q_1 q_2}{16\pi\epsilon_0 E \operatorname{sen}^2(\theta/2)}. \quad [11.93]$$

A seção de choque diferencial é o quadrado disso:

$$\frac{d\sigma}{d\Omega} = \left[\frac{q_1 q_2}{16\pi\epsilon_0 E \operatorname{sen}^2(\theta/2)}\right]^2, \quad [11.94]$$

que é precisamente a fórmula de Rutherford (Equação 11.11). Acontece que, para o potencial de Coulomb, a mecânica clássica, a aproximação de Born e a teoria quântica de campo, todos produzem o mesmo resultado. Como dizem na informática, a fórmula de Rutherford é incrivelmente 'robusta'.

*Problema 11.10 Calcule a amplitude de espalhamento na aproximação de Born para o espalhamento de esfera maleável em energia arbitrária. Demonstre que sua fórmula é reduzida à Equação 11.82 no limite de baixa energia.

Problema 11.11 Avalie a integral na Equação 11.91 e confirme a expressão à direita.

**Problema 11.12 Calcule a seção de choque total para o espalhamento de um potencial de Yukawa na aproximação de Born. Expresse sua resposta como uma função de E.

*Problema 11.13 Para o potencial no Problema 11.4,
   (a) calcule $f(\theta)$, $D(\theta)$ e σ na aproximação de Born de baixa energia;
   (b) calcule $f(\theta)$ para energias arbitrárias na aproximação de Born;
   (c) demonstre que seus resultados são coerentes com a resposta do Problema 11.4 no regime apropriado.

11.4.3 A série de Born

A aproximação de Born é similar em princípio à **aproximação de impulso** na teoria do espalhamento clássico. Na aproximação de impulso, começamos com a simulação de uma linha reta sobre a qual a partícula se mantém (Figura 11.12), e calculamos o impulso transverso que deveria lhe ser dado nesse caso:

$$I = \int F_\perp \, dt. \quad [11.95]$$

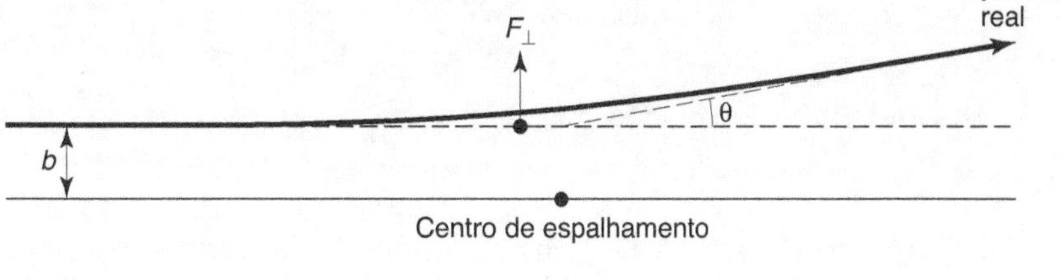

FIGURA 11.12 A aproximação de impulso supõe que a partícula não seja desviada e calcula o momento transverso que lhe é dado.

Se o desvio for relativamente pequeno, essa deverá ser uma boa aproximação ao momento transverso transmitido à partícula e, portanto, o ângulo de espalhamento será

$$\theta \cong \operatorname{tg}^{-1}(I/p), \qquad [11.96]$$

em que p é o momento incidente. Essa é, se você preferir chamá-la assim, a aproximação de impulso de 'primeira ordem' (a ordem *zero* é a que *iniciou*: não houve desvio algum). Da mesma forma, na ordem zero da aproximação de Born, a onda plana incidente não passa por modificações, e o que exploramos na seção anterior é realmente a correção de primeira ordem para isso. Mas a mesma ideia pode ser repetida para que gere uma série de correções de ordem superior, o que, presumivelmente, convergiria à resposta exata.

A forma integral da equação de Schrödinger é

$$\psi(\mathbf{r}) = \psi_0(\mathbf{r}) + \int g(\mathbf{r} - \mathbf{r}_0) V(\mathbf{r}_0) \psi(\mathbf{r}_0) d^3 \mathbf{r}_0, \qquad [11.97]$$

em que ψ_0 é a onda incidente,

$$g(\mathbf{r}) \equiv -\frac{m}{2\pi\hbar^2} \frac{e^{ikr}}{r} \qquad [11.98]$$

é a função de Green (na qual incorporei agora o fator $2m/\hbar^2$, por conveniência) e V é o potencial de espalhamento. Esquematicamente,

$$\psi = \psi_0 + \int gV\psi. \qquad [11.99]$$

Imagine que tomemos essa expressão para ψ e a insiramos sob o sinal da integral:

$$\psi = \psi_0 + \int gV\psi_0 + \iint gVgV\psi. \qquad [11.100]$$

Reiterando esse procedimento, obteremos uma série formal para ψ:

$$\psi = \psi_0 + \int gV\psi_0 + \iint gVgV\psi_0 + \iiint gVgVgV\psi_0 + \ldots \qquad [11.101]$$

Apenas a função de onda *incidente* (ψ_0) aparece em cada integrando, juntamente com mais e mais potências de gV. A *primeira* aproximação de Born trunca a série após o segundo termo, mas fica muito claro como as correções de ordem superior são geradas.

As séries de Born podem ser representadas em forma de diagramas, como mostrado na Figura 11.13. Na ordem zero, ψ é intocada pelo potencial; na primeira ordem, é 'cutucada' uma vez e depois 'se propaga' em uma nova direção; na segunda ordem é cutucada, propaga-se para uma nova localização, é cutucada novamente e depois se propaga mais uma vez; e assim por diante. Nesse contexto, a função de Green é, às vezes, chamada de **propagadora**; ela indica como a perturbação se propaga entre uma interação e outra. A série de Born foi a inspiração para a formulação de Feynman da mecânica quântica relativística, a qual é expressa inteiramente em termos de **fatores de vértice** (V) e propagadores (g) ligados aos **diagramas de Feynman**.

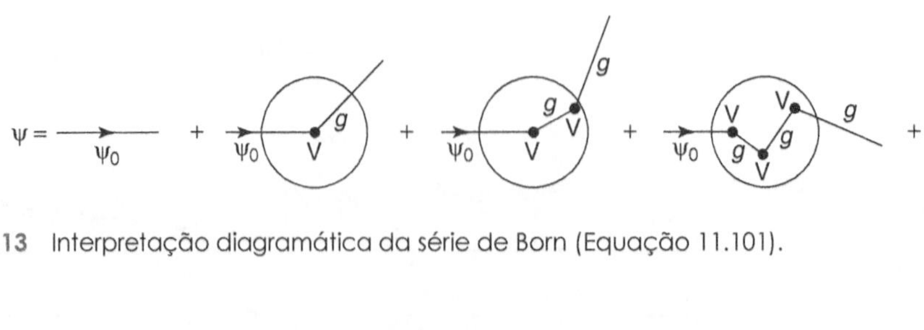

FIGURA 11.13 Interpretação diagramática da série de Born (Equação 11.101).

Problema 11.14 Calcule θ (como uma função do parâmetro de impacto) para o espalhamento de Rutherford na aproximação de impulso. Demonstre que o resultado que você obtiver é coerente com a expressão exata (Problema 11.1(a)) no limite apropriado.

Problema 11.15 Calcule a amplitude de espalhamento para o espalhamento de baixa energia por esfera maleável na *segunda* aproximação de Born. *Resposta:* $-\left(2mV_0 a^3/3\hbar^2\right)\left[1-\left(4mV_0 a^2/5\hbar^2\right)\right]$.

Mais problemas para o Capítulo 11

Problema 11.16 Calcule a função de Green para a equação de Schrödinger unidimensional e use-a para construir a forma integral (equivalente à Equação 11.67). *Resposta:*

$$\psi(x)=\psi_0(x)-\frac{im}{\hbar^2 k}\int_{-\infty}^{\infty} e^{ik|x-x_0|}V(x_0)\psi(x_0)\,dx_0. \quad [11.102]$$

Problema 11.17 Use o resultado obtido no Problema 11.16 para desenvolver a aproximação de Born para o espalhamento unidimensional (no intervalo $-\infty < x < \infty$, sem a 'parede de tijolos' na origem). Isto é, escolha $\psi_0(x)=Ae^{ikx}$ e suponha $\psi(x_0)\cong\psi_0(x_0)$ para avaliar a integral. Demonstre que o coeficiente de reflexão toma a forma:

$$R\cong\left(\frac{m}{\hbar^2 k}\right)^2\left|\int_{-\infty}^{\infty} e^{2ikx}V(x)\,dx\right|^2. \quad [11.103]$$

Problema 11.18 Empregue a aproximação de Born unidimensional (Problema 11.17) para calcular os coeficientes de transmissão ($T=1-R$) para o espalhamento com base em uma função delta (Equação 2.114) e com base em um poço quadrado finito (Equação 2.145). Compare os resultados obtidos com as respostas exatas (equações 2.141 e 2.169).

Problema 11.19 Prove o **teorema óptico**, o qual relaciona a seção de choque total com a parte imaginária da amplitude de espalhamento seguinte:

$$\sigma=\frac{4\pi}{k}\operatorname{Im}(f(0)). \quad [11.104]$$

Dica: utilize as equações 11.47 e 11.48.

Problema 11.20 Utilize a aproximação de Born para determinar a seção de choque total para o espalhamento com base no potencial gaussiano

$$V(\mathbf{r})=Ae^{-\mu r^2}.$$

Expresse sua resposta em termos das constantes A, μ e m (massa da partícula incidente), e $k\equiv\sqrt{2mE}/\hbar$, em que E é a energia incidente.

Capítulo 12
Epílogo

Agora que você tem (espero) uma boa compreensão do que a mecânica quântica *diz*, gostaria de voltar à questão do que ela *significa* — continuando a história iniciada na Seção 1.2. A origem do problema é a indeterminância associada à interpretação estatística da função de onda. A Ψ (ou, mais usualmente, o *estado quântico* — poderia ser um spinor, por exemplo) não determina unicamente o resultado de uma medição; tudo o que ela oferece é a distribuição estatística dos resultados possíveis. Isso levanta uma questão importante: o sistema físico 'tem realmente' o atributo em foco *antes* da medição (chamado de ponto de vista **realista**) ou o próprio ato de medição 'cria' a propriedade, limitada apenas pela restrição estatística imposta pela função de onda (a posição **ortodoxa**)? Ou podemos evitar essa questão completamente, com a desculpa de que é 'metafísica' (resposta **agnóstica**)?

De acordo com o realista, a mecânica quântica é uma teoria *incompleta*, pois mesmo que você saiba *tudo o que ela tem a lhe dizer* sobre o sistema (a saber: sua função de onda), ainda não será possível determinar todas as suas características. Evidentemente, há algumas *outras* informações, externas à mecânica quântica, que (juntamente com Ψ) são necessárias para uma descrição completa da realidade física.

A posição ortodoxa levanta problemas ainda mais perturbadores, e, por isso, o ato de mensuração força o sistema a 'tomar uma posição', ajudando a *criar* um atributo que não existia previamente,[1] de modo que há algo de muito peculiar sobre o processo de medição. Além disso, a fim de explicar o fato de uma segunda medição feita imediatamente após a primeira produzir o mesmo resultado, somos forçados a supor que o ato de medição provoca o **colapso** da função de onda, de uma forma que torna difícil, na melhor das hipóteses, a reconciliação com a evolução normal prescrita pela equação de Schrödinger.

Em vista disso, não é de se admirar que gerações de físicos recuaram à posição agnóstica, e aconselharam seus alunos a não perder tempo se preocupando com as bases conceituais da teoria.

---

1 Pode ser *estranho*, mas não é *místico*, como alguns sugeririam. A chamada **dualidade onda-partícula**, a qual Niels Bohr elevou ao status de um princípio cósmico (**complementaridade**), faz com que os elétrons pareçam adolescentes imprevisíveis, que, às vezes, se comportam como adultos e, às vezes, s em razão aparente, como crianças. Prefiro evitar tal linguagem. Quando digo que a partícula não tem um atributo específico antes de sua medição, tenho em mente, por exemplo, um elétron no estado de spin $\chi = \begin{pmatrix} 1 \\ 0 \end{pmatrix}$; uma medição da componente x de seu momento angular poderia retornar o valor $\hbar/2$ ou (com igual probabilidade) o valor $-\hbar/2$, mas até que a medição seja feita, simplesmente *não existe* um valor bem definido de S_x.

12.1 O paradoxo EPR

Em 1935, Einstein, Podolsky e Rosen[2] publicaram o famoso **paradoxo EPR**, o qual foi projetado para provar (por razões puramente teóricas) que a única posição sustentável era a realista. Descreverei uma versão simplificada do paradoxo EPR apresentado por David Bohm. Considere um decaimento do méson pi neutro em um elétron e em um pósitron:

$$\pi^0 \to e^- + e^+.$$

Supondo que o píon esteja em repouso, o elétron e o pósitron se movem na direção oposta (Figura 12.1). Agora, o píon tem spin zero, de modo que a conservação do momento angular exige que o elétron e o pósitron estejam na configuração de singleto:

$$\frac{1}{\sqrt{2}}(\uparrow_-\downarrow_+ - \downarrow_-\uparrow_+). \qquad [12.1]$$

Se o elétron tiver spin para cima, o pósitron deverá ter spin para baixo, e vice-versa. A mecânica quântica não consegue dizer *qual* combinação você obterá em um decaimento píon específico, mas informa que as medições serão *correlacionadas*, e você obterá cada combinação na metade do tempo (em média). Agora, suponha que permitamos o deslocamento do elétron e do pósitron — 10 metros, em um experimento prático, ou, em princípio, 10 anos-luz — para, então, medirmos o spin do elétron. Digamos que você obtenha spin para cima. Imediatamente, você saberá que alguém a 20 metros (ou 20 anos-luz) de distância obterá spin para baixo se analisar o pósitron.

Para o realista, não há nada de surpreendente nisso; o elétron *realmente tinha* spin para cima e o pósitron tinha spin para baixo no momento em que foram criados... Acontece que a mecânica quântica não sabia disso. Mas a visão 'ortodoxa' afirma que nenhuma partícula tinha nem spin para cima *nem* spin para baixo até o momento da medição: sua medição do elétron colapsou a função de onda e instantaneamente 'produziu' o spin do pósitron a 20 metros (ou 20 anos-luz). Einstein, Podolsky e Rosen consideraram tal 'assustadora ação a distância' absurda (nas palavras de Einstein). Concluíram que a posição ortodoxa é insustentável; o elétron e o pósitron devem ter os spins bem definidos, quer a mecânica quântica possa calculá-los, quer não.

O pressuposto fundamental sobre o qual repousa o argumento EPR é que nenhuma influência pode se propagar mais rapidamente do que a velocidade da luz. Chamamos isso de princípio da **localidade**. Talvez você se sinta tentado a sugerir que o colapso da função de onda *não* é instantâneo, mas que 'viaja' em certa velocidade finita. Entretanto, isso levaria a uma violação da conservação do momento angular, pois se medíssemos o spin do pósitron antes da informação do colapso o alcançar, haveria uma probabilidade de 50 por cento de encontrarmos *ambas* as partículas com spin para cima. Embora qualquer um possa pensar sobre tal teoria abstratamente, os experimentos são inequívocos: nenhuma violação ocorre — a (anti) correlação dos spins é perfeita. Evidentemente, o colapso da função de onda — não importa qual seja seu status ontológico — é instantâneo.

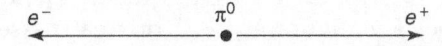

FIGURA 12.1 Versão de Bohm para o experimento EPR: um π^0 em repouso decai em um par elétron-pósitron.

Problema 12.1 Estados entrelaçados. A configuração do spin singleto (Equação 12.1) é o exemplo clássico de um *estado entrelaçado* — um estado de duas partículas que não pode ser expresso como produto de dois estados de uma partícula, e, para o qual, portanto, não se pode realmente falar do 'estado' de cada partícula separadamente. Você pode se perguntar se isso é, de alguma forma, um artefato de notação ruim; talvez, uma combinação linear dos estados de uma partícula separariam o sistema. Prove o seguinte teorema:

---
2 A. Einstein, B. Podolsky e N. Rosen, *Phys Rev.* **47**, 777 (1935).

> Considere um sistema de dois níveis, $|\phi_a\rangle$ e $|\phi_b\rangle$, com $\langle\phi_i|\phi_j\rangle=\delta_{ij}$. (Por exemplo, $|\phi_a\rangle$ pode representar o spin para cima e $|\phi_b\rangle$, o spin para baixo.) O estado de duas partículas
>
> $$\alpha|\phi_a(1)\rangle|\phi_b(2)\rangle+\beta|\phi_b(1)\rangle|\phi_a(2)\rangle$$
>
> (com $\alpha\neq 0$ e $\beta\neq 0$) *não pode* ser expresso como um produto
>
> $$|\psi_r(1)\rangle|\psi_s(2)\rangle,$$
>
> para *nenhum* estado de uma partícula $|\psi_r\rangle$ e $|\psi_s\rangle$.
> *Dica:* escreva $|\psi_r\rangle$ e $|\psi_s\rangle$ como combinações lineares de $|\phi_a\rangle$ e $|\phi_b\rangle$.

12.2 Teorema de Bell

Einstein, Podolsky e Rosen não duvidavam que a mecânica quântica estivesse *correta*; apenas alegavam que era uma descrição *incompleta* da realidade física: a função de onda não é toda a história; além de Ψ, *outra* quantidade, λ, é necessária para caracterizar o estado de um sistema completamente. Chamamos λ de 'variável oculta', pois nessa etapa não temos ideia de como calculá-la ou medi-la.[3] Com o passar dos anos, várias teorias sobre variáveis ocultas foram propostas para complementar a mecânica quântica;[4] elas tendem a ser complicadas e implausíveis, mas deixe isso para lá; até 1964, o programa parecia realmente valer a pena. Mas, naquele ano, J. S. Bell provou que *qualquer* teoria de variável oculta local seria *incompatível* com a mecânica quântica.[5]

Bell sugeriu uma generalização do experimento EPR/Bohm: em vez de orientar os detectores de elétrons e pósitrons para a *mesma* direção, ele permitiu que eles fossem rotacionados de forma independente. O primeiro mede a componente do spin do elétron na direção de um vetor unitário **a**, e o segundo mede o spin do pósitron junto à direção **b** (Figura 12.2). Para simplificar, vamos registrar os spins em unidades de $\hbar/2$; assim, cada detector registra o valor $+1$ (para spin para cima) ou -1 (spin para baixo), junto à direção em questão. Uma tabela de resultados, para muitos decaimentos π^0, pode se parecer a:

Elétron	Pósitron	Produto
+1	−1	−1
+1	+1	+1
−1	+1	−1
+1	−1	−1
−1	−1	+1
⋮	⋮	⋮

Bell propôs o cálculo do valor *médio* do *produto* dos spins para dado conjunto de orientações de detectores. Chame essa média de $P(\mathbf{a},\mathbf{b})$. Se os detectores forem paralelos ($\mathbf{b}=\mathbf{a}$), restauraremos a configuração EPRB original; nesse caso, um terá spin para cima e o outro terá spin para baixo, e, portanto, o produto será sempre −1, assim como a média:

$$P(\mathbf{a},\mathbf{a})=-1. \qquad [12.2]$$

---

[3] As variáveis ocultas poderiam ser um único número ou poderiam ser um *conjunto* de números; talvez λ deva ser calculado em alguma teoria futura, ou, talvez, por alguma razão de princípio incalculável. Isso não importa. O que afirmo é que deve haver *algo* — mesmo que seja apenas uma *lista* dos resultados de cada experimento possível — associado ao sistema antes de uma medição.

[4] D. Bohm, *Phys. Rev.* **85**, 166, 180 (1952).

[5] O estudo original de Bell (*Physics* **1**, 195 (1964)) é uma pérola: breve, acessível e muito bem escrito.

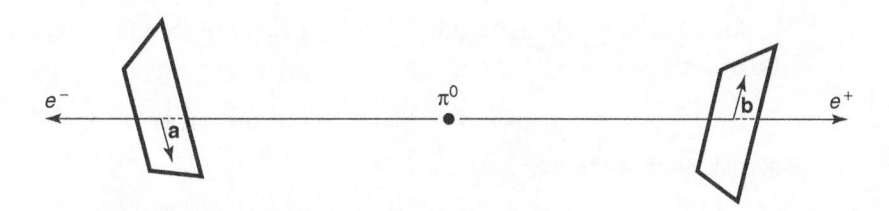

FIGURA 12.2 Versão de Bell do experimento EPR-Bohm: detectores orientados independentemente nas direções a e b.

Pela mesma razão, se eles são antiparalelos (**b** = –**a**), então cada produto será +1, de modo que

$$P(\mathbf{a}, -\mathbf{a}) = +1. \qquad [12.3]$$

Para orientações arbitrárias, a mecânica quântica prevê

$$P(\mathbf{a}, \mathbf{b}) = -\mathbf{a} \cdot \mathbf{b} \qquad [12.4]$$

(veja o Problema 4.50). O que Bell descobriu é que *esse resultado é incompatível com qualquer teoria de variável oculta local*.

O argumento é maravilhosamente simples. Suponha que o estado 'completo' do sistema elétron/pósitron seja caracterizado por uma ou mais variáveis ocultas λ (λ varia, de maneira que nem entendemos nem controlamos o decaimento de um píon a outro). Suponha ainda que o resultado da medição do *elétron* seja independente da orientação (**b**) do detector do *pósitron* — que pode, afinal, ser escolhido pelo experimentador no final do pósitron pouco antes que a medição do elétron seja feita, e, portanto, muito tarde para que qualquer mensagem subluminal volte para o detector de elétrons. (Esse é o pressuposto da localidade.) Então, existe uma função $A(\mathbf{a}, \lambda)$ que dá o resultado de uma medição de elétron, e outra função $B(\mathbf{b}, \lambda)$ para a medição de pósitrons. Essas funções podem somente assumir valores ± 1:[6]

$$A(\mathbf{a},\lambda) = \pm 1; \quad B(\mathbf{b},\lambda) = \pm 1. \qquad [12.5]$$

Quando os detectores estão alinhados, os resultados são perfeitamente (anti)correlacionados:

$$A(\mathbf{a},\lambda) = -B(\mathbf{a},\lambda), \qquad [12.6]$$

para todo λ.

Agora, a média do produto das medições é

$$P(\mathbf{a},\mathbf{b}) = \int \rho(\lambda) A(\mathbf{a},\lambda) B(\mathbf{b},\lambda) d\lambda, \qquad [12.7]$$

em que $\rho(\lambda)$ é a densidade de probabilidade para a variável oculta. (Como qualquer densidade de probabilidade, é não negativa e satisfaz a condição de normalização $\int \rho(\lambda)\, d\lambda = 1$, mas não iremos além com suposições sobre $\rho(\lambda)$; teorias diferentes sobre variáveis ocultas produziriam, provavelmente, expressões bem distintas para ρ.) Tendo em vista a Equação 12.6, podemos eliminar B:

$$P(\mathbf{a},\mathbf{b}) = -\int \rho(\lambda) A(\mathbf{a},\lambda) A(\mathbf{b},\lambda) d\lambda. \qquad [12.8]$$

Se **c** for qualquer *outro* vetor unitário,

$$P(\mathbf{a},\mathbf{b}) - P(\mathbf{a},\mathbf{c}) = -\int \rho(\lambda)[A(\mathbf{a},\lambda)A(\mathbf{b},\lambda) - A(\mathbf{a},\lambda)A(\mathbf{c},\lambda)] d\lambda. \qquad [12.9]$$

Ou, sendo $[A(\mathbf{b}, \lambda)]^2 = 1$:

$$P(\mathbf{a},\mathbf{b}) - P(\mathbf{a},\mathbf{c}) = -\int \rho(\lambda)[1 - A(\mathbf{b},\lambda)A(\mathbf{c},\lambda)] A(\mathbf{a},\lambda)A(\mathbf{b},\lambda) d\lambda. \qquad [12.10]$$

---

[6] Isso já admite muito mais do que um determinista *clássico* estaria disposto a permitir, pois abandona qualquer noção de que as partículas poderiam ter vetores momento angular bem definidos com componentes simultaneamente determinadas. Mas deixe isso para lá; o objetivo do argumento de Bell é demonstrar que a mecânica quântica é incompatível com *qualquer* teoria determinística local, até mesmo com aquela que faz todo o possível para se adaptar.

Mas, por causa da Equação 12.5, $-1 \leq [A(\mathbf{a}, \lambda)A(\mathbf{b}, \lambda)] \leq +1$; além disso, $\rho(\lambda)[1 - A(\mathbf{b}, \lambda)A(\mathbf{c}, \lambda)] \geq 0$, assim

$$|P(\mathbf{a},\mathbf{b}) - P(\mathbf{a},\mathbf{c})| \leq \int \rho(\lambda)[1 - A(\mathbf{b},\lambda)A(\mathbf{c},\lambda)]d\lambda, \qquad [12.11]$$

ou, mais simplesmente,

$$|P(\mathbf{a},\mathbf{b}) - P(\mathbf{a},\mathbf{c})| \leq 1 + P(\mathbf{b},\mathbf{c}). \qquad [12.12]$$

Essa é a famosa **desigualdade de Bell**. Isso vale para *qualquer* teoria de variável oculta local (sujeita apenas às exigências mínimas das equações 12.5 e 12.6), pois não fizemos pressupostos sobre a natureza ou o número de variáveis ocultas, ou sua distribuição (ρ).

Mas é fácil demonstrar que a previsão da mecânica quântica (Equação 12.4) é incompatível com a desigualdade de Bell. Por exemplo, suponha que os três vetores estejam em um plano e **c** faça um ângulo de 45° com **a** e **b** (Figura 12.3); nesse caso, a mecânica quântica diz que

$$P(\mathbf{a},\mathbf{b}) = 0, \quad P(\mathbf{a},\mathbf{c}) = P(\mathbf{b},\mathbf{c}) = -0{,}707,$$

que é claramente incompatível com a desigualdade de Bell:

$$0{,}707 \nleq 1 - 0{,}707 = 0{,}293.$$

Com a modificação de Bell, então, o paradoxo EPR prova algo muito mais radical do que seus autores imaginavam: se eles estiverem certos, então a mecânica quântica não só está *incompleta*, como também está *errada*. Por sua vez, se a mecânica quântica estiver certa, então *nenhuma* teoria de variável oculta nos salvará da não localidade que Einstein considerou tão absurda. Além disso, estamos munidos de um experimento muito simples para resolver essa questão de uma vez por todas.

Muitos experimentos para testar a desigualdade de Bell foram realizados nos anos 1960 e 1970, culminando com o trabalho de Aspect, Grangier e Roger.[7] Os detalhes não são importantes aqui (eles, de fato, utilizaram transições atômicas de dois fótons, e não o decaimento de píon). Para excluir a remota possibilidade de o detector de pósitrons poder, de alguma forma, 'sentir' a orientação do detector de elétrons, ambas as orientações foram definidas quase que aleatoriamente *após* os fótons já estarem em voo. Os resultados estavam completamente de acordo com as previsões da mecânica quântica, e eram claramente incompatíveis com a desigualdade de Bell.[8]

Ironicamente, a confirmação experimental da mecânica quântica veio como um choque para a comunidade científica. Mas não porque ela representava o fim do 'realismo'; a maioria dos físicos vem se ajustando a isso há muito tempo (e para aqueles que não puderam fazê-lo, restou a possibilidade de teorias de variáveis ocultas *não locais*, para as quais o teorema de Bell

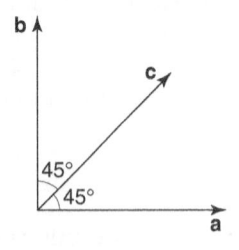

FIGURA 12.3 Orientação dos detectores que demonstra as violações quânticas da desigualdade de Bell.

---

[7] A. Aspect, P. Grangier e G. Roger, *Phys. Rev. Lett.* **49**, 91 (1982). Para experimentos mais recentes, veja G. Weihs et al., *Phys. Rev. Lett.* **81**, 5039 (1998).

[8] O teorema de Bell envolve *médias*, e é concebível que um aparelho como o de Aspect contenha alguma tendência secreta que selecione uma amostra não representativa, distorcendo, assim, a média. Em 1989, uma versão melhorada do teorema de Bell foi proposta, na qual uma *medição única* seria suficiente para diferenciar a previsão quântica de qualquer outra teoria de variável oculta local. Veja D. Greenberger, M. Horne, A. Shimony e A. Zeilinger, *Am. J. Phys.* **58**, 1131 (1990), e N. David Mermin, *Am. J. Phys.* **58**, 731 (1990).

não se aplica[9]). O verdadeiro choque foi a demonstração de que *a própria natureza é fundamentalmente não local*. A não localidade, na forma de um colapso instantâneo da função de onda (e também no que diz respeito à necessidade de simetrização para partículas idênticas), sempre foi uma característica da interpretação ortodoxa, mas, antes do experimento de Aspect, era possível esperar que a não localidade quântica fosse, de alguma forma, um artefato não físico do formalismo, sem consequências detectáveis. Essa esperança não pode mais ser mantida, e somos obrigados a reexaminar nossas divergências com a ação a distância instantânea.

Por que os físicos são tão melindrosos quando se trata de influências mais rápidas do que a luz? Afinal, há muitas coisas que viajam mais rapidamente do que a luz. Se um inseto voa através do feixe de luz de um projetor de filmes, a velocidade da sombra produzida por ele é proporcional à distância até a tela; em princípio, aquela distância pode ser tão grande quanto você quiser, e, portanto, a *sombra* pode se mover a uma velocidade arbitrariamente alta (Figura 12.4). Entretanto, a sombra não carrega nenhuma *energia*; nem pode transmitir uma *mensagem* de um ponto para outro na tela. Uma pessoa no ponto X *não pode fazer com que algo aconteça* no ponto Y ao manipular uma sombra móvel.

Por outro lado, uma influência *causal* que se propagasse mais rápido do que a luz poderia ter implicações inaceitáveis. Pois de acordo com a relatividade especial, existem referenciais inertes nos quais tal sinal se propaga para *trás no tempo* — o efeito prederia a causa —, e isso provoca anomalias lógicas das quais não se pode escapar. (Você poderia, por exemplo, planejar o assassinato de seu avô enquanto ele ainda estivesse na infância. Não seria uma boa ideia!) A questão é, as influências superluminais estão previstas na mecânica quântica e são, desse modo, detectadas pela *causa* de Aspect, ou são de certa forma etéreas o suficiente (como o movimento da sombra) para escapar da objeção filosófica?

Bem, consideremos o experimento de Bell. A medição do elétron *influencia* o resultado da medição do pósitron? Certamente que *sim*; caso contrário, não poderíamos explicar a correlação dos dados. Mas a medição do elétron pode *gerar* um resultado em especial para o pósitron? Não no sentido comum da palavra. Não há meios de alguém que manipula o detector de elétron poder usar sua medição para enviar um sinal a uma outra pessoa no detector de pósitrons, uma vez que não se tem controle sobre o resultado da própria medição (não se pode *fazer* um dado elétron sair em spin para cima, assim como alguém em X não pode afetar a sombra de um inseto que passa). É verdade que é possível decidir *fazer ou não uma medição*, porém, o monitor do pósitron, tendo acesso imediato somente aos dados em sua extremidade da linha, não pode afirmar se o elétron foi medido ou não, pois as listas de dados compiladas nas duas extremidades, tomadas de forma isolada, são completamente aleatórias. Somente

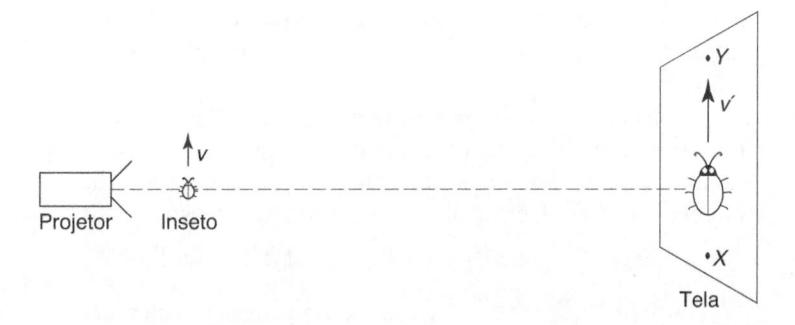

FIGURA 12.4 A sombra do inseto se moverá de um lado a outro da tela em uma velocidade v' maior do que c, desde que a tela esteja bem longe.

---

9 É uma reviravolta curiosa do destino que o paradoxo EPR, o qual *admitiu* a localidade a fim de *provar* o realismo, tenha finalmente provocado o fim da localidade e deixado a questão do realismo indefinida — é um resultado (como Mermin definiu) que Einstein teria gostado menos ainda. A maioria dos físicos de hoje considera que se eles não podem ter o realismo *local*, não há muito sentido em realismo nenhum, e, por essa razão, as teorias de variáveis ocultas não locais ocupam um lugar bastante periférico. Mesmo assim, alguns autores — especialmente Bell, em *Speakable and Unspeakable in Quantum Mechanics* (Cambridge University Press, 1987) — argumentam que tais teorias oferecem melhores chances de superar a lacuna conceitual entre o sistema medido e os aparelhos de medição, e também para o fornecimento de um mecanismo inteligível para o colapso da função de onda.

quando *comparamos* as duas listas mais adiante é que descobrimos as notáveis correlações. Em outro quadro de referência, as medidas de pósitrons ocorrem *antes* das medições do elétron, e mesmo isso não nos conduz a um paradoxo lógico — a correlação observada é totalmente simétrica no seu tratamento, e não faz diferença se foi a observação do elétron que influenciou a medição do pósitron ou vice-versa. Esse é um tipo extraordinariamente delicado de influência, cuja única manifestação é uma correlação sutil entre duas listas de dados que, de outra forma, seriam aleatórias.

Então, somos levados a distinguir dois tipos de influência: a variedade 'causal', a qual produz mudanças reais em algumas propriedades físicas do receptor, detectável por medições nesse subsistema de forma isolada, e um tipo 'etéreo', o qual não transmite energia ou informação, e para o qual a única evidência é a correlação em dados obtidos nos dois subsistemas separados — uma correspondência que, por sua natureza, não pode ser detectada examinando qualquer lista unicamente. Influências causais *não podem* se propagar mais rapidamente do que a luz, mas não há uma justificativa convincente que explique por que as influências etéreas também não podem. As influências associadas ao colapso da função de onda são do segundo tipo, e o fato de que elas 'viajam' mais rápido do que a luz pode até ser surpreendente, mas não pode ser considerado catastrófico.[10]

12.3 Teorema no-clone

As medições quânticas são tipicamente **destrutivas** porque alteram o estado do sistema mensurado. É assim que o princípio da incerteza é aplicado em laboratório. Você deve estar se perguntando por que não fazemos diversas cópias idênticas (**clones**) do estado original e as *medimos*, deixando o próprio sistema incólume. Isso não pode ser feito. De fato, se você pudesse construir um dispositivo de clonagem (uma 'máquina copiadora quântica'), a mecânica quântica estaria na vanguarda.

Por exemplo, seria possível enviar mensagens superluminais empregando o experimento EPRB. Digamos que a mensagem a ser transmitida, do operador do detector de pósitron ao operador do detector de elétron, seja tanto 'sim' quanto 'não'. Se a mensagem for 'sim', o remetente mede S_z (do pósitron). Não importa o resultado obtido; o que importa é que a medição foi feita, e isso significa que o elétron está agora no estado definitivo ↑ ou ↓ (não importa qual). Imediatamente, o receptor faz vários clones do elétron e mede S_z em cada um deles. Se todos produzirem a mesma resposta (seja ela *qual* for), podemos ter certeza absoluta de que o elétron *foi* medido, e, portanto, a mensagem será 'sim'. Se metade deles é spin para cima e metade é spin para baixo, então o elétron definitivamente *não* foi medido, e a mensagem será 'não'.

Mas você *não pode* fazer uma máquina copiadora quântica, como Wootters, Zurek e Dieks provaram em 1982.[11] Esquematicamente, queremos que a máquina absorva uma partícula no estado $|\psi\rangle$ (que deverá ser copiado), além de uma segunda partícula no estado $|X\rangle$ (a 'folha de papel em branco'), e expulse *duas* partículas no estado $|\psi\rangle$ (o original e a cópia):

$$|\psi\rangle|X\rangle \to |\psi\rangle|\psi\rangle. \quad [12.13]$$

Suponha que inventemos um dispositivo que clone com sucesso o estado $|\psi_1\rangle$:

$$|\psi_1\rangle|X\rangle \to |\psi_1\rangle|\psi_1\rangle, \quad [12.14]$$

e que também funcione para o estado $|\psi_2\rangle$:

$$|\psi_2\rangle|X\rangle \to |\psi_2\rangle|\psi_2\rangle \quad [12.15]$$

---

10 Muito já foi escrito sobre o teorema de Bell. O meu texto preferido é um ensaio muito inspirado de David Mermin em *Physics Today* (abril 1985, p. 38). Uma vasta bibliografia pode ser encontrada em L. E. Ballentine, *Am. J. Phys.* **55**, 785 (1987).

11 W. K. Wootters e W. H. Zurek, *Nature* **299**, 802 (1982); D. Dieks, *Phys. Lett. A* **92**, 271 (1982).

($|\psi_1\rangle$ e $|\psi_2\rangle$ devem ser spin para cima e spin para baixo se, por exemplo, a partícula for um elétron). Até aqui, tudo bem. Mas o que acontece quando alimentamos uma combinação linear $|\psi\rangle = \alpha|\psi_1\rangle + \beta|\psi_2\rangle$? Evidentemente, obteremos[12]

$$|\psi\rangle|X\rangle \rightarrow \alpha|\psi_1\rangle|\psi_1\rangle + \beta|\psi_2\rangle|\psi_2\rangle, \qquad [12.16]$$

que não é o que gostaríamos; *queríamos*

$$|\psi\rangle|X\rangle \rightarrow |\psi\rangle|\psi\rangle = [\alpha|\psi_1\rangle + \beta|\psi_2\rangle][\alpha|\psi_1\rangle + \beta|\psi_2\rangle]$$
$$= \alpha^2|\psi_1\rangle|\psi_1\rangle + \beta^2|\psi_2\rangle|\psi_2\rangle + \alpha\beta[|\psi_1\rangle|\psi_2\rangle + |\psi_2\rangle|\psi_1\rangle]. \qquad [12.17]$$

Você pode até fazer uma máquina para clonar elétrons spin para cima e elétrons spin para baixo, mas ela vai falhar para qualquer combinação linear não trivial. É como se você comprasse uma máquina copiadora que copia perfeitamente as linhas verticais e as linhas horizontais, mas distorce completamente as diagonais.

12.4 O gato de Schrödinger

O processo de medição desempenha um papel nocivo na mecânica quântica: é aqui que surgem a indeterminância, a não localidade, o colapso da função de onda e todas as dificuldades conceituais presentes. Segundo a equação de Schrödinger, quando não há medição, a função de onda evolui de modo vagaroso e determinista, e a mecânica quântica parece ser uma teoria de campo bastante comum (muito mais simples do que a eletrodinâmica clássica, por exemplo, uma vez que existe apenas *um* campo (Ψ) em vez de *dois* (**E** e **B**), e ele é um *escalar*). É o estranho papel do processo de medição que confere à mecânica quântica sua extraordinária riqueza e sutileza. Mas o que exatamente *é* a medição? O que a torna tão diferente dos outros processos físicos?[13] E como podemos saber se uma medição foi feita?

Schrödinger levantou essa questão de modo mais incisivo em seu famoso **paradoxo do gato**:[14]

> Um gato é colocado em uma câmara de aço, juntamente com a seguinte engenhoca diabólica... Em um contador Geiger há uma pequena quantidade de substância radioativa, tão pequena que, talvez, dentro de uma hora um dos átomos decaia, mas é igualmente provável que nenhum deles decaia. Se um deles decair, então o contador vai disparar e, por meio de um relé, acionará um pequeno martelo que quebrará um recipiente de cianeto. Se deixarmos o sistema funcionando por uma hora, diríamos que o gato estaria vivo se nenhum átomo decaísse. O primeiro decaimento o teria envenenado. A função de onda do sistema inteiro poderia expressar isso contendo partes iguais do gato vivo e do gato morto.

Ao final de uma hora, a função de onda do gato tem a seguinte forma esquemática:

$$\psi = \frac{1}{\sqrt{2}}(\psi_{vivo} + \psi_{morto}). \qquad [12.18]$$

O gato não está nem vivo nem morto, mas que uma combinação linear das duas coisas até que uma medição ocorra — ou digamos que você espie pela janela para verificar a situação.

---

12 Isso supõe que o dispositivo age *linearmente* no estado $|\psi\rangle$, como deveria, sendo que a equação de Schrödinger dependente do tempo (a qual, presumivelmente, controla esse processo) é linear.

13 Há uma escola de pensamento que rejeita essa distinção, afirmando que o sistema e o aparelho de medição deveriam ser descritos por uma grande função de onda, a qual evoluiria de acordo com a equação de Schrödinger. Em tais teorias, não há colapso da função de onda, mas, normalmente, deve-se abandonar qualquer esperança de se descrever tais eventos; a mecânica quântica (de acordo com essa visão) aplica-se somente a *conjuntos* de sistemas preparados de forma idêntica. Veja, por exemplo, Philip Pearle *Am. J. Phys.* **35**, 742 (1967), ou Leslie E. Ballentine, *Quantum Mechanics: A Modern Development*, 2ª ed., World Scientific, Singapura (1998).

14 E. Schrödinger, *Naturwiss.* **48**, 52 (1935); tradução de Josef M. Jauch, *Foundations of Quantum Mechanics*, Addison-Wesley, Reading (1968), p. 185.

Nesse momento, sua observação força o gato a 'tomar uma posição': morto ou vivo. E se você descobrir que ele está morto, então foi *você* quem o matou, ao olhar pela janela.

Schrödinger considerou isso como o absurdo patente, e acho que a maioria dos físicos concordaria com ele. Há algo de absurdo na ideia de um objeto *macroscópico* estar em uma combinação linear de dois estados palpavelmente diferentes. Um elétron pode estar em uma combinação linear de spin para cima e spin para baixo, mas um gato simplesmente não pode *estar* em uma combinação linear de vivo e morto. Como podemos conciliar isso com a interpretação ortodoxa da mecânica quântica?

A resposta mais amplamente aceita é que o disparar do contador Geiger constitui a 'medição', no sentido da interpretação estatística, e não a intervenção de um observador humano. É da essência de uma medição que um sistema *macroscópico* seja afetado (o contador Geiger, nesse caso). A medição ocorre no momento em que o sistema microscópico (descrito pelas leis da mecânica quântica) interage com o sistema macroscópico (descrito pelas leis da mecânica clássica), de maneira a deixar um registro permanente. O próprio sistema macroscópico não pode ocupar uma combinação linear de estados distintos.[15]

Não vou fingir que essa seja uma resolução inteiramente satisfatória, mas ao menos ela evita o solipsismo estupidificante de Wigner, entre outros, que se convenceu de que é o envolvimento da consciência humana que constitui uma medição na mecânica quântica. Parte do problema é a palavra 'medição', a qual certamente carrega a sugestão da participação humana. Heisenberg propôs a palavra 'evento', que pode ser preferível. Mas temo que o termo 'medição' já esteja tão arraigado que estejamos presos a ele. E, no final das contas, nenhuma manipulação da terminologia pode exorcizar completamente esse misterioso fantasma.

12.5 Paradoxo Zeno quântico

O colapso da função de onda é indubitavelmente a característica *mais* peculiar de toda essa história bizarra. Ele foi introduzido por razões puramente teóricas para explicar o fato de que uma segunda medição feita logo após a primeira reproduz o mesmo valor desta. Mas é claro que um postulado tão radical deve acarretar consequências diretamente observáveis. Em 1977, Misra e Sudarshan[16] propuseram o que eles chamaram de **efeito Zeno quântico** como uma dramática demonstração experimental do colapso da função de onda. A ideia era pegar um sistema instável (um átomo em um estado excitado, por exemplo) e sujeitá-lo a repetidas medições. Cada observação colapsa a função de onda, reconfigurando o relógio, e dessa forma é possível atrasar indefinidamente a transição esperada para o estado inferior.[17]

Especificamente, suponha que um sistema inicie em um estado excitado ψ_2, o qual tem o tempo de vida natural τ para transição ao estado fundamental ψ_1. Normalmente, e às vezes substancialmente menor do que τ, a probabilidade de uma transição é proporcional a t (veja a Equação 9.42); de fato, desde que a taxa de transição seja $1/\tau$,

$$P_{2\to 1} = \frac{t}{\tau}. \qquad [12.19]$$

---

15 É claro que, de certa forma fundamental, o sistema macroscópico *é* descrito pelas leis da mecânica quântica. Mas as funções de onda, no primeiro caso, descrevem as partículas elementares individuais; a função de onda de um objeto macroscópico seria um composto monstruosamente complicado, construído com base em todas as funções de onda de suas partículas constituintes 10^{23}. Presumivelmente, em algum lugar dentro da estatística de grandes números, as combinações lineares macroscópicas tornam-se extremamente improváveis. De fato, se você pudesse, de alguma forma, obter um pêndulo amortecido (por exemplo) em uma combinação linear de estados quânticos macroscopicamente distintos, ele seria, em uma pequena fração do tempo de amortecimento, revertido para um estado ordinário clássico. Esse fenômeno é chamado de **descoerência**. Veja, por exemplo, R. Omnes, *The Interpretation of Quantum Mechanics* (Princeton, 1994), Capítulo 7.

16 B. Misra e E. C. G. Sudarshan, *J. Math. Phys.* 18, 756 (1977).

17 O efeito não tem muito a ver com Zeno, mas *é* uma reminiscência do velho ditado 'chaleira vigiada nunca ferve', e por isso é chamado às vezes de o **fenômeno da chaleira vigiada**.

Se fizermos uma medição após um tempo t, então, a probabilidade de que o sistema ainda esteja no estado *superior* é

$$P_2(t) = 1 - \frac{t}{\tau}. \qquad [12.20]$$

Suponha que o sistema *realmente* esteja no estado superior. Nesse caso, a função de onda colapsa em ψ_2, e o processo recomeça. Se fizermos uma *segunda* medição em $2t$, a probabilidade de que o sistema *ainda* esteja no estado superior será, evidentemente,

$$\left(1 - \frac{t}{\tau}\right)^2 \approx 1 - \frac{2t}{\tau}, \qquad [12.21]$$

que é o mesmo que teria sido se nunca tivéssemos feito a primeira medição em t. Isso é o que alguém ingenuamente esperaria; se a história toda fosse essa, não ganharíamos nada por observar o sistema várias vezes, e não haveria nenhum efeito Zeno quântico.

Entretanto, para tempos *extremamente* curtos, a probabilidade de uma transição *não* é proporcional a t, mas, sim, a t^2 (veja a Equação 9.39):[18]

$$P_{2 \to 1} = \alpha t^2. \qquad [12.22]$$

Nesse caso, a probabilidade de que o sistema ainda esteja no estado superior após as duas medições é

$$(1 - \alpha t^2)^2 \approx 1 - 2\alpha t^2, \qquad [12.23]$$

enquanto que, se nunca tivéssemos feito a primeira medição, a probabilidade teria sido

$$1 - \alpha(2t)^2 \approx 1 - 4\alpha t^2. \qquad [12.24]$$

Evidentemente, nossa observação do sistema após um tempo t diminui a probabilidade líquida de uma transição para o estado inferior!

De fato, se examinarmos o sistema em intervalos regulares n, de $t = 0$ até $t = T$ (isto é, fazemos medições em T/n, $2T/n$, $3T/n$, ..., T), a probabilidade de que o sistema ainda esteja no estado superior ao final é

$$\left(1 - \alpha(T/n)^2\right)^n \approx 1 - \frac{\alpha}{n} T^2, \qquad [12.25]$$

que vai a 1 no limite $n \to \infty$: Um sistema instável observado *continuamente* nunca decai! Alguns autores veem isso como uma conclusão absurda e uma prova de que o colapso da função de onda é uma falácia. Entretanto, esse argumento depende de uma interpretação bastante livre do que constitui a 'observação'. Se a trajetória de uma partícula em uma câmara de bolhas equivale a uma 'observação contínua', então o caso está encerrado, pois tais partículas certamente decaem (na verdade, seu tempo de vida não é prolongado de forma mensurável pela presença do detector). Mas tal partícula interage apenas de forma intermitente com os átomos na câmara, e para que o efeito Zeno quântico ocorra, as medições sucessivas devem ser feitas de modo *extremamente* rápido a fim de capturar o sistema no regime t^2.

No final das contas, o experimento é impraticável em caso de transições espontâneas, mas pode ser feito utilizando-se as transições *induzidas*, e os resultados estarão em perfeito acordo com as previsões teóricas.[19] Infelizmente, esse experimento não é uma confirmação tão convincente do colapso da função de onda como seus criadores esperavam; o efeito observado também pode ser explicado de outras formas.[20]

---

[18] No argumento que leva à dependência linear do tempo, consideramos que a função sen$^2(\Omega t/2)/\Omega^2$ na Equação 9.39 fosse um pico acentuado. Entretanto, a *largura* do 'pico' é de ordem $\Delta\omega = 4\pi/t$, e para um t *extremamente* curto essa aproximação falha e a integral vem a ser $(t^2/4) \int \rho(\omega) \, d\omega$.

[19] W. M. Itano, D. J. Heinzen, J. J. Bollinger e D. J. Wineland, *Phys. Rev. A* **41**, 2295 (1990).

[20] L. E. Ballentine, *Found. Phys.* **20**, 1329 (1990); T. Petrosky, S. Tasaki e I. Prigogine, *Phys. Lett. A* **151**, 109 (1990).

****

Neste livro, tentei contar uma história coerente e consistente: a função de onda (Ψ) representa o estado de uma partícula (ou sistema); em geral, as partículas não possuem propriedades dinâmicas específicas (posição, momento, energia, momento angular etc.) até que o ato de medição aconteça; a probabilidade de se obter um valor específico em um experimento dado é determinado pela interpretação estatística de Ψ; na medição, a função de onda colapsa, de modo que uma segunda medição feita logo após a primeira certamente produzirá o mesmo resultado. Há outras possíveis interpretações — teorias de variáveis ocultas não locais, a interpretação de 'muitos mundos', 'histórias coerentes', modelos de conjuntos e outras —, mas acredito que essa seja a mais *simples* conceitualmente e certamente é a mais compartilhada pela maioria dos físicos hoje em dia.[21] Ela tem resistido ao teste do tempo e se saído ilesa de todos os desafios experimentais. Mas não consigo acreditar que esse seja o fim da história; acredito que, no mínimo, temos muito o que aprender sobre a natureza da medição e do mecanismo de colapso. E é totalmente possível que as futuras gerações olhem para trás, do ponto de vista favorável de uma teoria mais sofisticada, e se perguntem como pudemos ser tão ingênuos.

---

21 Veja Daniel Styer et al., *Am. J. Phys.* **70**, 288 (2002).

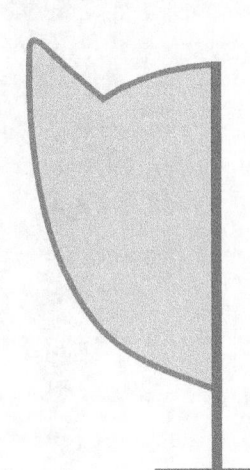

Apêndice
Álgebra linear

A álgebra linear resume e generaliza a aritmética de vetores comuns como aqueles que encontramos nos primeiro estudos da física. A generalização acontece em duas direções: (1) permitimos que os escalares sejam números *complexos* e (2) não nos limitamos a três dimensões.

A.1 Vetores

O **espaço vetorial** consiste em um conjunto de **vetores** ($|\alpha\rangle$, $|\beta\rangle$, $|\gamma\rangle$,...) ligado a um conjunto de escalares ($a, b, c, ...$),[1] o qual é **fechado**[2] sob duas operações: adição de vetores e multiplicação escalar.

- **Adição de vetores**

  A 'soma' de quaisquer dois vetores resulta em outro vetor:

  $$|\alpha\rangle + |\beta\rangle = |\gamma\rangle. \qquad [\text{A.1}]$$

  A soma de vetores é **comutativa**:

  $$|\alpha\rangle + |\beta\rangle = |\beta\rangle + |\alpha\rangle, \qquad [\text{A.2}]$$

  e **associativa**:

  $$|\alpha\rangle + (|\beta\rangle + |\gamma\rangle) = (|\alpha\rangle + |\beta\rangle) + |\gamma\rangle. \qquad [\text{A.3}]$$

  Existe um **vetor zero** (ou **nulo**),[3] $|0\rangle$, com a propriedade que

  $$|\alpha\rangle + |0\rangle = |\alpha\rangle, \qquad [\text{A.4}]$$

---

1 Para nossos propósitos, os escalares serão números complexos ordinários. Os matemáticos podem informá-lo sobre espaços vetoriais em campos mais exóticos, mas tais objetos não desempenham nenhum papel na mecânica quântica. Observe que α, β, γ ... *não* são números (ordinários); são *nomes* (rótulos); 'Charlie', por exemplo, ou 'F43A-9GL', ou ainda o que quer que você prefira usar para identificar o vetor em questão.

2 Quer dizer, essas operações são sempre bem definidas e nunca o levarão para fora do espaço vetorial.

3 É usual, quando não há nenhum risco de confusão, escrever o vetor nulo sem o colchetes: $|0\rangle \to 0$.

para cada vetor $|\alpha\rangle$. E para cada vetor $|\alpha\rangle$ há um **vetor inverso** associado $(|-\alpha\rangle)$,[4] tal que

$$|\alpha\rangle + |-\alpha\rangle = |0\rangle, \qquad [A.5]$$

- **Multiplicação escalar**

O 'produto' de qualquer escalar com qualquer vetor é outro vetor:

$$a|\alpha\rangle = |\gamma\rangle. \qquad [A.6]$$

A multiplicação escalar é **distributiva** em relação à adição de vetor:

$$a(|\alpha\rangle + |\beta\rangle) = a|\alpha\rangle + a|\beta\rangle, \qquad [A.7]$$

e com relação à adição escalar:

$$(a+b)|\alpha\rangle = a|\alpha\rangle + b|\alpha\rangle. \qquad [A.8]$$

É também **associativa** em relação à multiplicação comum de escalares:

$$a(b|\alpha\rangle) = (ab)|\alpha\rangle. \qquad [A.9]$$

A multiplicação pelos escalares 0 e 1 tem o efeito que se esperaria:

$$0|\alpha\rangle = |0\rangle; \quad 1|\alpha\rangle = |\alpha\rangle. \qquad [A.10]$$

Evidentemente, $|-\alpha\rangle = (-1)|\alpha\rangle$ (que escrevemos mais simplesmente como $-|\alpha\rangle$).

Há muito menos aqui do que imaginamos; o que fiz foi simplesmente escrever por extenso, em linguagem abstrata, as regras familiares para a manipulação de vetores. A vantagem de tal abstração é que seremos capazes de aplicar nosso conhecimento e nossa intuição sobre o comportamento dos vetores comuns a outros sistemas que compartilham as mesmas propriedades formais.

Uma **combinação linear** dos vetores $|\alpha\rangle$, $|\beta\rangle$, $|\gamma\rangle$, ... é uma expressão da forma

$$a|\alpha\rangle + b|\beta\rangle + c|\gamma\rangle + ... \qquad [A.11]$$

Diz-se que um vetor $|\lambda\rangle$ é **linearmente independente** do conjunto $|\alpha\rangle$, $|\beta\rangle$, $|\gamma\rangle$, ..., se não puder ser escrito como uma combinação linear deles. (Por exemplo, em três dimensões, o vetor unitário $\hat{k}$ é linearmente independente de $\hat{i}$ e $\hat{j}$, mas qualquer vetor no plano xy é linearmente *dependente* de $\hat{i}$ e $\hat{j}$.) Por conseguinte, um *conjunto* de vetores é 'linearmente independente' se cada um for linearmente independente de todo o resto. Diz-se que um conjunto de vetores **gera** o espaço se *cada* vetor puder ser escrito como uma combinação linear dos membros desse conjunto.[5] Um conjunto de vetores *linearmente independente* que gera o espaço é chamado de **base**. O número de vetores em qualquer base é chamado de **dimensão** do espaço. Por enquanto, consideraremos que a dimensão (n) seja *finita*.

Em relação à base prescrita

$$|e_1\rangle, |e_2\rangle, ..., |e_n\rangle, \qquad [A.12]$$

qualquer vetor dado

$$|\alpha\rangle = a_1|e_1\rangle + a_2|e_2\rangle + \cdots + a_n|e_n\rangle, \qquad [A.13]$$

será exclusivamente representado pelo n-tuplo (ordenado) de seus **componentes**:

$$|\alpha\rangle \leftrightarrow (a_1, a_2, ..., a_n). \qquad [A.14]$$

Geralmente, é mais fácil trabalhar com os componentes do que com os próprios vetores abstratos. Para adicionar vetores, você adiciona seus componentes correspondentes:

$$|\alpha\rangle + |\beta\rangle \leftrightarrow (a_1+b_1, a_2+b_2, ..., a_n+b_n); \qquad [A.15]$$

---

[4] Essa é uma notação interessante, já que α não é um número. Simplesmente adoto o nome '–Charlie' para o inverso do vetor cujo nome é 'Charlie'. Sugeriremos uma terminologia mais comum a seguir.

[5] Um conjunto de vetores que gera o espaço é também chamado de **completo**, embora, pessoalmente, eu reserve essa palavra para o caso infinito dimensional, em que questões sutis de convergência podem surgir.

para multiplicar por um escalar, você multiplica cada componente:

$$c|\alpha\rangle \leftrightarrow (ca_1, ca_2, ..., ca_n); \qquad [A.16]$$

o vetor nulo é representado por uma sequência de zeros:

$$|0\rangle \leftrightarrow (0, 0, ..., 0); \qquad [A.17]$$

e os componentes do vetor inverso têm seus sinais invertidos:

$$|-\alpha\rangle \leftrightarrow (-a_1, -a_2, ..., -a_n). \qquad [A.18]$$

A única desvantagem de se trabalhar com componentes é que você tem de ficar atrelado a uma determinada base, e as mesmas manipulações parecerão muito diferentes para alguém que trabalhe em uma base diferente.

Problema A.1 Considere os vetores ordinários em 3 dimensões $(a_x\hat{i} + a_y\hat{j} + a_z\hat{k})$, com componentes complexos.

(a) O subconjunto de todos os vetores com $a_z = 0$ constitui um espaço vetorial? Se sim, qual é a sua dimensão? Se não, por que não?

(b) E o subconjunto de todos os vetores cujo componente z é 1? *Dica:* a adição de dois desses vetores estaria no subconjunto? E o vetor nulo?

(c) E o subconjunto de vetores cujos componentes são todos iguais?

*Problema A.2** Considere o conjunto de todos os polinômios (com coeficientes complexos) de grau menor do que N em x.

(a) Esse conjunto constitui um espaço vetorial (tendo os polinômios como 'vetores')? Se a resposta for sim, sugira uma base conveniente e dê as dimensões de espaço. Se a resposta for não, de quais propriedades definidas ele necessita?

(b) E se exigirmos que os polinômios sejam funções *pares*?

(c) E se exigirmos que o coeficiente principal (isto é, o número que multiplica x^{N-1}) seja 1?

(d) E se exigirmos que os polinômios tenham o valor 0 em $x = 1$?

(e) E se exigirmos que os polinômios tenham o valor 1 em $x = 0$?

Problema A.3 Prove que os componentes de um vetor são *únicos* em relação a uma base dada.

A.2 Produtos internos

Em três dimensões, encontramos dois tipos de produtos de vetores: o produto escalar e o produto vetorial. O último não pode ser generalizado, de nenhuma maneira comum, para espaços vetoriais n-dimensionais, mas o primeiro *sim*; nesse contexto, ele é geralmente chamado de **produto interno**. O produto interno de dois vetores ($|\alpha\rangle$ e $|\beta\rangle$) é um número complexo, que escrevemos como $\langle\alpha|\beta\rangle$, com as seguintes propriedades:

$$\langle\beta|\alpha\rangle = \langle\alpha|\beta\rangle^*, \qquad [A.19]$$

$$\langle\alpha|\alpha\rangle \geq 0 \quad \text{e} \quad \langle\alpha|\alpha\rangle = 0 \Leftrightarrow |\alpha\rangle = |0\rangle, \qquad [A.20]$$

$$\langle\alpha|(b|\beta\rangle + c|\gamma\rangle) = b\langle\alpha|\beta\rangle + c\langle\alpha|\gamma\rangle. \qquad [A.21]$$

Além da generalização dos números complexos, esses axiomas simplesmente codificam o comportamento familiar de produtos escalares. O espaço vetorial com um produto interno é chamado de **espaço de produto interno**.

E como o produto interno de qualquer vetor com ele mesmo é um número não negativo (Equação A.20), sua raiz quadrada é *real*; chamamos isso de **norma** de um vetor.

$$\|\alpha\| \equiv \sqrt{\langle \alpha | \alpha \rangle}; \quad [A.22]$$

ela generaliza a noção de 'comprimento'. Um **vetor unitário** (vetor cuja norma seja 1) é dito **normalizado** (a palavra deveria ser 'normal', mas creio que soa muito antropomórfico). Dois vetores cujo produto interno seja zero são chamados de **ortogonais** (generalizando a noção de 'perpendicular'). Um conjunto de vetores normalizados mutuamente ortogonais,

$$\langle \alpha_i | \alpha_j \rangle = \delta_{ij}, \quad [A.23]$$

é chamado de **conjunto ortonormal**. É sempre possível (veja o Problema A.4), e quase sempre conveniente, escolher uma *base ortonormal*; nesse caso, o produto interno de dois vetores pode ser escrito muito nitidamente em termos de seus componentes:

$$\langle \alpha | \beta \rangle = a_1^* b_1 + a_2^* b_2 + \cdots + a_n^* b_n, \quad [A.24]$$

a norma (quadrada) vem a ser

$$\langle \alpha | \alpha \rangle = |a_1|^2 + |a_2|^2 + \cdots + |a_n|^2, \quad [A.25]$$

e os próprios componentes são

$$a_i = \langle e_i | \alpha \rangle. \quad [A.26]$$

(Esses resultados generalizam as fórmulas familiares $\mathbf{a} \cdot \mathbf{b} = a_x b_x + a_y b_y + a_z b_z$, $|\mathbf{a}|^2 = a_x^2 + a_y^2 + a_z^2$ e $a_x = \hat{i} \cdot \mathbf{a}$, $a_y = \hat{j} \cdot \mathbf{a}$, $a_z = \hat{k} \cdot \mathbf{a}$ para a base ortonormal tridimensional $\hat{i}, \hat{j}, \hat{k}$.) De agora em diante, *sempre* trabalharemos em bases ortonormais, a menos que o contrário seja explicitamente recomendado.

Outra quantidade geométrica que poderia ser generalizada é o *ângulo* entre dois vetores. Na análise vetorial ordinária, $\cos\theta = (\mathbf{a} \cdot \mathbf{b})/|\mathbf{a}||\mathbf{b}|$. Mas como o produto interno é, em geral, um número complexo, a fórmula análoga (em um espaço do produto interno arbitrário) não define um ângulo (real) θ. No entanto, ainda é verdade que o *valor absoluto* dessa quantidade é um número não superior a 1,

$$|\langle \alpha | \beta \rangle|^2 \leq \langle \alpha | \alpha \rangle \langle \beta | \beta \rangle. \quad [A.27]$$

(Esse importante resultado é conhecido como **desigualdade de Schwarz**; a prova é dada no Problema A.5.) Então, se quiser, você pode definir o ângulo entre $|\alpha\rangle$ e $|\beta\rangle$ a partir da fórmula

$$\cos\theta = \sqrt{\frac{\langle \alpha | \beta \rangle \langle \beta | \alpha \rangle}{\langle \alpha | \alpha \rangle \langle \beta | \beta \rangle}}. \quad [A.28]$$

---

*Problema A.4 Suponha que você inicie com uma base ($|e_1\rangle, |e_2\rangle \ldots |e_n\rangle$) que *não* seja ortonormal. O **procedimento Gram-Schmidt** é um ritual sistemático que gera a partir dele uma base ortonormal ($|e'_1\rangle, |e'_2\rangle \ldots |e'_n\rangle$). Funciona assim:

(i) Normalize o primeiro vetor base (divida por sua norma):

$$|e'_1\rangle = \frac{|e_1\rangle}{\|e_1\|}.$$

(ii) Calcule a projeção do segundo vetor junto ao primeiro e subtraia:

$$|e_2\rangle - \langle e'_1 | e_2 | e'_1\rangle.$$

Esse vetor é ortogonal a $|e'_1\rangle$; normalize para obter $|e'_2\rangle$.

(iii) Subtraia de $|e_3\rangle$ suas projeções junto a $|e'_1\rangle$ e $|e'_2\rangle$:

$$|e_3\rangle - \langle e'_1 | e_3\rangle | e'_1\rangle - \langle e'_2 | e_3\rangle | e'_2\rangle.$$

Isso é ortogonal a $|e'_1\rangle$ e $|e'_2\rangle$; normalize-o para obter $|e'_3\rangle$. E assim por diante.

Utilize o procedimento Gram-Schmidt para ortonormalizar o espaço de base 3 $|e_1\rangle = (1+i)\hat{i} + (1)\hat{j} + (i)\hat{k}$, $|e_2\rangle = (i)\hat{i} + (3)\hat{j} + (1)\hat{k}$, $|e_3\rangle = (0)\hat{i} + (28)\hat{j} + (0)\hat{k}$.

Problema A.5

Prove a desigualdade de Schwarz (Equação A.27). *Dica:* seja $|\gamma\rangle = |\beta\rangle - (\langle\alpha|\beta\rangle/\langle\alpha|\alpha\rangle)|\alpha\rangle$, e utilize $\langle\gamma|\gamma\rangle \geq 0$.

Problema A.6

Calcule o ângulo (no sentido da Equação A.28) entre os vetores $|\alpha\rangle = (1+i)\hat{i} + (1)\hat{j} + (i)\hat{k}$ e $|\beta\rangle = (4-i)\hat{i} + (0)\hat{j} + (2-2i)\hat{k}$.

Problema A.7 Prove a **desigualdade triangular**: $\|(|\alpha\rangle + |\beta\rangle)\| \leq \|\alpha\| + \|\beta\|$.

A.3 Matrizes

Suponha que você pegue cada vetor (no espaço tridimensional) e multiplique-os por 17, ou rotacione cada vetor em 39° sobre o eixo *z*, ou reflita cada vetor no plano *xy*; esses são todos exemplos de **transformações lineares**. Uma transformação linear[6] ($\hat{T}$) pega cada vetor em um espaço vetorial e o 'transforma' em um outro vetor ($|\alpha\rangle \rightarrow |\alpha'\rangle = \hat{T}|\alpha\rangle$), sujeito à condição de que a operação seja *linear*:

$$\hat{T}(a|\alpha\rangle + b|\beta\rangle) = a(\hat{T}|\alpha\rangle) + b(\hat{T}|\beta\rangle), \qquad [\text{A.29}]$$

para todos os vetores $\langle\alpha|$, $\langle\beta|$, e todos os escalares *a*, *b*.

Se você sabe o que uma determinada transformação linear faz com um conjunto de vetores da *base*, você pode facilmente descobrir o que ela faz com *qualquer* vetor. Supondo que

$$\hat{T}|e_1\rangle = T_{11}|e_1\rangle + T_{21}|e_2\rangle + \cdots + T_{n1}|e_n\rangle,$$
$$\hat{T}|e_2\rangle = T_{12}|e_1\rangle + T_{22}|e_2\rangle + \cdots + T_{n2}|e_n\rangle,$$
$$\cdots$$
$$\hat{T}|e_n\rangle = T_{1n}|e_1\rangle + T_{2n}|e_2\rangle + \cdots + T_{nn}|e_n\rangle,$$

ou, mais compactamente,

$$\hat{T}|e_j\rangle = \sum_{i=1}^{n} T_{ij}|e_i\rangle, \quad (j=1,2,\ldots,n). \qquad [\text{A.30}]$$

---

[6] Nesse capítulo, usarei um acento circunflexo (^) para denotar as transformações lineares; isso não é incompatível com minha regra no texto (colocar acentos circunflexos nos operadores), pois (como veremos) operadores quânticos *são* transformações lineares.

Se $|\alpha\rangle$ é um vetor arbitrário,

$$|\alpha\rangle = a_1|e_1\rangle + a_2|e_2\rangle + \cdots + a_n|e_n\rangle = \sum_{j=1}^{n} a_j|e_j\rangle, \qquad [A.31]$$

então

$$\hat{T}|\alpha\rangle = \sum_{j=1}^{n} a_j\left(\hat{T}|e_j\rangle\right) = \sum_{j=1}^{n}\sum_{i=1}^{n} a_j T_{ij}|e_i\rangle = \sum_{i=1}^{n}\left(\sum_{j=1}^{n} T_{ij} a_j\right)|e_i\rangle. \qquad [A.32]$$

Evidentemente, $\hat{T}$ transforma um vetor com componentes $a_1, a_2, \ldots a_n$ em um vetor com componentes[7]

$$a'_i = \sum_{j=1}^{n} T_{ij} a_j. \qquad [A.33]$$

Assim, os n^2 **elementos** T_{ij} caracterizam unicamente a transformação linear $\hat{T}$ (em relação a uma base dada), assim como os n componentes a_i caracterizam unicamente o vetor $|\alpha\rangle$ (em relação à mesma base):

$$\hat{T} \leftrightarrow (T_{11}, T_{12}, \ldots, T_{nn}). \qquad [A.34]$$

Se a base é ortonormal, segue-se da Equação A.30, que

$$T_{ij} = \langle e_i|\hat{T}|e_j\rangle. \qquad [A.35]$$

É conveniente mostrar esses números complexos na forma de uma **matriz**:[8]

$$\mathbf{T} = \begin{pmatrix} T_{11} & T_{12} & \cdots & T_{1n} \\ T_{21} & T_{22} & \cdots & T_{2n} \\ \vdots & \vdots & & \vdots \\ T_{n1} & T_{n2} & \cdots & T_{nn} \end{pmatrix}. \qquad [A.36]$$

O estudo de transformações lineares é reduzido, então, à teoria de matrizes. A *adição* de duas transformações lineares $(\hat{S} + \hat{T})$ é definida da maneira comum:

$$(\hat{S} + \hat{T})|\alpha\rangle = \hat{S}|\alpha\rangle + \hat{T}|\alpha\rangle; \qquad [A.37]$$

isso corresponde à regra usual para a adição de matrizes (você adiciona os elementos correspondentes):

$$\mathbf{U} = \mathbf{S} + \mathbf{T} \iff U_{ij} = S_{ij} + T_{ij}. \qquad [A.38]$$

O *produto* de duas transformações lineares $(\hat{S}\hat{T})$ é o efeito líquido de realizá-las em sucessão — em primeiro lugar, $\hat{T}$, e então, $\hat{S}$:

$$|\alpha'\rangle = \hat{T}|\alpha\rangle; \quad |\alpha''\rangle = \hat{S}|\alpha'\rangle = \hat{S}(\hat{T}|\alpha\rangle) = \hat{S}\hat{T}|\alpha\rangle. \qquad [A.39]$$

Qual matriz $\mathbf{U}$ representa a transformação combinada $\hat{U} = \hat{S}\hat{T}$? Não é difícil resolver isso:

$$a''_i = \sum_{j=1}^{n} S_{ij} a'_j = \sum_{j=1}^{n} S_{ij}\left(\sum_{k=1}^{n} T_{jk} a_k\right) = \sum_{k=1}^{n}\left(\sum_{j=1}^{n} S_{ij} T_{jk}\right) a_k = \sum_{k=1}^{n} U_{ik} a_k.$$

---

[7] Observe a inversão dos índices entre as equações A.30 e A.33. Isso não é um erro tipográfico. Outra maneira de dizer isso (trocando $i \leftrightarrow j$ na Equação A.30) seria que se os *componentes* transformam com T_{ij}, os vetores *base* transformam com T_{ji}.

[8] Usarei letras maiúsculas em negrito, fonte helvética, para denotar as matrizes quadradas.

Evidentemente,

$$\mathbf{U} = \mathbf{ST} \quad \Leftrightarrow \quad U_{ik} = \sum_{j=1}^{n} S_{ij} T_{jk}. \qquad [A.40]$$

Essa é a regra padrão para uma multiplicação de matrizes — para encontrar o ik-ésimo elemento do produto $\mathbf{ST}$, você olha para a i-ésima linha de $\mathbf{S}$ e para a k-ésima coluna de $\mathbf{T}$, multiplicando as entradas correspondentes e adicionando. A mesma prescrição permite que você multiplique matrizes *retangulares*, contanto que o número de colunas na primeira corresponda ao número de linhas na segunda. Em especial, se escrevermos o n-tuplo dos componentes de $|\alpha\rangle$ como uma **matriz coluna** $n \times 1$ (ou 'vetor coluna'):[9]

$$\mathbf{a} \equiv \begin{pmatrix} a_1 \\ a_2 \\ \vdots \\ a_n \end{pmatrix}, \qquad [A.41]$$

a regra de transformação (Equação A.33) pode ser expressa como um produto de matrizes:

$$\mathbf{a}' = \mathbf{T}\mathbf{a}. \qquad [A.42]$$

Agora, algumas terminologias de matriz:

- A **transposta** de uma matriz (a qual escrever com um til: $\tilde{\mathbf{T}}$) é o mesmo conjunto de elementos, mas com linhas e colunas trocadas. Em especial, a transposta de uma matriz *coluna* é uma **matriz linha**:

$$\tilde{\mathbf{a}} = (a_1 \quad a_2 \quad \ldots \quad a_n). \qquad [A.43]$$

Para uma matriz *quadrada*, tomar a transposta resulta em refletir os valores na **diagonal principal** (canto superior esquerdo ao canto inferior direito):

$$\tilde{\mathbf{T}} = \begin{pmatrix} T_{11} & T_{21} & \cdots & T_{n1} \\ T_{12} & T_{22} & \cdots & T_{n2} \\ \vdots & \vdots & & \vdots \\ T_{1n} & T_{2n} & \cdots & T_{nn} \end{pmatrix}. \qquad [A.44]$$

Uma matriz (quadrada) será **simétrica** se for igual à sua transposta; será **antissimétrica** se essa operação inverter o sinal:

$$\text{simétrico:} \; \tilde{\mathbf{T}} = \mathbf{T}; \quad \text{antissimétrico:} \; \tilde{\mathbf{T}} = -\mathbf{T}. \qquad [A.45]$$

- A **conjugada** (complexa) de uma matriz (que representamos, como de costume, com um asterisco, $\mathbf{T}^*$) consiste da conjugada complexa de cada elemento:

$$\mathbf{T}^* = \begin{pmatrix} T_{11}^* & T_{12}^* & \cdots & T_{1n}^* \\ T_{21}^* & T_{22}^* & \cdots & T_{2n}^* \\ \vdots & \vdots & & \vdots \\ T_{n1}^* & T_{n2}^* & \cdots & T_{nn}^* \end{pmatrix}; \quad \mathbf{a}^* = \begin{pmatrix} a_1^* \\ a_2^* \\ \vdots \\ a_n^* \end{pmatrix}. \qquad [A.46]$$

Uma matriz é **real** se todos os seus elementos forem reais, e **imaginária** se eles forem todos imaginários:

$$\text{real:} \; \mathbf{T}^* = \mathbf{T}; \quad \text{imaginária:} \; \mathbf{T}^* = -\mathbf{T}. \qquad [A.47]$$

---

[9] Usarei letras minúsculas em negrito, fonte helvética, para as matrizes linha e coluna.

- A **conjugada hermitiana** (ou **adjunta**) de uma matriz (indicada com um punhal, $T^\dagger$) é a conjugada transposta:

$$\mathbf{T}^\dagger \equiv \tilde{\mathbf{T}}^* = \begin{pmatrix} T_{11}^* & T_{21}^* & \cdots & T_{n1}^* \\ T_{12}^* & T_{22}^* & \cdots & T_{n2}^* \\ \vdots & \vdots & & \vdots \\ T_{1n}^* & T_{2n}^* & \cdots & T_{nn}^* \end{pmatrix}; \quad \mathbf{a}^\dagger \equiv \tilde{\mathbf{a}}^* = \begin{pmatrix} a_1^* & a_2^* & \cdots & a_n^* \end{pmatrix}. \quad [A.48]$$

Uma matriz quadrada é **hermitiana** (ou **autoadjunta**) se for igual à sua conjugada hermitiana; se a conjugação hermitiana introduz um sinal negativo, a matriz é **anti-hermitiana**:

$$\text{hermitiana: } \mathbf{T}^\dagger = \mathbf{T}; \quad \text{anti-hermitiana: } \mathbf{T}^\dagger = -\mathbf{T}. \quad [A.49]$$

Nessa notação, o produto interno de dois vetores (em relação à base ortonormal, Equação A.24) pode ser escrito muito nitidamente como um produto de matrizes:

$$\langle \alpha | \beta \rangle = \mathbf{a}^\dagger \mathbf{b}. \quad [A.50]$$

Observe que cada uma das três operações definidas nesse parágrafo, se aplicada duas vezes, faz com que você retorne à matriz original.

A multiplicação de matrizes não é, em geral, comutativa ($\mathbf{ST} \neq \mathbf{TS}$); a *diferença* entre as duas sistematizações é chamada de **comutador**:[10]

$$[\mathbf{S}, \mathbf{T}] \equiv \mathbf{ST} - \mathbf{TS} \quad [A.51]$$

A transposta de um produto é o produto das transpostas *em ordem inversa*:

$$\widetilde{(\mathbf{ST})} = \tilde{\mathbf{T}}\tilde{\mathbf{S}} \quad [A.52]$$

(veja o Problema A.11), e o mesmo vale para os conjugados hermitianos:

$$(\mathbf{ST})^\dagger = \mathbf{T}^\dagger \mathbf{S}^\dagger. \quad [A.53]$$

A **matriz unitária** (que representa uma transformação linear que leva todos os vetores a si mesmos) consiste do número 1 na diagonal principal e de zeros nas posições restantes:

$$\mathbf{I} \equiv \begin{pmatrix} 1 & 0 & \cdots & 0 \\ 0 & 1 & \cdots & 0 \\ \vdots & \vdots & & \vdots \\ 0 & 0 & \cdots & 1 \end{pmatrix}. \quad [A.54]$$

Em outras palavras,

$$\mathbf{I}_{ij} = \delta_{ij}. \quad [A.55]$$

A **inversa** de uma matriz (quadrada) (escrita $\mathbf{T}^{-1}$) é definida da maneira óbvia:[11]

$$\mathbf{T}^{-1}\mathbf{T} = \mathbf{T}\mathbf{T}^{-1} = \mathbf{I}. \quad [A.56]$$

Uma matriz terá uma inversa se, e somente se, seu **determinante**[12] for não nulo; de fato,

$$\mathbf{T}^{-1} = \frac{1}{\det \mathbf{T}} \tilde{\mathbf{C}}, \quad [A.57]$$

---

[10] O comutador faz sentido somente para matrizes *quadradas*, é claro; para matrizes retangulares, as duas ordenações não seriam nem sequer do mesmo tamanho.

[11] Observe que a inversa esquerda é igual à inversa direita, e, por isso, se $\mathbf{AT} = \mathbf{I}$ e $\mathbf{TB} = \mathbf{I}$, então (multiplicando a segunda à esquerda por $\mathbf{A}$, e invocando a primeira) obteremos $\mathbf{B} = \mathbf{A}$.

[12] Suponho que você saiba como avaliar determinantes. Se não, veja M. Boas, *Mathematical Methods in the Physical Sciences*, 2ª ed. (John Wiley, Nova York, 1983), Seção 3.3.

em que **C** é a matriz de **cofatores** (o cofator de elemento T_{ij} é $(-1)^{i+j}$ vezes o determinante da submatriz obtida de **T** ao apagarmos a *i*-ésima linha e a *j*-ésima coluna). Uma matriz que não tem inversa é chamada de **singular**. A inversa de um produto (supondo que ele exista) é o produto das inversas *em ordem inversa*:

$$(\mathbf{ST})^{-1} = \mathbf{T}^{-1}\mathbf{S}^{-1}.$$ [A.58]

Uma matriz é **unitária** se sua inversa for igual à sua conjugada hermitiana:[13]

$$\text{unitária: } \mathbf{U}^\dagger = \mathbf{U}^{-1}.$$ [A.59]

Supondo que a base seja ortonormal, as colunas de uma matriz unitária constituirão um conjunto ortonormal, assim como suas linhas (veja o Problema A.12). As transformações lineares representadas por matrizes unitárias preservam os produtos internos, já que (Equação A.50)

$$\langle \alpha' | \beta' \rangle = \mathbf{a}'^\dagger \mathbf{b}' = (\mathbf{Ua})^\dagger (\mathbf{Ub}) = \mathbf{a}^\dagger \mathbf{U}^\dagger \mathbf{Ub} = \mathbf{a}^\dagger \mathbf{b} = \langle \alpha | \beta \rangle.$$ [A.60]

*Problema A.8 Dadas as seguintes matrizes:

$$\mathbf{A} = \begin{pmatrix} -1 & 1 & i \\ 2 & 0 & 3 \\ 2i & -2i & 2 \end{pmatrix}, \quad \mathbf{B} = \begin{pmatrix} 2 & 0 & -i \\ 0 & 1 & 0 \\ i & 3 & 2 \end{pmatrix},$$

calcule (a) $\mathbf{A} + \mathbf{B}$, (b) $\mathbf{AB}$, (c) $[\mathbf{A}, \mathbf{B}]$, (d) $\tilde{\mathbf{A}}$, (e) $\mathbf{A}^*$, (f) $\mathbf{A}^\dagger$, (g) $\det(\mathbf{B})$ e (h) $\mathbf{B}^{-1}$. Verifique que $\mathbf{BB}^{-1} = \mathbf{I}$. Existe o inverso de **A**?

*Problema A.9 Utilizando as matrizes quadradas no Problema A.8 e as matrizes colunas

$$\mathbf{a} = \begin{pmatrix} i \\ 2i \\ 2 \end{pmatrix}, \quad \mathbf{b} = \begin{pmatrix} 2 \\ (1-i) \\ 0 \end{pmatrix},$$

calcule: (a) **Aa**, (b) $\mathbf{a}^\dagger \mathbf{b}$, (c) $\tilde{\mathbf{a}} \mathbf{Bb}$, (d) $\mathbf{ab}^\dagger$.

Problema A.10 Pela construção explícita das matrizes em questão, demonstre que qualquer matriz **T** pode ser escrita

(a) como a soma de uma matriz simétrica **S** e uma matriz antissimétrica **A**;

(b) como a soma de uma matriz real **R** e uma matriz imaginária **M**;

(c) como a soma de uma matriz hermitiana **H** e uma matriz anti-hermitiana **K**.

*Problema A.11 Prove as equações A.52, A.53 e A.58. Demonstre que o produto de duas matrizes unitárias é unitário. Sob quais condições o produto de duas matrizes hermitianas é hermitiano? A soma de duas matrizes unitárias é necessariamente unitária? A soma de duas matrizes hermitianas é hermitiana?

Problema A.12 Demonstre que as linhas e as colunas de uma matriz unitária constituem conjuntos ortonormais.

---

[13] Em um espaço vetorial *real* (isto é, no qual os escalares são reais), a conjugada hermitiana é a mesma da transposta, e a matriz unitária é **ortogonal**: $\tilde{\mathbf{O}} = \mathbf{O}^{-1}$. Por exemplo, rotações no espaço tridimensional ordinário são representadas por matrizes ortogonais.

Problema A.13 Observando que $\det(\tilde{\mathbf{T}}) = \det(\mathbf{T})$, demonstre que o determinante de uma matriz hermitiana é real, que o determinante de uma matriz unitária tem módulo 1 (e por isso leva esse nome) e que o determinante de uma matriz ortogonal é $+1$ ou -1.

A.4 Mudança de base

Os componentes de um vetor dependem, é claro, da sua escolha (arbitrária) de base, e o mesmo ocorre com os elementos da matriz que representa uma transformação linear. Poderíamos investigar como esses números mudam ao passarmos para uma base diferente.

Os vetores da base antiga, $|e_i\rangle$ são — assim como *todos* os vetores — combinações lineares dos novos, $|f_i\rangle$:

$$|e_1\rangle = S_{11}|f_1\rangle + S_{21}|f_2\rangle + \cdots + S_{n1}|f_n\rangle,$$
$$|e_2\rangle = S_{12}|f_1\rangle + S_{22}|f_2\rangle + \cdots + S_{n2}|f_n\rangle,$$
$$\cdots$$
$$|e_n\rangle = S_{1n}|f_1\rangle + S_{2n}|f_2\rangle + \cdots + S_{nn}|f_n\rangle$$

(para algum conjunto de números complexos S_{ij}) ou, mais compactamente,

$$|e_j\rangle = \sum_{i=1}^{n} S_{ij}|f_i\rangle, \quad (j=1,2,\ldots,n). \qquad [A.61]$$

Essa é uma transformação linear (compare com a Equação A.30),[14] e sabemos imediatamente como os componentes se transformam:

$$a_i^f = \sum_{j=1}^{n} S_{ij} a_j^e \qquad [A.62]$$

(em que o sobrescrito indica a base). Na forma matricial,

$$\mathbf{a}^f = \mathbf{S}\mathbf{a}^e. \qquad [A.63]$$

E a matriz que representa uma transformação linear $\hat{T}$, como ela é modificada por uma mudança de base? Bem, na base antiga tínhamos (Equação A.42)

$$\mathbf{a}'^e = \mathbf{T}^e \mathbf{a}^e,$$

e a Equação A.63 — multiplicando-se ambos os lados por $\mathbf{S}^{-1}$ — implica[15] $\mathbf{a}^e = \mathbf{S}^{-1}\mathbf{a}^f$, de modo que

$$\mathbf{a}'^f = \mathbf{S}\mathbf{a}'^e = \mathbf{S}(\mathbf{T}^e \mathbf{a}^e) = \mathbf{S}\mathbf{T}^e \mathbf{S}^{-1}\mathbf{a}^f.$$

Evidentemente,

$$\mathbf{T}^f = \mathbf{S}\mathbf{T}^e \mathbf{S}^{-1}. \qquad [A.64]$$

Em geral, duas matrizes ($\mathbf{T}_1$ e $\mathbf{T}_2$) são consideradas **similares** se $\mathbf{T}_2 = \mathbf{S}\mathbf{T}_1\mathbf{S}^{-1}$ para alguma matriz (não singular) $\mathbf{S}$. O que acabamos de descobrir é que *matrizes que representam a mesma*

---

[14] Observe, entretanto, a perspectiva radicalmente diferente: nesse caso, estamos falando sobre um único *vetor*, em relação a duas *bases* completamente diferentes, enquanto antes estávamos pensando em um vetor completamente *diferente* em relação a uma *única* base.

[15] Observe que $\mathbf{S}^{-1}$ certamente existe; se $\mathbf{S}$ fosse singular, $|f_i\rangle$ não gerariam o espaço, e, portanto, eles não constituiriam uma base.

transformação linear, em relação a bases diferentes, são similares. Aliás, se a primeira base for ortonormal, a segunda também será se, e somente se, a matriz **S** for *unitária* (veja o Problema A.16). Já que sempre trabalhamos em bases ortonormais, estamos interessados principalmente em transformações *unitárias* de similaridade.

Enquanto os *elementos* da matriz que representa dada transformação linear podem parecer bem diferentes na nova base, dois números associados à matriz são inalteráveis: o determinante e o **traço**. O determinante de um produto é o produto dos determinantes, e portanto

$$\det(\mathbf{T}^f) = \det(\mathbf{ST}^e\mathbf{S}^{-1}) = \det(\mathbf{S})\det(\mathbf{T}^e)\det(\mathbf{S}^{-1}) = \det \mathbf{T}^e. \qquad [A.65]$$

E o traço, que é a *soma dos elementos da diagonal*,

$$\mathrm{Tr}(\mathbf{T}) \equiv \sum_{i=1}^{m} T_{ii}, \qquad [A.66]$$

tem a propriedade (veja o Problema A.17) que

$$\mathrm{Tr}(\mathbf{T}_1\mathbf{T}_2) = \mathrm{Tr}(\mathbf{T}_2\mathbf{T}_1) \qquad [A.67]$$

(para quaisquer duas matrizes $\mathbf{T}_1$ e $\mathbf{T}_2$), assim

$$\mathrm{Tr}(\mathbf{T}^f) = \mathrm{Tr}(\mathbf{ST}^e\mathbf{S}^{-1}) = \mathrm{Tr}(\mathbf{T}_e\mathbf{S}^{-1}\mathbf{S}) = \mathrm{Tr}(\mathbf{T}^e). \qquad [A.68]$$

Problema A.14 Utilizando a base-padrão ($\hat{i}, \hat{j}, \hat{k}$) para vetores em três dimensões:
(a) Monte a matriz que representa uma rotação através do ângulo θ (sentido anti-horário, apontando para baixo na origem) sobre o eixo z.
(b) Monte a matriz que representa uma rotação de 120° (sentido anti-horário, apontando para baixo no eixo) sobre um eixo através do ponto (1, 1, 1).
(c) Monte a matriz que representa uma reflexão através do plano xy.
(d) Verifique que todas essas matrizes são ortogonais e calcule seus determinantes.

Problema A.15 Na base usual ($\hat{i}, \hat{j}, \hat{k}$), monte a matriz $\mathbf{T}_x$ que represente uma rotação através do ângulo θ sobre o eixo x, e a matriz $\mathbf{T}_y$ que represente uma rotação através do ângulo θ sobre o eixo y. Suponha agora que façamos a mudança de base, para $\hat{i}' = \hat{j}, \hat{j}' = -\hat{i}, \hat{k}' = \hat{k}$. Monte a matriz **S** que efetue essa mudança de base e verifique que $\mathbf{ST}_x\mathbf{S}^{-1}$ e $\mathbf{ST}_y\mathbf{S}^{-1}$ são o que você esperava.

Problema A.16 Demonstre que a similaridade preserva a multiplicação de matrizes (isto é, se $\mathbf{A}^e\mathbf{B}^e = \mathbf{C}^e$, então $\mathbf{A}^f\mathbf{B}^f = \mathbf{C}^f$). Similaridade, em geral, *não* preserva simetria, realidade ou hermiticidade; demonstre, entretanto, que se **S** é *unitária* e $\mathbf{H}^e$ é hermitiana, então $\mathbf{H}^f$ será hermitiana. Demonstre que **S** leva uma base ortonormal a outra base ortonormal se, e somente se, for unitária.

*****Problema A.17** Prove que $\mathrm{Tr}(\mathbf{T}_1\mathbf{T}_2) = \mathrm{Tr}(\mathbf{T}_2\mathbf{T}_1)$. Acontece que, imediatamente, $\mathrm{Tr}(\mathbf{T}_1\mathbf{T}_2\mathbf{T}_3) = \mathrm{Tr}(\mathbf{T}_2\mathbf{T}_3\mathbf{T}_1)$, mas é o caso em que $\mathrm{Tr}(\mathbf{T}_1\mathbf{T}_2\mathbf{T}_3) = \mathrm{Tr}(\mathbf{T}_2\mathbf{T}_1\mathbf{T}_3)$ geral? Prove que isso está correto ou conteste essa possibilidade. *Dica:* a melhor forma de refutar algo é sempre fazer uso de contraexemplos; quanto mais simples, melhor!

A.5 Autovetores e autovalores

Considere a transformação linear triespacial que consiste em uma rotação sobre um eixo específico por um ângulo θ. A maioria dos vetores mudará de uma maneira bem complicada (eles se movem em torno de um cone sobre o eixo), mas os vetores que estão *juntos* no eixo têm um comportamento bem simples: eles não mudam de maneira alguma ($\hat{T}|\alpha\rangle = |\alpha\rangle$). Se θ for 180°, então os vetores que estiverem em um plano 'equatorial' invertem os sinais ($\hat{T}|\alpha\rangle = -|\alpha\rangle$). Em um espaço vetorial complexo,[16] *todas* as transformações lineares têm vetores 'especiais' como esses, os quais são transformados em múltiplos escalares deles mesmos:

$$\hat{T}|\alpha\rangle = \lambda|\alpha\rangle; \quad [A.69]$$

eles são chamados de **autovetores**, e o número (complexo) λ é seu **autovalor**. (O vetor *nulo* não conta, mesmo que no sentido trivial ele obedeça à Equação A.69 para *qualquer* $\hat{T}$ e *qualquer* λ; tecnicamente, um autovetor é qualquer vetor *não nulo* que satisfaça a Equação A.69.) Observe que qualquer *múltiplo* (não zero) de um autovetor ainda é um autovetor com o mesmo autovalor.

Em relação a uma determinada base, a equação de autovetores assume a forma matricial

$$\mathbf{Ta} = \lambda\mathbf{a} \quad [A.70]$$

(para **a** não zero), ou

$$(\mathbf{T} - \lambda\mathbf{I})\mathbf{a} = \mathbf{0}. \quad [A.71]$$

(Aqui, **0** é a **matriz zero**, cujos elementos são todos zero.) Agora, se a matriz $(\mathbf{T} - \lambda\mathbf{I})$ tivesse uma *inversa*, poderíamos multiplicar ambos os lados da Equação A.71 por $(\mathbf{T} - \lambda\mathbf{I})^{-1}$ e concluir que $\mathbf{a} = \mathbf{0}$. Mas, por suposição, **a** é não zero, de modo que a matriz $(\mathbf{T} - \lambda\mathbf{I})$ deve, de fato, ser singular, o que significa que seu determinante será zero:

$$\det(\mathbf{T} - \lambda\mathbf{I}) = \begin{vmatrix} (T_{11} - \lambda) & T_{12} & \cdots & T_{1n} \\ T_{21} & (T_{22} - \lambda) & \cdots & T_{2n} \\ \vdots & \vdots & & \vdots \\ T_{n1} & T_{n2} & \cdots & (T_{nn} - \lambda) \end{vmatrix} = 0. \quad [A.72]$$

A expansão do determinante produz uma equação algébrica para λ:

$$C_n \lambda^n + C_{n-1} \lambda^{n-1} + \cdots + C_1 \lambda + C_0 = 0, \quad [A.73]$$

em que os coeficientes C_i dependem dos elementos de **T** (veja o Problema A.20). Isso é chamado de **equação característica** para a matriz; suas soluções determinam os autovalores. Observe que é uma equação de *n*-ésima ordem, assim (pelo **teorema fundamental da álgebra**) tem n raízes (complexas).[17] Entretanto, algumas delas podem ser raízes múltiplas, então tudo o que podemos dizer com certeza é que uma matriz $n \times n$ tem *ao menos um* e *no máximo n* autovalores distintos. O conjunto de todos os autovalores de uma matriz é chamado de **espectro**; se dois (ou mais) autovetores linearmente independentes compartilham o mesmo autovalor, diz-se que o espectro é **degenerado**.

Para construir os autovetores, é geralmente mais fácil inserir todos os λ na Equação A.70 e resolver 'manualmente' para os componentes de **a**. Utilizarei um exemplo para mostrar como funciona.

---

[16] Isso *não* é sempre verdade em um espaço vetorial *real* (no qual os escalares estão restritos a valores reais). Veja o Problema A.18.

[17] É aqui que o caso do espaço vetorial *real* se torna mais estranho, pois a equação característica não precisa ter nenhuma solução (real). Veja o Problema A.18.

Exemplo A.1 Calcule os autovalores e os autovetores da seguinte matriz:

$$\mathbf{M} = \begin{pmatrix} 2 & 0 & -2 \\ -2i & i & 2i \\ 1 & 0 & -1 \end{pmatrix}. \qquad [\text{A.74}]$$

Resposta: a equação característica é

$$\begin{vmatrix} (2-\lambda) & 0 & -2 \\ -2i & (i-\lambda) & 2i \\ 1 & 0 & (-1-\lambda) \end{vmatrix} = -\lambda^3 + (1+i)\lambda^2 - i\lambda = 0, \qquad [\text{A.75}]$$

e suas raízes são 0, 1 e i. Chame os componentes do primeiro autovetor de (a_1, a_2, a_3); então,

$$\begin{pmatrix} 2 & 0 & -2 \\ -2i & i & 2i \\ 1 & 0 & -1 \end{pmatrix} \begin{pmatrix} a_1 \\ a_2 \\ a_3 \end{pmatrix} = 0 \begin{pmatrix} a_1 \\ a_2 \\ a_3 \end{pmatrix} = \begin{pmatrix} 0 \\ 0 \\ 0 \end{pmatrix},$$

que produz três equações:

$$2a_1 - 2a_3 = 0,$$
$$-2ia_1 + ia_2 + 2ia_3 = 0,$$
$$a_1 - a_3 = 0.$$

A primeira determina a_3 (em termos de a_1): $a_3 = a_1$; a segunda determina a_2: $a_2 = 0$; e a terceira é redundante. Podemos também escolher $a_1 = 1$ (já que qualquer múltiplo de um autovetor ainda é um autovetor):

$$\mathbf{a}^{(1)} = \begin{pmatrix} 1 \\ 0 \\ 1 \end{pmatrix}, \quad \text{para } \lambda_1 = 0. \qquad [\text{A.76}]$$

Para o segundo autovetor (reutilizando a mesma notação para os componentes), temos

$$\begin{pmatrix} 2 & 0 & -2 \\ -2i & i & 2i \\ 1 & 0 & -1 \end{pmatrix} \begin{pmatrix} a_1 \\ a_2 \\ a_3 \end{pmatrix} = 1 \begin{pmatrix} a_1 \\ a_2 \\ a_3 \end{pmatrix} = \begin{pmatrix} a_1 \\ a_2 \\ a_3 \end{pmatrix},$$

que nos leva às seguintes equações:

$$2a_1 - 2a_3 = a_1,$$
$$-2ia_1 + ia_2 + 2ia_3 = a_2,$$
$$a_1 - a_3 = a_3.$$

com a solução $a_3 = (1/2)a_1$, $a_2 = [(1-i)/2]a_1$; dessa vez, escolherei $a_1 = 2$, assim

$$\mathbf{a}^{(2)} = \begin{pmatrix} 2 \\ 1-i \\ 1 \end{pmatrix}, \quad \text{para } \lambda_2 = 1. \qquad [\text{A.77}]$$

Por fim, para o terceiro autovetor,

$$\begin{pmatrix} 2 & 0 & -2 \\ -2i & i & 2i \\ a & 0 & -1 \end{pmatrix} \begin{pmatrix} a_1 \\ a_2 \\ a_3 \end{pmatrix} = i \begin{pmatrix} a_1 \\ a_2 \\ a_3 \end{pmatrix} = \begin{pmatrix} ia_1 \\ ia_2 \\ ia_3 \end{pmatrix},$$

que gera as equações

$$2a_1 - 2a_3 = ia_1,$$
$$-2ia_1 + ia_2 + 2ia_3 = ia_2,$$
$$a_1 - a_3 = ia_3,$$

cuja solução é $a_3 = a_1 = 0$, com a_2 indeterminado. Escolhendo $a_2 = 1$, concluímos que

$$\mathbf{a}^{(3)} = \begin{pmatrix} 0 \\ 1 \\ 0 \end{pmatrix}, \quad \text{para } \lambda_3 = i. \quad [\text{A.78}]$$

Se os autovetores geram o espaço (como fizeram no exemplo anterior), somos livres para usá-los como base:

$$\hat{T}|f_1\rangle = \lambda_1 |f_1\rangle,$$
$$\hat{T}|f_2\rangle = \lambda_2 |f_2\rangle,$$
$$\ldots$$
$$\hat{T}|f_n\rangle = \lambda_n |f_n\rangle.$$

Nessa base, a matriz que representa $\hat{T}$ toma uma forma muito simples, com os autovalores espalhados ao longo da diagonal principal e todos os outros elementos zero:

$$\mathbf{T} = \begin{pmatrix} \lambda_1 & 0 & \cdots & 0 \\ 0 & \lambda_2 & \cdots & 0 \\ \vdots & \vdots & & \vdots \\ 0 & 0 & \cdots & \lambda_n \end{pmatrix}, \quad [\text{A.79}]$$

e os autovetores (normalizados) são

$$\begin{pmatrix} 1 \\ 0 \\ 0 \\ \vdots \\ 0 \end{pmatrix}, \begin{pmatrix} 0 \\ 1 \\ 0 \\ \vdots \\ 0 \end{pmatrix}, \ldots, \begin{pmatrix} 0 \\ 0 \\ 0 \\ \vdots \\ 1 \end{pmatrix}. \quad [\text{A.80}]$$

A matriz que pode ser trazida à **forma diagonal** (Equação A.79) por meio de uma mudança de base é considerada **diagonalizável** (evidentemente, uma matriz é diagonalizável se, e somente se, seus autovetores geram o espaço). A matriz de similaridade que realiza a diagonalização pode ser construída utilizando-se os autovetores normalizados (na base antiga) como as colunas de $\mathbf{S}^{-1}$:

$$(\mathbf{S}^{-1})_{ij} = (\mathbf{a}^{(j)})_i. \quad [\text{A.81}]$$

Exemplo A.2 No Exemplo A.1,

$$\mathbf{S}^{-1} = \begin{pmatrix} 1 & 2 & 0 \\ 0 & (1-i) & 1 \\ 1 & 1 & 0 \end{pmatrix},$$

de modo que (utilizando-se a Equação A.57)

$$S = \begin{pmatrix} -1 & 0 & 2 \\ 1 & 0 & -1 \\ (i-1) & 1 & (1-i) \end{pmatrix},$$

e você mesmo pode verificar que

$$Sa^{(1)} = \begin{pmatrix} 1 \\ 0 \\ 0 \end{pmatrix}, \quad Sa^{(2)} = \begin{pmatrix} 0 \\ 1 \\ 0 \end{pmatrix}, \quad Sa^{(3)} = \begin{pmatrix} 0 \\ 0 \\ 1 \end{pmatrix},$$

e

$$SMS^{-1} = \begin{pmatrix} 0 & 0 & 0 \\ 0 & 1 & 0 \\ 0 & 0 & i \end{pmatrix}.$$

Há uma vantagem óbvia em trazer uma matriz à forma diagonal: ela se torna muito mais fácil de ser trabalhada. Infelizmente, nem toda matriz *pode* ser diagonalizada; os autovetores têm de gerar o espaço. Se a equação característica tem n raízes distintas, então a matriz é certamente diagonalizável, mas ela *pode* ser diagonalizável mesmo que haja raízes múltiplas. (Para um exemplo de matriz que *não pode* ser diagonalizada, veja o Problema A.19.) Seria útil saber de antemão (antes de resolver todos os autovetores) se uma matriz dada é diagonalizável. Uma condição suficiente útil (embora não seja necessária) é a seguinte: uma matriz é considerada **normal** se comuta com sua conjugada hermitiana:

$$\text{normal}: [N^\dagger, N] = 0. \qquad [A.82]$$

Toda matriz normal é diagonalizável (seus autovetores geram o espaço). Em especial, todas as matrizes hermitianas e todas as matrizes unitárias são diagonalizáveis.

Suponha que tenhamos *duas* matrizes diagonalizáveis; nas aplicações quânticas a questão surge com frequência: elas podem ser **simultaneamente diagonalizadas** (pela *mesma* matriz de similaridade **S**)? Isto é, existe uma base na qual *ambas* sejam diagonais? A resposta será sim *se, e somente se, as duas matrizes comutarem* (veja o Problema A.22).

*Problema A.18 A matriz 2 × 2 que representa a rotação do plano xy é

$$T = \begin{pmatrix} \cos\theta & -\text{sen}\,\theta \\ \text{sen}\,\theta & \cos\theta \end{pmatrix}. \qquad [A.83]$$

Demonstre que (exceto para certos ângulos especiais — quais são eles?) essa matriz não tem autovalores reais. (Isso reflete o fato geométrico de que nenhum vetor é levado para si mesmo no plano sob tal rotação; contrasta com rotações em *três* dimensões.) Essa matriz *tem*, entretanto, autovalores e autovetores *complexos*. Calcule-os. Monte uma matriz **S** que diagonalize **T**. Efetue a transformação de similaridade (STS^{-1}) explicitamente e demonstre que isso reduz **T** à forma diagonal.

Problema A.19 Calcule os autovalores e os autovetores da seguinte matriz:

$$M = \begin{pmatrix} 1 & 1 \\ 0 & 1 \end{pmatrix}.$$

Essa matriz pode ser diagonalizada?

Problema A.20 Demonstre que o primeiro, o segundo e o último coeficientes na equação característica (Equação A.73) são:

$$C_n = (-1)^n, \quad C_{n-1} = (-1)^{n-1} \text{Tr}(\mathbf{T}) \quad \text{e} \quad C_0 = \det(\mathbf{T}). \qquad [A.84]$$

Para uma matriz 3×3 com elementos T_{ij}, qual é C_1?

Problema A.21 É óbvio que o traço de uma matriz *diagonal* é a soma de seus autovalores, e o seu determinante é o produto deles (basta consultar a Equação A.79). Segue-se que (por causa das equações A.65 e A.68) o mesmo serve para qualquer matriz *diagonalizável*. Prove que, de fato,

$$\det(\mathbf{T}) = \lambda_1 \lambda_2 \ldots \lambda_n, \quad Tr(\mathbf{T}) = \lambda_1 + \lambda_2 + \ldots + \lambda_n, \qquad [A.85]$$

para *qualquer* matriz. (Os λ são as n soluções para a equação característica; no caso de raízes múltiplas, pode haver menos autovetores linearmente independentes do que soluções, mas, ainda assim, contamos o λ todas as vezes em que ele ocorre.) *Dica:* escreva a equação característica na forma

$$(\lambda_1 - \lambda)(\lambda_2 - \lambda) \ldots (\lambda_n - \lambda) = 0,$$

e utilize o resultado do Problema A.20.

Problema A.22
(a) Demonstre que se duas matrizes comutam em *uma* base, então elas comutam em qualquer base. Isto é,

$$\left[\mathbf{T}_1^e, \mathbf{T}_2^e\right] = 0 \Rightarrow \left[\mathbf{T}_1^f, \mathbf{T}_2^f\right] = 0. \qquad [A.86]$$

Dica: utilize a Equação A.64.
(b) Demonstre que duas matrizes comutam se forem simultaneamente diagonalizáveis.[18]

Problema A.23 Considere a matriz

$$\mathbf{M} = \begin{pmatrix} 1 & 1 \\ 1 & i \end{pmatrix}.$$

(a) Trata-se de uma matriz normal?
(b) Trata-se de uma matriz diagonalizável?

A.6 Transformações hermitianas

Na Equação A.48, defini a conjugada hermitiana (ou 'adjunta') de uma *matriz* como sua conjugada-transposta: $\mathbf{T}^\dagger = \tilde{\mathbf{T}}^*$. Agora, quero dar a você uma definição mais fundamental para o conjugado hermitiano de uma *transformação linear*: é essa transformação $\hat{T}^\dagger$ que, quando aplicada ao *primeiro* membro de um produto interno, gera o mesmo resultado se o próprio $\hat{T}$ tiver sido aplicado ao *segundo* vetor:

$$\langle \hat{T}^\dagger \alpha | \beta \rangle = \langle \alpha | \hat{T} \beta \rangle \qquad [A.87]$$

---
[18] Provar o contrário (se duas matrizes diagonalizáveis comutam, então elas são simultaneamente diagonalizáveis) não é tão simples. Veja, por exemplo, Eugen Merzbacher, *Quantum Mechanics*, 3ª ed., Wiley, Nova York (1998), Seção 10.4.

(para todos os vetores $|\alpha\rangle$ e $|\beta\rangle$).[19] Tenho de avisá-lo que, embora seja amplamente utilizada, essa é uma péssima notação. Pois se α e β não são *vetores* (os *vetores* são $|\alpha\rangle$ e $|\beta\rangle$), eles são *nomes*. Em especial, não são dotados de nenhuma propriedade matemática, e a expressão '$\hat{T}\beta$' é literalmente um *disparate*: as transformações lineares agem em *vetores*, e não em *rótulos*. Mas está muito claro o que a notação *quer dizer*: $\hat{T}\beta$ é o nome do vetor $\hat{T}|\beta\rangle$, e $\langle\hat{T}^\dagger\alpha|\beta\rangle$ é o produto interno do vetor $\hat{T}^\dagger|\alpha\rangle$ com o vetor $|\beta\rangle$. Observe especialmente que

$$\langle\alpha|c\beta\rangle = c\langle\alpha|\beta\rangle, \qquad [A.88]$$

enquanto

$$\langle c\alpha|\beta\rangle = c^*\langle\alpha|\beta\rangle, \qquad [A.89]$$

para qualquer c escalar.

Se você estiver trabalhando em uma base ortonormal (como sempre deveríamos fazer), o conjugado hermitiano de uma transformação linear será representado pela hermitiana conjugada da matriz correspondente; pois (utilizando-se as equações A.50 e A.53)

$$\langle\alpha|\hat{T}\beta\rangle = \mathbf{a}^\dagger\mathbf{T}\mathbf{b} = (\mathbf{T}^\dagger\mathbf{a})^\dagger\mathbf{b} = \langle\hat{T}^\dagger\alpha|\beta\rangle. \qquad [A.90]$$

Portanto, a terminologia é consistente, e podemos falar alternadamente na linguagem de transformações ou de matrizes.

Na mecânica quântica, um papel fundamental é desempenhado pelas **transformações hermitianas** ($\hat{T}^\dagger = \hat{T}$). Os autovetores e os autovalores de uma transformação hermitiana têm três propriedades cruciais:

1. **Os autovalores de uma transformação hermitiana são reais.**

    Prova: seja λ um autovalor de $\hat{T}$: $\hat{T}|\alpha\rangle = \lambda|\alpha\rangle$, com $|\alpha\rangle \neq |0\rangle$. Então,

    $$\langle\alpha|\hat{T}\alpha\rangle = \langle\alpha|\lambda\alpha\rangle = \lambda\langle\alpha|\alpha\rangle.$$

    Entretanto, se $\hat{T}$ for hermitiana, então

    $$\langle\alpha|\hat{T}\alpha\rangle = \langle\hat{T}\alpha|\alpha\rangle = \langle\lambda\alpha|\alpha\rangle = \lambda^*\langle\alpha|\alpha\rangle.$$

    Mas $\langle\alpha|\alpha\rangle \neq 0$ (Equação A.20), de modo que $\lambda = \lambda^*$, e, portanto, λ é real.   QED

2. **Os autovetores de uma transformação hermitiana que pertençam a autovalores distintos são ortogonais.**

    Prova: suponha que $\hat{T}|\alpha\rangle = \lambda|\alpha\rangle$ e $\hat{T}|\beta\rangle = \mu|\beta\rangle$, com $\lambda \neq \mu$. Então,

    $$\langle\alpha|\hat{T}\beta\rangle = \langle\alpha|\mu\beta\rangle = \mu\langle\alpha|\beta\rangle,$$

    e se $\hat{T}$ é hermitiana,

    $$\langle\alpha|\hat{T}\beta\rangle = \langle\hat{T}\alpha|\beta\rangle = \langle\lambda\alpha|\beta\rangle = \lambda^*\langle\alpha|\beta\rangle.$$

    Mas $\lambda = \lambda^*$ (de **1**), e $\lambda \neq \mu$ por suposição, de modo que $\langle\alpha|\beta\rangle = 0$.   QED

3. **Os autovetores de uma transformação hermitiana geram o espaço.**

    Como vimos, isso equivale à afirmação de que qualquer matriz hermitiana pode ser diagonalizada (veja a Equação A.82). Esse fato bastante técnico é, de certo modo, o suporte matemático no qual grande parte da mecânica quântica se apoia. Vem a ser um apoio mais frágil do que se poderia esperar, porque a prova não se transfere para os espaços vetoriais de dimensão infinita.

---

19 Você pode se perguntar se tal transformação existe, necessariamente. Boa pergunta! A resposta é 'sim'. Veja, por exemplo, P. R. Halmos, *Finite Dimensional Vector Spaces*, 2ª ed., van Nostrand, Princeton (1958), Seção 44.

Problema A.24 Uma transformação hermitiana linear deve satisfazer $\langle\alpha|\hat{T}\beta\rangle=\langle\hat{T}\alpha|\beta\rangle$ para todos os vetores $|\alpha\rangle$ e $|\beta\rangle$. Prove que é (surpreendentemente) suficiente que $\langle\gamma|\hat{T}\gamma\rangle=\langle\hat{T}\gamma|\gamma\rangle$ para todos os vetores $|\gamma\rangle$. *Dica:* em primeiro lugar, faça $|\gamma\rangle=|\alpha\rangle+|\beta\rangle$, e então faça $|\gamma\rangle=|\alpha\rangle+i|\beta\rangle$.

*__Problema A.25__ Seja

$$\mathbf{T}=\begin{pmatrix} 1 & 1-i \\ 1+i & 0 \end{pmatrix}.$$

(a) Verifique que **T** é hermitiana.
(b) Calcule seus autovalores (note que eles são reais).
(c) Calcule e normalize os autovetores (perceba que eles são ortogonais).
(d) Monte a matriz **S** diagonalizável unitária e verifique explicitamente que ela diagonaliza **T**.
(e) Verifique se det(**T**) e Tr(**T**) são os mesmos para **T** e para suas formas diagonalizadas.

**Problema A.26 Considere a seguinte matriz hermitiana:

$$\mathbf{T}=\begin{pmatrix} 2 & i & 1 \\ -i & 2 & i \\ 1 & -i & 2 \end{pmatrix}.$$

(a) Calcule det(**T**) e Tr(**T**).
(b) Calcule os autovalores de **T**. Verifique sua soma e seu produto são coerentes com (a), tendo em vista a Equação A.85. Escreva por extenso a versão diagonalizada de **T**.
(c) Calcule os autovetores de **T**. Dentro do setor degenerado, monte dois autovetores linearmente independentes (esse passo é sempre possível para uma matriz *hermitiana*, mas não para uma matriz *arbitrária*; compare com o Problema A.19). Ortogonalize-os e verifique que ambos são ortogonais para um terceiro. Normalize os três autovetores.
(d) Monte a matriz unitária **S** que diagonalize **T** e mostre explicitamente que a transformação de similaridade que utiliza **S** reduz **T** à forma diagonal apropriada.

Problema A.27 Uma *transformação unitária* é aquela para a qual $\hat{U}^\dagger\hat{U}=1$.
(a) Demonstre que as transformações unitárias preservam os produtos internos, tendo em vista que $\langle\hat{U}\alpha|\hat{U}\beta\rangle=\langle\alpha|\beta\rangle$, para todos os vetores $|\alpha\rangle$, $|\beta\rangle$.
(b) Demonstre que os autovalores de uma transformação unitária têm módulo 1.
(c) Demonstre que os autovetores de uma transformação unitária pertencentes a autovalores distintos são ortogonais.

***Problema A.28 As *funções* de matrizes são definidas por sua expansão na série de Taylor; por exemplo,

$$e^{\mathbf{M}}\equiv\mathbf{I}+\mathbf{M}+\frac{1}{2}\mathbf{M}^2+\frac{1}{3!}\mathbf{M}^3+\dots \qquad [\text{A.91}]$$

(a) Calcule exp(**M**) se

$$\text{(i) } \mathbf{M}=\begin{pmatrix} 0 & 1 & 3 \\ 0 & 0 & 4 \\ 0 & 0 & 0 \end{pmatrix}; \quad \text{(ii) } \mathbf{M}=\begin{pmatrix} 0 & \theta \\ -\theta & 0 \end{pmatrix}.$$

(b) Demonstre que se **M** é diagonalizável, então

$$\det(e^{\mathbf{M}}) = e^{\operatorname{Tr}(\mathbf{M})}. \qquad [\text{A.92}]$$

Comentário: isso é realmente *verdade*, mesmo que **M** *não* seja diagonalizável, mas é difícil de provar no caso geral.

(c) Demonstre que se as matrizes **M** e **N** *comutam*, então

$$e^{\mathbf{M}+\mathbf{N}} = e^{\mathbf{M}} e^{\mathbf{N}}. \qquad [\text{A.93}]$$

Prove (com o contraexemplo mais simples que você puder imaginar) que, em geral, a Equação A.93 *não* é verdadeira para matrizes *não* comutáveis.

(d) Se **H** é hermitiano, demonstre que $e^{i\mathbf{H}}$ é unitária.

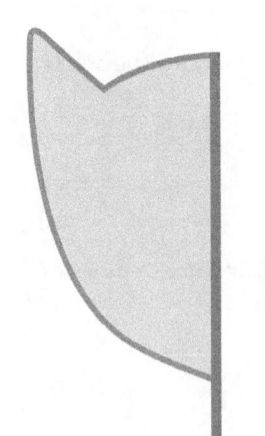

Índice remissivo

A

Absorção, 257, 258-259, 269
Acoplamento spin-órbita, 195, 199, 202, 206
Acoplamento spin-spin, 209-210
Adjunto, 75
Agulha de Buffon, 15
Alfa
  emissão, 236-239, 257, 258
  partícula, 236-239
Álgebra linear, 71-72, 322-341
  autovetores e autovalores, 334-341
  matrizes, 327-333
  mudança de base, 332-333
  produto interno, 325-327
  vetores, 323-325
Amplitude de onda parcial, 297-301
Amplitude, espalhamento, 297-298
Anã branca, 181
Análise de onda parcial, 297-302
Ângulo azimutal, 101, 285, 292
Ângulo de Hannay, 279
Ângulo polar, 113-115
Antiligante, 156-157
Aproximação adiabática, 271-290
Aproximação de Born, 295, 302-311
Aproximação de Born-Oppenheimer, 271
Aproximação de impulso, 309-310
Aproximação de onda rotativa, 256
Aproximação de Stirling, 174-176
Aproximação WKB, 231-248
  fórmulas de conexão, 239-248
  região 'clássica', 232-235
  tunelamento, 235-239
Artifício de Fourier, 14, 25-26, 79-80
Aspect, A., 316-317
Átomo de hidrogênio, 86, 110-119
  efeito Zeeman, 203-209
  efeito Stark, 213, 248
  energia de ligação, 114-115
  energias permitidas, 109-111
  espectro, 119
  estado fundamental, 24, 113-115
  estrutura fina, 195-203
  estrutura hiperfina, 209-213
  função de onda radial, 110-119
  funções de onda, 115-118
  muônico, 151, 212
  raio, 113-115
Átomo exótico, 211
Átomo hidrogênico, 117-119
Átomos, 156-163
Autoespinores, 131-132
Autofunções, 76, 121-122
  espectro contínuo, 76-78, 79-82
  espectro discreto, 76-79
  estados determinados, 76
  momento, 79-80
  momento angular, 124-128
  notação de Dirac, 90-95
  observáveis incompatíveis, 86-121
  operadores hermitianos, 76-82, 125
  posição, 79-81, 125
Autovalores, 76, 194-194, 334-338
  estados determinados, 76-77
  interpretação estatística generalizada, 81-84
  momento angular, 119-129
  transformações hermitianas, 339-340
Autovetores, 334-338

B

Bárion, 140-142
Barreira de Coulomb, 115, 237
Base, 324-325, 332-334
Bell, John, 3-4, 314
Berry, Michael, 280
Blindagem, 157, 160
Bloch, Felix, 1-2
Bohm, David, 3-4, 313-314
Bohr, Niels, 3-4, 86, 113
Bola quicante, 173, 245
Bóson, 151-156, 172-175
Bra, 91
Buraco, 168, 170-171

C

Camadas, 159-160
Campo eletromagnético, 147-149, 258-259
  campo magnético, 199
Campo magnético, 199, 258-259
Carga nuclear efetiva, 222-223
Catálise muônica, 230
Chambers, R.G., 287
Chandrasekhar, S., 230
Coeficiente binomial, 145-175
Coeficiente de reflexão, 58-59
Coeficiente de transmissão, 58-59, 64-65
Coeficientes de Clebsch-Gordan, 139-141, 145
Coeficientes
  Clebsch-Gordan, 139-141, 144-145
  reflexão, 58-59
  transmissão, 58-59
Cofator, 331-332
Colapso, 4, 81-82, 131-132, 312-313, 319-322
Combinação linear de orbitais atômicos, 225
Combinação linear, 19-21, 324
Complementaridade, 312
Completeza
  da mecânica quântica, 2-3
  de autofunções, 24-25, 78-79
  de funções, 24-27, 72-74
  do espaço de Hilbert, 71-74
Componente, 325-326

Comprimento de onda de de Broglie, 14-15, 16
Comprimento de onda, 13-16, 117-118
Comutador, 32-33, 86
　canônico, 32-33, 100-101, 342
　matriz, 331
　momento angular, 120-121, 147-148, 204, 266-267
　princípio da incerteza e, 85-86, 318
Condensação de Bose, 179
Condição de contorno, 22-23, 36-37, 55-56
　poço função delta, 55-57
　poço quadrado finito, 61-65
Condutor, 168, 170-171
Configuração mais provável, 6, 176-178
Configuração, 161-162, 171
Conjugado hermitiano, 35-36, 75-76, 338-339
Conjugado, 338-339
Conjunto completo de vetores, 341
Conjunto ortonormal, 326
Conjunto, 11-12
Conservação
　de energia, 28, 90-91
　de probabilidade, 143, 300
　do momento angular, 126, 267, 302, 313
Constante de Boltzmann, 16, 163, 177, 343
Constante de Planck, 2, 195, 343
Constante de Rydberg, 119-120, 344
Conta em um anel, 67-68, 76, 194-195, 287-288
Coordenadas esféricas, 99-110
　equação angular, 102-106, 127
　equação radial, 106-108
　separação de variáveis, 17, 100-103
Correção de primeira ordem, 183-186, 214
Correção de segunda ordem, 187-188, 219, 253
Correção relativística, 196-198
Cristal, 167, 213
Curva de ressonância, 270

D

D'Espagnat, Bernard, 3
Decaimento beta inverso, 181
Descoerência, 320
Decomposição espectral, 95
Degenerescência dupla, 188
Degenerescência
　dupla, 181-191
　elétrons, 153-154
　ordem superior, 31, 191-195
　pressão, 163-166, 188
Delta de Kronecker, 24-25
Densidade de elétrons livres, 162
Desigualdade de Bell, 316
Desigualdade de Schwarz, 72-73, 84, 326-327
Desigualdade triangular, 327
Deslocamento de fase, 301-304
Desvio de Lamb, 198
Desvio padrão, 7, 9, 11
Determinante de Slater, 154
Determinante, 330-332
Deutério, 213

Deuteron, 213
Diagonalização simultânea, 336
Diagonalização, 197, 336
Diagrama de Feynman, 310
Dieks, D., 318
Difuso (d), 160
Dimensão, 324-325
Dinâmica quântica, 249
Dipolo magnético
　energia do, 133-134, 201
　força no, 135-137
　momento, 132-133, 203-204
　momento anômalo, 200
　transição, 270
Dirac, P. A. M., 203
Distribuição de Bose-Einstein, 177
Distribuição de Fermi-Dirac, 177
Distribuição de Maxwell-Boltzmann, 177
Distribuição, 54-55
Dopagem, 168-171
Dualidade partícula/onda, 312
　duplo, 67-68

E

Efeito Aharonov-Bohm, 284, 287-289
Efeito Paschen-Back, 205
Efeito Ramsauer-Townsend, 64-65
Efeito Stark, 213, 248
Efeito Zeeman, 203-209
　campo intermediário, 207-209
　campo forte, 206
　campo fraco, 206
Efeito Zeno quântico, 321
Efeito Zeno, 321
Einstein, Albert, 2-3, 313-314, 316-317
　Bohr e, 86
　coeficientes A e B, 262-263
　fórmula massa-energia, 242
　paradoxo EPR, 313-314
Elementos, 328-329
Eletrodinâmica quântica, 200, 258-259
Elétron de valência, 162-163
Elétron
　configuração, 161-162
　fator g, 200, 211
　gás, 160-167
　momento dipolar magnético, 200-203
Emissão espontânea, 258-259, 262-270
　regras de seleção, 265-270
　tempo de vida de estados excitados, 266-268
Emissão estimulada, 258-259
Emissão, 257-259, 265
Energia cinética, 13, 195-196
Energia de Fermi, 162-163, 181
Energia de ligação, 114-115, 151
Energia térmica, 163
Energia
　conservação de, 28, 90-91, 169
　fóton, 117-118, 179
　ionização, 114-115, 220, 222
　ligação, 114-115
　potencial, 284, 286
　relativística, 196
　segunda ordem, 187-188

Energias de Bohr, 113-114, 195
Energias permitidas, 19-21, 169-170
　átomo de hélio, 156
　átomo de hidrogênio, 110-113, 198-199, 252
　bandas, 167-170
　bola quicante, 245
　oscilador harmônico, 34-35, 41-42, 141-142, 243-245
　poço função delta, 54-57
　poço quadrado finito, 61-64
　poço cúbico infinito, 102-103, 162-164, 194
　poço de potencial, 238, 246-248
　poço esférico infinito, 106-109
　poço quadrado infinito, 22-24
　potencial lei de potência, 246-250
Energias proibidas, 167-170
Equação angular, 102-106, 126
Equação característica, 334-335, 337-338
Equação de Airy, 240
Equação de continuidade, 143
Equação de Dirac, 203
Equação de Helmholtz, 303, 305
Equação de Maxwell, 284
Equação de Schrödinger dependente do tempo, 1-3, 10, 17-19, 20-21, 111-113, 147-181
Equação de Schrödinger independente do tempo, 17-19, 99-100, 111-112, 150-151, 244-245
　estados estacionários, 13-21
Equação de Schrödinger, 1-2, 99-100
　aproximação WKB, 231-248
　coordenadas esféricas, 99-110
　dependente do tempo, 1-3, 10, 17-21, 111-113, 150-181
　espaço dos momentos, 98
　forma integral (da), 302-306
　independente do tempo, 17-19, 99-100, 111-112, 150-151, 231
　normalização e, 9-12, 217
　para hélio, 229
　para hidrogênio, 109-110, 220
Equação do oscilador harmônico simples, 22-23
Equação radial, 106-110
Equilíbrio térmico, 169, 171, 173, 177
Equilíbrio, 169-171
Escalares, 323-324
Espaço com produto interno, 319
Espaço completo com produto interno, 71-72
Espaço de Hilbert aparelhado, 79-80
Espaço de Hilbert, 71-74, 79-81, 91-92
Espaço dual, 93-94, 103-104
Espaço vetorial, 323
Espalhamento de Rutherford, 394, 308, 310
Espalhamento de Yukawa, 308
Espalhamento por esfera mole, 308-309
Espalhamento por uma esfera maciça, 293, 298-299
Espalhamento, 291-311
　amplitude, 294-296
　análise de onda parcial, 297, 301-302
　ângulo, 291-295

aproximação de Born, 302-311
baixa energia, 307
deslocamento de fase, 301-304
esfera maciça, 293
esfera mole, 308-309
matriz, 69-70
teoria clássica, 293-296
Rutherford, 294, 308-310
Yukawa, 308-309
Espectro contínuo, 76-80
Espectro de corpo negro, 181-183, 264-265
Espectro degenerado, 76, 78-79, 334
Espectro discreto, 76-79
Espectro, 76, 334
corpo negro, 181-183
de uma matriz, 334
degenerado, 76, 334
hidrogênio, 117-119
linhas espectrais coincidentes, 144
Espinores, 129, 146-147
Estado 'bom', 191-195, 197-198
Estado determinado, 75-77
Estado emaranhado, 151, 314-315
Estado estacionário, 17-22
oscilador harmônico, 37
partícula livre, 46-47
poço função delta, 59-60
poço quadrado infinito, 21-24
teorema do virial, 96
Estado fundamental, 23-24, 113-115
átomo de hidrogênio, 114-115, 143, 213
elementos, 161-162
hélio, 220-224
íon de hidrogênio, 224-228, 228-230
íon de lítio, 225-227
íon da molécula de hidrogênio, 224-230
limite superior, 217, 219, 221
poço esférico infinito, 107-109
poço quadrado infinito, 23-24, 217-218
princípio variacional, 215-230
Estado metaestável, 267
Estado singleto, 138-139, 144-145, 156-157, 210, 314-315
Estado tripleto, 138, 210
Estados coerentes, 96-97
Estados de espalhamento, 53-54, 56-60, 69-70
função delta, 53-58
poço quadrado finito, 63-66
tunelamento, 235-239
Estados degenerados, 67-68, 78
Estados excitados, 23-24, 120
hélio, 120, 157-160
poço quadrado infinito, 23-24, 150
vida-média dos, 266-268
Estados ligados, 53-57, 224
degenerado, 67-68
poço quadrado finito, 61-64
princípio variacional de, 215-230
Estatística quântica, 249
Estatísticas, spin e, 152
Estrela de nêutron, 181
Estrutura de bandas, 167-170
Estrutura fina, 195-203
acoplamento spin-órbita, 195, 199-203

constante, 195
correção relativística, 195-199
hidrogênio, 195-203
Experimento de Stern-Gerlach, 136-138

F

Fase de Berry, 277-289
Fase dinâmica, 281-282
Fase geométrica, 279-283
Fase
de Berry, 277-289
dinâmica, 281-282
função de onda, 13-14, 18-19, 23-24, 29, 149, 279-281
geométrica, 279-283
Fator de Boltzmann, 262
Fator de vértice, 310-312
Fator g de Landé, 205
Fator g, 200, 211, 213
deuteron, 216
elétron, 199-201, 211
fator g, 211
Landé, 205
múon, 211
pósitron, 212-213
próton, 211
Fenômeno da chaleira vigiada, 320-322
Férmion, 149, 151-154, 164-165, 172, 174-175
finito, 60-66
Fluxo magnético, 281, 284, 287-288
Força de troca, 153-156
Forma diagonal, 336-337
Fórmula de Bohr, 113-114
Fórmula de de Broglie, 14-15, 46-47, 79-80
Fórmula de Euler, 21
Fórmula de Larmor, 265
Fórmula de Planck, 117-119 179-180, 212
Fórmula de Rayleigh, 298
Fórmula de recursão, 40-42, 112-115
Fórmula de Rodrigues, 44, 103-104
Fórmula de Rydberg, 119
Fórmula de Stefan-Boltzmann, 180
Fórmula do corpo negro de Planck, 179-180, 262
Fórmula integral de Cauchy, 304
Fórmulação de Mandelstam-Tamm, 89-90
Fórmulas de conexão, 239-246
Fóton, 117-118, 179, 258-259, 263-265
Frequência de inversão de Rabi, 256, 293
Frequência de Larmor, 134
Função associada de Legendre, 103-105, 146
Função de Airy, 242, 245-246
Função de Green, 303-304, 310-311
Função esférica de Hankel, 297
Função de Hankel, 297
Função de Legendre, 104-105
Função de Neumann esférica, 107-109
Função de Neumann, 107-109, 298
Função de onda radial, 100-102, 105-108, 110-117
Função de onda
colapso, 4, 81-82, 131-132, 312-313, 317-322
hidrogênio, 115-119
de partícula instável, 16

espaço de momentos, 83-84, 142-143
espaço de posições, 83
interpretação estatística, 2-4, 81-84
normalização, 9-12
partícula livre, 46-50
poço quadrado infinito, 23-24
radial, 100-102, 105-107, 110-117
teste, 228-230
Função degrau, 60
Função delta de Dirac, 53-61, 65, 68-69, 79-81, 189-191, 301, 304
Função esférica de Bessel, 107-109, 296
Função gama de Euler, 179
Função gama, 179
Função generalizada, 54-55
Função geratriz, 45-46
Função ímpar, 23-24
Função não normalizável, 10, 46-47, 53-54
Função quadrado-integrável, 10, 71-73
Função zeta de Riemann, 28-29, 179
Funções de onda no espaço de momento, 83-84, 142-143
Funções de onda no espaço de posições, 83
Funções pares, 21-24, 61-63
Fundamental (f), 160
Fusão, 233

G

Gamow, George, 240
Gás de elétrons livres, 162-167
Gás ideal, 176, 178-179
Gato de Schrödinger, 320-321
Gaussiana, 9, 53-54, 60, 87, 216-217, 219, 229
Gerador de rotações, 146-147
Gerador de translações em espaço, 96-97
Gerador de translações em tempo, 96-97
Gerar, 317
Gráficos de densidade, 115-119
Graus de liberdade, 181

H

Hamiltoniano, 18-20, 31-32
correção relativística, 196-198
espectro contínuo e discreto, 80-82
hélio, 158-160
hidrogênio, 109-110
Harmônicos esféricos, 104, 126
Hélio, 158-160
'banda elástica', 231-233
estado fundamental, 220-224
íon, 159-160
Hidrogênio muônico, 151, 202-203, 211
Hipótese fundamental da mecânica estatística, 171-172

I

Incompleteza, 2-3, 315, 317-318
Independência linear, 325-326
Indeterminação, 2-3, 131-132, 319
infinito, 21-30
Influência causal, 317
Influência etérea, 317
Influência superluminal, 317
Integração por partes, 12

Integral de contorno, 304
Integral de sobreposição, 226
Integral de troca, 227
Integral direta, 226
Interação de Van Der Waals, 211-212
Interação spin-órbita, 201
Interpretação de Copenhague, 3-4
Interpretação dos muitos mundos, 3-4, 322-323
Interpretação estatística de Born, 1-4
 conservação (de), 16, 142-143
 corrente (de), 15-16, 51, 142-143
 densidade (de), 7-9
 interpretação estatística generalizada, 81-84
 reflexão, 58-59
 transição, 258-260
 transmissão, 58-59
 variáveis contínuas, 7-9
 variáveis discretas, 4-7
Interpretação estatística generalizada, 81-84
Interpretação estatística, 1-4, 81-84
Intervalos, 169-170
Invariância de gauge, 149
Inversão de população, 261-262
Íon da molécula de hidrogênio, 224, 228
Íon de hidrogênio (H⁻), 224-228
Isolante, 170-171

J

Jordan, Pascual, 3

K

Ket, 93-94

L

Laplaciano, 99-100
Laser, 259
Lei de Biot-Savart, 199
Lei de força de Lorentz, 147-149, 284
Lei de Hooke, 29-30
Lei do deslocamento de Wien, 182
Levantamento da degenerescência, 189
Ligação covalente, 156-157
Ligação, 156-157
Limite de Chandrasekhar, 181
Linha de 21 cm, 210
Linhas espectrais coincidentes, 144
Localidade, 313-319
Luminosidade, 293-294

M

Magneto de Bohr, 205
Máquina copiadora quântica, 318
Massa reduzida, 150-151
Matriz anti-hermitiana, 331
Matriz antissimétrica, 331
Matriz coluna, 329
Matriz de transferência, 69-70
Matriz hermitiana, 331, 332
Matriz inversa, 331-332
Matriz linha, 329
Matriz normal, 337-338
Matriz ortogonal, 332

Matriz simétrica, 331
Matriz singular, 331-332
Matriz unidade, 331-332
Matriz unitária, 330-332
Matriz zero, 334
Matriz, 71-72, 327-332
 anti-hermitiana, 331
 autovetores e autovalores, 334-338
 coluna, 329
 conjugada, 329-331
 conjugado hermitiano (adjunto), 338-339
 determinante, 330-332
 diagonalizada simultaneamente, 337-345
 elemento, 92, 96, 328-329
 equação característica, 334-335
 espectro, 334
 forma diagonal, 336-337
 função da, 341
 imaginária, 331
 linha, 329
 ortogonal, 331-332
 real, 331
 similar, 333-334
 transformação hermitiana, 339-340
 singular, 331-332
 spin, 129-130, 145-146
 transposta, 329-331
 unidade, 330-331
 unitária, 330-332
 zero, 334
Matrizes autoadjuntas, 331
Matrizes de spin de Pauli, 129-130, 132
Matrizes similares, 332-333
Matriz-S, 69-70
Mecânica estatística, 169-180
Mecânica estatística quântica, 169-180
Mecânica quântica supersimétrica, 31-32
Média
 sobre direções, 259-161
 sobre polarizações, 260
Mediana, 6-7
Medida, 1-4, 27-28
 destrutiva, 319-321
 interpretação estatística generalizada, 81-84
 indeterminação, 75-76
 paradoxo do gato, 319
 princípio da incerteza, 86
 sequencial, 95-96
Medidas destrutivas, 319-321
Meia-vida, 267-268
Meio-oscilador harmônico, 67, 247
Mermin, N. David, 3-4, 316-318
Méson, 128, 141, 313
Método CLOA, 225
Método das séries de potência, 31-32, 39-40, 111-113
Método de Frobenius, 39-40
Método do 'cachorro sacudindo o rabo', 41-42, 70
Misra, B., 320
Modelo de Kronig-Penney, 166-169
Modos de decaimento, 264

Módulo de compressibilidade, 164-167
Molécula de hidrogênio, 153-157, 224
Molécula, 67-68, 155-156, 228
Momento, 11-14
 angular, 119-128
 autofunções/ autovalores, 79-80
 canônico, 149
 fórmula de De Broglie, 14-16
 operador, 13-14, 31-32, 74-76, 79, 99-100
 transferência, 307
Momento angular intrínseco, 127-128
Momento angular orbital, 127-128
Momento angular semi-inteiro, 123, 126, 147-148, 151-152
Momento angular, 119-127
 autofunções, 124-128
 autovalores, 119-125
 conservação, 124-125
 intrínseco, 127-128
 orbital, 127-128
 relação de comutação, 120, 123-125, 127-128
 soma, 137-141
 spin, 127-142
Momento canônico, 149
Momento dipolar
 elétrico, 260
 magnético, 132-134, 199-200
Momento dipolar elétrico, 217-218, 260
Momento magnético anômalo, 200
Movimento cíclotron, 147-148
Movimento nuclear, 150-151, 157
Multiplicação por um escalar, 324-325
Multiplicadores de Lagrange, 174-176
Múon, 230
Muônio, 211

N

Não localidade, 316-317, 319
Níveis de Landau, 146
Nó, 24-25
Nomenclatura, atômica, 160-161
Norma de um vetor, 326
Normalização, 9-12, 27-28, 72-73
 coordenadas esféricas, 104-105
 função de onda, 9-12
 hidrogênio, 115
 oscilador harmônico, 22, 34-37
 partícula livre, 46-47
 princípio variacional, 215-230
 sistemas de duas partículas, 149-154
 vetor, 323-325
Notação de Dirac, 91
Número de ocupação, 170-171
Número de onda, 295
Número quântico 'bom', 202, 206-208
Número quântico azimutal, 105
Número quântico magnético, 105
Número quântico principal, 112-113
Número quântico, 105, 107-108
 azimutal, 77, 103-105
 'bom', 202, 206-208
 magnético, 105
 momento angular, 119
 principal, 112-113

O

Observador, 4, 321
Observáveis compatíveis, 85-86
Observáveis incompatíveis, 85-86
Observáveis, 73-79
  estados determinados, 75-77
  incompatíveis, 85-86
  operadores hermitianos, 73-78
Onda eletromagnética, 259-261
Onda incidente, 57-59
Onda refletiva, 57-59
Onda sinusoidal, 47
Onda transmitida, 57-59
Operador anti-hermitiano, 95
Operador aumentador, 33-34, 120-121, 125-126
Operador de abaixamento, 33-34, 121, 125-126
Operador de deslocamento, 97-98, 167-168
Operador de projeção, 93-95
Operador de troca, 152-153
Operador derivada, 71
Operador hermitiano, 73-76, 200-202
  autofunções, 76-82, 339-340
  autovalores, 76-82, 339-340
  espectro contínuo, 76-82
  espectro discreto, 73-77
Operador idempotente, 94-95
Operador identidade, 94-95
Operador linear, 73-74
Operador, 13
  abaixador, 33-35, 120-121, 125-126
  anti-hermitiano, 95
  aumentador, 33-35, 120-121
  comutantes, 31-32
  escada, 31-33, 120-122, 125-126
  Hamiltoniano, 19-20
  Hermitiano, 73-76
  identidade, 94-95
  linear, 73-74
  momento, 13-14, 31-32
  notação de Dirac, 91
  posição, 13-14, 79-81
  projeção, 94-95
  troca, 152-153
Operadores anti-hermitianos, 95
Operadores comutantes, 31-33, 133
Operadores escada, 31-32, 33-34, 120-122, 125-126
Orbital, 159-160
Ortogonalidade, 24-25
  autofunções, 77-79
  funções, 72-73
  funções de onda do hidrogênio, 115-118
  harmônicos esféricos, 115-118
  procedimento de Gram-Schmidt, 78-79, 326-327
  vetores, 323-325
Ortogonalização de Gram-Schmidt, 78-79, 326-327
Ortohélio, 158-159
Ortonormalidade de Dirac, 79-81
Ortonormalidade, 24-25, 37
  autofunções, 79
  Dirac, 80-81, 94-95
  funções, 72-73
  vetores, 323-325
Oscilação de neutrino, 91
Oscilador harmônico, 29-46
  autoestados, 34-35
  energias permitidas, 34-35, 244-247
  estados coerentes, 96-97
  método algébrico, 31-39
  método analítico, 38-46
  perturbado, 189-190, 292-293
  tridimensional, 141-142

P

Pacote de onda gaussiano, 51-52, 67, 87, 98
Pacote de onda, 47-51
  gaussiana, 51, 67, 87, 98
  incerteza mínima, 87
Pacote de ondas de incerteza mínima, 87
Paradoxo do gato, 320
Paradoxo EPR, 313-314, 316-317
Parahélio, 158-159
Parâmetro de impacto, 291-292
Partícula instável, 16
Partícula livre, 45-54, 89-91
Partículas distinguíveis, 154
Partículas idênticas, 147-181
  mecânica estatística, 169-180
  sistemas de duas partículas, 150-157
  sólidos, 162-163
Partículas indistinguíveis, 152
Pauli, Wolfgang, 3-4
Pêndulo de Foucault, 278-279
Perturbação incoerente, 262-264
Perturbação sinusoidal, 255
Poço cúbico infinito, 102-103, 163-165
Poço duplo, 67-68, 250-252
Poço esférico infinito, 106-108
Poço potencial
  duas paredes verticais, 233
  sem paredes verticais, 244
  uma parede vertical, 243-244
Poço quadrado
Poço quadrado finito, 60-66
  largo, profundo, 62-63
  raso, estreito, 62-64
Poço quadrado infinito, 21-30
  aproximação WKB, 233-235
  parede móvel, 66-67, 275-277, 291-292
  princípio variacional, 215-230
  teoria de perturbação, 182-186
Polarização, 261
Polinômio associado de Laguerre, 115-118
Polinômio de Hermite, 43-47
Polinômio de Laguerre, 115-118
Polinômio de Legendre, 95, 103-104
Ponto de retorno, 53-54, 231, 237, 239-247
Ponto quântico, 233-234
Posição ortodoxa, 2-4, 312-313
Posição realista, 2-4, 131, 312-315
Posição
  autofunções/autovalores, 79-81
  interpretação estatística generalizada, 83-54
  operador, 13
Positrônio, 148, 211
Potencial de Coulomb, 109-110, 115-118, 157, 159-160, 296, 308-309
Potencial de Yukawa, 229, 308-309
Potencial efetivo, 104-107
Potencial escalar, 284
Potencial esfericamente simétrico, 301, 308
Potencial função delta, 54-61, 168
  barreira, 59-60
  camada, 224-225, 304
  em movimento, 68-69
  estado ligado, 55-57
  estados de espalhamento, 56-59
  fonte, 304
  pico, 189, 191, 197-198
  poço, 54-60
Potencial lei de potência, 246
Potencial químico, 177-179
Potencial secante hiperbólica quadrática, 68-69, 249-250
Potencial sem reflexão, 69
Potencial vetor, 147-149
Potencial, 17
  Coulomb, 115-118
  degrau, 65-66
  efetivo, 105-107
  escalar, 384
  esfericamente simétrico, 308
  função delta, 53-61
  Kronig-Penney, 166
  poço quadrado finito, 60-66
  poço quadrado infinito, 21-23
  químico, 177-178
  sem reflexão, 69
  vetor, 147-149
  Yukawa, 229, 308-309
Precessão de Larmor, 134-136
Precessão de Thomas, 200-201
Preciso (sharp), 159-160
Principal (p), 160
Princípio da exclusão de Pauli, 152, 159-160, 162-165, 170
Princípio da incerteza de Heisenberg, 13-15, 84-91, 100-101
Princípio da incerteza expandido, 97
Princípio da incerteza generalizado, 84-87
Princípio da incerteza momento e posição, 85-87
Princípio da incerteza para a energia-tempo, 87-91
Princípio da incerteza, 13-15, 84-91, 100-101
  energia/tempo, 87-91
  expandido, 97
  generalizado, 84-87
  pacote de onda de incerteza mínima, 87
Princípio de exclusão, 152, 159-160, 162-163, 164-165, 170
Princípio variacional, 215-230
  estado fundamental do hélio, 220-224
  íon de molécula de hidrogênio, 224-228
Probabilidade de transição, 255-256
Probabilidade, 4-9
Processo adiabático, 271-273
Processo não holonômico, 280-282
Produto escalar, 325
Produto interno, 71-73, 325-327

Produto vetorial, 325
Propagador, 311-312

Q

Quantização de fluxo, 286
Quark, 142

R

Radiação, 257-264
Radiação dipolar elétrica, 260
Raio clássico do elétron, 128
Raio de Bohr, 113-114, 155
Raio,
  Bohr, 113, 197
  elétron clássico, 128
Razão giromagnética, 134-135
Rede de Dirac, 164-165
Região clássica, 232, 239
Regra de ouro de Fermi, 261
Regra de ouro, 261
Regras de Hund, 158-159
Regras de seleção, 265-268
Relação de comutação canônica, 32-33, 145
Relação de dispersão, 50
Relação de Kramers, 212
Relação de Pasternack, 212
Representação de Heisenberg, 98
Representação de Schrödinger, 98
Repulsão de Coulomb, 230
Ressonância magnética, 269
Ressonância magnética nuclear, 269
Rotor rígido, 128

S

Salto quântico, 119, 249
Seção de choque, 292-295
Seção de choque de espalhamento diferencial, 292
Seção de choque total, 292-294, 298-300
Semicondutor, 168
Separação de variáveis, 17-18, 101-103
Separação hiperfina, 195, 209-211
Série adiabática, 289
Série de Balmer, 120
Série de Born, 309-311
Série de Fourier, 25
Série de Lyman, 120
Série de Paschen, 120
Série de Stirling, 174
Série de Taylor, 30-31, 340
Série geométrica, 184-185
Símbolo de Levi-Civita, 132
Simetria
  cúbica, 213
  ortorrômbica, 213
  tetragonal, 213
Simetrização, 150-151, 172
Sistema conservativo, 1
Sistemas de dois níveis, 250-256
Solenoide, 284-288
Sólido 'frio', 164-166
Sólidos, 16, 162-171
  estrutura de bandas, 167-171
  gás de elétrons livres, 163-167
Solução gráfica, 62-64, 108-109

Solução separável, 17-21, 46-50
Soma de momento angular, 137-142
Sommerfeld, A., 162-163
  Spin, 127-142
  Down, 129
  estado emaranhado, 314-315
  estatísticas e, 152
  forças de troca, 156-157
  matriz, 129-130, 133-134, 145-146
  meio, 129-132
  singleto, 139
  tripleto, 138
  um, 132-133, 139-140
  up, 129
  zero, 139-140
Sudarshan, E. C. G., 320
Supercondutor, 286
Superfície de Fermi, 164-165

T

Tabela periódica, 157-160
Taxa de transição, 260-264
Temperatura crítica, 179
Temperatura de Fermi, 166
Temperatura, 169, 177-180
Tempo de restauração, 66-67
Tempo de vida, 68, 89-90, 238
  estado excitado, 263-265
Tempo de vida do núcleo, 238
Teorema adiabático, 271-277
Teorema da equipartição, 181
Teorema de Bell, 314-318
Teorema de Bloch, 167-169
Teorema de Dirichlet, 25, 51
Teorema de Ehrenfest, 13-14, 38-39, 68-69, 100-101, 134, 276-277
Teorema de Feynman-Hellmann, 214-215
Teorema de não clonagem, 319-321
Teorema de Plancherel, 47, 51-52, 60, 79-80
Teorema de Taylor, 39-40
Teorema do virial, 96, 141-143
Teorema fundamental da álgebra, 334
Teorema ótico, 312
Teoria clássica do espalhamento, 293-297, 310-311
Teoria da perturbação independente do tempo, 187, 215
  degenerada, 188-195
  não degenerada, 182-188
Teoria de Gamow do decaimento alfa, 236-238
Teoria de grupo, 141
Teoria de perturbação degenerada, 188-195
Teoria de perturbação dependente do tempo, 249-270
  em sistemas de dois níveis, 250-256
  regra de ouro, 261
Teoria de perturbação não degenerada, 182-188
Teoria de perturbação
  dependente do tempo, 249-270
  independente do tempo, 187
  primeira ordem, 183-186
Termo centrífugo, 106-107

Termo de Darwin, 201
Traço, 333
Transformação
  hermitiana, 339-340
  linear, 71, 327-328
  unitária, 340
Transformação de gauge, 149, 287
Transformação hermitiana, 339-340
Transformação linear, 71, 73-75, 327-328
Transformada de Fourier inversa, 47
Transformada de Fourier, 47, 60, 83
  inversa, 47
Transição, 116-118, 253-254
  permitida, 272-274
  proibida, 270, 273-274
Transição quadripolar elétrica, 272-274
Transições dipolares elétricas, 272-274
Transições permitidas, 269-270, 272-274
Transições proibidas, 269-270, 272-274
Transposta, 329
Tunelamento, 23-24, 69-70, 235-239
  no efeito Stark, 248

V

Valor esperado, 6, 11-12
  derivada temporal, 88-90
  estado estacionário, 18-19
  Hamiltoniano, 27-28, 134
  interpretação estatística generalizada, 82-83
  oscilador harmônico, 38
  teorema de Ehrenfest, 13, 38, 100
Valor médio, 6-7
Variância, 7
  Variáveis
  contínuas, 7-9
  discretas, 4-7
  ocultas, 3-4, 315-319
  separação de, 17-18, 100-103
Variável escondida, 2-4, 314-315
Velocidade clássica, 46-47, 49-51
Velocidade de fase, 49-51
Velocidade de grupo, 49
Velocidade, 12
  clássica, 46-47, 49-51
  fase, 49
  grupo, 49
Vetor de onda, 161
Vetor nulo, 325
Vetor unidade, 327
Vetor, 71, 323, 325
  mudança de base, 332-333
  notação de Dirac, 91-92
  unidade, 327
  zero, 323

W

Wigner, Eugene, 4, 320
Wootters, William, 318

Z

Zona de radiação, 296
Zurek, W. H., 318

Equações fundamentais

Equação de Schrödinger

$$i\hbar \frac{\partial \Psi}{\partial t} = H\Psi$$

Equação de Schrödinger independente do tempo

$$H\psi = E\psi, \qquad \Psi = \psi e^{-iEt/\hbar}$$

Operador Hamiltoniano

$$H = -\frac{\hbar^2}{2m}\nabla^2 + V$$

Operador de momento

$$\mathbf{p} = -i\hbar \nabla$$

Dependência do tempo de um valor esperado

$$\frac{d\langle Q \rangle}{dt} = \frac{i}{\hbar}\langle [H, Q] \rangle + \left\langle \frac{\partial Q}{\partial t} \right\rangle$$

Princípio de incerteza generalizada

$$\sigma_A \sigma_B \geq \left| \frac{1}{2i} \langle [A, B] \rangle \right|$$

Princípio de incerteza de Heisenberg

$$\sigma_x \sigma_p \geq \hbar/2$$

Comutador canônico

$$[x, p] = i\hbar$$

Momento angular

$$[L_x, L_y] = i\hbar L_z, \qquad [L_y, L_z] = i\hbar L_x, \qquad [L_z, L_x] = i\hbar L_y$$

Matrizes de Pauli

$$\sigma_x = \begin{pmatrix} 0 & 1 \\ 1 & 0 \end{pmatrix}, \qquad \sigma_y = \begin{pmatrix} 0 & -i \\ i & 0 \end{pmatrix}, \qquad \sigma_z = \begin{pmatrix} 1 & 0 \\ 0 & -1 \end{pmatrix}$$

Constantes fundamentais

Constante de Planck $\quad \hbar = 1{,}05457 \times 10^{-34}$ Js

Velocidade da luz $\quad c = 2{,}99792 \times 10^{8}$ m/s

Massa de um elétron $\quad m_e = 9{,}10938 \times 10^{-31}$ kg

Massa de um próton $\quad m_p = 1{,}67262 \times 10^{-27}$ kg

Carga do próton $\quad e = 1{,}60218 \times 10^{-19}$ C

Carga do elétron $\quad -e = -1{,}60218 \times 10^{-19}$ C

Permissividade do espaço $\quad \epsilon_0 = 8{,}85419 \times 10^{-12}$ C^2/J m

Constante de Boltzmann $\quad k_B = 1{,}38065 \times 10^{-23}$ J/K

Átomo de hidrogênio

Constante de estrutura fina

$$\alpha = \frac{e^2}{4\pi\epsilon_0 \hbar c} = 1/137{,}036$$

Raio de Bohr

$$a = \frac{4\pi\epsilon_0 \hbar^2}{m_e e^2} = \frac{\hbar}{\alpha m_e c} = 5{,}29177 \times 10^{-11} \text{ m}$$

Energias de Bohr

$$E_n = -\frac{m_e e^4}{2(4\pi\epsilon_0)^2 \hbar^2 n^2} = \frac{E_1}{n^2} \quad (n = 1, 2, 3, \ldots)$$

Energia de ligação

$$-E_1 = \frac{\hbar^2}{2m_e a^2} = \frac{\alpha^2 m_e c^2}{2} = 13{,}6057 \text{ eV}$$

Estado fundamental

$$\psi_0 = \frac{1}{\sqrt{\pi a^3}} e^{-r/a}$$

Fórmula de Rydberg

$$\frac{1}{\lambda} = R\left(\frac{1}{n_f^2} - \frac{1}{n_i^2}\right)$$

Constante de Rydberg

$$R = -\frac{E_1}{2\pi\hbar c} = 1{,}09737 \times 10^7 \ /\text{m}$$

Fórmulas matemáticas

Trigonometria

$$\text{sen}(a \pm b) = \text{sen}\,a \cos b \pm \cos a \,\text{sen}\,b$$
$$\cos(a \pm b) = \cos a \cos b \mp \text{sen}\,a\,\text{sen}\,b$$

Lei dos cossenos

$$c^2 = a^2 + b^2 - 2ab\,\cos\theta$$

Integrais

$$\int x\,\text{sen}(ax)\,dx = \frac{1}{a^2}\text{sen}(ax) - \frac{x}{a}\cos(ax)$$
$$\int x\,\cos(ax)\,dx = \frac{1}{a^2}\cos(ax) + \frac{x}{a}\text{sen}(ax)$$

Integrais exponenciais

$$\int_0^\infty x^n e^{-x/a}\,dx = n!\,a^{n+1}$$

Integrais Gaussianas

$$\int_0^\infty x^{2n} e^{-x^2/a^2}\,dx = \sqrt{\pi}\,\frac{(2n)!}{n!}\left(\frac{a}{2}\right)^{2n+1}$$

$$\int_0^\infty x^{2n+1} e^{-x^2/a^2}\,dx = \frac{n!}{2}a^{2n+2}$$

Integrais por partes

$$\int_a^b f\frac{dg}{dx}dx = -\int_a^b \frac{df}{dx}g\,dx + fg\Big|_a^b$$